BERTRAND GAHEL

Le Guide de la Moto 2007

LA BIBLE DES MOTOCYCLISTES

LES GUIDES
MOTOCYCLISTES

Pour leur soutien et les divers services qu'ils ont rendus et qui ont aidé la réalisation du Guide de la Moto 2007, nous tenons à sincèrement remercier les gens et les commerces suivants. Merci à tous et à toutes.

Christian Lafrenière et Christian Dubé de CRI agence
Steven Graetz du Studio Graetz
Karen Caron
Jack Gramas, tout le personnel de l'ASM et les signaleurs
Charles Gref de Moto Internationale
Didier Constant
John Campbell
John Moloney
Len Creed
Raymond Calouche
Martin Gaudreault et Alain Nicol de AMI Sport
Pete Thibaudeau
Christian Touchais et Alain Trottier de Monette Sports
Euro Moto
Moto Ducharme
Claude Ste-Matie Sports
Centre Moto Folie
Et bien entendu merci à tous
les contacts chez les manufacturiers.
Ils se reconnaîsent et savent l'importance
qu'ils ont pour Le Guide de la Moto.

Graphisme : CRI agence
Chargé de projet : Pascal Meunier
Direction artistique : Philippe Lagarde
Infographie : Julie Welburn, Marie-Ève Gallienne, Stéphanie Létourneau, Claude Lemieux
Révision du français : Anabelle Morante
Révision technique : Ugo Levac
Rédacteur section hors-route : Claude Léonard
Éditeur, rédacteur en chef : Bertrand Gahel
Impression : Imprimerie Transcontinental
Représentant : Robert Langlois (514) 294-4157

LES GUIDES MOTOCYCLISTES
Téléphone : (450) 583-6215
Télécopieur : (450) 583-6201
Adresse Internet : info@leguidedelamoto.com
Site Internet : www.leguidedelamoto.com

ÉDITIONS ANTÉRIEURES
Des éditions antérieures du Guide de la Moto sont offertes aux lecteurs qui souhaiteraient compléter leur collection. Les éditions antérieures peuvent être obtenues uniquement par service postal. Voici la liste des éditions que nous avons encore en stock ainsi que leur description :
- 2006 (français, 400 pages en couleurs)
- 2005 (français, 368 pages en couleurs)
- 2004 (français, 300 pages en couleurs)
- 2003 (français, 300 pages en couleurs)
- 2002 (français, 272 pages en couleurs)
- 2001 (français, 256 pages en noir et blanc avec section couleur)
- 2000 (français ou anglais, 256 pages en noir et blanc avec section couleur)
- 1999 (épuisée)
- 1998 (épuisée)

Pour commander, veuillez préparer un chèque ou un mandat postal à l'ordre de :

Le Guide de la Moto et postez-le au : C.P. 904, Verchères QC. J0L 2R0.
Le coût total par Guide est : 30 $ pour les éditions 2006, 2005 (possiblement avec de très mineures imperfections), 2004 ou 2003, 25 $ pour l'édition 2002 (possiblement avec de très mineures imperfections), 20 $ pour l'édition 2001 et 15 $ pour l'édition 2000.

IMPORTANT : N'oubliez pas de préciser quelle(s) édition(s) vous désirez commander et d'inclure votre nom et votre adresse au complet écrits de manière lisible, pour le retour! Les commandes sont en général reçues dans un délai de trois à quatre semaines.

Dépôt légal : Quatrième trimestre 2006
Bibliothèque nationale du Québec
Bibliothèque nationale du Canada
ISBN : 2-9809-1461-4
Imprimé et relié au Québec

La victoire vous va très bien.

La technologie de pointe remporte la victoire. Imaginez-vous aux commandes de la GSX-R1000 la plus puissante de l'histoire, le meilleur de la technologie rugissant sous votre selle. Imaginez que vous dominez vos adversaires, du départ à l'arrivée. Ce n'est pas un rêve. C'est la GSX-R1000 et elle est prête, dès aujourd'hui, dès sa sortie de la concession. Tout ce qu'il vous faut pour gagner, c'est une piste de course.

GSX-R 1000
Dominez la piste

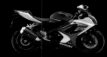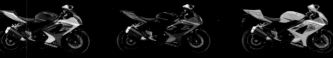

Un mode de vie !

TABLE DES MATIÈRES

Performances et apparence classique.

Produisant une puissance et une accélération habituellement réservées à des machines beaucoup plus grosses, la toute nouvelle Vulcan 900 Custom offre aussi une apparence tout à fait unique. Avec sa roue avant coulée de 21 po et ses performances en tête de catégorie, la Vulcan 900 Custom allie parfaitement puissance exceptionnelle et apparence élégante. Ajoutez à cela un gros pneu arrière et un carénage sculpté, et la Vulcan 900 Custom est la machine idéale pour découvrir les joies du pilotage. Prenez l'autoroute ou garez-vous devant votre café préféré. La nouvelle Vulcan 900 Custom est prête quand vous l'êtes.

Kawasaki

kawasaki.ca

Il est un moment, dans le processus d'essai, que j'aime appeler un moment de clarté. La circonstance exacte où ce moment survient varie beaucoup. Parfois, c'est en souriant parce que je suis chatouillé par le tremblement du V-Twin d'une custom. Parfois, c'est en sentant l'avant quitter le sol alors que je suis encore en peine inclinaison, à la sortie d'une courbe, en piste. Et parfois, c'est tout simplement en m'arrêtant dans un endroit isolé et en faisant quelques pas en arrière pour réfléchir à la moto de laquelle je viens de descendre. On parle généralement d'essais en termes de jours et même de semaines, mais la vérité est qu'il ne faut que quelques secondes pour comprendre une moto. L'essai reste un outil nécessaire pour arriver à ces quelques instants de clarté, mais c'est vraiment à l'intérieur de ce très court laps de temps que le vrai contact avec la machine s'établit. Je crois que l'image qui s'imprime alors à jamais dans ma mémoire est en quelque sorte celle de l'âme de la moto. Je crois — enfin, j'espère — qu'elle illustre ce qu'est cette moto dans l'absolu, sans interférences d'aucune nature.

J'aime penser que *Le Guide de la Moto* est un assemblage de tous ces moments, et que les lecteurs qui le consultent, vous, arrivez au moins à ressentir un peu ce que j'ai ressenti durant ces instants. La responsabilité est grande puisqu'après tout près d'une quinzaine d'années de métier et quelques centaines de motos abusées, on demande, et avec raison, que le gars ne raconte pas n'importe quoi. Car sur ces impressions, sont souvent basés des achats. Or, et je ne cesse de m'en étonner, il semble que malgré la variété toujours grandissante de montures offertes sur le marché, le nombre de modèles qui représentent LE choix idéal pour un motocycliste et ses besoins, soit souvent réduit à une ou deux options.

Parlant de modèles et de choix, vous remarquerez que le Guide ouvre en 2007 ses couvertures de manière simple mais directe non seulement aux scooters, mais aussi, pour la première fois, aux motos hors-route. Et comme j'avoue sans la moindre gêne être la dernière personne qui devrait se prononcer sur ces très particulières deux-roues, j'ai demandé à un type tombé dedans quand il était petit, un dénommé Claude Léonard, de résidence inconnue, de se charger de la classification, des opinions et des recommandations faites dans cette section. Un geste que je n'aurais par ailleurs jamais posé si je n'étais pas convaincu de l'intégrité du gars et de sa crédibilité en matière de hors-route. En fait, compte tenu de son bagage en termes de vécu et de connaissances dans le domaine de la moto, je considère que c'est un honneur de lui ouvrir les pages du Guide. OK, ça va faire le flattage.

Voilà donc ce qui résume le contenu — et la provenance de celui-ci — de cette 13e édition du Guide de la Moto. En espérant qu'il vous renseignera de manière à ce que vous trouviez VOTRE moto, il ne me reste qu'à vous faire les usuels vœux de bonne lecture et de bonne route.

Prudence, et à l'an prochain,
Bertrand Gahel

LES LÉGENDES

Toutes les données figurant dans les fiches techniques proviennent de la documentation de presse des constructeurs. Elles sont mises à jour avec les modèles courants et changent donc occasionnellement même si la moto n'a pas été modifiée. Les puissances sont toujours mesurées en usine par les constructeurs et représentent donc des chevaux «au moteur» et non à la roue arrière. Les performances représentent des moyennes générées par le Guide de la Moto. Il s'agit d'attributs qui peuvent toutefois être dupliqués par un bon pilote, dans de bonnes conditions. Les vitesses de pointes sont mesurées et non lues sur les instruments de la moto, qui sont habituellement optimistes par une marge de 10 à 15 pour cent. Les poids sont toujours donnés à sec, ce qui signifie sans essence, huile, liquide de frein, liquide de batterie, liquide de refroidissement, etc. Enfin, les prix indiqués sont les prix de détail suggérés par les manufacturiers. Les prix en magasin peuvent varier selon la volonté de l'établissement de baisser ou hausser ce montant.

général

catégorie	Sportive
prix	15 699 $
garantie	1 an/kilométrage illimité
couleur(s)	noir, bleu, argent
concurrence	BMW K1200S, Suzuki GSX1300R Hayabusa

EXPERT E
INTERMÉDIAIRE I
NOVICE N

partie cycle

type de cadre	monocoque, en aluminium
suspension avant	fourche inversée de 43 mm ajustable en précharge, compression et détente
suspension arrière	monoamortisseur ajustable en précharge, compression

moteur

type	4-cylindres en ligne 4-temps, DACT, 4 soupapes par cylindre, refroidissement par liquide
alimentation	injection à 4 corps de 43 mm
rapport volumétrique	12,7:1
cylindrée	1 352 cc

RAPPORT VALEUR/PRIX

Le Rapport Valeur/Prix du Guide de la Moto indique la valeur d'un modèle par rapport à son prix. Une moto peu dispendieuse et très généreuse en caractéristiques se mérite la plus haute note, tandis qu'une moto très dispendieuse qui n'offre que peu de caractéristiques intéressantes mérite une note très basse. Une évaluation de 7 sur 10 représente « la note de passage ». Tout ce qui est au-dessus représente une bonne valeur, et tout ce qui est en dessous une mauvaise valeur, à plusieurs degrés.

La note de 10/10 n'est donnée que très rarement au travers du Guide. Elle représente une valeur imbattable à tous les points de vues. Elle est généralement accordée à des montures affichant un prix budget, mais qui offrent des caractéristiques très généreuses.

La note de 9/10 est donnée à des montures de très haute valeur, soit parce que leur prix est peu élevé pour ce qu'elles ont à offrir, soit parce qu'elles offrent un niveau de technologie très élevé pour un prix normal, comme c'est le cas pour plusieurs sportives, par exemple.

La note de 8/10 est donnée aux montures qui représentent une valeur supérieure à la moyenne. Le prix n'est pas nécessairement bas, mais la qualité et les caractéristiques de ce qu'on achète restent élevées.

La note de 7/10 est donnée aux montures qui affichent un prix plus ou moins équivalent à leur valeur. On paie pour ce qu'on obtient, pas plus, pas moins.

La note de 6/10 est donnée aux modèles qui, sans nécessairement être de mauvaises motos, sont trop chères par rapport à ce qu'elles ont à offrir.

La note de 5/10 est donnée aux modèles dont la valeur est médiocre, soit parce qu'ils sont carrément trop chers, soit parce qu'ils sont simplement désuets. À ce stade, ils ne sont pas recommandés par *Le Guide de la Moto*.

INDICE D'EXPERTISE

L'indice d'expertise du Guide de la Moto est un indicateur illustrant l'intensité ou la difficulté de pilotage d'un modèle, et donc le niveau d'expérience que doit détenir son pilote. D'une manière générale, plus les graduations « allumées » sont élevées et peu nombreuses dans l'échelle, plus il s'agit d'une monture destinée à une clientèle expérimentée, comme une Suzuki GSX-R1000. À l'inverse, plus les graduations « allumées » sont peu nombreuses et basses sur l'échelle, plus il s'agit d'une monture destinée à une clientèle novice, comme une Kawasaki ZZR250. Il est à noter qu'il n'existe aucune étude liant directement la puissance ou la cylindrée aux accidents. En raison de leur nature pointue, certaines sportives peuvent toutefois surprendre un pilote peu expérimenté, tandis que le même commentaire est valable pour une monture peu puissante, mais lourde ou haute. De telles caractéristiques ont pour conséquence de repousser l'étendue des graduations « allumées » vers le côté Expert de l'indice. À l'inverse, certaines montures, même puissantes, ont un comportement général relativement docile, comme une Honda VFR800. D'autres ont une grosse cylindrée, mais sont faciles à prendre en main, comme une Yamaha V-Star 1100. De telles caractéristiques ont pour conséquence d'élargir l'étendue des graduations « allumées » vers le côté Novice de l'indice, puisqu'il s'agit à la fois de modèles capables de satisfaire un pilote expérimenté, mais dont le comprtement relativement calme et facile d'accès ne devrait pas surprendre un pilote moins expérimenté. Ainsi, chaque graduation de plus indique des réactions un peu plus intenses ou un niveau de difficulté de pilotage un peu plus élevé, tandis que chaque graduation en moins indique une plus grande facilité de prise en main et une diminution du risque de surprise lié à des réactions inhérentes au poids ou à la performance. L'information donnée par l'indice d'expertise en est donc une qu'on doit apprendre à lire, et qui doit être interprétée selon le modèle.

«Je regardai, et voici, parut des ténèbres un cheval noir.»

Apocalypse 6:5-6

La nouvelle Night Rod^{MD} Special est la révélation que vous attendiez. Imprégnée d'un noir abîme avec un moteur d'enfer Revolution^{MD} de 1130 cc et des pneus infernaux de 240 mm, elle s'agencera à merveille à votre côté sombre. Voyez-en plus au www.harleycanada.com.

Un sérieux plaisir.

Il y a un sérieux plaisir à posséder une motocyclette qui se comporte de façon aussi sportive qu'elle en a l'air.

Les nouvelles BMW F800S et F800ST en sont la preuve irréfutable. Avec le tout nouveau moteur à deux cylindres refroidi à l'eau de BMW Motorrad, qui développe une puissance de 85 ch et un couple de 86 N.m, plus rien ne vous arrête. Pour découvrir quel sérieux plaisir vous attend, rendez-vous au http://www.bmw-motorrad.ca ou chez le concessionnaire BMW Motorrad de votre localité.

F800ST

Aucune moto n'est pensée comme une BMW.

F800S
F800ST

bmw-motorrad.ca

LE **SALON** DE LA **MOTO** ET DU **VTT** DE **QUÉBEC**

9, 10 ET 11 FÉVRIER 2007
CENTRE DE FOIRES DE QUÉBEC

VENDREDI : 12 h à 22 h
SAMEDI : 10 h à 22 h
DIMANCHE : 10 h à 17 h

ADMISSION : 10 $ (TAXES INCLUSES)
WWW.SALONMOTOQUEBEC.COM

ExpoCité
Centre de foires de Québec

LE **SALON** DE LA **MOTO** DE **MONTRÉAL**

23, 24 ET 25 FÉVRIER 2007
PALAIS DES CONGRÈS DE MONTRÉAL

VENDREDI : 12 h à 22 h
SAMEDI : 10 h à 22 h
DIMANCHE : 10 h à 17 h

ADMISSION : 12 $ (TAXES INCLUSES)
WWW.SALONMOTOMONTREAL.COM

Place-
d'Armes

GARDEZ LE CONTACT AVEC VOTRE PASSION

VENEZ DÉCOUVRIR LES GAMMES COMPLÈTES DES GRANDS MANUFACTURIERS

MOTOS, VTT, SCOOTERS, VÊTEMENTS ET ACCESSOIRES.

BMW

K1200LT	(-2 490)	27 500
K1200GT	(-1 850)	23 750
K1200S	(-2 500)	20 000
K1200R	(-2 490)	19 200
R1200RT	(-2 100)	21 500
R1200ST	(+0)	19 500
R1200S	(-500)	18 500
R1200GS	(-700)	18 000
R1200GS Adventure	(+0)	20 000
HP2 Enduro	(+1 250)	24 250
R1200R	(+800)	16 000
G650X Moto	-----	11 500
G650X Challenge	-----	11 000
G650X Country	-----	10 500
F650GS	(-1 300)	9 500
F650GS Dakar	(-1 200)	10 400

BUELL

Firebolt XB9R	(-820)	11 699
Firebolt XB12R	(-940)	12 449
Ulysses XB12X	(-1 050)	13 649
Lightning XB9SX City X	(-820)	10699
Lightning XB12S	(-940)	12 449
Lightning XB12Scg	(-940)	12 449
Lightning XB12Ss	(-940)	12 449
Lightning XB12STT	-----	12 199
Blast	(-430)	5 569

DUCATI

ST3	(-1 000)	15 995
ST3s ABS	(-1 000)	18 995
1098	(-5 000)	19 995
1098S	(-5 000)	24 995
Supersport 800	(+0)	11 995
Monster 695	(-500)	9 995
Monster S2R 800	(+0)	11 995
Monster S2R 1000	(+0)	13 995
Monster S4R	-----	15 995
Monster S4RS	(+0)	19 995
Multistrada 1100	(-1 000)	14 995
Multistrada 1100S	(-1 000)	17 995
Hypermotard 1100	(-1 000)	13 995
Hypermotard 1100S	(-1 000)	17 995
GT 1000	-----	12 995
Sport 1000	-----	13 995
Sport 1000S	(-3 000)	14 995

HARLEY-DAVIDSON

Electra Glide Ultra Classic	(-1 340)	24 659
Electra Glide Classic	(-1 290)	22 199
Electra Glide Standard	(-855)	19 769
Screamin'Eagle Ultra Classic Electra Glide		40 899
Street Glide	(-1 325)	22 399
Road King	(-1 450)	21 259
Road King Classic	(-1 400)	21 559
Road King Custom	(-1 500)	21 459
Road Glide	(-1 380)	21 619
Dyna Low Rider	(-1 250)	19 349
Dyna Super Glide	(-870)	15 299
Dyna Super Glide Custom	(-750)	17 949
Dyna Wide Glide	(-1 320)	20 599
Street Bob	(-730)	16 759
V-Rod	(-850)	20 149
VRSCX	-----	24 399
Street Rod	(-1 450)	18 949
Night Rod Special	-----	19 799
Night Rod	(-1 400)	18 399
Heritage Softail Classic	(-1 390)	21 839
Deuce	(-1 450)	21 259

Springer Softail Classic	(-1 460)	21 429
Fat Boy	(-1 290)	20 979
Softail Custom	-----	20 679
Softail Deluxe	(-1 450)	21 259
Softail Standard	(-1 020)	18 429
Night Train	(-1 180)	19 459
Sportster 1200 Roadster	(-680)	10 649
Sportster 1200 Custom	(-780)	11 869
Sportster 1200 Low	-----	11 649
Sportster 1200 50ᵉ	-----	11 949
Sportster 883	(-610)	8 059
Sportster 883 Low	(-670)	8 549
Sportster 883R	(-600)	9 579
Sportster 883 Custom	(-600)	9 579

HONDA

Gold Wing	-----	26 099
Gold Wing (AL)	(+400)	29 399
Gold Wing (AD)	-----	28 999
ST1300	(+400)	18 999
ST1300A	(+400)	19 699
CBR1000RR	(+300)	15 549
CBR600RR	ND	11 999
VFR800	ND	14 399
VFR800A	ND	13 599
919	(+200)	11 399
VTX1800T Touring	-----	20 499
VTX1800N	-----	19 499
VTX1800C	-----	18 699
VTX1800F	-----	19 199
VTX1300T Touring	(+300)	15 299
VTX1300S	(+100)	14 099
VTX1300C	(+100)	13 799
Shadow Sabre	(+250)	12 649
Shadow Spirit	(+250)	11 849
Shadow 750 Touring	(+100)	10 099
Shadow Aero 750	(+50)	8 699
Shadow Spirit 750 (C2)	-----	8 799
Shadow Spirit 750 (C2 flammes)	-----	8 999
Shadow Spirit 750 (D)	(+50)	8 699
Shadow VLX	(+200)	7 999
Rebel 250	(+100)	4 999
Silver Wing	(+200)	10 499
Reflex	-----	7 549
Jazz	(+100)	2 799
Jazz motifs	(+100)	2 849
Ruckus	(+100)	2 849
Ruckus camouflage	(+150)	2 949
XR650L	(+100)	7 699

HYOSUNG

GT 650 R	(+0)	8 295
GT 650	(+0)	7 395
Aquila 650	(+0)	8 795
GT 250 R	-----	4 995
GT 250	(+0)	4 995
Aquila 250	(+0)	4 895

KAWASAKI

Concours 14		N/D
Nina ZX-14	(+0)	15 699
Ninja ZX-10R Special Edition	-----	15 499
Ninja ZX-10R	(+0)	15 199
Ninja ZX-6R	(+200)	12 099
Ninja 650R	(+100)	8 699
Ninja 500R	(+0)	6 899
ZZ-R600	(+0)	9 999
ZZR250	(+0)	6 299
Z1000	(+200)	11 299

Z750S	(+0)	9 499
Versys	-----	8 999
Vulcan 2000 Classic LT	(+0)	19 999
Vulcan 2000	(+0)	18 999
Vulcan 1600 Nomad (2 tons)	(+0)	17 299
Vulcan 1600 Nomad (noir)	(+0)	17 099
Vulcan 1600 Mean Streak	(+0)	16 299
Vulcan 1600 Classic	(+0)	15 499
Vulcan 1500 Classis (2 tons)	(+0)	12 699
Vulcan 1500 Classic (noir)	(+0)	12 499
Vulcan 900 Classic LT	(+100)	0 899
Vulcan 900 Classic	(+0)	9 449
Vulcan 900 Custom	-----	9 449
Vulcan 500 LTD	(+0)	6 799
KLR650	(+0)	6 499
KLX250	(+0)	5 999
Super Sherpa	(+0)	5 599

KTM

990 Super Duke	-----	16 998
990 Adventure	(-1 100)	16 998
640 Adventure	(-500)	10 498
950 Supermoto	(-2 199)	15 299
950 Super Enduro R	-----	17 498
690 Supermoto	-----	10 998

SUZUKI

GSX1300R Hayabusa	(+0)	15 099
GSX-R1000	(+300)	15 299
GSX-R750	(+0)	12 999
GSX-R600	(+0)	11 799
SV1000S	(+0)	11 899
SV650S ABS	-----	9 299
SV650S	(+0)	8 799
SV650 ABS	-----	8 999
SV650	-----	8 499
Bandit 1250S ABS	(+100)	11 299
Bandit 1250S	(+100)	10 799
Bandit 650S ABS	(+100)	9 399
Bandit 650S	(+100)	8 899
V-Strom 1000	(+0)	11 999
V-Strom 650 ABS	-----	9 449
V-Strom 650	(+0)	8 999
GS500F	(+0)	6 799
GS500F	-----	6 099
Boulevard M109R Limited	-----	18 299
Boulevard M109R	(+0)	17 999
Boulevard C90 T	(+0)	16 999
Boulevard C90 SE	(+0)	16 699
Boulevard C90 SE noir	(+0)	16 399
Boulevard C90	(+0)	14 599
Boulevard C90 noir	(+0)	14 299
Boulevard S83	(+100)	10 799
Boulevard C50 T	(+0)	10 599
Boulevard C50 SE	(+0)	10 399
Boulevard C50 SE noir	(+0)	10 099
Boulevard C50	(+0)	8 999
Boulevard C50 noir	(+0)	8 699
Boulevard S50	(+0)	8 299
Boulevard M50 Limited	-----	8 899
Boulevard M50	(-100)	8 799
Boulevard S40	(-100)	6 299
Marauder 250	(+0)	4 699
Burgman 650 ABS	(+0)	11 899
Burgman 650	(+0)	10 999
Burgman 400	(+100)	7 899
DR-Z400SM	(+0)	8 199
DR650S	(+0)	6 999
DR-Z400S	(+0)	7 399
DR200S	(+0)	4 999

TRIUMPH

Sprint ST ABS	(-1 600)	14 999
Daytona 675	(+0)	11 999
Speed Triple	(+0)	13 999
Thruxton	(-1 700)	10 299
Scrambler	(-1 700)	10 299
Bonneville T100	(-700)	10 599
Bonneville Black	-----	8 999
Rocket III Classic Touring	(-2 000)	20 999
America	(-900)	10 799
Speedmaster	(-1 100)	11 199
Tiger	(-1 300)	13 999
Tiger ABS	-----	14 999

VICTORY

Kingpin Tour	-----	22 139
Vegas Jackpot	(-1 225)	21 524
Vegas	(-916)	19 433
Vegas 8-Ball	(-1 218)	16 481
Kingpin	(-1 000)	19 679
Hammer	(-1 000)	20 786
Hammer S	-----	24 291

YAMAHA

Royal Star Venture	(+100)	21 899
Royal Star Midnight Venture	(+100)	22 499
Royal Star Tour Deluxe	(+0)	18 599
Royal Star Midnight Tour Deluxe	(+0)	18 999
FJR1300AE	(+0)	20 999
FJR1300A	(+100)	19 099
YZF-R1	(+400)	15 499
YZF-R6	(+0)	12 499
YZF-R6S	(-200)	11 599
YZF600R	(+0)	9 999
FZ1	(+0)	12 499
FZ6	(+100)	9 299
MT-01	(+100)	16 099
V-Max	(+100)	12 799
Roadliner	(+0)	18 499
Roadliner Midnight	(+0)	18 999
Roadliner S	(+0)	19 999
Stratoliner	(+0)	20 499
Stratoliner Midnight	(+0)	20 999
Stratoliner S	(+0)	21 999
Road Star Warrior	(+0)	17 999
Road Star Midnight Warrior	(+0)	18 299
Road Star	(+0)	15 449
Road Star Midnight	(+0)	15 899
Road Star Silverado	(+0)	17 299
Road Star Midnight Silverado	(+0)	17 999
V-Star 1300	-----	13 799
V-Star 1300 Tourer	-----	15 299
V-Star 1100 Classic	(+0)	11 249
V-Star 1100 Custom	(+0)	10 499
V-Star 1100 Silverado	(+0)	12 999
V-Star 650 Classic	(+0)	8 399
V-Star 650 Custom	(+0)	7 899
V-Star 650 Silverado	(+0)	9 799
Virago 250	(+50)	4 899
Majesty 400	(+0)	7 999
BW's	(+0)	2 849
Vino 125	(+0)	3 599
Vino	(+100)	2 699
XT225	(+50)	5 299
TW200	(+50)	4 799

HORS-ROUTE

Section Hors-route

SCOOTER

Section Scooter

PROTOS, ET AUTRES...

Desmosedici RR

Ducati tenait absolument à être le premier manufacturier à offrir une fidèle réplique de sa machine de MotoGP. Il amorça donc le développement d'une mécanique, puis d'une moto entière reflétant la technologie utilisée au plus haut niveau de compétition sur deux roues. La Desmosedici RR est le résultat de ce programme. Inaugurée lors du Grand Prix de Mugello 2006, en Italie bien sûr, elle sera livrée aux acheteurs en juillet 2007. Le prix de 75 000 $ canadiens inclut l'entretien et une garantie durant 3 ans, ainsi qu'une housse. Comme c'est coutume de le faire du côté automobile, les propriétaires de 999R ont priorité lors des réservations. Le constructeur annonce plus de 200 chevaux lorsque le système d'échappement de course est installé. La sortie du silencieux est située à la verticale, derrière le siège du pilote.

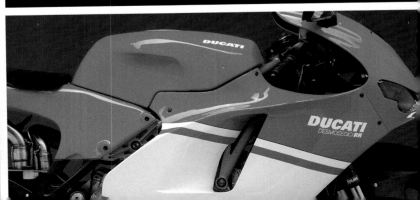

BOXER SSR

Boxer est une petite entreprise française spécialisée dans le design de prototypes. Le concept de la SSR présentée sur ces pages est fort intéressant puisque ce ne sont pas deux motos différentes que vous regardez, mais bien une. Achetez une moto, obtenez-en deux. Selon Boxer, environ une heure de travail suffit à transformer la SSR entièrement carénée en standard extrême dénudée. En plus d'avoir la capacité de complètement transformer son apparence, la SSR regorge de détails captivants. L'huile du V-Twin Voxan est contenue dans le bras oscillant, à la Buell, tandis qu'un autre truc de la compagnie américaine — l'échappement sous la moto — a permis de retenir une forme aussi écourtée que particulière pour les silencieux.

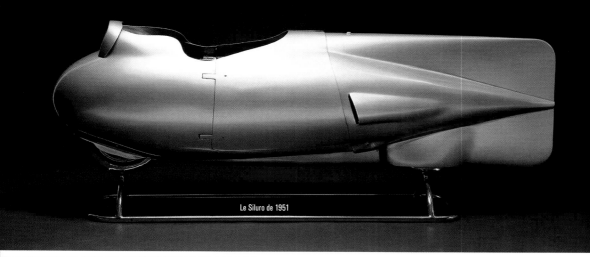

Le Siluro de 1951

vespa siluro

Cela pourrait être difficile à croire, mais le véhicule à deux roues au fuselage d'aluminium illustré ici et le scooter ci-bas ont beaucoup plus en commun qu'on l'imagine, puisque ce sont non seulement tous deux des Vespa, mais aussi deux prototypes. Si l'importance du MP6 est majeure dans l'histoire de la marque italienne puisqu'il servit de moule aux modèles futurs, le mérite du Siluro est d'un tout autre ordre. Propulsé par un bicylindre Boxer de 125 cc, il brisa le record du monde de vitesse en 1951 en traversant le kilomètre lancé en filant à une moyenne de 171 km/h. Il semblerait ainsi qu'au milieu du siècle dernier, à ses tout débuts, Vespa eut le choix de se lancer dans la production de deux-roues ultrarapides ou de petits scooters aux formes rondes. Le reste, comme on dit, est de l'histoire.

Et si Vespa avait fait l'autre choix ?

Le MP6 de 1945

Ciel dégagé, partez assurés

Honda Hornet 600

La dernière Honda Hornet n'est qu'un des nombreux exemples des modèles que les manufacturiers, convaincus que nous ne les comprendrons pas et que nous ne les achèterons pas, choisissent de ne pas vendre chez nous. Dommage.

Celle qui a été baptisée 599 ici se trouve entièrement repensée en 2007. La mécanique qui l'anime n'est plus le vieux 4-cylindres à carburateurs des CBR600F dont l'origine remonte au début des années 90, mais plutôt celui de la CBR600RR, bien entendu recalibré pour produire « plus de couple aux mi-régimes. »

Parmi bien des détails intéressants, on note un système d'échappement résolument étrange plaçant toute sa tuyauterie d'un côté, et une protubérante « chambre de volume » de l'autre.

La nouvelle SportClassic:
GT1000

La tradition du Grand Tourisme à l'italienne est de retour avec un superbe mélange de style, de confort et de performances. Inspirée des légendaires Ducati sportives originales des années 70, la nouvelle GT1000 offre une ligne classique avec silencieux chromés, roues à rayons et détails rétro. Le puissant moteur Dual Spark offre des performances grisantes, une grande fiabilité et un plaisir de conduite certain, que vous soyez pilote ou passager. Avec sa position de conduite relevée, la GT1000 assure un degré de polyvalence et de confort aussi bien adapté à une escapade de fin de semaine qu'à une balade de soir en ville. Contemplez la GT1000 chez votre détaillant Ducati. PDSF 12,995$.

DUCATI

STEROID

Savage

Harley-Davidson Sportster XR1200

Lorsque Harley-Davidson se rendit compte que la V-Rod qu'il avait en partie conçue pour percer le marché européen n'y parvenait pas, un nouveau plan fut mis en place. La Sportster XR1200 – nom de code Steroid – se veut un hommage aux XR750 de course sur terre battue et arbore un style profondément ancré dans la culture américaine. Grâce à quelques trucs tirés du livre Buell, cette version du V-Twin refroidi par air de la Sportster 1200 produirait près de 90 chevaux. Une fourche inversée, un guidon large et droit, et un échappement double superposé complètent un très élégant ensemble. Même si, officiellement, la XR1200 est réservée au marché européen, il serait très étonnant que Harley-Davidson résiste à la tentation de l'offrir en sol nord-américain.

SA MAJESTÉ A MAINTENANT DE LA PARENTÉ

DEPUIS PLUSIEURS ANNÉES DÉJÀ, LA V-STAR 1100 S'EST RÉVÉLÉE LE MODÈLE « CRUISER »
LE PLUS VENDU AU CANADA. DEVANT UN MANQUE ÉVIDENT DE CONCURRENCE SÉRIEUSE,
NOUS AVONS DÉCIDÉ DE PRENDRE NOUS-MÊMES LES CHOSES EN MAIN.

VOICI LES TOUTES NOUVELLES V-STAR 1300 ET V-STAR 1300 TOURER. ELLES SONT
ÉQUIPÉES D'UN MOTEUR DE 1 304 CM³ ALIMENTÉ PAR INJECTION ET REFROIDI PAR LIQUIDE POUR
DOMINER LES AUTOROUTES, ET D'UN TOUT NOUVEAU CADRE AXÉ SUR LA MANIABILITÉ.
LA VERSION TOURER COMPORTE UN DOSSIER, UN PARE-BRISE AINSI QUE DES SACOCHES RIGIDES
EN CUIR CAPABLES DE SUPPORTER VOS PLUS LONGUES RANDONNÉES. TECHNOLOGIE DE POINTE
ET STYLE PROFILÉ NÉO-CLASSIQUE, LE TOUT DE QUALITÉ DE FINITION YAMAHA. LES NOUVELLES
V-STAR 1300 ET 1300 TOURER... QUESTION DE CRÉER UNE PETITE RIVALITÉ ENTRE STARS.

V-STAR 1300 TOURER

✦ *Star*

suzuki b-king

Près de 6 ans après l'avoir présentée sous la forme d'un concept au Salon de Tokyo 2001, Suzuki lance enfin la version routière de la B-King en 2007, mais pas en Amérique du Nord. Étrangement, avec son énorme silencieux double non seulement logé sous la selle, mais accaparant carrément toute la portion arrière de la moto, la version de production de la B-King semble presque plus extravagante que le prototype d'origine. Au chapitre de la mécanique, si le 4-cylindres de 1,3 litre de la Hayabusa a comme promis été retenu, le compresseur présent sur le concept original et qui aurait pu porter la puissance à près de 200 chevaux, lui, est absent.

B-King, c'était pour Boost King...

Darla

Signée Jesse Rooke, cette très particulière création porte le tout aussi particulier nom de Darla. Surtout connu pour ses montures artisanales propulsées par d'énormes V-Twin américains, Jesse Rooke s'est laissé tenter par une direction très différente dans le cadre de ce projet puisque la mécanique retenue n'est ni un V-Twin Harley-Davidson ni un S&S, mais plutôt celui d'une KTM 950! Il s'agit de la première fois, du moins à notre connaissance, qu'une de ces fameuses customs fabriquées à la main est propulsée par un tel moteur. On n'a qu'à examiner le soin apporté au reste de la moto pour comprendre que tout le bazar de câbles et de boyaux traînant autour du V-Twin de 950 cc a volontairement été laissé visible. Une décision d'artiste.

Le thème derrière Darla, celui de l'hommage aux motos de course sur terre battue, est aussi l'une des raisons pour lesquelles cette mécanique a été retenue.

On peut aimer ou ne pas aimer les diverses oeuvres qu'on voit de façon régulière être créées de toutes pièces au petit écran, mais on ne peut que respecter l'effort et l'attention qu'a nécessités celle-là.

MV AGUSTA F4CC

Lorsque Claudio Castiglioni, le grand patron de MV, décida enfin de mettre ses initiales sur une moto, il s'assura que celle-ci incarne le summum en matière de qualité et de performances sur deux roues. Si la liste des pièces soit exotiques, soit en fibre de carbone est interminable, le nombre d'unités produites, lui, se limite à 100. La puissance annoncée est de 200 chevaux, tandis que la vitesse de pointe de 315 km/h serait limitée par la cote des pneus... Quant au prix, si vous pensiez qu'une Desmosedici est chère, asseyez-vous. Car pour celle-là, on demande tout près de 140 000 $!

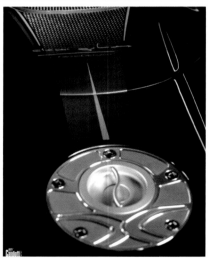

LE PLUS GROS CONCESSIONNAIRE
EXCLUSIF AU CANADA

Excel Honda MOTO

HONDA

HONDA MARINE

HONDA Produits Mécaniques

Motocyclettes :
Compétition
Cruiser
Hors-route
Scooter
Sport
Tourisme

VTT :
Fourtrax
SporTrax

Marine :
Moteurs hors-bords
(2 à 225 C.V.)

Produits mécaniques :
Tondeuses à gazon
Souffleuses à neige
Motoculteurs
Taille-bordures
Taille-broussailles
Motopompes à eau
Génératrices

MOTOCYCLETTES

VTT

MARINE

PELOUSE ET JARDIN

GÉNÉRATRICES

MOTOPOMPES À EAU

SOUFFLEUSES Á NEIGE

EXCEL MOTO

Excel Honda Moto. Tous les produits Honda sous un même toit!
5480, rue Paré, Montréal (Québec) H4P 2M1   T. 514.342.6360, 1.866.340.6360   F. 514.342.7192
www.excelhondamoto.com

MV Agusta Brutale 910R Italia

La MV Agusta Brutale est indéniablement l'une des plus belles motos du monde, mais pour les Italiens, cette édition « Italia » arborant une peinture commémorant leur victoire à la Coupe du Monde 2006 est encore plus belle. Comme la 910R qui a servi de toile à cette peinture demeure pour le reste pratiquement d'origine, il s'agit bel et bien d'une édition spéciale uniquement au niveau graphique. Le thème est réussi, il faut l'avouer, et affiche même le numéro 5 d'un certain Fabio Cannavaro, qui semblerait avoir eu quelque chose à voir avec cette victoire. Le constructeur ne dit pas si l'édition spéciale de cette Brutale est limitée au marché italien, mais si vous êtes suffisamment amateur de « foot » pour mettre la main sur l'une des exemplaires, voici notre conseil : éviter de vous promener à certains endroits, disons à Paris, serait probablement une sage idée.

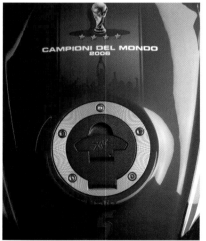

Nous avons fait de
sa sécurité
notre priorité

Un coussin gonflable? Sur une motocyclette? Absolument. En multipliant les tests en conditions réelles dans notre Centre omnidirectionnel d'étude de collisions en conditions réelles, grâce à l'utilisation de technologies de simulation ultramodernes et par le développement des premiers mannequins au monde spécifiquement conçus pour la moto, Honda a pu rassembler et analyser un large éventail de données sur le comportement des motos lors d'une collision. Le résultat? Il est clairement prouvé que le coussin gonflable sophistiqué de la Gold Wing GL 1800AD 2007 peut réduire la gravité des blessures en cas de collision frontale. Un dispositif de très haute technologie, pourtant étonnamment compact et totalement dissimulé. Jusqu'à ce que vous en ayez besoin. Le tourisme à moto vous réserve de nouvelles aventures à chaque randonnée. Lorsque vous pilotez une GL1800AD Gold Wing avec coussin gonflable de série, freinage combiné AV/AR ABS et autres caractéristiques de sécurité, vous pouvez prendre plaisir à ces aventures avec confiance.

HONDA

LA PERFORMANCE EN PREMIER

honda.ca

Nuda

Falcorustyco et Nuda

La Falcorustyco de 1985, ci-bas, est l'une des premières études de style réalisées par Suzuki, tandis que la Nuda, ci-haut, fut présentée en 1988. Nous avons cru intéressant de revoir, plus ou moins 20 ans plus tard, les concepts qui montraient à l'époque dans quelle direction la moto sportive aurait pu progresser. Bien qu'on puisse reconnaître l'arrière des premières GSX-R sur la Falcorustyco, la réalité est que son entraînement, son freinage et sa direction tous de type hydraulique n'ont jamais approché l'étape de la production. En fait, on avance toujours avec des chaînes, on freine toujours avec des disques et on tourne toujours avec des fourches. La Nuda, toutefois, s'est avérée beaucoup plus réaliste. Son nez plongeant plus loin que l'axe de la roue avant, son bras oscillant monobranche à l'arrière, le carénage enveloppant intimement la roue avant et longeant le dessous de la moto sur toute sa longueur, ainsi que ses radiateurs latéraux sont tous des éléments retrouvés sur des sportives actuellement en production.

Falcorustyco

Bimota DB5R

La spécialité de Bimota a toujours été la réalisation en très faibles quantités de montures propulsées par des mécaniques provenant de grands constructeurs, notamment Yamaha (les YB), Suzuki (les SB) et Ducati, comme dans le cas de cette DB5R. En créant autour de ces mécaniques des châssis et des carénages sans les contraintes inhérentes à une production à grande échelle, Bimota a créé au fil des ans certaines des plus audacieuses sportives jamais vues. La DB5R illustre bien le genre de concept mince et angulaire que semblent affectionner les designers du petit manufacturier ces temps-ci. Le V-Twin retenu dans ce cas est le 1000DS de Ducati.

bimota tesi 3D concept

La Tesi est sans aucun doute le modèle pour lequel la petite firme de Rimini, en Italie, est le plus reconnue. Présentée pour la première fois au début des années 90, elle allait mystifier le motocyclisme avec sa suspension avant à bras oscillant. La Tesi 3D Concept se veut ainsi un retour aux sources pour la compagnie qui n'a pas toujours eu la vie facile. Il ne s'agit pas d'un concept comme son nom pourrait le laisser croire, mais bien d'une moto qui sera produite et vendue à très faible échelle puisque seulement 29 exemplaires seront assemblés. La mécanique qui l'anime est le plus récent V-Twin de 1 100 cc de Ducati.

Depuis 1957
HYOSUNG
www.hyosung.ca

GV 650

Fourche inversée ajustable
Repose-pied ajustable
Pneus à profile bas
Lumière de frein DEL
Tableau de bord complet
Puissance, style et confort

2 ans de garantie

PERFORMANCE

HUSQVARNA STR 650 CRC

On entend plus souvent parler de Husqvarna pour ses scies à chaîne que pour ses motos, mais cela n'a pas empêché le microconstructeur membre de la grande famille du groupe Cagiva, de concevoir cette magnifique supermoto. Dessinée par le talentueux Massimo Tamburini – il est aussi responsable de la ligne de la Ducati 916 et de celle de la MV Agusta F4 – et construite avec l'aide du Cagiva Research Center, elle semble presque trop belle pour être soumise aux genres de supplices qui attendent d'habitude ces motos. La quantité de détails finement présentés est telle que la STR semble avoir été conçue par un joaillier. On note par exemple la massive fourche inversée aux poteaux de 50 mm, le tout aussi massif té inférieur qui étreint ces derniers, le judicieux « habillement » des radiateurs, la forme recherchée du phare avant, le châssis à rigidité ajustable, etc. Rien n'indique que la STR sera mise en production, mais certains éléments de style pourraient être repris.

950 SUPERMOTO.
PERFORMANCE. CONTRÔLE. BEAUTÉ. »

» On dit que la beauté est avant tout dans les yeux de celui qui la regarde. Imaginez-vous un instant découvrir la beauté du monde au guidon d'une 950 Supermoto.
Est-elle aussi enivrante qu'on le raconte? Certainement. Est-elle à la hauteur des éloges faits par les rédacteurs du Guide de la Moto? Oh oui, elle l'est.
- Un moteur bicylindre puissant de 98 Hp
- Un châssis unique
- Un confort et un style inégalés

Ready to Race.

SERVICES FINANCIERS KTM

HONDA CBR125R

On ne cesse de répéter que les sportives de 600 cc courantes sont tout sauf des motos destinées à l'apprentissage – elles sont destinées à la piste –, et les nouveaux arrivants au sport ne cessent de répliquer qu'ils adorent le style de ces motos et qu'ils les achètent en grande partie pour cette raison. D'un autre côté, peu de jeunes en scooters graduent à la moto parce que l'implication monétaire est trop importante. Quelqu'un, quelque part, va-t-il comprendre que le marché a besoin de sportives à la fois racées, abordables et faciles à prendre en main ? Une chose est sûre, c'est qu'elles existent.

Buell XB-RR

La XB-RR n'est ni un concept ni une modèle de production, mais plutôt une pure moto de course destinée à pousser la technologie Buell bien au-delà de son niveau actuel. La conception retient tous les éléments clés des sportives de route de la marque américaine comme le cadre servant de réservoir d'essence et le bras oscillant contenant l'huile, mais élève le tout à un degré plus pointu. Les roues déjà légères des Buell routières sont allégées d'un tiers; le disque unique de grand diamètre du frein avant est aussi conservé, mais il est désormais pincé d'un étrier à 8 pistons; le V-Twin refroidi par air passe de 1 200 cc à 1 340 cc, tandis que sa puissance grimpe à plus de 150 chevaux, un bon de presque 50 pour cent. Selon Buell, aucun plan de transformer la XB-RR en moto de production n'existe pour le moment.

KR BOARDTRACKER

Question : pourquoi compte-t-on cinq sorties d'échappement sur cette beauté signée Roland Sands ?

Parce qu'elle est animée par un V5 de MotoGP Proton qui traînait dans l'atelier d'un certain Kenny Roberts après que celui-ci eut commencé à installer des V5 Honda dans ses propres machines de MotoGP.

« Il y avait dans un coin un V5 de quelque 230 chevaux qui ne servait plus à rien. J'ai demandé à Roland de faire quelque chose avec... Pas mal, hein ? Elle sonne bien, je vous jure! »

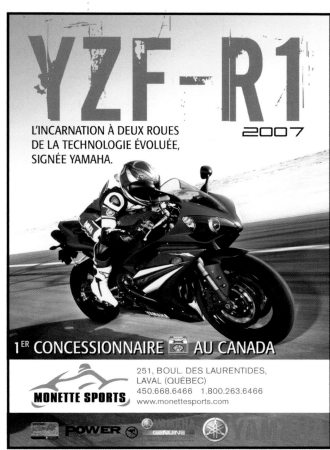

yamaha mt-03 spider smart city

Tout a commencé en 2004 avec un concept à saveur futuro-supermotard présenté par Yamaha et nommé MT-03, qui fut d'ailleurs présenté sur ces pages dans *Le Guide de la Moto 2004*. La réaction du public à cette étude de style fut tellement favorable que Yamaha décida de la mettre en production, si bien qu'il s'agit aujourd'hui d'un modèle courant de la gamme européenne du manufacturier. Puis, quelque chose d'étrange arriva. On commença à voir apparaître des concepts basés sur la MT-03 de production. L'un d'eux, un genre de supermoto agressive, fut présenté l'an dernier dans le Guide. Cette année, c'est au tour de cette création d'être dévoilée. Son thème citadin branché tourne autour d'une peinture métallique bleue, d'un siège recouvert de suède bleu, d'un saute-vent dont la teinte change selon l'éclairage et d'une valise rigide installée d'un seul côté de la moto. Il semblerait que les stylistes de Yamaha aient vraiment, mais alors vraiment besoin d'un nouveau concept.

Norge 1200GTL

Norge 1200

moto guzzi au canada

C'est en commençant à importer des petits scooters italiens Vespa au Canada que l'importateur Canadian Scooter Corporation est entré dans l'industrie de la moto, il y a plus ou moins 2 ans. En très peu de temps, les noms Piaggio, Aprilia et Moto Guzzi se sont ajoutés à sa liste d'importations. Plusieurs modèles Moto Guzzi seraient d'ailleurs déjà en vente au pays, tandis que d'autres viendraient les rejoindre à court ou moyen terme. Ce qui ne peut être qu'une bonne nouvelle lorsqu'on prend en considération les dernières créations du petit constructeur de Mandello Del Lario, en Italie. Les standards Breva, la très différente Griso et l'impressionnante touriste sportive Norge 1200 sont certaines des plus attrayantes propositions de Guzzi.

Griso 1100 8V

Breva 1100

Tuono 1000R Factory

RXV 450/550

aprilia au canada

Il semblerait, enfin, après une sérieuse période de confusion suivie d'un changement d'importateur, que les fort élégants modèles de la gamme italienne Aprilia soient finalement soit déjà en vente au pays, soit en cours d'approbation par les savants examinateurs de Transports Canada.

La gamme de produits offerts ne reflétera pas l'étendue du catalogue de la marque italienne, mais se concentrera surtout sur les modèles phares plus susceptibles de captiver l'attention de notre marché. On parle d'abord des exotiques RSV1000R, mais aussi de l'intrigante supermoto RXV à bicylindre en V à 77 degrés de 450 ou 550 cc, de la réputée délinquante Tuono 1000R et, possiblement, de la toute nouvelle SL750 Shiver, une sorte de Suzuki SV de 750 cc. Espérons maintenant que cet importateur soit le bon et qu'il nous traite en professionnels que nous sommes. Le message pourrait-il être plus clair ?

SL750 Shiver

RSV1000R

La Bandit vole la vedette...
et s'évade avec des performances inégalées

La rumeur circule dans la rue... La plus grosse Bandit du monde a pris du muscle et garde la tête froide. À 1 250 cm³, son nouveau moteur refroidi par liquide à injection de carburant ronronne au ralenti, se faufile avec rapidité dans les rues de la ville et n'épargne personne à pleins gaz. Vous voulez vous évader avec une partenaire plus légère ? Grimpez sur la nouvelle Bandit 650 cm³. Elle vous offre un nouveau moteur égal et l'attitude indomptable d'une Bandit. Vous avez 1 250 ou 650 raisons de vous évader avec elles. On comprend pourquoi les concurrents crient « Au voleur ! ».

Bandit
1250/S 650/S

Σ **SUZUKI**
Un mode de vie !

megamoto et k1200r sport

La HP2 Megamoto, ci-haut, se veut une réplique à la 950 Supermoto de KTM. Sans parler de l'Hypermoto de Ducati... Selon BMW, elle arrivera en salle de montre dès l'été 2007. Elle est basée sur la HP2 Enduro présentée en 2006. Quant à l'intéressante version Sport de la K1200R, ci-bas, le constructeur a choisi de ne pas l'inclure dans sa gamme canadienne. Pourtant, nous la prendrions bien avant l'idée très moyenne qu'est la R1200ST...

Le choix du champion... la toute nouvelle Ninja ZX-6R

En 2006, Jordan Szoke a remporté haut la main les championnats nationaux du Pro 600 aux commandes de sa Ninja ZX-6R. En fait, il a gagné 5 courses sur 7. En 2007, la toute nouvelle Ninja ZX-6R réaffirme sa suprématie. Conçue pour les pilotes expérimentés et agressifs qui veulent obtenir les performances ultimes d'une moto de course, la Ninja ZX-6R vous conviendra parfaitement, sur la route ou sur le circuit. C'est déjà assez difficile comme ça de passer en tête alors, pourquoi vous compliquer la tâche ? Kawasaki a exactement ce qu'il vous faut. La toute nouvelle Ninja ZX-6R.

Kawasaki

kawasaki.ca

piaggio mp3 et gilera fuoco

Question : qu'ont en commun le MP3 de Piaggio et le Fuoco de Gilera ?

Mais non, ce n'est pas qu'ils s'adressent aux motocyclistes nuls! C'est qu'ils ont trois roues... Propulsés par des monocylindres de 125 ou de 250 cc dans le cas du Piaggio, et de 500 cc dans le cas du Gilera, ces scooters à trois roues ne sont pas des études de style, mais bel et bien des véhicules de production légaux sur la route. Grâce à un complexe système de bras articulés, ils s'inclinent exactement comme une moto en virage, leurs trois pneus penchés, et peuvent même atteindre des angles de l'ordre de 40 degrés. Il peut sembler bizarre que deux créations aussi biscornues soient mises en marché presque simultanément par deux compagnies différentes, du moins jusqu'à ce que l'on sache que Gilera appartient au groupe Piaggio. Si le Gilera n'est pas vendu au Canada, le MP3, lui, l'est et est offert au prix de 8 995 $. Reste à savoir pourquoi on ferait le geste d'acheter une telle chose.

SCOOTERS

Burgman 650 ABS

SUZUKI

BURGMAN 650

confusion massive...

Il est difficile de se souvenir, lorsque le Burgman 650 arriva sur le marché en 2002, si la santé d'esprit des décideurs de Suzuki fut davantage mise en doute que celle des excentriques individus qui firent le geste de débourser 11 000 $ pour l'engin. Cinq ans plus tard, on sait que ni Suzuki ni ces individus n'avaient de problèmes de raisonnement. En fait, c'était plutôt le contraire, comme la popularité toujours grandissante de cette classe en fait l'éloquente preuve. Sur notre marché, le Burgman 650 continue d'incarner le plus haut échelon en la matière. Depuis l'an dernier, une version équipée d'un système ABS et d'un pratique dossier de passager est aussi offerte.

L'erreur commune de tous ceux qui conclurent prématurément que personne ne voudrait d'un scooter de 650 centimètres cubes commandant un déboursé de 11 000 $ fut de baser leur raisonnement sur les habitudes d'achat du motocycliste moyen. Or, les clients qui se présentent depuis l'arrivée du gros Burgman chez leur concessionnaire dans le but d'acquérir un mégascooter n'ont bien souvent rien du motocycliste moyen. De ces hommes plus ou moins dans la cinquantaine, plusieurs ont avoué avoir été attirés par la transmission automatique, alors que d'autres ont expliqué avoir toujours rêvé d'une grosse machine de tourisme, mais d'avoir aussi toujours été intimidés par leur gigantisme. Certains ont même dit ne pas considérer leur acquisition comme celle d'une moto, mais plutôt comme celle d'un autre genre de véhicule, comme s'il avait été question d'une motoneige ou d'un VTT. Tous, néanmoins, adorent totalement leur gros « Burger ». Prêtez attention et vous les apercevrez rouler, sourire immanquablement flanqué au visage et pas toujours vêtus d'équipement spécialisé, profitant simplement du moment. Il faut dire que si *Le Guide de la Moto* a aussi fait partie des sceptiques au début, nous n'avons pas tardé à succomber au charme du Burgman 650. Ce charme n'a d'ailleurs rien à voir avec celui d'une custom, d'une sportive ou d'une quelconque moto à caractère, mais tient plutôt d'un amusement simpliste, presque enfantin. Sur un Burgman, tout est simple. On s'installe sans même lever la jambe au-dessus du siège, on met le contact et on part. Pas d'embrayage, pas de vitesses à changer, pas de

rétrogradages, pas de conduite saccadée, juste le plaisir d'une deux-roues dans sa forme la plus simple.

L'un des aspects les plus surprenants de la conduite d'un gros scooter est la découverte d'un côté pratique qui n'existe que sur un très faible pourcentage de motos équipées de multiples valises. Comme ces modèles sont presque immanquablement encombrants, leur capacité de chargement n'est que rarement mise à profit. La simplicité d'utilisation du Burgman jumelée à son immense et logeable coffre de 55 litres fait qu'on s'en sert tout le temps pour faire toute sorte de courses. De la simple visite au bureau de poste jusqu'au ramassage de matériaux à la quincaillerie en passant par l'arrêt au kiosque à blé d'Inde, tout y passe.

Une selle aussi accueillante que généreuse dans ses proportions – les passagers apprécieront d'ailleurs grandement le dossier de la version ABS –, une excellente protection au vent et une position naturelle et dégagée assurent que tout genre de distances passées aux commandes du gros Burgman l'est de façon agréable et confortable. Les voyages sont même parfaitement envisageables. Quant aux performances, disons simplement que personne ne devrait se plaindre de la vivacité du bicylindre, au contraire. En fait, l'aisance avec laquelle les vitesses illégales sont maintenues sur l'autoroute est même si surprenante qu'une certaine attention est de mise. On ne voudrait pas avoir à raconter comment on a perdu son permis de conduire aux commandes d'un scooter...

> **L'AISANCE AVEC LAQUELLE DES VITESSES ILLÉGALES SONT MAINTENUES SUR L'AUTOROUTE SURPREND.**

VITESSE DE POINTE
154 km/h
ACCÉLÉRATION SUR 1/4 MILLE
15,6..134 km/h
◄ indice d'expertise ►
◄ rapport valeur/prix

Voir légende page 7

EXPERT **E**
INTERMÉDIAIRE **I**
NOVICE **N**

général

catégorie	Scooter de 400 cc et plus
prix	10 999 $ (Burgman 650 ABS : 11 899 $)
garantie	1 an/kilométrage illimité
couleur(s)	gris, blanc (Burgman 650 ABS : gris, rouge)
concurrence	Honda Silver Wing

moteur

type	bicylindre parallèle 4-temps, DACT, 4 soupapes par cylindre, refroidissement par liquide
alimentation	injection à 2 corps de 32 mm
rapport volumétrique	11,2:1
cylindrée	638 cc
alésage et course	75,5 mm x 71,3 mm
puissance	55 ch @ 7 000 tr/min
couple	46 lb-pi @ 5 000 tr/min
boîte de vitesses	automatique/séquentielle à 5 rapports
transmission finale	par courroie
révolution à 100 km/h	4 500 tr/min
consommation moyenne	5,8 l/100 km
autonomie moyenne	258 km

partie cycle

type de cadre	tubulaire, en acier
suspension avant	fourche conventionnelle de 41 mm non ajustable
suspension arrière	2 amortisseurs ajustables en précharge
freinage avant	2 disques de 260 mm de Ø avec étriers à 2 pistons (ABS)
freinage arrière	1 disque de 250 mm de Ø avec étrier à 2 pistons (ABS)
pneus avant/arrière	120/70 R15 & 160/60 R14
empattement	1 595 mm
hauteur de selle	750 mm
poids à vide	238 kg (Burgman 650 ABS : 244 kg)
réservoir de carburant	15 litres

conclusion

Si l'on ne tient pas compte du Gilera GP 800 — un scooter de, vous l'aurez deviné, 800 cc — récemment annoncé, mais pour le moment réservé au marché européen, le Burgman 650 continue de régner en maître sur la catégorie des mégascooters. Le seul modèle qui s'en approche est l'excellent Honda Silver Wing 600, mais la puissance inférieure de celui-ci combinée au fait qu'il n'est plus seul à offrir un système de freinage ABS le relègue au second rang. Performant, confortable, pratique et amusant, le 650 de Suzuki se présente donc non seulement comme le meneur actuel de cette étrange catégorie, mais aussi comme une monture capable de se débrouiller de fort belle manière dans une multitude de situations qui vont du voyage à la simple balade en passant par les courses quotidiennes.

Burgman 650

 QUOI DE NEUF EN 2007 ?

Aucun changement

Aucune augmentation de prix

⌃ PAS MAL

Un agrément de pilotage certain; le Burgman 650 n'est pas une bombe et n'est certes pas un exemple en termes de caractère moteur, mais sa conduite mène immanquablement à un grand sourire

Un excellent degré de confort rendu par une position de conduite naturelle et une grande flexibilité au niveau des jambes, par une selle généreuse et par une très bonne protection au vent

Un côté pratique extrêmement apprécié au jour le jour, surtout en raison de l'accessibilité et du volume du coffre

⌄ BOF

Une efficacité aérodynamique très honnête puisqu'il n'y a pas de turbulences, mais qui n'empêche pas l'écoulement du vent d'être bruyant, surtout avec un casque ouvert

Une hauteur de selle considérable et un poids important qui rendent le 650 nettement moins indiqué que le 400 pour les pilotes plus courts ou moins expérimentés

Des suspensions et des freins corrects, mais qu'on sent rudimentaires; la sensation quelque peu floue en ce qui concerne le niveau de la traction disponible est d'ailleurs une excellente raison d'opter pour le modèle ABS

HONDA

SILVER WING 600

L'essayer, c'est l'adopter...

L'expression « l'essayer, c'est l'adopter » est un cliché tellement utilisé qu'on ne l'entend presque plus, mais il colle tellement bien à ces scooters surdimensionnés que nous l'avons ressorti du grenier. Propulsé par un bicylindre parallèle de 582 cc produisant une bonne cinquantaine de chevaux, le Silver Wing de Honda figure parmi les concepts les plus réussis dans le genre. Livré de série avec l'ABS et un système de couplage des freins que le constructeur appelle LBS, le Silver Wing est présenté comme une moto de tourisme de format réduit, ce qui n'a rien d'une exagération. Il revient sans aucun changement en 2007.

Même si Honda offre son Silver Wing sur le marché européen depuis 2001, son arrivée en sol canadien ne remonte qu'à 2005. L'incertitude du marché canadien en ce qui concernait, à l'époque, ce genre de produit, combinée à quelques caprices de Transports Canada sont à l'origine de cette arrivée tardive. Si le Suzuki Burgman 650 lancé en 2003 a profité du retard de Honda dans ce créneau, il est aussi arrivé à piquer la curiosité du monde motocycliste face à ces mégascooters, si bien qu'on n'a aujourd'hui plus besoin faire accepter le concept peu orthodoxe d'un scooter de telles proportions. La vérité est même qu'on semble maintenant attendre avec une certaine impatience que d'autres constructeurs emboîtent le pas et diversifient la donne. La proposition de Honda ne surpasse le 650 de Suzuki ni au chapitre de la performance ni au chapitre de la technologie, ce qui s'explique en partie par le fait que le design du Silver Wing 600 est un concept moins récent que celui du Burgman.

Cela dit, la cinquantaine de chevaux générée par le Honda demeure amplement suffisante pour vous faire perdre votre permis puisqu'elle permet de maintenir sans problème — et en tout confort — des vitesses supérieures à 150 km/h. Mais il n'est évidement pas le but du Silver Wing. Honda présente plutôt son mégascooter comme une petite moto de tourisme, ce que reflète d'ailleurs le lien entre son nom et celui de la luxueuse Gold Wing. L'idée de couvrir de longues distances sur un scooter peut a priori paraître étrange, mais le Silver Wing en est parfaitement capable. Doté d'une selle confortable et bien formée qui bénéficie même d'un petit dossier

> ## LE SILVER WING SE MONTRE TOUT AUSSI À L'AISE D'ENFILER DES KILOMÈTRES D'AUTOROUTE QUE DE SE FAUFILER EN MILIEU URBAIN.

ajustable, il offre une excellente protection au vent grâce à son grand pare-brise. Caractéristique unique aux scooters, l'espace généreux laissé aux pieds permet une grande latitude d'angles au niveau des jambes, tandis que la position de conduite assise est naturelle et garde le dos droit. Les suspensions ne sont pas des merveilles de sophistication, mais leur travail demeure satisfaisant. Combinez toutes ces qualités à quelque 55 litres de rangement dissimulés sous la selle — sans parler des deux autres petites boîtes à gants incorporées à la partie avant — ainsi qu'à une mécanique aussi douce que coopérative, et la possibilité de voyager devient bel et bien réelle.

Ces capacités en mode tourisme ne changent toutefois rien à l'aspect pratique et facile à vivre du Silver Wing lorsqu'il se retrouve en milieu urbain. Dans cet environnement, la volonté du bicylindre de s'élancer franchement à partir d'un arrêt, la grande facilité d'opération de la transmission automatique ainsi que la surprenante maniabilité de l'ensemble en font un moyen de transport extrêmement efficace. C'est aussi dans cet environnement qu'on découvre rapidement l'utilité du système de freinage combiné avec ABS. Dans un univers où la possibilité est élevée de voir un taxi venu de nulle part s'immobiliser devant soi sans le moindre avertissement, l'ABS est une bénédiction. Tirez simplement sur les deux leviers aussi vite et fort que possible, et souhaitez-vous bonne chance. Quelle que soit votre expérience à moto, dans de telles circonstances, l'ABS augmente considérablement vos chances de vous tirer d'affaire sans un contact probablement inconfortable.

VITESSE DE POINTE
157 km/h

ACCÉLÉRATION SUR 1/4 MILLE
15,9 s à **131** km/h

indice d'expertise ▸

◂ rapport valeur/prix

Voir légende page 7

EXPERT **E**
INTERMÉDIAIRE **I**
NOVICE **N**

Général

catégorie	Scooter de 400 cc et plus
prix	10 499 $
Garantie	1 an/kilométrage illimité
couleur(s)	argent

partie cycle

type de cadre	tubulaire, en acier
suspension avant	fourche conventionnelle de 41 mm non ajustable
suspension arrière	2 amortisseurs ajustables en précharge
freinage avant	1 disque de 256 mm de Ø avec étrier à 3 pistons et systèmes LBS et ABS
freinage arrière	1 disque de 240 mm de Ø avec étrier à 2 pistons et systèmes LBS et ABS
pneus avant/arrière	120/80-14 & 150/70-13
empattement	1 595 mm
Hauteur de selle	739 mm
poids à vide	232 kg
réservoir de carburant	16 litres

moteur

type	bicylindre parallèle 4-temps, DACT, 4 soupapes par cylindre, refroidissement par liquide
Alimentation	injection à 2 corps de 32 mm
rapport volumétrique	10,2:1
cylindrée	582 cc
Alésage et course	72 mm x 71 mm
puissance	50 ch @ 7 500 tr/min
couple	37 lb-pi @ 6 000 tr/min
boîte de vitesses	automatique
transmission finale	par courroie
révolution à 100 km/h	environ 4 700 tr/min
consommation moyenne	5,6 l/100 km
Autonomie moyenne	285 km

conclusion

Il faut absolument enfourcher cet inhabituel genre de deux-roues pour comprendre à quel point le concept peut s'avérer plaisant et pratique. Évidemment, certains motocyclistes ne daigneront jamais « s'abaisser » à la conduite d'un scooter, et c'est tant pis pour eux. Car en matière de simplicité d'utilisation, de facilité de pilotage et de niveau pratique, il s'agit d'engins réellement très difficiles à battre. Le Silver Wing se distingue au sein de ce créneau par un fonctionnement impeccable, par un très bon niveau de confort et par un système de freinage aussi sécuritaire qu'il en existe. Le montant que Honda en demande n'est pas faible, mais il se situe dans la moyenne de ce qu'on doit compter dépenser pour rouler de cette façon.

Modèle noir non disponible au Canada en 2007.

 **QUOI DE NEUF EN 2007 ?**

Aucun changement

Coûte 200 $ de plus qu'en 2006

PAS MAL

Un niveau de confort étonnamment élevé; la position de conduite, la protection au vent, les selles,etc. tout est en place pour permettre de parcourir de nombreux kilomètres avec un minimum de fatigue

Une mécanique vivante qui s'élance avec énergie des arrêts et qui se montre facilement capable de maintenir de hautes vitesses

Un côté pratique omniprésent amené par la présence du coffre situé sous la selle et par la facilité d'utilisation amenée par la transmission automatique

BOF

Un coffre dont le volume en litres est impressionnant, mais dont la disposition en deux parties devient un inconvénient lors du transport de certains objets

Des suspensions plutôt rudimentaires qui font quand même un travail honnête, mais qu'on ne peut qualifier d'impressionnantes

Un écoulement de l'air quelque peu turbulent à la hauteur du casque

SUZUKI

BURGMAN 400

NOUVEAUTÉ 2007

embourgoisement...

En faisant peau neuve en 2007, le « petit » Burgman 400 prend un sérieux goût au luxe. Nouveau moteur, plus gros et plus puissant, freinage à disque double à l'avant, instrumentation avec ordinateur de bord, ligne joliment sculptée et espace de chargement record, voilà autant de caractéristiques démontrant qu'il ne s'est décidément rien refusé, le Burgman 400. Malgré tous ces changements et toutes ces améliorations, la facture demeure relativement stable puisqu'elle n'augmente que d'une centaine de dollars. Quant à la version Type S, qui n'a jamais vraiment été bien accueillie, elle a tout simplement été retirée de la gamme.

TECHNIQUE

Par définition, le consommateur en veut toujours plus. Tel fut, de toute évidence, le raisonnement derrière la refonte du Burgman 400 puisque s'il est une chose qu'on comprend clairement au sujet de la nouveauté, c'est qu'elle en donne plus, à commencer par la mécanique. Alors que l'ancien monocylindre avait une cylindrée de 385 cc, la version 2007 de cette mécanique prend avantage de chaque centimètre cube jusqu'au dernier puisqu'elle affiche désormais une cylindrée de 399,9 cc. En augmentant le taux de compression et en ajoutant un arbre à cames à la tête, Suzuki a réussi à gagner quelques légers, mais non moins précieux gains en puissance et en couple, et ce, malgré les sévères contraintes des normes Euro III qui devaient être respectées.

La partie cycle est améliorée au moyen d'un système de freinage qui gagne un second disque à l'avant, et grâce à des suspensions qui bénéficient de nouveaux réglages.

C'est toutefois au niveau de l'équipement que le Burgman 400 montre la plus grande progression puisqu'il affiche maintenant tellement de caractéristiques intéressantes qu'un scooter de plus grosse cylindrée pourrait presque commencer à l'envier. L'élégante nouvelle ligne attire l'attention la première, puis on remarque la généreuse dimension du pare-brise, la richesse de l'instrumentation, le confort ajouté par le dossier ajustable pour le pilote et le côté pratique des boîtes à gants du panneau avant. La cerise sur le sundae demeure néanmoins l'immense coffre de 62 litres situé sous la selle et qui pourrait confortablement accueillir une paire de casques intégraux.

VITESSE DE POINTE

150 km/h

ACCÉLÉRATION SUR 1/4 MILLE

17.0 sa **120** km/h

indice d'expertise ►

◄ rapport valeur/prix

Voir légende page 7
Performances 2006 ◄

EXPERT	E
INTERMÉDIAIRE	I
NOVICE	N

général

catégorie	Scooter de 400 cc et plus
prix	7 999 $
garantie	1 an/kilométrage illimité
couleur(s)	gris, rouge
concurrence	Yamaha Majesty 400, Piaggio X9 et BV500

partie cycle

type de cadre	tubulaire, en acier
suspension avant	fourche conventionnelle de 41 mm non ajustable
suspension arrière	monoamortisseur ajustable en précharge
freinage avant	2 disque de 260 mm de Ø avec étriers à 2 pistons
freinage arrière	1 disque de 210 mm de Ø avec étrier à 2 pistons
pneus avant/arrière	120/80-14 & 150/70-13
empattement	1 590 mm
hauteur de selle	710 mm
poids à vide	199 kg
réservoir de carburant	13,5 litres

moteur

type	monocylindre 4-temps, DACT, 4 soupapes, refroidissement par liquide
alimentation	par injection
rapport volumétrique	11,5:1
cylindrée	399,9 cc
alésage et course	81 mm x 77,6 mm
puissance	34 ch @ 7 500 tr/min
couple	26,8 lb-pi @ 6 000 tr/min
boîte de vitesses	automatique, à rapport continuellement variable
transmission finale	par courroie
révolution à 100 km/h	n/d
consommation moyenne	n/d
autonomie moyenne	n/d

conclusion

La catégorie des mégascooters est tellement nouvelle, du moins pour nous Nord-Américains, qu'on n'a pas l'habitude de les voir évoluer. Dans le cas du Burgman 400, l'exercice semble convaincant. Si la nouvelle ligne à saveur européenne constitue à l'unanimité une belle amélioration sur l'ancienne, c'est l'ensemble qui impressionne le plus. En fait, on croirait presque revivre le phénomène qui a vu les petites voitures s'embourgeoiser toujours plus. Car avec son frein avant à disque double, son immense pare-brise, son dossier de selle réglable pour le pilote, son attrayante instrumentation et son volume de chargement géant, le Burgman 400 vient pousser le 650 en matière d'équipement. Il s'agissait d'une bonne affaire avant, et d'une excellente maintenant.

QUOI DE NEUF EN 2007 ?

Nouvelle génération du modèle

Version Type S retirée du catalogue

Coûte 100 $ de plus que le modèle 2006

PAS MAL

Un format très intéressant puisqu'il combine une facture attrayante à tous les avantages d'un modèle plus gros et plus cher, sauf celui de la puissance

Un niveau de confort qui s'annonce encore meilleur, particulièrement au chapitre de l'écoulement de l'air que Suzuki sur lequel dit avoir beaucoup travaillé

Un côté pratique qui était déjà très intéressant et qui ne fait que s'améliorer grâce, entre autres, à l'immense compartiment de 62 litres situé sous la selle

⌄ BOF

Un dossier de passager qu'on va franchement regretter d'avoir en équipement de série; Suzuki semble néanmoins continuer de l'offrir un en équipement optionnel

Une série d'amélioration qui a pour conséquence de faire grimper le poids d'une quinzaine de kilos; heureusement, le Burgman 400 original était plutôt léger, ce qui permet à la nouvelle version de ne pas tomber dans l'excès

YAMAHA

MAJESTY 400

pratique, économique...

Le Majesty 400 fait partie d'une catégorie qu'on pourrait appeler intermédiaire chez les mégascooters, et qui peut également être considérée comme la plus accessible et la plus sensée chez ces véhicules. Il profite d'une cylindrée assez importante pour laisser loin derrière les modèles de plus ou moins 250 cc, l'échelon inférieur, et s'avère beaucoup plus économique à l'achat que les modèles de 600 cc et plus, bien qu'il ne soit évidemment pas aussi performant. Il est propulsé par un monocylindre injecté de 395 cc et bénéficie d'un châssis dont la construction fait appel à la technique du coulage d'aluminium sous vide de Yamaha. Il ne change pas en 2007.

O n pourrait chercher bien longtemps avant de trouver un véhicule à deux roues plus facile à piloter qu'un scooter de 400 cc comme le Majesty. Imaginez n'avoir aucun embrayage à manier et aucune vitesse à changer. Si, pour une catégorie de motocyclistes, priver la conduite d'une moto de ces manipulations tient du sacrilège, pour d'autres, il s'agit plutôt d'une bénédiction. Beaucoup d'acheteurs de gros scooters vous diront : l'une des principales raisons de leur choix se veut la présence d'une transmission automatique, une caractéristique qui est virtuellement introuvable sur la moto moyenne. Parlant de différence avec la moto moyenne, le côté pratique d'un scooter comme le Majesty est également l'une des caractéristiques qui démarquent de façon nette sa conduite et son utilisation. La meilleure démonstration de ce côté pratique est facilement faite en se rendant compte des multiples applications possibles du vaste coffre de 60 litres qui se cache sous la selle. Quiconque possède une moto sait que le transport du moindre objet demande l'utilisation de certains équipements allant du sac à dos aux valises ajoutées. Et encore, même là, on n'amène pas ce qu'on veut. Sur le Majesty, on lève la selle, on jette des lettres à poster, un tuyau d'arrosage ou un sac d'épicerie et on file. C'est simple, c'est pratique et c'est très efficace.

Les 34 chevaux générés par le petit moteur sont appréciables, mais la masse considérable de l'ensemble limite les performances à un niveau qu'on pourrait qualifier d'utile mais de timide. Autrement dit, sans

> ## L'ÉCOULEMENT DE L'AIR EST PRESQUE EXEMPT DE TURBULENCE, UNE QUALITÉ QUI RENDRAIT JALOUSES BIEN DE « VRAIES » MOTOS.

pour autant qu'on le sente lent ou sous-motorisé – ce qui n'est pas le cas – le Majesty 400 n'impressionnera personne une fois le feu passé au vert. L'accélération est amplement suffisante pour suivre une circulation pressée, et à part une légère paresse à s'élancer à partir d'un arrêt complet, le monocylindre suffit toujours à la tâche. Plus à l'aise une fois en route, non seulement il passe le cap des 100 km/h sans peiner le moins du monde, mais il est aussi capable d'atteindre et maintenir plus de 140 km/h avec une étonnante facilité. À ces vitesses, l'un des plus grands atouts du Majesty, outre sa bonne stabilité, est l'impressionnante efficacité aérodynamique de son carénage et de son pare-brise. L'écoulement de l'air est même si propre qu'il est quasi exempt de turbulences, une qualité que plusieurs motos de tourisme de gros calibre peinent encore et toujours à offrir.

On semble toujours un peu étonné d'entendre que plusieurs acheteurs de ce genre de scooters surdimensionnés les utilisent pour le tourisme, mais l'idée devient tout à fait logique lorsqu'on constate l'excellent niveau de confort qu'ils offrent généralement. En plus d'une position de conduite reposante, d'une bonne selle et d'un carénage efficace, on a droit à une latitude au niveau de la position des jambes qui paraîtra infinie à quiconque a l'habitude de piloter une moto. Dans le cas du Majesty 400, la seule ombre au tableau à ce chapitre concerne les suspensions qui sont calibrées fermement, surtout à l'arrière, une caractéristique qui se traduit par des réactions sèches sur une route en mauvais état.

VITESSE DE POINTE
160 km/h
ACCÉLÉRATION SUR 1/4 MILLE
17,2 s à 118 km/h

indice d'expertise ▸

◂ rapport valeur/prix

Voir légende page 7

EXPERT E
INTERMÉDIAIRE I
NOVICE N

général

catégorie	Scooter de 400 cc et plus
prix	7 999 $
garantie	1 an/kilométrage illimité
couleur(s)	argent, bleu

moteur

Type	monocylindre 4-temps, DACT, 4 soupapes, refroidissement par liquide
Alimentation	par injection
Rapport volumétrique	10,6:1
Cylindrée	395 cc
Alésage et course	83 mm x 73 mm
Puissance	34 ch @ 7 250 tr/min
Couple	26,8 lb-pi @ 6 000 tr/min
Boîte de vitesses	automatique
Transmission finale	par courroie
Révolution à 100 km/h	environ 5 200 tr/min
Consommation moyenne	4,9 l/100 km
Autonomie moyenne	285 km

partie cycle

Type de cadre	tubulaire, en acier
suspension avant	fourche conventionnelle de 41 mm non ajustable
suspension arrière	2 amortisseurs non ajustables
Freinage avant	1 disque de 267 mm de Ø avec étrier à 2 pistons
Freinage arrière	1 disque de 267 mm de Ø avec étrier à 1 piston
Pneus avant/arrière	120/80-14 & 150/70-13
empattement	1 565 mm
Hauteur de selle	750 mm
Poids à vide	197 kg
Réservoir de carburant	14 litres

conclusion

Bien que le Majesty soit avant tout un mode de déplacement, et un loisir ensuite, plusieurs souriants propriétaires vous diront le contraire. Il est par ailleurs drôle de le constater que même si le Majsety et ses semblables sont souvent perçus comme des deux-roues de second rang par les « vrais » motocyclistes, le fait est que ces scooters surdimensionnés arrivent à faire tout ce qu'une moto fait, mais que l'opposé n'est pas vrai. Dans le cas particulier du Majesty, on a affaire à un scooter assez puissant pour faire face à toutes les situations de la besogne quotidienne, assez confortable et facile d'accès pour qu'à peu près n'importe qui puisse simplement l'enjamber et partir, et même assez pratique pour remplacer à l'occasion une voiture.

 QUOI DE NEUF EN 2007 ?

Aucun changement

Aucune augmentation de prix

 PAS MAL

Un aspect pratique et utile inimaginable pour le propriétaire de moto; c'est léger, c'est automatique, c'est économique, c'est confortable, c'est plein de rangement, etc.

Un petit moteur qui n'est évidemment pas très puissant, mais qui suffit toujours à la situation, de la ville au tourisme

Une efficacité aérodynamique étonnante du grand pare-brise, meilleure que celle de bien des motos spécialisées

BOF

Une légère paresse à s'élancer à partir d'un arrêt complet; tout de suite après, ça va mieux

Une suspension arrière plutôt ferme qui ne s'ajuste pas et qui se montre rude sur mauvais revêtement

Un équipement auquel il ne manque qu'un dossier pour le passager, même optionnel

PIAGGIO
X9 + 400 cc

L e X9 figure parmi les rares scooters grand format capables de s'approcher du niveau atteint par les mégascooters japonais. Il représente une bonne valeur puisqu'à 7 999 $, sa facture est identique à celles qu'affichent les Burgman et Majesty dont la cylindrée est inférieure. Un pare-brise ajustable et un système de freinage à disque triple avec couplage des freins avant et arrière sont inclus.

moteur	monocylindre de 460 cc 4-temps
pneus avant-arrière	120/70-14 & 150/70-14
freins avant-arrière	à disque - à disque
poids	213 kg
réservoir	14,8 litres
prix	7 999 $
nombre de places	2

PIAGGIO
BV 500 (250) + 400 cc

I l y a des styles qu'on aime ou qu'on déteste, mais qui ne laissent jamais indifférents. Celui des Piaggio BV 500 et 250 en fait décidément partie. Le 500 est propulsé par le même moteur que le X9 et dispose d'un système de freinage couplé. Tous deux ont la particularité d'être équipés de roues de 16 pouces montées de gommes qui sont pratiquement celles qu'on retrouverait sur une moto.

moteur	monocylindre de 460 cc (198 cc) 4-temps
pneus avant-arrière	110/70-16 & 150 (140)/70-16
freins avant-arrière	à disque - à disque
poids	198 kg (163 kg)
réservoir	13,2 litres (10 litres)
prix	7 899 $ (6 199 $)
nombre de places	2

HONDA
REFLEX 51 - 400 cc

S on prix peut paraître élevé, mais le Reflex de Honda livre au moins plusieurs caractéristiques intéressantes. Les plus notables sont un système de couplage des freins avant et arrière appelé CBS et la présence d'un système ABS, ce qui est unique sur un scooter de cette cylindrée. L'instrumentation est complète, la protection au vent est très bonne et le volume de rangement est généreux.

moteur	monocylindre de 249 cc 4-temps
pneus avant-arrière	110/90-12 & 130/70-12
freins avant-arrière	à disque - à disque (avec CBS et ABS)
poids	172 kg
réservoir	12 litres
prix	7 545 $
nombre de places	2

HYOSUNG
MS3 250 51 - 400 cc

C 'est au courant de 2007 que le MS3 250 devrait arriver sur notre marché. Caractérisé par sa volumineuse partie avant abritant le pilote derrière un pare-brise de bonnes dimensions, il est en plus muni d'une large selle étagée cachant un vaste espace de chargement. Malgré la cylindrée de 250 cc de son monocylindre refroidi par liquide, ses proportions approchent celles d'un 400.

moteur	monocylindre de 249 cc 4-temps
pneus avant-arrière	120/70-13 & 140/60-14
freins avant-arrière	à disque - à disque
poids	160 kg
réservoir	9 litres
prix	5 295 $
nombre de places	2

51 - 400 CC

KYMCO
BET & WIN 250 (150)

Les modèles 250 et 150 Bet & Win du constructeur taiwanais Kymco partagent une même plateforme. Leur monocylindre 4-temps est refroidi par liquide et leurs caractéristiques incluent un espace de rangement situé sous la selle ainsi qu'une instrumentation numérique avec tachymètre et de multiples autres fonctions. Tous deux ont la capacité de franchir les 100 km/h.

moteur	monocylindre de 251 cc (150 cc) 4-temps
pneus avant-arrière	120/70-12 & 130/70-12
freins avant-arrière	à disque - à disque
poids	158 kg (138 kg)
réservoir	10 litres
prix	5 399 $ (4 299 $)
nombre de places	2

51 - 400 CC

PGO
T-REX 150

Les différences entre le T-Rex 150 et le T-Rex 50 de PGO ne sont pas limitées à la mécanique puisque plusieurs éléments esthétiques du 150 sont propres à lui, mais la base, elle, est la même. Le monocylindre 4-temps refroidi par air qui l'anime produirait une dizaine de chevaux, soit assez pour lui faire atteindre la barre des 100 km/h sans trop de peine.

moteur	monocylindre de 147,5 cc 4-temps
pneus avant-arrière	120/70-12 & 130/70-12
freins avant-arrière	à disque - à tambour
poids	110 kg
réservoir	6,7 litres
prix	3 995 $
nombre de places	2

51 - 400 CC

VESPA
GTS 250 (200)

Inauguré l'an dernier, le GTS 250 est le scooter le plus gros jamais fabriqué par le célèbre constructeur italien Vespa. Il est équipé d'une selle dont les dimensions sont plus généreuses que celle du Granturismo de 200 cc sur lequel il est basé, et bénéficie en plus d'un porte-bagages. Alors que l'alimentation du 200 est confiée à un carburateur, le GTS bénéficie d'un système d'injection.

moteur	monocylindre de 244 cc (198 cc) 4-temps
pneus avant-arrière	120/70-12 & 130/70-12
freins avant-arrière	à disque - à disque
poids	148 kg (148 kg)
réservoir	10 litres
prix	7 499 $ (6 899 $)
nombre de places	2

51 - 400 CC

VESPA
GT60

Afin de justifier la facture injustifiable de 9 495 $ qui accompagne ce modèle produit à l'occasion du 60e anniversaire de la marque, Vespa inclut dans l'achat une véritable liste de « cadeaux » allant du porte-clé en cuir jusqu'au dessin signé par le designer du GT60 lui-même en personne! Seulement 999 exemplaires seront distribués mondialement, dont 50 arriveront jusqu'au Canada. Dépêchez-vous!

moteur	monocylindre de 244 cc 4-temps
pneus avant-arrière	120/70-12 & 130/70-12
freins avant-arrière	à disque - à disque
poids	146 kg
réservoir	10 litres
prix	9 495 $
nombre de places	2

VESPA
LX 150 (50)

51 - 400 CC

A l'exception de leur cylindrée différente, les versions 150 et 50 du LX de Vespa sont identiques. L'une de leurs caractéristiques les plus particulières est leur suspension avant à fourche unique qui laisse la roue entièrement exposée du côté droit. La version de 150 cc offre des performances de loin supérieures à celle du modèle de 50 cc, ce qui la rend à la fois plus pratique et plus sécuritaire.

moteur	monocylindre de 150 cc (49 cc) 4-temps
pneus avant-arrière	110/70-11 & 120/70-10
freins avant-arrière	à disque - à tambour
poids	111 kg (102 kg)
réservoir	8,6 litres
prix	5 699 $ (4 399 $)
nombre de places	2

YAMAHA
VINO 125

51 - 400 CC

La version 125 du Vino de Yamaha constitue l'une des meilleures valeurs du marché. Pour une somme à peine supérieure à celle que commandent plusieurs 50 cc, il propose un niveau de performances d'un tout autre calibre puisqu'il permet de s'engager sécuritairement sur des voies rapides et de se déplacer avec plus de vigueur dans l'environnement de la ville et de ses automobilistes souvent impatients.

moteur	monocylindre de 125 cc 4-temps
pneus avant-arrière	3,50-10 & 3,50-10
freins avant-arrière	à disque - à tambour
poids	107,5 kg
réservoir	4,7 litres
prix	3 599 $
nombre de places	2

APRILIA
SCARABEO 50

50 CC

Rien ne peut être confondu avec la série des scooters Scarabeo de Aprilia. La combinaison de formes organiques et de grandes et minces roues de 16 pouces permet au Scarabeo 50 de facilement se distinguer de ses semblables. En raison du profil haut du modèle, la position de conduite est plus assise et relevée que sur la moyenne des scooters.

moteur	monocylindre de 49 cc 4-temps
pneus avant-arrière	80/80-16 & 90/80-16
freins avant-arrière	à disque - à tambour
poids	n/d
réservoir	8 litres
prix	2 995 $
nombre de places	1

APRILIA
SR50R FACTORY

50 CC

On ne trouve pas de scooter de 50 cc plus avancé que le SR50R Factory de Aprilia sur notre marché. Animé par un monocylindre refroidi par liquide étonnamment poussé, il bénéficie d'une alimentation par injection directe. Freinage par disque double, roues de 13 pouces, ligne sportive et décalques inspirés de ceux de la RSV1000R sont autant de caractéristiques qui expliquent son prix élevé.

moteur	monocylindre de 49 cc 2-temps
pneus avant-arrière	130/60-13 & 130/60-13
freins avant-arrière	à disque - à disque
poids	106 kg
réservoir	7 litres
prix	3 995 $
nombre de places	2

50 CC — CPI
OLIVER SPORT (CITY)

Les modèles Oliver Sport et Oliver City de CPI, un autre manufacturier de scooters taïwanais, ne diffèrent qu'au niveau de leur traitement graphique. Plutôt commun d'un point de vue technique, avec leur moteur 2-temps et leur combinaison de freins disque avant/tambour arrière, ils se distinguent surtout par leurs roues de bonnes dimensions et par l'un des styles les plus sportifs de notre marché.

moteur	monocylindre de 49 cc 2-temps
pneus avant-arrière	120/70-12 & 130/70-12
freins avant-arrière	à disque - à tambour
poids	87,5 kg
réservoir	5,2 litres
prix	2 995 $
nombre de places	2

50 CC — E-TON
BEAMER MATRIX II

Ajoutez un pratique top case – avec dossier pour le passager s'il vous plaît – au Beamer III de E-TON, ainsi que quelques détails d'ordre esthétique comme un petit déflecteur, un siège 2 tons et un échappement de style différent et vous obtenez le Beamer Matrix II. Construit à Taiwan, il est accompagné d'une facture 250 $ plus élevée que celle du modèle sans top case.

moteur	monocylindre de 49 cc 2-temps
pneus avant-arrière	120/90-10 & 130/90-10
freins avant-arrière	à disque - à tambour
poids	82 kg
réservoir	5,5 litres
prix	2 699 $
nombre de places	2

50 CC — E-TON
BEAMER III

Le Beamer III est en tout point identique au Beamer II (sur la photo) qu'il remplace en 2007, à la différence qu'il est muni de certains équipements lui permettant de respecter les dernières normes environnementales. Il s'agit d'un autre scooter taïwanais construit sur le moule du populaire Yamaha BW's. Selon l'importateur, plusieurs pièces proviendraient même de l'ancienne génération du BW's.

moteur	monocylindre de 49 cc 2-temps
pneus avant-arrière	120/90-10 & 130/90-10
freins avant-arrière	à disque - à tambour
poids	82 kg
réservoir	5,5 litres
prix	2 449 $
nombre de places	2

50 CC — HONDA
JAZZ

Il n'y a pas que sur le marché des « vraies » motos que Honda et Yamaha se rivalisent constamment puisqu'ils le font même avec leurs scooters. Ainsi, comme le c'est le cas avec le Ruckus et le BW's, le Jazz et ses airs de Vespa a pour but de concurrencer le Yamaha Vino. Cette fois, on joue au moins à armes égales puisque les deux modèles ont recours à une technologie 4-temps.

moteur	monocylindre de 49 cc 4-temps
pneus avant-arrière	90/90-10 & 90/90-10
freins avant-arrière	à tambour - à tambour
poids	71 kg
réservoir	5 litres
prix	2 799 $
nombre de places	1

RUCKUS

50 CC

Avec ses pneus tout-terrain « ballons » et son phare avant double, le Ruckus n'est ni plus ni moins que la réponse de Honda au BW's de Yamaha. Plusieurs points les distinguent l'un de l'autre, notamment le fait que le Honda est un 4-temps plutôt qu'un 2-temps. Le Ruckus ne propose par ailleurs aucune possibilité d'accueillir un passager.

moteur	monocylindre de 49 cc 4-temps
pneus avant-arrière	120/90-10 & 130/90-10
freins avant-arrière	à tambour - à tambour
poids	82 kg
réservoir	5 litres
prix	2 849 $
nombre de places	1

RALLY (PRIMA)

50 CC

Les modèles Rally et Prima sont pratiquement des scooters jumeaux. Tous deux partagent la même carrosserie, mais certains détails diffèrent afin de donner une identité propre à chaque modèle. La principale différence se situe au niveau des roues, plus petites et montées de pneus tout-terrain sur le Rally, et plus grandes et montées de pneus routiers sur le Prima.

moteur	monocylindre de 49 cc 2-temps
pneus avant-arrière	120/90-10 & 130/90-10 (110/70-12 & 120/70-12)
freins avant-arrière	à disque - à tambour
poids	96 kg (88 kg)
réservoir	4,8 litres
prix	2 495 $ (2 549 $)
nombre de places	2

SENSE

50 CC

Produit par Hyosung en Corée, le Sense serait, selon l'importateur canadien National Motorsports, une réplique très exacte d'une ancienne génération d'un scooter vendu par Suzuki il y a quelques années, le AE50. Afin d'arriver à l'offrir à un tel prix, quelques sacrifices ont été faits, comme le choix de roues de 10 plutôt que 12 pouces. Un compartiment sous la selle peut accueillir un casque.

moteur	monocylindre de 49 cc 2-temps
pneus avant-arrière	100/80-10 & 100/80-10
freins avant-arrière	à disque - à tambour
poids	84 kg
réservoir	5 litres
prix	2 095 $
nombre de places	2

VITALITY 50

50 CC

Le Vitality est la simplicité même en matière de scooter de 49 cc. Malgré son prix relativement faible, la plupart des caractéristiques intéressantes sont incluses, comme un espace de rangement sous la selle, un frein avant à disque et des roues de 12 pouces. Le mélange d'huile et d'essence se fait automatiquement, tandis qu'un avertisseur lumineux prévient l'utilisateur d'un niveau d'huile bas.

moteur	monocylindre de 49 cc 2-temps
pneus avant-arrière	120/70-12 & 130/70-12
freins avant-arrière	à disque - à tambour
poids	97 kg
réservoir	5 litres
prix	2 229 $
nombre de places	2

50 CC

KYMCO
PEOPLE S 50

L a ligne du People S 50 rappelle un peu celle du Aprilia Scarabeo 50, surtout en raison de ses grandes et minces roues de 16 pouces et de son profil haut. La selle étagée permet d'accueillir un passager confortablement tandis que la protection au vent est améliorée par la grande surface de la partie avant ainsi que par le petit pare-brise.

moteur	monocylindre de 49 cc 2-temps
pneus avant-arrière	100/80-16 & 110/80-16
freins avant-arrière	à disque - à tambour
poids	102 kg
réservoir	6,7 litres
prix	2 899 $
nombre de places	2

50 CC

KYMCO
SUPER 9

L e Super 9 est le scooter de 49 cc le plus avancé de Kymco sur notre marché. Fabriqué à Taiwan, il affiche une ligne sportive dominée par un phare en flèche et de nombreux décalques. Les freins à disque à l'avant comme à l'arrière, les grandes roues de 12 pouces, le moteur refroidi par liquide et l'instrumentation avec tachymètre expliquent son prix légèrement plus élevé que la moyenne chez ces scooters.

moteur	monocylindre de 49 cc 2-temps
pneus avant-arrière	120/70-12 & 130/70-12
freins avant-arrière	à disque - à disque
poids	106 kg
réservoir	6 litres
prix	3 199 $
nombre de places	2

50 CC

PGO
T-REX 50

L e T-Rex 50 est l'un des deux scooters de 49 cc offerts par PGO sur notre marché. Sa ligne moderne et effilée caractérisée par son phare avant double semble généralement plaire aux jeunes. Son instrumentation comporte un tachymètre, un équipement rarement retrouvé sur les scooters de cette classe. Ses roues de grand diamètre sont un atout sur la route puisqu'elles augmentent la stabilité.

moteur	monocylindre de 49 cc 2-temps
pneus avant-arrière	120/70-12 & 130/70-12
freins avant-arrière	à disque - à tambour
poids	99 kg
réservoir	6,7 litres
prix	2 995 $
nombre de places	2

50 CC

PGO
BIG MAX 50

L e Yamaha BW's est si populaire qu'il pousse plusieurs manufacturiers de scooters à produire des modèles similaires. Le Big Max 50 de PGO en est un. Fabriqué à Taiwan, ses points d'intérêt sont des roues surdimensionnées pouvant mieux supporter les défauts du réseau routier et une selle suffisamment longue pour accueillir un passager.

moteur	monocylindre de 49 cc 2-temps
pneus avant-arrière	120/90-10 & 130/90-10
freins avant-arrière	à disque - à tambour
poids	84 kg
réservoir	5,1 litres
prix	2 595 $
nombre de places	2

PIAGGIO
FLY

50 CC

YAMAHA
VINO

50 CC

Le Fly 50 est produit par le groupe Piaggio, l'un des plus grands constructeurs de deux-roues au monde. Propulsé par un moteur 4-temps, il se distingue par ses dimensions relativement généreuses pour un scooter de cette classe. De grandes roues de 12 pouces et un compartiment verrouillable logé sous la selle font également partie des caractéristiques à noter.

Le Vino est un clin d'oeil aux célèbres scooters italiens Vespa, mais il affiche une facture beaucoup moins corsée. Il se distingue surtout par ses sympathiques formes rondes et par sa calandre chromée. Propulsé par un petit monocylindre 2-temps lorsqu'il fut d'abord mis en marché, il fait depuis quelques années appel à une technologie 4-temps.

moteur	monocylindre de 49 cc 4-temps
pneus avant-arrière	120/70-12 & 120/70-12
freins avant-arrière	à disque - à tambour
poids	107 kg
réservoir	7,2 litres
prix	2 399 $
nombre de places	2

moteur	monocylindre de 49 cc 4-temps
pneus avant-arrière	90/90-10 & 90/90-10
freins avant-arrière	à tambour - à tambour
poids	76 kg
réservoir	4,5 litres
prix	2 699 $
nombre de places	1

YAMAHA
C-CUBED

50 CC

YAMAHA
BW'S

50 CC

Une nouveauté en 2007, le C-Cubed fut présenté pour la première fois au salon de Tokyo 2005 en tant que concept (voir Guide 2006). L'une de ses caractéristiques principales est un compartiment large et plat, mais peu profond situé sous sa selle. Le C-Cubed est animé par un moteur 4-temps plus propre, mais moins puissant que les 2-temps de même cylindrée. Son look est caractérisé par une fourche ultralarge et par un feu arrière très large.

Le BW's – on prononce Beewees – est tout simplement le scooter le plus vendu au pays, et par une bonne marge. Passez d'ailleurs devant une école secondaire durant les beaux mois de l'année et les chances sont fortes pour que son stationnement soit envahi d'exemplaires du petit Yamaha en divers états. Notons que le manufacturier vend en 2007 des modèles 2006, en attendant un remplaçant possible du modèle en 2008.

moteur	monocylindre de 49 cc 4-temps
pneus avant-arrière	120/90-10 & 120/90-10
freins avant-arrière	à tambour - à tambour
poids	85 kg
réservoir	4,5 litres
prix	2 599 $
nbre de places	1

moteur	monocylindre de 49 cc 2-temps
pneus avant-arrière	120/90-10 & 130/90-10
freins avant-arrière	à disque - à tambour
poids	91 kg
réservoir	5,7 litres
prix	2 849 $
nombre de places	2

HORS-ROUTE

claude léonard

poussiéreux personnage

La section hors-route de cette édition du Guide de la moto est l'œuvre d'un certain C. Léonard, de résidence inconnue. Au fil des ans — accent mis sur le pluriel de l'expression —, ledit individu a acquis une expérience volumineuse qui, en toute humilité, lui permet de s'autoproclamer Jos Connaissant tant dans le domaine de la moto hors-route que dans celui du journalisme moto.

Après une carrière de neuf ans en motocross, dont sept à meubler le peloton en classe Pro, il bifurqua vers l'enduro et l'enduro-cross, atteignant, mais ne dépassant jamais le cap de vice champion du Québec au cumulatif du championnat provincial (looser...). De nos jours, il participe tant bien que mal à la classe Vétérans « + 40 ans » du championnat du Québec d'enduro-cross, dans lequel il sévit avec ses fils Martin, 16 ans, et Loïc, 13 ans, de même que sa complice Lucie — jeunesse éternelle —, au sein de la percutante équipe de course familiale Tempus Fugit Racing. Ce qui, par un hasard hasardeux, fait de lui un expert tant sportif que financier dans les trois catégories les plus dynamiques du marché actuel de la moto hors-route : les classes pour enfants et ados, pour femmes et pour... p'tits vieux.

Sur le plan du « scribouillage », notre homme a cumulé quelque 17 années d'expérience à titre de rédacteur en chef de diverses revues spécialisées sur la moto, un choix de carrière pour le moins bizarre, mais bon, nous ne lui en tiendrons pas rigueur. Sur le plan de la culture personnelle, après avoir bossé comme mécanicien automobile pour payer ses études universitaires en Sciences de la terre, il fut responsable pendant une vingtaine d'années de la construction de la piste au Motocross du Stade olympique, tout en oeuvrant bénévolement au sein de diverses associations motocyclistes québécoises, visant tant la moto sur route que la compétition et le sentier. Il a aussi développé une certaine expertise dans l'art d'endurer des déficiences dorsales, et dans le maintien en vie de « rouille-tilantes » vieilles Chevy Van.

C'est pas mal tout ce que nous savons du gars.

perspective historique

Les motos hors-route ont beaucoup changé depuis cinq ans. Le retour en force du moteur quatre-temps a complètement chamboulé la donne, particulièrement en motocross, créant une nébulosité que le milieu a mis du temps à clarifier. Pour un néophyte, et plus encore pour quelqu'un qui revient au hors-route après une longue absence, cette récente et rapide évolution peut facilement semer la confusion. Un bref survol de la récente « révolution quatre-temps » permet de mieux cerner le marché actuel du hors-route, particulièrement en ce qui concerne le motocross.

Jusqu'à la fin des années 90, le paysage hors-route était relativement simple à comprendre. La vaste majorité des motos étaient propulsées par un moteur deux-temps (2T), dont la cylindrée déterminait la catégorie. En gros, il y avait des 50, des 65 et des 85 pour les enfants, et il y avait des 125, des 250 et des 500 pour les adultes. Le 2T régnait parce que, pour une cylindrée donnée, il était à la fois plus léger, plus simple et plus puissant qu'un quatre-temps (4T) équivalent. Les motos à moteur 4T étaient considérées lourdes et poussives, et restaient peu utilisées en compétition.

À la toute fin des années 90, Yamaha a amorcé une véritable révolution en lançant sa YZ400F, une machine de motocross à moteur 4T de 400 cc conçue pour courir dans la classe... 250. Il faut comprendre que longtemps auparavant, les autorités sportives avaient prévu des exemptions au niveau de la cylindrée afin de favoriser le développement de motos à moteur 4T. En se basant sur la technologie existant à l'époque et en extrapolant de façon intuitive, il avait été décidé qu'un moteur 4T de 450 cc pourrait courir contre les 250 cc 2T, et qu'un 4T de 250 cc serait légal face aux 125 cc 2T.

Au tournant du millénaire donc, les ingénieurs de Yamaha ont réécrit le cahier de charge de la machine de motocross moderne en appliquant la plus récente technologie 4T, issue de la compétition sur circuit routier,

au domaine du motocross. La YZ400F est vite devenue YZ426F puis YZ450F (F pour Four Stroke), afin de tirer le maximum d'avantage du règlement. Au même moment, la YZ250F est venue s'attaquer aux 125.

Il est vite devenu évident pour tout le monde — tant les coureurs que les autres fabricants — que l'avantage de cylindrée offert aux 4T par le règlement se traduisait par un avantage énorme sur une piste de motocross. Même si un moteur 2T peut s'approcher de la puissance maximale des 4T plus gros, il ne peut égaler la rondeur de leur bande de puissance, qui les rend beaucoup plus efficaces. Le contrôle plus précis de la combustion dans un 4T permet en effet d'obtenir une plage de puissance plus étendue, favorisant la motricité. Le résultat est facilement observable : en motocross, les 250 2T sont passées en nette minorité dans ce qui est devenu la classe MX1 (250 2T et 450 4T), tandis que les 125 2T ont presque disparu des pistes dans la nouvelle classe MX2 (125 2T et 250 4T).

Terminons ce chapitre sur un petit constat environnemental. L'émergence du 4T en motocross est souvent associée à des considérations écologiques, mais ça n'a foncièrement rien à voir. En réalité, c'est tout bonnement la trop grande générosité d'un règlement vétuste qui a rendu la « révolution quatre-temps » possible. Dites-vous bien que si ce règlement n'avait permis que des 4T de 175 cc dans la classe 125, tout le monde roulerait encore sur des 125 2T. En course, ce sont les résultats qui comptent, point à la ligne.

Notons par ailleurs que la récente invasion du moteur 4T, massive en motocross, est beaucoup plus discrète en compétition hors-route (enduro et enduro-cross). La durée plus longue des épreuves, la présence de sections plus serrées et l'influence importante des conditions boueuses font en sorte que les machines 2T, plus légères et plus maniables, conservent la cote.

Il faut aussi savoir qu'un moteur 4T coûte passablement plus cher à entretenir, particulièrement en cas de casse majeure.

Les grandes catégories

Cette section spéciale hors-route du Guide de la Moto est subdivisée en quatre grandes catégories, définies par la nature même des motos qui les composent. Et dans le monde des sauts, de la poussière et de la boue, la nature des motos est intimement liée au monde de la compétition. À preuve, sur les 75 modèles hors-route purs répertoriés dans cette section spéciale, plus de 60 pour cent se définissent carrément comme des machines de course. Pour s'y retrouver dans le domaine des motos hors-route, il faut donc que les différents types de compétition nous soient familiers.

Pour refléter cette réalité, les deux premières catégories de ce guide hors-route sont donc directement liées à des types de compétition, soit le motocross et la course hors-route (enduro et enduro-cross). La troisième catégorie regroupe les machines récréatives, conçues pour évoluer dans un environnement non compétitif. Et la quatrième catégorie est réservée aux motos qui ne font que passer de façon occasionnelle dans la poussière, les double-usage. Voici comment ces quatre catégories se définissent.

MOTOCROSS

Le motocross est une compétition se déroulant sur un circuit fermé durant une période limitée, généralement de l'ordre de 20 minutes. Les motos sont dépouillées et conçues pour rouler le plus vite possible, avec un moteur puissant, et des suspensions fermes et très évoluées. Les machines de motocross vendues dans les salles de montre sont vraiment à la fine pointe de la technologie, en partie parce que bon nombre d'entre elles se retrouvent effectivement en compétition, et en partie parce que les motos des pilotes d'usine doivent être élaborées à partir des motos de série.

RÉCRÉATIVES

La catégorie des motos récréatives regroupe les machines conçues pour le simple plaisir de se balader. Elles sont moins poussées, tant du côté du moteur que de celui des suspensions, que les machines de compétition et sont donc plus faciles à apprivoiser et plus abordables. Elles sont aussi offertes en une grande variété de grosseurs, tant côté moteur que gabarit. C'est ici que la plupart des débutants trouveront la machine idéale.

HORS-ROUTE

La compétition hors-route introduit la notion d'endurance et la présence de sentiers. Les deux grands types de compétition hors-route sont l'enduro et l'enduro-cross. L'enduro s'apparente à un rallye, avec un long parcours en sentier – centaine de kilomètres – parsemé de contrôles que chaque pilote doit rallier selon un horaire prescrit. Plus populaire, l'enduro-cross est une épreuve de type cross-country se déroulant sur un circuit mixte (motocross et sentiers) d'une dizaine de kilomètres et plus, sur une période variant d'une à trois heures. Le départ d'un enduro-cross se fait en groupe comme en motocross, mais avec un moteur arrêté. Les motos de compétition hors-route sont dotées de suspensions plus souples, d'un moteur moins violent et d'un réservoir plus volumineux. Les modèles plus typés enduro ajoutent un système d'éclairage et un échappement à pare-étincelles.

DOUBLE-USAGE

Les motos double-usage sont des motos équipées pour rouler légalement sur la route et qui sont aussi conçues pour permettre une utilisation hors-route. Cette catégorie de notre section hors-route regroupe les machines de 650 cc et moins, tandis que les grosses aventurières sont répertoriées dans la section route du Guide.

REMARQUE : Il est à noter que nous avons omis d'inclure des motos de trial, ces magiciennes équilibristes du hors-route, dans ce Guide. Leur grande spécialisation, leur faible popularité et un nombre limité de pages sont responsables de ce complot d'exclusion. Dans un même ordre d'idée, il est possible de se procurer des motos hors-route Aprilia, Gas Gas, Husaberg, Husqvarna, Pollini et autres au Québec, mais leur diffusion demeure très limitée. Elles sont donc victimes du même complot.

NOS CATÉGORIES ET ABRÉVIATIONS

Motocross 450 quatre-temps	MX 450 4T	Hors-route 450 quatre-temps	HR 450 4T
Motocross 250 deux-temps	MX 250 2T	Hors-route 250 deux-temps	HR 250 2T
Motocross 250 quatre-temps	MX 250 4T	Hors-route 250 quatre-temps	HR 250 4T
Motocross 125 deux-temps	MX 125 2T	Récréatives	
Motocross Écoliers	MX Écoliers	Double-usage	

KTM
505SX-F

`MX 450 4T`

KTM est le grand spécialiste des motos hors catégorie visant un créneau étroit et spécialisé. Techniquement illégale dans la catégorie MX1 (450 4T / 250 2T) en motocross, la 505SX est par contre légale dans les catégories Vétérans, où l'âge du pilote fixe les limites et où la cylindrée est laissée au choix. La nouvelle 505SX à démarreur électrique est basée sur la 450SX complètement repensée (voir plus loin), se distinguant surtout par un réalésage qui porte sa cylindrée de 449 à 477 cc. L'appellation 505 est donc trompeuse, mais demeure logique historiquement, en ce sens que la 505SX remplace la 525SX, qui faisait en fait 510 cc. Pour le moment, la 505 n'est offerte qu'en version motocross, avec une boîte à 4 rapports.

moteur-refroidissement	monocylindre 4-temps de 477 cc - liquide
transmission-embrayage	4 rapports - manuel
cadre-roues avant/arrière	acier - 21 pouces / 19 pouces
poids-selle-réservoir	106 kg - 925 mm - 7 litres
prix-garantie	8 998 $ - 1 mois

HONDA
CRF450R

`MX 450 4T`

Lancée en 2001 avec quelques petits défauts, la CRF450R a été peaufinée en 2002 et est devenue LA référence en motocross. Depuis, elle domine la concurrence tant sur la piste qu'au niveau des ventes. Pour 2007, le raffinement se poursuit avec un cadre arrière et un échappement redessinés pour mieux centraliser les masses, une fourche recalibrée et des améliorations au moteur visant à le rendre à la fois plus puissant et plus convivial. Le carburateur est plus gros et porte une pompe d'accélération redessinée, les soupapes d'échappement sont plus petites et la courbe d'allumage est modifiée. Il en résulte une machine subtilement améliorée qui n'a rien perdu de la spectaculaire combinaison d'excellence et de caractère qui a fait sa renommée.

moteur-refroidissement	monocylindre 4-temps de 449 cc - liquide
transmission-embrayage	5 rapports - manuel
cadre-roues avant/arrière	aluminium - 21 pouces / 19 pouces
poids-selle-réservoir	99 kg - 955 mm - 7 litres
prix-garantie	8 499 $ - aucune

KAWASAKI
KX450F

`MX 450 4T`

Très attendue, la KX450F a fait une entrée remarquée l'an dernier, malgré quelques petits défauts de jeunesse. Kawasaki a réagi rapidement et revient à la charge avec une machine considérablement modifiée. Le cadre en aluminium a été repensé afin d'offrir une nouvelle combinaison de rigidité et de flexion. Il est en outre plus costaud à l'ancrage de la suspension arrière, qui est dotée d'une tringlerie redessinée. Les circuits hydrauliques sont révisés dans l'amortisseur et la fourche, cette dernière bénéficiant d'un revêtement spécial au carbone réduisant la friction. Côté moteur, la culasse, l'allumage et l'échappement ont été revus pour plus de puissance et pour des reprises plus franches. La boîte de vitesses est passée de 4 à 5 rapports.

moteur-refroidissement	monocylindre 4-temps de 449 cc - liquide
transmission-embrayage	5 rapports - manuel
cadre-roues avant/arrière	aluminium - 21 pouces / 19 pouces
poids-selle-réservoir	102 kg - 965 mm - 7 litres
prix-garantie	8 399 $ - aucune

KTM
450SX-F

`MX 450 4T`

Si la fine pointe de la technologie vous allume, cette KTM va agir directement sur votre mèche. Repensée d'un bout à l'autre, la nouvelle 450SX est élaborée autour d'un moteur de nouvelle génération qui se veut le plus sophistiqué et le plus léger de la catégorie. Très compact, il est de type à carter sec avec réservoir d'huile séparé. Le moteur est logé dans un tout nouveau cadre en acier à géométrie révisée, doté d'un nouveau bras oscillant hydro-formé et d'éléments de suspension plus évolués. L'habillage est aussi tout nouveau. Même si elle est maintenant équipée d'un démarreur électrique, elle demeure plus légère que la 450SX de l'an dernier. Le résultat est impressionnant, mais son comportement « à la KTM » exige toujours une adaptation.

moteur-refroidissement	monocylindre 4-temps de 449 cc - liquide
transmission-embrayage	4 rapports - manuel
cadre-roues avant/arrière	acier - 21 pouces / 19 pouces
poids-selle-réservoir	104 kg - 925 mm - 7 litres
prix-garantie	8 498 $ - 1 mois

MX 450 4T

SUZUKI
RM-Z450

Ricky Carmichael a clairement démontré les capacités de la RM-Z450 en 2006 en enlevant le championnat U.S. de supercross puis en oblitérant une fois de plus la concurrence au championnat national américain de motocross. Pour célébrer, Suzuki offre pour 2007 une version limitée Carmichael Replica qui affiche une déco spéciale et coûte 200 $ de plus que la RM-Z450 de base. Cette dernière ayant été bien reçue, mais affichant tout de même un léger retard sur l'omnipotente CRF450R, Suzuki lui a apporté plusieurs changements significatifs pour 2007. L'admission, la carburation, la culasse, l'allumage et l'échappement sont modifiés pour plus de puissance. Le cadre en aluminium est révisé et la suspension a été ajustée en conséquence.

moteur-refroidissement	monocylindre 4-temps de 449 cc - liquide
transmission-embrayage	4 rapports - manuel
cadre-roues avant/arrière	aluminium - 21 pouces / 19 pouces
poids-selle-réservoir	100 kg - 955 mm - 7 litres
prix-garantie	8 199 $ - aucune

MX 450 4T

YAMAHA
YZ450F

Yamaha a lancé rien de moins qu'une révolution dans le monde du motocross en lançant sa YZ400F, qui a fait un arrêt à 426 avant de devenir une 450. La première YZ450F était rapide et grisante, mais son moteur explosif était difficile à gérer. Yamaha s'applique depuis à adoucir la bête, qui a reçu un nouveau cadre en aluminium et un nouveau moteur l'an dernier, et atteint un niveau de raffinement et de douceur inégalé en 2007. Côté moteur, le profil et le calage de la distribution sont révisés, tout comme les dimensions de l'échappement. La suspension a aussi été revue, incluant un amortisseur légèrement plus long afin de favoriser une direction plus rapide. Une nouvelle selle et un guidon en aluminium plus haut modifient l'ergonomie.

moteur-refroidissement	monocylindre 4-temps de 449 cc - liquide
transmission-embrayage	5 rapports - manuel
cadre-roues avant/arrière	aluminium - 21 pouces / 19 pouces
poids-selle-réservoir	100 kg - 985 mm - 7 litres
prix-garantie	8 449 $ - aucune

MX 250 2T

HONDA
CR250R

Un communiqué issu du service de marketing de Honda a récemment annoncé que la compagnie comptait arrêter la production de motos à moteur 2-temps pour se concentrer exclusivement sur les 4-temps. Ce n'est pas une bonne nouvelle pour la CR250R 2007, qui risque de disparaître avec la mention « œuvre inachevée ». Identique à la 2006, qui était identique à la 2005, la « dernière » CR250R n'en est pas moins dotée d'une excellente partie cycle, avec des suspensions top niveau, une stabilité de train et une direction incisive. Malheureusement, son audacieux moteur à admission dans le carter et valve à l'échappement électronique n'a jamais été développé. Il pousse fort au milieu, mais se montre creux aux extrémités.

moteur-refroidissement	monocylindre 2-temps de 249 cc - liquide
transmission-embrayage	5 rapports - manuel
cadre-roues avant/arrière	aluminium - 21 pouces / 19 pouces
poids-selle-réservoir	97 kg - 942 mm – 7,5 litres
prix-garantie	8 159 $ - aucune

MX 250 2T

KAWASAKI
KX250

Si vous trouvez une KX250 2006 neuve à un prix alléchant chez un concessionnaire, vous devriez peut-être vous renseigner sur le prix d'une culasse de 2007 et sortir votre calculatrice. Cette nouvelle culasse constitue l'essentiel des changements apportés au modèle 2007, réduisant la compression dans le moteur afin d'adoucir l'arrivée des chevaux à mi-régime. Le moteur 2007 est donc plus convivial, mais demeure plutôt creux en bas et frappe toujours fort au milieu avant de poursuivre allègrement sa lancée, ce qui est à la fois un plus puisque c'est grisant, et un moins parce que ça fatigue. La suspension est correcte, mais l'équilibre avant/arrière est à parfaire. La KX250 se débrouille bien, mais elle est plus que due pour une bonne révision.

moteur-refroidissement	monocylindre 2-temps de 249 cc - liquide
transmission-embrayage	5 rapports - manuel
cadre-roues avant/arrière	acier - 21 pouces / 19 pouces
poids-selle-réservoir	97 kg - 965 mm - 8,3 litres
prix-garantie	7 499 $ - aucune

KTM
250SX
`MX 250 2T`

Chez KTM, l'évolution des 2T est aussi importante que celle des 4T. À preuve, la 250SX a été complètement revue pour 2007. Cadre, bras oscillant, géométrie arrière, amortisseur, fourche, moyeux de roue, habillage... tout est nouveau. Le moteur, déjà réputé pour sa puissance, conserve les mêmes cotes et le même piston, mais bénéficie d'un cylindre et d'une culasse à la fois redessinés et allégés. En fait, toute la moto a été mise au régime, et devient de loin la plus légère des 250 en production. La 250SX est rapide, légère et très désirable. Mais malgré des progrès techniques côté suspension, elle continue de faire bande à part à ce chapitre avec ses unités WP, et leur comportement ne fait pas l'unanimité.

moteur-refroidissement	monocylindre 2-temps de 249 cc - liquide
transmission-embrayage	5 rapports - manuel
cadre-roues avant/arrière	acier - 21 pouces / 19 pouces
poids-selle-réservoir	94 kg - 925 mm – 7 litres
prix-garantie	8 159 $ - 1 mois

SUZUKI
RM250
`MX 250 2T`

Déjà considérée comme la principale rivale de la YZ250 au haut de la hiérarchie 250 2T, la RM250 affiche des changements mineurs pour 2007. Le moteur reçoit de nouveaux orifices d'échappement et est légèrement basculé vers l'avant, pas tant pour redistribuer les masses que pour déplacer l'arbre de sortie de boîte afin de diminuer l'effet de couple de la chaîne sur la suspension arrière. Les changements au cylindre poursuivent la tendance amorcée l'an dernier visant la convivialité; le moteur répond toujours « présent » avec empressement sur toute la plage et ne faiblit qu'au niveau de l'allonge. La suspension est efficace et la direction est des plus précises. La RM250 s'adapte par ailleurs très bien à une utilisation en enduro-cross.

moteur-refroidissement	monocylindre 2-temps de 249 cc - liquide
transmission-embrayage	5 rapports - manuel
cadre-roues avant/arrière	acier - 21 pouces / 19 pouces
poids-selle-réservoir	96 kg - 945 mm – 8 litres
prix-garantie	7 499 $ - aucune

YAMAHA
YZ250
`MX 250 2T`

Si les règlements ne donnaient pas un avantage de cylindrée aussi ridicule aux 450 4T, une 2T dominerait peut-être la classe MX1. Mais les règles étant ce qu'elles sont, la YZ250 doit se contenter du titre de meilleure 250 2T. Révisée de façon importante en 2005, incluant un nouveau cadre en aluminium, puis dotée entre autres d'une fourche Kayaba SSS (sensible à la vitesse) l'an dernier, la YZ250 poursuit le raffinement de sa suspension en 2007 avec une fourche allégée et modifiée et un amortisseur révisé. De nouveaux réglages de carburateur acceptent mieux l'essence à la pompe. Le châssis est plus efficace et homogène que jamais, et le moteur pousse toujours aussi fort sur une très généreuse plage. La moto 2-temps à son meilleur.

moteur-refroidissement	monocylindre 2-temps de 249 cc - liquide
transmission-embrayage	5 rapports - manuel
cadre-roues avant/arrière	aluminium - 21 pouces / 19 pouces
poids-selle-réservoir	96 kg - 990 mm – 8 litres
prix-garantie	7 899 $ - aucune

HONDA
CRF250R
`MX 250 4T`

Sans être dominante comme l'est sa grande sœur, la 450R, dans sa catégorie, la CRF250R compte de nombreux adeptes qui apprécient au plus haut point sa partie cycle exemplaire et la grande convivialité de son moteur. Pour 2007, ce dernier affiche des modifications à la culasse et au collecteur d'échappement afin d'améliorer la puissance à haut régime. La double ligne d'échappement, apparue l'an dernier et visant la centralisation des masses, est de retour, tandis que le carburateur reçoit une nouvelle pompe d'accélération visant à corriger l'hésitation à l'atterrissage de gros sauts. L'accord tant apprécié entre le cadre en aluminium de quatrième génération et les éléments de suspension Showa est bonifié par de nouveaux réglages dans la fourche.

moteur-refroidissement	monocylindre 4-temps de 249 cc - liquide
transmission-embrayage	5 rapports - manuel
cadre-roues avant/arrière	aluminium - 21 pouces / 19 pouces
poids-selle-réservoir	92,5 kg - 965 mm – 7,5 litres
prix-garantie	8 059 $ - aucune

MX 250 4T — KAWASAKI KX250F

Après deux ans de vie commune à la suite de l'alliance avec Suzuki, Kawasaki a rappliqué l'an dernier avec une toute nouvelle KX250F bien à lui, à moteur redessiné et cadre en aluminium, qui s'est immédiatement repositionnée au niveau des meilleures de la catégorie. Pour 2007, la puissance est améliorée, surtout vers le bas de la courbe, grâce à des modifications apportées à la boîte à air, à la carburation, au piston et à la culasse, qui reçoit par ailleurs des soupapes, des guides et des sièges modifiés pour plus de durabilité. À cette même fin, l'embrayage et les engrenages de transmission sont plus costauds. L'allumage est recalibré et doté d'une nouvelle bobine intégrée au chapeau de bougie. La suspension a droit à de nouveaux ressorts et réglages hydrauliques.

moteur-refroidissement	monocylindre 4-temps de 249 cc - liquide
transmission-embrayage	5 rapports - manuel
cadre-roues avant/arrière	aluminium - 21 pouces / 19 pouces
poids-selle-réservoir	92,5 kg - 955 mm - 7,2 litres
prix-garantie	7 799 $ - aucune

MX 250 4T — KTM 250SX-F

Lancée à mi-saison en 2005 en tant que modèle 2006, la KTM 250SXF s'est immédiatement propulsée à l'avant dans le premier virage, prouvant une fois de plus le grand talent du motoriste autrichien quand vient le temps de produire des chevaux. Pour 2007, le puissant petit mono nous revient avec des modifications apportées à l'admission, à la culasse, à l'échappement et à la courbe d'allumage afin de le rendre encore plus convivial. Comme le laisse deviner son nouvel habillage, la 250SXF bénéficie de la nouvelle partie cycle SX de KTM, qui comprend un nouveau cadre à géométrie arrière modifiée, un amortisseur révisé et une nouvelle fourche WP SXS. Même si elle est maintenant la seule 250 4T à cadre en acier, la 250SXF demeure la plus légère de sa catégorie.

moteur-refroidissement	monocylindre 4-temps de 249 cc - liquide
transmission-embrayage	6 rapports - manuel
cadre-roues avant/arrière	acier - 21 pouces / 19 pouces
poids-selle-réservoir	90 kg - 925 mm - 7 litres
prix-garantie	7 998 $ - 1 mois

MX 250 4T — SUZUKI RM-Z250

En 2004 et 2005, à la suite d'une alliance entre les deux fabricants, Suzuki et Kawasaki ont offert une 250F commune qui ne se distinguait qu'au niveau de la couleur. L'an dernier, après la dissolution de l'alliance, Kawasaki a lancé une toute nouvelle KX250F tandis que Suzuki se voyait contraint d'offrir une version réchauffée de l'ancienne machine. L'heure de la vengeance a sonné et la RM-Z250 repart en guerre pour 2007 sous une toute nouvelle forme, complètement repensée et complètement Suzuki. L'allure du nouveau bras oscillant et du nouveau cadre en aluminium est très proche de celle des pièces de la RM-Z450. Le moteur conserve les vieilles cotes d'alésage et de course, mais est pour le reste complètement nouveau. La suspension est maintenant confiée à Showa.

moteur-refroidissement	monocylindre 4-temps de 249 cc - liquide
transmission-embrayage	5 rapports - manuel
cadre-roues avant/arrière	aluminium - 21 pouces / 19 pouces
poids-selle-réservoir	92 kg - 955 mm - 7 litres
prix-garantie	7 599 $ - aucune

MX 250 4T — YAMAHA YZ250F

En 2001, Yamaha a fait passer la 125 2T au rang de dinosaure en lançant sa YZ250F à moteur 4-temps. Mais ce n'est qu'au lancement des 250 4T de la concurrence qu'on a pu pleinement apprécier l'excellence de la YZ250F, qui a continué de dominer la catégorie et n'a vraiment été ennuyée qu'en 2006. Pour 2007, afin d'obtenir une direction plus rapide, Yamaha a modifié la géométrie du cadre en aluminium apparu l'an dernier et a ajouté un amortisseur plus long. Le bras oscillant est redessiné, la fourche est révisée, et le moteur a pivoté vers l'arrière afin de mieux centraliser les masses. Le moteur, qui a reçu un nouvel échappement pour plus de puissance, grimpe toujours en régime avec le même enthousiasme emballant.

moteur-refroidissement	monocylindre 4-temps de 249 cc - liquide
transmission-embrayage	5 rapports - manuel
cadre-roues avant/arrière	aluminium - 21 pouces / 19 pouces
poids-selle-réservoir	92 kg - 984 mm - 7 litres
prix-garantie	7 899 $ - aucune

KTM
144SX

`MX 125 2T`

Même si on a maintenant l'habitude de la catégorie MX2 dominée par des 250F, la traditionnelle appellation « classe 125 » a la vie dure. Comme pour ajouter à la confusion alphanumérique, KTM lance cette année une nouvelle arme qui n'est ni une 250 4T, ni une 125 2T, mais bien une 144 2T. Basée sur la nouvelle 125SX (voir plus loin), la 144SX exploite le règlement de l'AMA (régie sportive américaine) qui permet un réalésage à 144 cc des 125 en motocross amateur. Le gain de cylindrée permet de combler l'écart en puissance maximal face aux 250 4T, mais pas en motricité globale, comme l'ont prouvé les nombreuses « tricheuses » (125 trafiquées) déjà en piste. L'arrivée de la 144SX demeure une excellente nouvelle pour l'amateur de 2-temps.

moteur-refroidissement	monocylindre 2-temps de 143 cc - liquide
transmission-embrayage	6 rapports - manuel
cadre-roues avant/arrière	acier - 21 pouces / 19 pouces
poids-selle-réservoir	92 kg - 9265 mm – 7,5 litres
prix-garantie	7 298 $ - 1 mois

HONDA
CR125R

`MX 125 2T`

Comme pour sa grande sœur la CR250R, Honda a annoncé que la CR125R en serait à sa dernière année de production. La décision n'aidera pas la version 2007, inchangée une fois de plus, à quitter les salles de montre, surtout quand on considère son recul face non seulement aux 250 4T, mais aussi aux meilleures 125 2T. Son principal handicap est son moteur qui est moins généreux que ses rivaux dans une catégorie où la puissance joue un rôle capital. Pour le reste, la CR125R demeure une moto amusante, avec une partie cycle très saine, une excellente ergonomie et une finition supérieure. De plus, elle vieillit bien. Elle demeure un choix tout à fait défendable pour un grand nombre de pilotes en progression.

moteur-refroidissement	monocylindre 2-temps de 125 cc - liquide
transmission-embrayage	5 rapports - manuel
cadre-roues avant/arrière	aluminium - 21 pouces / 19 pouces
poids-selle-réservoir	89 kg - 950 mm – 7,5 litres
prix-garantie	7 249 $ - aucune

KAWASAKI
KX125

`MX 125 2T`

La KX125 est une autre machine qui semble vivre sur du temps emprunté. L'an dernier, Kawasaki l'a retirée sans cérémonie des pages de son catalogue aux États-Unis, pourtant un marché important. Elle demeure néanmoins offerte au Canada, de même qu'en Europe. La version 2007 est pratiquement identique à la 2006, qui ne se distinguait de la 2005 que par un guidon en aluminium, un ajustement à cran d'arrêt du levier d'embrayage et de nouveaux disques de freins. La KX demeure dans le coup parmi les 125 pures, grâce en grande partie à son moteur qui sait tirer son épingle du jeu, surtout du mi-régime en montant. La suspension est une génération derrière et l'équilibre avant/arrière est perfectible, mais la KX125 demeure performante.

moteur-refroidissement	monocylindre 2-temps de 124 cc - liquide
transmission-embrayage	5 rapports - manuel
cadre-roues avant/arrière	acier - 21 pouces / 19 pouces
poids-selle-réservoir	87 kg - 955 mm – 7,5 litres
prix-garantie	6 999 $ - aucune

KTM
125SX

`MX 125 2T`

Considérant la supériorité écrasante des 250 4T face aux 125 2T sur les pistes, il est surprenant de constater l'étendue des changements que KTM a apportés à sa 125SX pour 2007. Déjà hautement cotée en 2006, la plus récente version bénéficie en effet d'un cadre repensé, d'une nouvelle fourche, d'une suspension arrière modifiée, d'éléments en plastique redessinés et d'un moteur retravaillé. Ça semble un gros investissement pour tenter de devancer une seule vraie rivale, la Yamaha YZ125, dans une classe moribonde, les 125 2T. Pourquoi faire autant d'efforts pour être, au mieux, la première des perdantes ? L'apparition de la 144SX au catalogue KTM fournit sans doute une réponse plus claire à cette question.

moteur-refroidissement	monocylindre 2-temps de 124 cc - liquide
transmission-embrayage	6 rapports - manuel
cadre-roues avant/arrière	acier - 21 pouces / 19 pouces
poids-selle-réservoir	92 kg - 926 mm – 7,5 litres
prix-garantie	6 998 $ - 1 mois

MX 125 2T

SUZUKI
RM125

L'an dernier, Suzuki a apporté de légères améliorations au moteur et à la suspension de sa RM125 qui lui ont permis de mieux figurer, malgré un design qui commence à vieillir. Cette année, avec l'arrivée de la nouvelle RM-Z250 4-temps, la RM125 est retombée dans l'oubli, les changements se limitant à une modification aux protecteurs de fourche et à une selle retouchée. Si vous faites du motocross de façon sérieuse, elle n'est évidemment pas dans le coup. Mais si vous débutez ou que vous cherchez une moto de transition entre les 85 et les 250F, la RM125 est abordable, légère et facile d'approche. Son moteur qui répond bien à bas régime pour un 125 en fait même une machine à considérer pour un débutant en enduro-cross.

moteur-refroidissement	monocylindre 2-temps de 124 cc - liquide
transmission-embrayage	6 rapports - manuel
cadre-roues avant/arrière	acier - 21 pouces / 19 pouces
poids-selle-réservoir	87 kg - 950 mm - 7,9 litres
prix-garantie	7 099 $ - aucune

MX 125 2T

YAMAHA
YZ125

Depuis une dizaine d'années, la Yamaha YZ125 s'impose comme la meneuse de la catégorie 125 2T, s'appuyant sur un moteur puissant logé dans une partie cycle efficace et homogène. Contrairement à d'autres, Yamaha a activement poursuivi le développement de sa 125 malgré les effets dévastateurs de la vague 250F, qu'elle a ironiquement elle-même provoquée. Après avoir entraîné des changements importants en 2005, incluant un tout nouveau cadre en aluminium, le raffinement de la YZ125 se poursuit cette année avec, entre autres, l'arrivée d'une fourche et d'un amortisseur améliorés. La KTM 125SX lui souffle plus que jamais dans le cou, mais la YZ125 demeure la machine de choix pour celui qui, envers et contre tous, exige une vraie 125.

moteur-refroidissement	monocylindre 2-temps de 124 cc - liquide
transmission-embrayage	6 rapports - manuel
cadre-roues avant/arrière	aluminium - 21 pouces / 19 pouces
poids-selle-réservoir	86 kg - 994 mm – 8 litres
prix-garantie	7 149 $ - aucune

MX ÉCOLIERS

HONDA
CRF150R (B)

Le message est clair : la nouvelle CRF150R 4-temps va faire aux 85 2T ce que les Yamaha YZF ont fait aux 250 et 125 2T: elle va les anéantir sur les pistes. On voyait venir le train depuis longtemps, mais la limite de 126 cc imposée aux moteurs 4-temps dans cette catégorie posait problème. Honda l'a contourné de façon un peu baveuse en optant pour un 150. Déjà, les autorités européennes et canadiennes ont plié et acceptent la CRF150R dans la classe 85. Comme chez les grandes, l'avantage de cylindrée permet au 4-temps de s'imposer grâce à une bande de puissance plus large. Le fort prix à payer à l'achat comme à l'entretien, et le poids plus important laissent tout de même de bons arguments aux 85 2T.

moteur-refroidissement	monocylindre 4-temps de 149 cc - liquide
transmission-embrayage	5 rapports - manuel
cadre-roues avant/arrière	acier - 17(19) pouces / 14(16) pouces
poids-selle-réservoir	75 kg - 833 mm - 4,2 litres
prix-garantie	n/d - aucune

MX ÉCOLIERS

KTM
105SX

En motocross, les machines 2-temps de plus de 85 cc mais moins de 105 cc évoluent dans une catégorie nommée Supermini. Mais en termes de marketing, la 105SX est une « mini à grandes roues ». Comme la Kawasaki KX100 qui a inventé la classe, la 105SX est une évolution de sa petite sœur de 85 cc qui se distingue surtout par ses roues de plus grand diamètre (19 pouces devant et 16 derrière, par rapport à 17 / 14) et son moteur à cylindrée bonifiée. Plus moderne, la 105SX se veut supérieure à la KX100 sur une piste de cross, mais elle coûte plus cher. Malheureusement pour la SX, la nouvelle CRF150R à grandes roues risque de lui faire subir le même sort. Son prix inclut des composantes de premier choix, comme l'embrayage à commande hydraulique.

moteur-refroidissement	monocylindre 2-temps de 104 cc - liquide
transmission-embrayage	6 rapports - manuel
cadre-roues avant/arrière	acier - 19 pouces / 16 pouces
poids-selle-réservoir	68 kg - 899 mm – 4,9 litres
prix-garantie	5 498 $ - 1 mois

KAWASAKI
KX100

Kawasaki a parti le bal « grandes roues » il y a longtemps en greffant des roues de 19 et 16 pouces à sa KX85 afin de faciliter le passage vers les machines de 125 cc. La KX100 a longtemps dominé sa catégorie en motocross, et demeure compétitive avec un peu de préparation. Mais au fil des ans, elle s'est aussi imposée par son impressionnante polyvalence. Plus basse qu'une moto pleine grandeur, elle est plus légère que les traditionnelles hors-route d'initiation, et surtout plus performante avec son moteur puissant mais convivial et sa suspension à la fois évoluée et souple. Ces qualités en font un excellent choix pour une large brochette de pilotes de petite taille, qu'il s'agisse d'un ado débutant en sentier ou d'un pilote de catégorie féminine.

moteur-refroidissement	monocylindre 2-temps de 99 cc - liquide
transmission-embrayage	6 rapports - manuel
cadre-roues avant/arrière	acier – 19 pouces / 16 pouces
poids-selle-réservoir	68 kg - 870 mm – 5,6 litres
prix-garantie	4 549 $ - aucune

HONDA
CR85R

Pas de surprise ici. La livrée 2007 de la CR85R est pratiquement identique au modèle 2005. La bonne nouvelle, c'est qu'on la connaît bien. Son moteur est un 2-temps à l'ancienne qui n'est pas muni de valve à l'échappement. Il est donc plutôt creux en bas, la puissance étant concentrée dans la seconde moitié de la plage de régimes. Mais pour un bon pilote qui sait utiliser l'embrayage et la boîte à 6 rapports pour faire chanter le moteur, la CR85R pousse fort. Sa partie cycle est très saine, avec une suspension ferme qui encaisse bien et une direction précise. C'est une vraie machine de course qui demeure compétitive sur un circuit. Mais elle n'est pas la meilleure 85 pour un débutant ou pour une utilisation générale.

moteur-refroidissement	monocylindre 2-temps de 85 cc - liquide
transmission-embrayage	6 rapports - manuel
cadre-roues avant/arrière	acier – 17 pouces / 14 pouces
poids-selle-réservoir	65 kg - 822 mm – 5,3 litres
prix-garantie	4 589 $ - aucune

KAWASAKI
KX85

La KX85 a prouvé à maintes reprises qu'avec un peu de préparation, elle est capable de gagner des courses de haut niveau. Mais telle qu'elle sort de la salle de montre, elle fera particulièrement le bonheur du pilote qui débute dans cette catégorie. Son moteur est un poil moins puissant que celui de ses rivaux, mais grâce à sa valve d'échappement KIPS, il livre ses chevaux sur une plage relativement généreuse et facile à exploiter. Son cadre périmétrique, qui rappelle ceux de ses grandes sœurs de la gamme KX, est doté de suspensions efficaces, mais relativement souples qui facilitent aussi sa prise en mains et se prêtent bien à une utilisation plus générale. De plus, son ergonomie sied particulièrement aux jeunes de petite taille.

moteur-refroidissement	monocylindre 2-temps de 84 cc - liquide
transmission-embrayage	6 rapports - manuel
cadre-roues avant/arrière	acier – 17 pouces / 14 pouces
poids-selle-réservoir	65 kg - 840 mm – 5,6 litres
prix-garantie	4 349 $ - aucune

KTM
85SX

L'aguichante petite machine autrichienne domine nettement ses rivales de 85 cc dans une catégorie : le prix. Ce dernier est justifié par la présence de composantes exclusives comme son système de refroidissement à double radiateur, son guidon en aluminium, son embrayage à commande hydraulique et son cadre arrière amovible en aluminium. Sur la piste, la 85SX se retrouve toutefois vers le milieu d'un peloton relativement serré. Son moteur à admission dans le carter et à valve à l'échappement est compétitif, offrant de bonnes reprises en bas puis poussant fort en haut. Mais ses suspensions, comme plusieurs autres KTM, exigent un réglage assez précis pour bien fonctionner, ce qui n'est pas évident pour un jeune pilote.

moteur-refroidissement	monocylindre 2-temps de 84 cc - liquide
transmission-embrayage	6 rapports - manuel
cadre-roues avant/arrière	acier - 17 pouces / 14 pouces
poids-selle-réservoir	66 kg - 863 mm – 4,9 litres
prix-garantie	5 098 $ - 1 mois

SUZUKI
RM85

Comme ses rivales directes, la RM85 reprend une recette éprouvée qui ne compte aucun ingrédient nouveau pour pimenter la sauce en 2007. Dans le cas de la RM, la sauce demeure relevée puisque la petite machine jaune propose un moteur en excellente santé. S'il n'a pas tout à fait la puissance des Honda et Yamaha en haut, le petit monocylindre à admission dans le carter et à valve à l'échappement arrive à s'imposer par la générosité de sa plage d'utilisation. La RM s'extirpe plus facilement d'un virage serré et est plus facile à exploiter à fond, ce qui permet d'éviter les erreurs. Son moteur moins pointu en fait un excellent choix pour un débutant, qui appréciera aussi sa suspension relativement souple et sa sensation de légèreté.

moteur-refroidissement	monocylindre 2-temps de 85 cc - liquide
transmission-embrayage	6 rapports - manuel
cadre-roues avant/arrière	acier - 17 pouces / 14 pouces
poids-selle-réservoir	65 kg - 850 mm - 4,9 litres
prix-garantie	4 399 $ - aucune

YAMAHA
YZ85

La petite Yamaha est pratiquement inchangée pour 2007, mais puisque sa concurrence directe n'a pas bougé non plus, elle conserve son titre de reine des 85 cc 2T. Malheureusement, avec l'arrivée de la Honda CRF150R 4-temps, ce titre ne veut plus dire grand-chose... La YZ85 demeure dans le coup côté puissance maxi, mais son moteur sans valve à l'échappement est creux en bas, une sensation accentuée par une transition un peu brusque quand les chevaux arrivent avec force à mi-régime. Ajoutez une suspension plutôt ferme et une ergonomie qui accommode bien un jeune pilote de plus grande taille, et vous obtenez une 85 qui, sans être violente, demeure assez intense et vise surtout les pilotes expérimentés.

moteur-refroidissement	monocylindre 2-temps de 85 cc - liquide
transmission-embrayage	6 rapports - manuel
cadre-roues avant/arrière	acier - 17 pouces / 14 pouces
poids-selle-réservoir	66 kg - 864 mm - 5 litres
prix-garantie	4 499 $ - 90 jours

KAWASAKI
KX65

Quand vient le temps de fabriquer une véritable machine de motocross — suspension évoluée, moteur moderne à embrayage manuel — conçue pour un tout-petit, personne n'a plus d'expérience que Kawasaki. D'abord avec la KX60, puis avec la KX65, la firme japonaise a pendant des années complètement dominé la classe. En fait, pendant longtemps, elle était littéralement seule en piste. La KX65 n'est pas le meilleur choix pour initier un jeune débutant, mais pour un pilote qui a déjà une bonne expérience sur une machine automatique, elle demeure le premier pas de référence dans le monde des vraies machines de cross. Elle est performante, mais demeure conviviale, offre des composantes de qualité et, avec un bon entretien, se montre très durable.

moteur-refroidissement	monocylindre 2-temps de 65 cc - liquide
transmission-embrayage	6 rapports - manuel
cadre-roues avant/arrière	acier - 14 pouces / 12 pouces
poids-selle-réservoir	57 kg - 760 mm - 3,8 litres
prix-garantie	3 749 $ - aucune

KTM
65SX

Curieusement, KTM est le seul grand fabricant à s'être relevé les manches afin d'attaquer la domination de Kawasaki dans la classe 65. La SX65 reprend la même recette éprouvée de miniaturisation d'une machine de motocross pour adulte. Elle est propulsée par un moteur 2-temps refroidi au liquide à embrayage manuel et boîte à 6 rapports, et est dotée de suspensions typées cross et de 2 freins à disque, comme les grandes. Plus moderne et poussée de conception, la 65SX est plus performante dans l'absolu que la KX65, mais elle coûte plus cher. La KX est un choix plus logique, mais le côté exotique de la petite KTM est bien tentant. N'est-ce pas, papa ? Dans une catégorie où la clientèle ne fait que passer, les deux se complètent bien.

moteur-refroidissement	monocylindre 2-temps de 65 cc - liquide
transmission-embrayage	6 rapports - manuel
cadre-roues avant/arrière	acier - 14 pouces / 12 pouces
poids-selle-réservoir	56 kg - 750 mm - 3,4 litres
prix-garantie	4 398 $ - 1 mois

KTM
50SX (50SX JR)

MX ÉCOLIERS

Malgré leur allure « cute », les petites 50SX sont de vraies motos de compétition. Avec leur moteur puissant et leur embrayage automatique typé course, elles peuvent facilement intimider un jeune débutant. Pour la plupart des enfants — et des bourses —, il y a de meilleures façons de s'initier. Mais pour la course, les KTM sont LA référence populaire. La hauteur de la selle étant cruciale à ce niveau, KTM offre deux versions de la 50SX (la JR a des suspensions plus basses). Chacune est par ailleurs ajustable en hauteur. Bravo aux concepteurs! Il est à noter que plusieurs petits constructeurs (Pollini, LEM, Cobra...) comblent l'absence des fabricants japonais dans ce créneau, mais leur diffusion canadienne demeure limitée.

moteur-refroidissement	monocylindre 2-temps de 49 cc - liquide
transmission-embrayage	1 rapport - automatique
cadre-roues avant/arrière	acier – 12(10) pouces / 10 pouces
poids-selle-réservoir	36 kg - 650 mm – 2 litres
prix-garantie	3 898 $ (3 498 $) - 1 mois

KTM
525XC (XC-W)

HR 450 4T

La 525 est la plus grosse et la plus puissante machine hors-route offerte par les cinq grands fabricants. Et elle assume pleinement son rôle en faisant débouler les chevaux tel une avalanche dévalant une pente abrupte. Malgré toute cette puissance, elle demeure d'une étonnante facilité d'utilisation, son moteur se montrant aussi convivial qu'énergique. La partie cycle est aussi très saine, même si l'inertie importante du « gros cube » alourdit les changements de direction rapides. Le moteur de 510 cc, appelé 520 jusqu'en 2002, a du vécu et possède une excellente réputation de fiabilité. Raffinée pour 2007 par de légers changements, la 525 est offerte en version XC plus agressive et en version XC-W plus typée enduro. Un gentil géant à gros muscles.

moteur-refroidissement	monocylindre 4-temps de 510 cc - liquide
transmission-embrayage	6 rapports - manuel
cadre-roues avant/arrière	acier - 21 pouces / 18 pouces
poids-selle-réservoir	106(113) kg - 925 mm – 9,8 (11,3) litres
prix-garantie	9 498 $ (9 498 $) - 1 mois

HONDA
CRF450X

HR 450 4T

Vu le succès de la CRF450R en motocross, la CRF450X était très attendue à son lancement en 2005. À la joie des randonneurs et à la déception des compétiteurs, Honda a opté pour une transformation réductrice du motocross vers l'enduro. Elle créa une version plus calme et plus facile à doser du moteur, lui ajoutant un démarreur électrique et une boîte à rapports plus espacés. Une suspension plus souple, une roue arrière de 18 pouces, un réservoir plus volumineux et des accessoires enduro complètent l'ensemble. Le résultat est une machine efficace et fort agréable comme randonneuse, mais quelque peu lourde et imprécise en mode compétition. Les seuls changements notables pour 2007 sont un guide-chaîne allégé et une pompe d'accélération révisée.

moteur-refroidissement	monocylindre 4-temps de 449 cc - liquide
transmission-embrayage	5 rapports - manuel
cadre-roues avant/arrière	aluminium - 21 pouces / 18 pouces
poids-selle-réservoir	113 kg - 962 mm – 8,7 litres
prix-garantie	9099 $ - aucune

KTM
450XC (XC-W)

HR 450 4T

Plus maniable que la 525 et plus puissante que les autres, la 450 est la 4T de performance de la gamme KTM hors-route. Elle demeure basée sur l'ancienne 450 de motocross, équipée d'un démarreur électrique et d'une boîte à 6 vitesses adaptée, et ne fait appel ni au nouveau moteur, ni au nouveau châssis de la 450SX 2007. Comme les autres grosses KTM hors-route (400 à 525), les 450 reçoivent cette année un carter d'embrayage 2 pièces à accès rapide, une nouvelle fourche, des disques de freins en pétales et des jantes noires. Les modèles XC ont des tés de fourche usinés à géométrie ajustable tandis que les XC-W sont munies des tés coulés qui adouciraient le comportement en sentier. L'échappement des W est par ailleurs muni d'un pare-flammes.

moteur-refroidissement	monocylindre 4-temps de 449 cc - liquide
transmission-embrayage	6 rapports - manuel
cadre-roues avant/arrière	acier - 21 pouces / 18 pouces
poids-selle-réservoir	106(113) kg - 925 mm – 9,8 (11,3) litres
prix-garantie	9 198 $ (9 198 $) - 1 mois

HR 450 4T
YAMAHA
WR450F

Yamaha propose une version enduro de sa grosse 4-temps de motocross depuis plusieurs années, remontant à la 426. Devenue WR450, la machine a connu une belle carrière mais était plus réputée comme moto de sentier que machine de compétition. Cette réputation en prend pour son rhume en 2007 avec l'arrivée d'une toute nouvelle WR450F, basée de près sur la plus récente YZ450F de motocross. Le changement le plus évident est le nouveau cadre en aluminium qui est doté d'éléments de suspension dernier cri. Le moteur provient de la YZ450F, avec des modifications favorisant le couple. Il est doté d'un démarreur électrique et d'une boîte à 5 rapports plus espacés. L'ergonomie est amincie et les composantes enduro modernisées.

moteur-refroidissement	monocylindre 4-temps de 449 cc - liquide
transmission-embrayage	5 rapports - manuel
cadre-roues avant/arrière	aluminium - 21 pouces / 18 pouces
poids-selle-réservoir	112,5 kg - 980 mm - 8 litres
prix-garantie	8 949 $ - aucune

HR 450 4T
KTM
400XC-W

Lorsque KTM a voulu remplacer sa 400EXC d'enduro par une nouvelle version 450 plus compétitive il y a trois ans, il a eu droit à une levée de boucliers de la part de randonneurs et d'enduristes purs et durs qui, des deux côtés de l'Atlantique, ont d'emblée proclamé qu'ils préféraient les manières plus civilisées et la livrée de puissance électrique de la bonne vieille 400. KTM ne s'est pas obstiné et la 400EXC est demeurée au catalogue. Contrairement aux autres KTM hors-route qui sont aussi offertes en version XC d'enduro-cross, la 400 n'est offerte qu'en version XC-W d'enduro, avec une suspension souple ciblant les sentiers serrés et accidentés et une boîte plus espacée, offrant une 1re plus courte et une 6ième plus longue.

moteur-refroidissement	monocylindre 4-temps de 398 cc - liquide
transmission-embrayage	6 rapports - manuel
cadre-roues avant/arrière	acier - 21 pouces / 18 pouces
poids-selle-réservoir	113 kg - 924 mm - 9,8 litres
prix-garantie	8 998 $ - 1 mois

HR 250 2T
KTM
300XC (XC-W)

Jadis, la KTM 300 était une moto un peu rustre, qui vibrait et dont la carburation était difficile à régler. Mais KTM l'a raffinée en une moto agréable et d'une efficacité étonnante, surtout sous des conditions grasses, accidentées et difficiles. Le moteur, issu du 250XC, combine la légèreté et la simplicité d'un 2T mais offre la puissance abondante et linéaire d'un gros 4T. Pour 2007, il a été légèrement révisé avec un cylindre et une valve à l'échappement plus compacts, donc plus légers. Le piston a aussi été allégé et l'allumage modifié afin d'améliorer les reprises. La version W est livrée avec une suspension plus souple et une boîte de vitesses à rapports plus espacés, mais tout de même resserrés si on la compare à l'ancienne EXC.

moteur-refroidissement	monocylindre 2-temps de 293 cc - liquide
transmission-embrayage	5 rapports - manuel
cadre-roues avant/arrière	acier - 21 pouces / 18 pouces
poids-selle-réservoir	100 kg - 924 mm - 8,7(11,3) litres
prix-garantie	8 498 $ (8 498 $) - 1 mois

HR 250 2T
KTM
250XC (XC-W)

La KTM 250 est mondialement reconnue comme la meilleure moto d'enduro pure et dure sur le marché, combinant comme nulle autre légèreté, vivacité, puissance et efficacité. En 2007, elle est offerte en deux versions, comme les autres KTM hors-route. L'admission reçoit un nouveau clapet V-Force, tandis que le cylindre et la valve à l'échappement sont plus compacts, donc plus légers. Un nouvel allumage à deux courbes améliore les reprises. La pompe à eau est plus efficace et les rapports de la boîte de vitesses sont légèrement modifiés. Côté châssis, les tés de fourche sont à géométrie ajustable, la fourche est nouvelle et la calibration de l'amortisseur est modifiée. Il y a aussi de nouveaux disques de freins à pétales et des jantes au fini noir.

moteur-refroidissement	monocylindre 2-temps de 249 cc - liquide
transmission-embrayage	5 rapports - manuel
cadre-roues avant/arrière	acier - 21 pouces / 18 pouces
poids-selle-réservoir	100 kg - 924 mm - 8,7(11,3) litres
prix-garantie	8 298 $ (8 298 $) - 1 mois

KTM
200XC (XC-W)

HR 250 2T

La légèreté d'une 125, le coffre d'une 250. L'approche est tellement logique qu'on se demande pourquoi KTM est la seule à l'exploiter. La 200 est une arme redoutable : légère et maniable, forte en couple et rapide, elle fonce sans défoncer son pilote. Pour 2007, l'alimentation du moteur est confiée à un carburateur 2 millimètres plus petit, pour une meilleure réponse à bas régime, jumelé à un nouveau clapet Boyesen. La suspension est améliorée, de même que les freins. La version XC est typée enduro-cross avec une suspension plus ferme et une boîte à rapports rapprochés qui sont légèrement révisés lorsque comparés à ceux de l'an dernier. La version XC-W est typée enduro avec une suspension plus souple et une boîte à rapports espacés.

moteur-refroidissement	monocylindre 2-temps de 193 cc - liquide
transmission-embrayage	6 rapports - manuel
cadre-roues avant/arrière	acier - 21 pouces / 18 pouces
poids-selle-réservoir	98 kg - 924 mm – 8,7(11,3) litres
prix-garantie	7 898 $ (7 898 $) - 1 mois

HONDA
CRF250X

HR 250 4T

Lancée en 2004, la CRF250X est une version assouplie côté moteur et suspension de la CRF250R, dotée du démarrage électrique. Appréciée pour sa douceur et son efficacité, elle est moins puissante et pèse 10 kg de plus que la R. Pour 2007, son moteur reçoit quelques changements visant à le rapprocher côté puissance de la version motocross. Le piston et les segments sont maintenant identiques à ceux de la CRF250R, et les conduits de la culasse en sont plus fortement inspirés. Le carburateur reçoit une nouvelle pompe d'accélération pour des reprises plus franches, et la courbe de l'allumage a été modifiée. La CRF250X hérite aussi d'un moyeu avant et d'un guide-chaîne plus légers, de même que d'une cloche d'embrayage plus costaude et durable.

moteur-refroidissement	monocylindre 4-temps de 249 cc - liquide
transmission-embrayage	5 rapports - manuel
cadre-roues avant/arrière	aluminium - 21 pouces / 18 pouces
poids-selle-réservoir	102 kg - 957 mm - 8,3 litres
prix-garantie	8 299 $ - aucune

KTM
250XC-F (XC-F-W)

HR 250 4T

KTM a lancé une 250 4T d'enduro il y a quelques années, mais elle avait un moteur de vieille génération qui manquait de puissance. Cette fois, c'est du sérieux puisque les 250XC-F sont basées de très près sur la 250SXF de motocross. Le moteur est pratiquement identique, donc puissant à souhait. La principale différence est un allumage plus lourd pour recharger la batterie : eh oui, le démarrage est par bouton magique. La partie cycle est aussi très près de celle de la version cross, avec une nouvelle fourche avant à cartouche ouverte, commune à tous les modèles XC 2007. La version XC-F est typée enduro-cross avec une suspension plus ferme, tandis que la XC-F-W est plus enduro avec une suspension plus souple et une transmission plus espacée.

moteur-refroidissement	monocylindre 4-temps de 249 cc - liquide
transmission-embrayage	6 rapports - manuel
cadre-roues avant/arrière	acier - 21 pouces / 18 pouces
poids-selle-réservoir	98(103) kg - 925 mm - 7,2 (9,8) litres
prix-garantie	8 598 $ (8 598 $) - 1 mois

YAMAHA
WR250F

HR 250 4T

La première WR250F était une moto quelque peu pépère à l'ergonomie douteuse, mais elle a vite évolué en une machine de sentier fort compétente et agréable, même si aux yeux de plusieurs, la version WR de la 250F de cross demeurait un peu trop assagie. Pour 2007, Yamaha radicalise le concept en lançant une nouvelle WR250F basée de près sur la plus récente YZ250F, incluant un nouveau cadre en aluminium. Sans être totalement nouveau, le moteur est modernisé et basé de près sur le modèle motocross courant, avec un démarreur électrique, une boîte espacée et quelques modifications privilégiant la puissance à bas et moyen régimes. La suspension et les freins sont améliorés, l'ergonomie est raffinée et les composantes enduro sont modernisées.

moteur-refroidissement	monocylindre 4-temps de 249 cc - liquide
transmission-embrayage	5 rapports - manuel
cadre-roues avant/arrière	aluminium - 21 pouces / 18 pouces
poids-selle-réservoir	106 kg - 980 mm - 8 litres
prix-garantie	8 149 $ - aucune

RÉCRÉATIVE — SUZUKI **DR-Z400E**

L a DR-Z400 est la plus grosse, la plus puissante, la plus dispendieuse et la plus sérieuse machine de la catégorie récréative. En fait, il n'y a pas si longtemps, Suzuki la vendait en tant que machine de compétition pour l'enduro. En sentier, sa combinaison de moteur fort en couple, suspension souple et direction précise permet à un bon pilote de filer à bonne allure, mais elle demeure une grosse 4T à l'ancienne, affichant une nette lourdeur tant au niveau du poids comme tel qu'à celui du comportement. Pour l'amateur de randonnée, elle demeure agréable avec son moteur riche en couple, sa grande autonomie et son pratique démarreur électrique. Il est à noter qu'elle est aussi offerte en version double-usage (DR-Z400S), encore plus polyvalente.

moteur-refroidissement	monocylindre 4-temps de 398 cc - liquide
transmission-embrayage	5 rapports - manuel
cadre-roues avant/arrière	acier - 21 pouces / 18 pouces
poids-selle-réservoir	119 kg - 945 mm - 9,8 litres
prix-garantie	7 399 $ - 6 mois

RÉCRÉATIVE — SUZUKI **DR-Z250**

L ancée en 2001, la DR-Z250 ressemble beaucoup à sa grande sœur, la DR-Z400E, mais propose un gabarit plus petit et un ensemble moins évolué qui en font une machine d'initiation beaucoup plus accessible, d'autant plus qu'elle coûte quelque 1 100 $ de moins. La DR-Z250 est équipée d'un moteur 4-temps à démarreur électrique et d'une boîte à 6 rapports, d'un disque avant et d'une suspension ajustable à long débattement. Avec son réservoir à essence volumineux et son moteur très à l'aise à bas régime, elle affiche une excellente autonomie qui est parfaite pour les longues explorations. Surtout que, contrairement à ses rivales 230 de Honda et Yamaha, elle est dotée d'un système d'éclairage. Elle coûte cependant pas mal plus cher que ces dernières.

moteur-refroidissement	monocylindre 4-temps de 249 cc – air/huile
transmission-embrayage	6 rapports - manuel
cadre-roues avant/arrière	acier - 21 pouces / 18 pouces
poids-selle-réservoir	115 kg - 890 mm - 10,5 litres
prix-garantie	6 299 $ - 6 mois

RÉCRÉATIVE — HONDA **CRF230F**

L ancée en 2003, la CRF230 marquait l'arrivée d'une nouvelle génération de motos 4T récréatives chez Honda, appelées à prendre la relève des légendaires XR200 et XR250 tout en lançant l'appellation CRF. Complètement nouvelle alors, la 230 inaugurait une nouvelle génération de moteurs monocylindres 4-temps. Refroidi à l'air et doté d'une culasse à 2 soupapes pour des raisons de simplicité et d'économie, le moteur de la 230 bénéficie d'un démarreur électrique et d'une boîte de vitesses à 6 rapports. Facile d'approche, la CRF230F est une excellente moto d'initiation pour un pilote de taille appropriée, puisqu'il s'agit d'une machine pleine grandeur relativement lourde et haute sur pattes. Elle coûte environ la moitié d'une CRF250X.

moteur-refroidissement	monocylindre 4-temps de 223 cc – air
transmission-embrayage	6 rapports - manuel
cadre-roues avant/arrière	acier - 21 pouces / 18 pouces
poids-selle-réservoir	108 kg - 866 mm - 8,3 litres
prix-garantie	4 399 $ - 6 mois

RÉCRÉATIVE — YAMAHA **TT-R230**

L a TT-R230 est la machine d'initiation de Yamaha pour un adulte qui désire découvrir le merveilleux monde du hors-route sur une moto pleine grandeur, mais abordable et facile d'accès. Elle est propulsée par un monocylindre 4-temps refroidi à l'air à démarreur électrique et boîte de vitesses à 6 rapports. Une comparaison avec la Honda CRF230F décrite précédemment est inévitable puisque les deux motos sont très similaires l'une à l'autre, tant du côté du prix que de la fiche technique. En bref, la Yamaha est un tantinet plus conviviale tandis que la Honda est très légèrement plus poussée côté suspension et puissance maximale, mais au bout de compte, la différence est si mince que votre préférence de couleur devrait être le principal facteur de décision.

moteur-refroidissement	monocylindre 4-temps de 223 cc – air
transmission-embrayage	6 rapports - manuel
cadre-roues avant/arrière	acier - 21 pouces / 18 pouces
poids-selle-réservoir	107 kg - 870 mm - 8 litres
prix-garantie	4 349 $ - 90 jours

 **HONDA**
CRF150F

RÉCRÉATIVE

Lancée en même temps que la CRF230 en 2003 puis remaniée en 2006, la CRF150F type la nouvelle génération de machines hors-route récréatives de Honda. Équipée des « grandes roues » de 19 et 16 pouces comme la CRF100F, la 150 est plus évoluée que cette dernière, affichant un frein avant à disque et un débattement de suspension supérieur. L'an dernier, la CRF150F a eu droit à une révision importante, recevant un tout nouveau moteur muni d'un démarreur électrique et d'une boîte à 5 vitesses modifiée affichant des rapports différents. La suspension a aussi été améliorée aux deux extrémités. Parfaite pour initier un adolescent ou un adulte de petite taille, la CRF150F est amusante à brasser même pour un pilote expérimenté.

moteur-refroidissement	monocylindre 4-temps de 149 cc – air
transmission-embrayage	5 rapports - manuel
cadre-roues avant/arrière	acier - 19 pouces / 16 pouces
poids-selle-réservoir	101 kg - 825 mm – 8,3 litres
prix-garantie	3 799 $ - 6 mois

SUZUKI
DR-Z125 (L)

RÉCRÉATIVE

Quel que soit l'âge du débutant, la recette d'une bonne moto d'initiation s'appuie sur les mêmes ingrédients de base : une nature peu intimidante, et un gabarit – en particulier la hauteur – adapté à la taille du pilote. Un prix abordable et une bonne réputation (entretien facile et valeur de revente assurée) sont aussi à considérer. La Suzuki DR-Z125 suit la recette à la perfection. Son petit 4-temps est souple et durable, son ergonomie est excellente et elle est offerte en deux hauteurs (DR-Z125 à petites roues de 17-14 pouces; et DR-Z125L à grandes roues de 19-16 pouces, qui ajoute aussi un frein à disque avant). Le démarrage, par kick seulement, est facile, mais un pilote de petit gabarit regrettera l'absence d'un bouton magique.

moteur-refroidissement	monocylindre 4-temps de 124 cc – air
transmission-embrayage	5 rapports - manuel
cadre-roues avant/arrière	acier - 17(19) pouces / 14(16) pouces
poids-selle-réservoir	79 kg - 775 mm – 6,4 litres
prix-garantie	2 999 $ (3 399 $) - 6 mois

YAMAHA
TT-R125 (E) (L) (LE)

RÉCRÉATIVE

Sur papier, elle est la moto d'initiation qui accommode la plus large fourchette de pilotes, puisque vendue en quatre versions différentes. Le hic, c'est qu'il faut choisir la bonne. Mais bon, avoir le choix est une forme de liberté, et pour goûter à la liberté en hors-route, la TT-R125 est offerte en version basse à petites roues (17-14 pouces, freins à tambour) et en version L plus haute à grandes roues (19-16 pouces, disque avant). Chacune est aussi disponible en version à démarreur électrique identifiée par le suffixe E. La présence du bouton magique simplifie à l'extrême le démarrage, au prix de quelques kilos et quelques centaines de dollars. Si vous calez le moteur en fâcheuse position sur un sentier accidenté, le bouton vaut de l'or.

moteur-refroidissement	monocylindre 4-temps de 124 cc – air
transmission-embrayage	5 rapports - manuel
cadre-roues avant/arrière	acier - 17(19) pouces / 14(16) pouces
poids-selle-réservoir	77 kg - 775 mm – 6,6 litres
prix-garantie	3 049 $(3 299 $)(3 449 $)(3 699 $) - 90 jours

KAWASAKI
KLX110

RÉCRÉATIVE

À la suite de l'échec de l'alliance avec Suzuki et de la disparition de la légendaire KDX220 du catalogue, la petite KLX110 est la seule machine hors-route à vocation récréative de Kawasaki. Dotée de roues de 14 et 12 pouces, la KLX110 est une mini moto qui se situe à l'extrémité supérieure de cette catégorie côté gabarit et puissance. Son petit monocylindre 4-temps est doux et facile à exploiter et livre facilement ses chevaux grâce à son embrayage automatique et sa boîte à 3 rapports. Parfaite pour initier un enfant un peu plus vieux, la KLX110 demeure suffisamment grosse et puissante pour un adulte. Elle est d'ailleurs populaire auprès de certains grands enfants aux poches creuses qui aiment dépenser de l'argent chez des accessoiristes.

moteur-refroidissement	monocylindre 4-temps de 111 cc – air
transmission-embrayage	3 rapports – automatique
cadre-roues avant/arrière	acier - 14 pouces / 12 pouces
poids-selle-réservoir	64 kg - 650 mm – 3,8 litres
prix-garantie	2 599 $ - 6 mois

HONDA
CRF100F

Datant de l'époque des dinosaures à doubles amortisseurs arrière et forte d'une longue carrière sous l'appellation XR100, la vénérable CRF100F est l'une des machines les plus éprouvées du monde de la moto. Au fil des ans, Honda lui a greffé une suspension plus moderne et lui a refait une beauté, de sorte qu'elle demeure l'une des machines d'initiation les plus compétentes offertes. Simple et légère, elle est dotée d'un démarreur par kick, d'un embrayage manuel et de « grandes roues » de 19 et 16 pouces. Son gabarit à mi-chemin entre une petite et une grosse moto, sa simplicité mécanique, sa fiabilité éprouvée, ses performances honnêtes et son prix des plus raisonnables en font l'une des motos les plus polyvalentes sur le marché.

moteur-refroidissement	monocylindre 4-temps de 99 cc - air
transmission-embrayage	5 rapports - manuel
cadre-roues avant/arrière	acier - 19 pouces / 16 pouces
poids-selle-réservoir	75 kg - 825 mm - 5,7 litres
prix-garantie	2 799 $ - 6 mois

YAMAHA
TT-R90 (E)

Affectueusement baptisée Trrrrr-neuf-zéro par notre jeune essayeur à son arrivée sur le marché au début du millénaire, la TT-R90 est une machine amusante et efficace, grâce en bonne partie à son petit mono 4-temps refroidi à l'air au caractère divertissant, jumelé à un embrayage automatique et à une boîte à 3 rapports. Offerte seulement avec le démarrage par kick au début de sa carrière, la TT-R90 a accueilli une version à démarreur électrique en 2003, la TT-R90E, qui est toujours au catalogue. Malgré sa cylindrée relativement importante qui peut laisser croire le contraire, la TT-R90E est une mini moto dont la taille est parfaitement adaptée aux enfants un peu plus vieux, pour lesquels les minis de 50 cc sont un peu trop petites.

moteur-refroidissement	monocylindre 4-temps de 89 cc - air
transmission-embrayage	3 rapports - automatique
cadre-roues avant/arrière	acier - 14 pouces / 12 pouces
poids-selle-réservoir	61 kg - 625 mm - 4,2 litres
prix-garantie	2 199 $ (2 349 $) - 90 jours

HONDA
CRF80F

Parmi les machines récréatives arborant ce qu'il est convenu d'appeler des « petites roues », la CRF80F est la seule « vraie » moto puisqu'elle est la seule à proposer un embrayage manuel. Comme les grandes, elle est équipée d'un levier d'embrayage à la gauche de son guidon permettant de contrôler sa boîte manuelle à 5 rapports. L'effort au levier pourrait être moindre, mais la progressivité de l'embrayage et le fort couple du petit mono 4-temps rendent l'apprentissage du « déclutchage » virtuellement automatique. Dotée d'une suspension efficace, la CRF80F est une véritable petite moto d'enduro qui est parfaite pour qu'un enfant plus avancé poursuive son apprentissage en sentier. Elle est de plus d'une robustesse et d'une fiabilité exemplaires.

moteur-refroidissement	monocylindre 4-temps de 80 cc - air
transmission-embrayage	5 rapports - manuel
cadre-roues avant/arrière	acier - 16 pouces / 14 pouces
poids-selle-réservoir	70 kg - 734 mm - 5,7 litres
prix-garantie	2 569 $ - 6 mois

YAMAHA
PW80

La vénérable PW80 est unique en son genre puisqu'elle est la seule moto d'initiation de « deuxième grandeur », soit la prochaine étape après une petite 50 cc, à utiliser un moteur 2-temps. Souvent sous-estimée, la PW80 est une excellente machine de progression avec son embrayage automatique qui entraîne une transmission à 3 rapports. L'apprentissage des changements de vitesses est facilité par la généreuse plage de puissance de son moteur 2-temps à la fois léger et puissant. Un système d'injection d'huile élimine le prémélange. Ses repose-pieds recouverts de caoutchouc et leur support sous le moteur sont un peu vulnérables sur un sentier accidenté, mais dans son ensemble la PW80 est très robuste et d'une fiabilité à – presque – toute épreuve.

moteur-refroidissement	monocylindre 2-temps de 89 cc - air
transmission-embrayage	3 rapports - automatique
cadre-roues avant/arrière	acier - 14 pouces / 12 pouces
poids-selle-réservoir	57 kg - 635 mm - 4,9 litres
prix-garantie	1 799 $ - 90 jours

HONDA
CRF70F

Prenez un exemplaire de la plus récente version de la légendaire mini de Honda (la CRF50F), placez-la sur une photocopieuse et appuyez sur le bouton « Agrandir », et vous obtiendrez une CRF70F. De sa suspension arrière à bras oscillant triangulé à ses caches de réservoir stylisés, en passant par son classique petit monocylindre 4-temps horizontal, la CRF70F reprend fidèlement le design de la 50, en une version un peu plus grosse. Sans être plus intimidante, du moins sauf pour la hauteur, la 70 est plus puissante et offre un comportement plus stable et sécurisant, grâce à son empattement plus long, sa suspension plus généreuse et ses roues de plus grand diamètre. Parfaite pour initier un enfant un peu plus grand, ou comme seconde moto de progression.

moteur-refroidissement	monocylindre 4-temps de 72 cc – air
transmission-embrayage	3 rapports – automatique
cadre-roues avant/arrière	acier – 14 pouces / 12 pouces
poids-selle-réservoir	58 kg - 663 mm - 5,7 litres
prix-garantie	2 099 $ - 6 mois

HONDA
CRF50F

Avec son très imitable – plus que jamais de nos jours – petit 4-temps horizontal refroidi à l'air, son embrayage automatique et sa boîte à 3 rapports, la classique petite mini de Honda a, à elle seule, noirci un volumineux chapitre de l'histoire universelle de la moto. Sa généalogie remonte à la Mini Trail des planantes années 60, devenue au fil des ans QA50 puis Z50R. En 2000, Honda a modernisé sa légendaire initiatrice en lui donnant une suspension arrière à monoamortisseur, une selle plus basse, une allure rajeunie et l'appellation XR50. Récemment rebaptisée CRF50R, la petite Honda demeure, sur le plan mécanique, virtuellement identique à l'increvable Mini Trail. Si vous n'en avez jamais eu une dans votre garage, vous êtes plus que dû.

moteur-refroidissement	monocylindre 4-temps de 49 cc – air
transmission-embrayage	3 rapports – automatique
cadre-roues avant/arrière	acier – 10 pouces / 10 pouces
poids-selle-réservoir	47 kg - 549 mm – 3 litres
prix-garantie	1 729 $ - 6 mois

KTM
ADVENTURE MINI/SENIOR

Les Adventure sont suffisamment douces pour initier un petit débutant, tout en se montrant assez performantes pour viser une utilisation plus sportive. Propulsées par un petit monocylindre 2-temps refroidi à l'air jumelé à un embrayage automatique progressif, les Adventure sont offertes en deux versions, Mini et Senior. Cette dernière est un peu plus haute et se distingue par un débattement de suspension supérieur et par une roue avant de 12 pouces (10 pour la Mini). La hauteur de la selle des deux versions peut être modifiée en changeant l'ancrage de la suspension arrière. Un peu plus chères que les autres 50 récréatives, elles se démarquent surtout par leur allure aguichante, calquée sur les grosses KTM, et par leur suspension plus évoluée.

moteur-refroidissement	monocylindre 2-temps de 49 cc – air
transmission-embrayage	1 rapport – automatique
cadre-roues avant/arrière	acier – 10(12) pouces / 10 pouces
poids-selle-réservoir	38 kg - 530 mm - 1,9 litres
prix-garantie	2 298 $ (2 498 $) - 6 mois

YAMAHA
TT-R50E

Lancée l'an dernier, la TT-R50E est venue s'ajouter à la longue liste de mini motos clonées sur la populaire Honda CRF50. La ressemblance est frappante, tant au niveau des dimensions qu'à celui de l'allure de la mécanique. Comme la légendaire mini de Honda, la petite Yamaha est en effet propulsée par un monocylindre 4-temps à cylindre horizontal refroidi à l'air, jumelé à une boîte à 3 rapports par le biais d'un embrayage automatique. Mais puisque même un moteur à embrayage automatique peut caler à l'occasion, la TT-R50E est équipée d'un démarreur électrique qui permet même à un tout-petit de relancer facilement le moteur. Fabriquée à une usine Yamaha en Chine, elle coûte environ le même prix que la Honda, qui ne démarre qu'au kick.

moteur-refroidissement	monocylindre 4-temps de 49,5 cc – air
transmission-embrayage	3 rapports – automatique
cadre-roues avant/arrière	acier – 10 pouces / 10 pouces
poids-selle-réservoir	54 kg - 555 mm - 3,1 litres
prix-garantie	1 749 $ - 90 jours

RÉCRÉATIVE YAMAHA PW50

DOUBLE-USAGE BMW F650GS (DAKAR)

Vous avez piloté une Yamaha jaune au début des années 80 ? Alors vous êtes vieux. Mais peut-être pas tant que ça, puisque Yamaha a déjà fabriqué des PW50 jaunes. Et près de 30 ans plus tard, le modèle 2007 est pratiquement identique à son lointain ancêtre. Après toutes ces années, la PW50 demeure la moto d'initiation par excellence pour un (une) jeune de quatre à six ans. Dotée d'une selle super basse, de contrôles à l'échelle de petites mains, d'un embrayage automatique très — parfois trop — progressif et d'un limiteur d'accélérateur pour favoriser les premiers tours de roues, la PW50 a lancé la carrière d'innombrables grands champions et de milliers d'inconnus, plusieurs desquels initient maintenant leur progéniture sur une... PW50.

Pour explorer les coins perdus du Québec, la F650GS monocylindre est sans doute une moto plus compétente et amusante que la légendaire grosse GS à bicylindre à plat de BMW, plus lourde et encombrante. La version de base de la 650 s'impose surtout comme petite routière polyvalente, alors que la version Dakar, à roue avant de 21 pouces et suspension plus évoluée, est nettement plus compétente comme aventurière. Quand on inclut les taxes, une F650GS Dakar coûte presque le double du prix d'une Kawasaki KLR650. Vous en donne-t-elle deux fois plus pour votre argent ? Certainement pas. Mais si vous êtes amateur de BMW et que vous en avez les moyens, vous allez vous amuser à son guidon et finalement, c'est ce qui compte vraiment.

moteur-refroidissement	monocylindre 2-temps de 49 cc – air
transmission-embrayage	1 rapport – automatique
cadre-roues avant/arrière	acier – 10 pouces / 10 pouces
poids-selle-réservoir	537 kg - 485 mm – 2 litres
prix-garantie	1 549 $ - 90 jours

moteur-refroidissement	monocylindre 4-temps de 652 cc – liquide
transmission-embrayage	5 rapports - manuel
cadre-roues avant/arrière	acier – 19(21) pouces / 17 pouces
poids-selle-réservoir	175(177) kg – 780(870) mm – 17,3 litres
prix-garantie	9 500 $ (10 400 $) - 3 ans/kilométrage illimité

DOUBLE-USAGE HONDA XR650L

DOUBLE-USAGE KAWASAKI KLR650

Comme plusieurs motos de cette catégorie, la XR650L est une machine d'une autre époque. Lancée il y a 15 ans, elle tire ses origines de la vénérable XR600R de sentier, alors la grosse mono hors-route de référence. Compétente sur la route, la XR650L demeure axée sur la partie hors-route de l'équation double-usage, avec une suspension relativement efficace qui permet de la brasser assez sérieusement en sentier avant que son poids important ne prenne le dessus sur l'amortissement. Le prix à payer est une hauteur de selle vertigineuse, qui limite l'attrait de la moto pour plusieurs. Son moteur refroidi par air n'est pas le plus doux, mais il pousse fort en bas et se montre simple, fiable et facile à lancer avec le démarreur électrique.

Parfois, un fabricant conçoit une moto qui frappe la cible en plein coeur. C'est le cas de la vénérable KLR650 qui célèbre cette année 20 années de loyaux services au sein du catalogue Kawasaki. Les amateurs de haute technologie et de nouveautés ne sont pas impressionnés, mais ceux qui sont sensibles aux charmes intemporels d'une moto compétente, efficace, éprouvée, fiable et abordable se laissent envahir pas une douce sensation de bien-être juste en la voyant. Son moteur refroidi par liquide à démarreur électrique demeure dans le coup après toutes ces années, et a la réputation d'être increvable. Son énorme réservoir lui confie une autonomie de plus de 400 km, que plusieurs ont utilisée pour littéralement faire le tour du monde.

moteur-refroidissement	monocylindre 4-temps de 644 cc – air
transmission-embrayage	5 rapports - manuel
cadre-roues avant/arrière	acier - 21 pouces / 18 pouces
poids-selle-réservoir	147 kg - 940 mm - 10,5 litres
prix-garantie	7 699 $ - 1 an/kilométrage illimité

moteur-refroidissement	monocylindre 4-temps de 651 cc – liquide
transmission-embrayage	5 rapports - manuel
cadre-roues avant/arrière	acier - 21 pouces / 17 pouces
poids-selle-réservoir	153 kg - 890 mm - 23 litres
prix-garantie	6 499 $ - 1 an/kilo. illimité

SUZUKI
DR650S

Lorsque Suzuki a lancé sa DR650S il y a déjà plus de 10 ans, le but était d'offrir un gros mono simple et compact affichant un comportement routier très honnête et offrant un niveau acceptable de polyvalence pour ceux qui aiment s'aventurer à l'occasion dans la nature. La grosse DR n'a pas changé depuis, mais puisque cette catégorie n'est pas très dynamique, elle n'a pas vraiment vieilli et demeure une moto fort agréable pour celui qui cherche une machine à tout faire. Propulsée par un moteur fort en couple qui ne craint pas les autoroutes, elle est agile en ville et amusante à piloter vivement sur une petite route sinueuse. Ses capacités hors-route sont limitées, mais réelles. Elle offre la possibilité de réduire sa hauteur de 40 mm.

moteur-refroidissement	monocylindre 4-temps de 644 cc – air et huile
transmission-embrayage	5 rapports - manuel
cadre-roues avant/arrière	acier - 21 pouces / 18 pouces
poids-selle-réservoir	147 kg - 885 mm - 13 litres
prix-garantie	6 999 $ - 1 an/kilométrage illimité

KTM
450EXC (525EXC)

L'an dernier, les 450 et 525EXC étaient des hors-route pures et dures de haut niveau. Cette année, elles deviennent des double-usage, pouvant être légalement utilisées sur la route, tant en ville que sur l'autoroute. Plusieurs attendaient ce moment depuis longtemps, même si certains avaient devancé le mouvement en jouant sur la réglementation confuse de la SAAQ pour obtenir une plaque M « semi-légale ». Cette fois, il n'y a plus d'ambiguïté puisque KTM affirme que les EXC sont officiellement approuvées par Transports Canada. Les explorateurs « hard-core » sont aux oiseaux. Malgré les accessoires routiers de rigueur, les EXC demeurent de véritables machines hors-route, très près des modèles XC-W de la catégorie hors-route 4T.

moteur-refroidissement	monocylindre 4-temps de 449(510) cc – liquide
transmission-embrayage	6 rapports - manuel
cadre-roues avant/arrière	acier - 21 pouces / 18 pouces
poids-selle-réservoir	115 kg - 925 mm - 11,3 litres
prix-garantie	9 798 $ (9 998 $) – 6 mois ou 10 000 km

SUZUKI
DR-Z400S

Suzuki a d'abord conçu la DR-Z400 en tant que moto hors-route, à suffixe R. C'est pourquoi sa version double-usage S, malgré sa suspension moins poussée et un poids plus élevé, a longtemps été considérée comme la plus hors-route des motos légales sur la route. Cet énoncé n'est plus vrai avec l'arrivée des KTM EXC, mais la DR-Z400S demeure un excellent choix pour celui qui cherche une véritable machine double-usage, à l'aise tant sur la route qu'en sentier, tout en étant abordable. La DR-Z400S combine un moteur assez puissant pour bien se tirer d'affaire sur la route (la version supermotard est fort appréciée) à une partie cycle suffisamment légère et maniable pour être amusante et efficace (avec de meilleurs pneus) en sentier.

moteur-refroidissement	monocylindre 4-temps de 398 cc - liquide
transmission-embrayage	5 rapports - manuel
cadre-roues avant/arrière	acier - 21 pouces / 18 pouces
poids-selle-réservoir	1329 kg - 935 mm - 10 litres
prix-garantie	7 399 $ - 1 an/kilométrage illimité

KAWASAKI
KLX 250

Dès le premier coup d'oeil, la KLX250 vous annonce clairement ses intentions. Lancée l'an dernier, elle ressemble énormément à la KLX300R, une pure hors-route absente du catalogue Kawasaki en 2007, mais jouissant d'une bonne réputation comme machine de sentier. Avec sa suspension ajustable à grand débattement, ses accessoires adaptés et son habillage à la KX, la KLR250 encourage son pilote à quitter l'asphalte et à s'enfoncer dans les bois, tant sur de petits chemins que par des sentiers tortueux. Son équipement hors-route est à la hauteur, même si des pneus plus agressifs sont à conseiller. Correct en ville et en sentier, son moteur 4T de génération précédente livre un couple acceptable, mais manque un peu de puissance.

moteur-refroidissement	monocylindre 4-temps de 249 cc – liquide
transmission-embrayage	6 rapports - manuel
cadre-roues avant/arrière	acier - 21 pouces / 18 pouces
poids-selle-réservoir	119 kg - 884 mm - 7,2 litres
prix-garantie	5 999 $ - 1 an/kilométrage illimité

DOUBLE-USAGE — KAWASAKI **SUPER SHERPA**

Avec l'arrivée de la KLX250, la Super Sherpa est plus que jamais cantonnée dans les rôles de citadine abordable et routière d'initiation. Moins chère, moins haute et moins lourde que la KLX, la Sherpa est une meilleure moto d'apprentissage pour un débutant sur la route. Elle sait mettre son pilote en confiance avec son moteur doux privilégiant le couple à bas et mi-régime, son embrayage progressif et son pratique démarreur électrique. La selle est un peu haute, mais la suspension souple s'affaisse passablement sous le poids du pilote, ce qui compense un peu. Son allure est moderne et son équipement comprend deux freins à disque. Parfaite pour se balader en ville et en banlieue, elle permet des virées occasionnelles dans les champs.

moteur-refroidissement	monocylindre 4-temps de 249 cc – air
transmission-embrayage	6 rapports - manuel
cadre-roues avant/arrière	acier - 21 pouces / 18 pouces
poids-selle-réservoir	113 kg - 830 mm - 9 litres
prix-garantie	5 599 $ - 1 an/kilométrage illimité

DOUBLE-USAGE — YAMAHA **XT225**

La XT225 est une machine compacte, docile et sans prétention qui s'adresse plus au côté raisonnable de votre cerveau qu'à vos glandes productrices d'adrénaline. Lancée en 1992 comme petite moto double-usage tranquille et facile à apprivoiser, elle n'a presque pas été retouchée depuis. En 2001, elle a reçu un cylindre plus durable à revêtement en céramique et un système électrique plus puissant; puis récemment, un frein à disque est venu remplacer le vétuste frein à tambour avant. Ces changements mineurs n'ont toutefois rien changé à sa personnalité, déjà perçue comme plutôt fade il y a 15 ans. Abordable, la XT225 n'est pas « fiche techniquement » une aubaine. Mais pour un motocycliste peu exigeant, elle sait faire le travail.

moteur-refroidissement	monocylindre 4-temps de 223 cc – air
transmission-embrayage	6 rapports - manuel
cadre-roues avant/arrière	acier - 21 pouces / 18 pouces
poids-selle-réservoir	108 kg - 810 mm - 8,8 litres
prix-garantie	5 299$ - 1 an/kilométrage illimité

DOUBLE-USAGE — SUZUKI **DR200S**

Si on exclut la Yamaha TW200, qui évolue dans son propre univers, la DR200S est la moto la moins chère de cette catégorie. Peu évoluée techniquement, la DR200S demeure fidèle au concept bipolaire de la moto double-usage. Relativement légère, maniable, elle peut facilement initier un débutant à la route un jour, puis aux joies du hors-route le lendemain. Son petit monocylindre 4T refroidi par air est plutôt timide, mais grâce à la présence d'un démarreur électrique, il est toujours prêt à poursuivre, même après une erreur dans la poussière. Avec ses plaques à numéro latérales, la DR200S a d'ailleurs l'air d'une véritable moto hors-route, ce qui ne manquera pas d'attirer un débutant tenté par le côté poussiéreux de la force.

moteur-refroidissement	monocylindre 4-temps de 199 cc – air
transmission-embrayage	5 rapports - manuel
cadre-roues avant/arrière	acier - 21 pouces / 18 pouces
poids-selle-réservoir	113 kg - 810 mm - 13 litres
prix-garantie	4 999 $ - 1 an/kilométrage illimité

DOUBLE-USAGE — YAMAHA **TW200**

Au zénith de la popularité des VTT à trois roues dans les années 80, Yamaha a lancé sa BW200, une moto hors-route équipée de deux gros pneus ballon à basse pression. L'idée n'a vraiment pas « pogné », et la BW est morte d'impopularité. Puis curieusement, Yamaha a adapté le principe à la route, lançant sa TW200 à gros pneus. Envers et contre tous, elle est encore là en 2007. Basse et facile à apprivoiser avec son démarreur électrique, la TW est une machine d'initiation rassurante. Ses gros pneus ajoutent au confort, sur route comme en sentier, et dégagent sans doute un petit air réconfortant, mais pour le reste ils demeurent une curiosité. Dites-vous qu'il y a une raison pour laquelle la TW est seule à utiliser de tels gros beignets.

moteur-refroidissement	monocylindre 4-temps de 196 cc – air
transmission-embrayage	5 rapports - manuel
cadre-roues avant/arrière	acier - 18 pouces / 14 pouces
poids-selle-réservoir	118 kg - 780 mm - 7 litres
prix-garantie	4 799 $ - 1 an/kilo. illimité

Le hors-route : un sport familial

Depuis une dizaine d'années, un phénomène nouveau, et qui ne cesse de prendre de l'ampleur, balaie le monde de la moto : la pratique de la moto hors-route comme activité familiale. Il n'est en effet pas rare de voir des familles entières se présenter à des aires de pratique avec des motos pour papa, maman et les enfants. En compétition, les catégories les plus dynamiques ces dernières années sont d'ailleurs celles réservées aux enfants, aux femmes et aux vétérans. Pour se convaincre de l'ampleur du phénomène, on n'a qu'à observer les publicités des grands fabricants, qui montrent de plus en plus des scènes illustrant « votre famille, roulant sur notre famille ».

En examinant les 75 modèles hors-route purs (donc en excluant les double-usage) répertoriés dans ce Guide, on note par ailleurs que plus de 40 pour cent des machines offertes visent des enfants (15 ans et moins), que ce soit pour la compétition ou au niveau récréatif. C'est énorme, et ça traduit de façon éloquente l'importance de ce marché.

QUELQUES CONSEILS ENFANTINS

L'arrivée d'une génération de parents ayant été exposés positivement à la moto et la popularité grandissante des sports extrêmes chez les jeunes ont créé un engouement renouvelé pour les petites motos pour enfants. Le phénomène n'est pas vraiment nouveau puisque plusieurs de ces parents ont eux-mêmes découvert la moto sur de petites minis à cadre rigide et à moteur de tondeuse dans les années 60 et 70; la légendaire petite Honda Mini Trail – devenue la CRF50F – fut d'ailleurs introduite à la fin des années 60. De nos jours, le choix de modèles pour enfants est plus grand que jamais, ce qui est certes une bonne chose, mais complique tout de même la tâche parentale. Les quelques conseils qui suivent aideront les parents de jeunes débutants à faire les bons choix.

1- protégez-les

Une règle universelle de la moto hors-route stipule que quel que soient votre âge et votre niveau d'habileté, vous allez vous planter. La bonne nouvelle dans le cas des jeunes débutants, c'est que les chutes se produisent habituellement à basse vitesse. Mais il demeure capital d'investir dans de l'équipement protecteur approprié. Quand vous établissez votre budget moto, commencez par couvrir le coût de l'équipement, soit casque, lunettes, armure, gants, bottes, etc. Le reste servira à payer la moto.

2- L'âge de raison

À quel âge un enfant peut-il commencer à rouler ? Il existe des motos pour enfants de 4 à 6 ans, mais tout dépend des capacités de l'enfant. Au minimum, il – ou elle – doit se débrouiller correctement sur un vélo. Il existe des petites roues d'appoint pour mini motos, mais franchement, c'est un peu exagéré. Si un enfant a vraiment de la difficulté et semble intimidé, n'insistez pas et remettez-ça à plus tard. Le kid a toute la vie devant lui pour faire de la moto. Attendre un été de plus ne diminuera pas ses chances de jouer dans la ligue nationale...

3- ne voyez pas trop grand

Deux facteurs doivent guider votre choix d'une nouvelle moto pour enfant : la grosseur de la moto, et son niveau de performances. Il est très important de ne pas brûler les étapes en achetant une moto trop grosse – et lourde – et/ou trop puissante. Qu'il s'agisse d'un débutant ou d'un initié progressant à une catégorie supérieure, l'enfant doit pouvoir apprivoiser facilement sa nouvelle machine. Il progressera de façon beaucoup plus efficace et sécuritaire sur une moto qui ne l'intimide pas et qu'il arrive à maîtriser. Une machine qui le domine tant sur le plan physique que sur celui des performances risque de produire un effet contraire à celui recherché : l'enfant progressera péniblement, ou n'aimera tout simplement pas l'expérience.

4- ça ne fait que passer

Une moto pour enfant, c'est comme une paire de patins : elle devient trop petite avant d'être usée. Une moto pour enfant ne fait donc que passer rapidement dans votre garage. Tenez-en compte lors de l'achat, en vous souvenant toutefois qu'un modèle reconnu conserve une meilleure valeur de revente. Les petites motos pour débutants se revendent habituellement sans problème. Voyez ça comme une incitation à acheter une machine appropriée que vous remplacerez le moment venu.

5- les nerfs, pôpa

Comme nous l'avons écrit ailleurs, la moto hors-route est intimement liée à la compétition. Il existe d'ailleurs une panoplie de catégories pour enfants tant en motocross qu'en enduro-cross. Participer à un événement compétitif peut être très plaisant, mais il ne faut pas exagérer. Pour un enfant, la moto doit avant tout être un loisir. Le but est de s'amuser en progressant à son rythme. Le but n'est pas de rouler avec les plus rapides à tout prix. La meilleure façon d'empêcher un adolescent de faire de la moto, c'est de l'écoeurer aux courses quand il est encore enfant.

ESSAIS

BMW

K1200LT

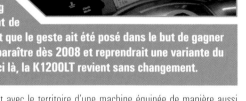

son tour arrive...

Lancée en 1999, la grosse K1200LT se voulait à l'époque la première concurrente sérieuse à la Honda Gold Wing depuis une éternité. Honda répliqua 2 ans plus tard avec une Wing encore plus grosse, puis BMW tenta à son tour de contrer la riposte nippone en ajoutant de l'équipement et en augmentant la puissance de sa propre touriste en 2005. La rumeur veut que le geste ait été posé dans le but de gagner du temps jusqu'à ce qu'une nouvelle génération de la K-LT soit présentée. Elle pourrait apparaître dès 2008 et reprendrait une variante du 4-cylindres transversal des K1200S et K1200GT. C'est possible et même logique, mais d'ici là, la K1200LT revient sans changement.

On croit parfois que la réalisation d'une grosse monture de tourisme ne consiste qu'à greffer un tas d'équipements à un châssis assez solide pour en supporter le poids, mais la réalité est beaucoup plus complexe. Aucune autre catégorie ne combine autant d'éléments, de systèmes, de composantes et d'assemblages. BMW a à ce point visé juste en lançant sa K1200LT en 1999 qu'elle a réussi à solidement ébranler la Gold Wing. Il n'y a pas eu de knock-out, mais la LT a remporté plusieurs rounds. Honda a pris sa revanche en 2001 avec l'arrivée d'une toute nouvelle 6-cylindres avec cadre en aluminium et cylindrée gonflée, mais malgré la nette supériorité mécanique de cette dernière, la LT a continué à malmener la japonaise au chapitre de l'équipement. Puis, Honda se fâcha et ajouta une panoplie de nouveaux gadgets dont un système de navigation et même un coussin gonflable!

Le premier contact avec une LT n'est pas nécessairement rassurant. Une selle non seulement haute, mais aussi large empêche même les pilotes de bonne taille de poser les pieds fermement sur le sol, ce qui n'aide en rien la maniabilité à très basse vitesse et la prise de confiance. BMW a toutefois fait des efforts pour aider le pilote à vivre avec tous les kilos, notamment en équipant la K1200LT d'une salvatrice marche arrière électrique. BMW a ajouté en 2005 une béquille centrale électrique qui rend beaucoup moins intimidante la mise au repos en fin de journée, tout comme la mise en mouvement initiale le lendemain. Mais tous ces inconvénients ne sont que des détails

> ## LA SELLE EST D'UN CONFORT ROYAL TANT POUR LE PILOTE QUE POUR LE PASSAGER ET LES SUSPENSIONS EMBELLISSENT LES PIRES ROUTES.

techniques qui viennent avec le territoire d'une machine équipée de manière aussi obsessive. Dès qu'on sort de l'environnement urbain qui semble rendre la K1200LT claustrophobe et qu'on rejoint l'univers des routes secondaires libres et des autoroutes, la grosse allemande prend tout son sens et les qualités de sa superbe partie cycle sortent au grand jour. Dans une longue courbe ouverte, la stabilité de la LT est absolue, et malgré son gabarit, elle réussit à se débrouiller admirablement bien dans une enfilade de virages. La position est aussi équilibrée que cela semble possible sur une moto, la selle est d'un confort royal pour le pilote et son passager et les suspensions embellissent les pires routes comme par magie. Des équipements comme le génial pare-brise à ajustement électrique, l'excellent système audio à changeur de CD, les poignées et la selle chauffantes ainsi que le régulateur de vitesse arrivent à élever le degré de confort à un niveau impressionnant. Tout fonctionne bien, tout est à sa place, tout semble à point.

En 2005, le moteur 4-cylindres en ligne à plat de la LT a gagné en puissance et en couple, le but étant de réduire l'écart avec le fabuleux 6-cylindres Boxer de la Honda. Les modifications ne transforment pas l'allemande en ligne droite, mais elles amènent néanmoins un gain de performances bienvenu tout en adoucissant de façon notable les vibrations qui affectaient le modèle précédent. Tant côté moteur que partie cycle et équipement, la K1200LT est une touriste tout à fait accomplie qui s'acquitte admirablement bien de sa mission.

VITESSE DE POINTE
204 km/h

ACCÉLÉRATION SUR 1/4 MILLE
12,9 - 163 km/h

indice d'expertise ▸

◂ rapport valeur/prix

Voir légende page 7

EXPERT **E**
INTERMÉDIAIRE **I**
NOVICE **N**

Général

catégorie	Tourisme de luxe
prix	27 500$
garantie	3 ans/kilométrage illimité
couleur(s)	noir, bleu, gris
concurrence	Honda Gold Wing

partie cycle

type de cadre	poutre centrale, en aluminium
suspension avant	fourche Telelever de 35 mm avec monoamortisseur non ajustable
suspension arrière	monoamortisseur ajustable en précharge
freinage avant	2 disques de 320 mm de Ø avec étriers à 4 pistons et système ABS Integral
freinage arrière	1 disque de 285 mm de Ø avec étrier à 4 pistons et système ABS Integral
pneus avant/arrière	120/70 ZR17 & 160/70 ZR17
empattement	1 637 mm
hauteur de selle	770/800 mm
poids à vide	353,5 kg
réservoir de carburant	24 litres

moteur

type	4-cylindres en ligne à plat 4-temps, DACT, 4 soupapes par cylindre, refroidissement par liquide
alimentation	injection à 4 corps de 36 mm
rapport volumétrique	10,8:1
cylindrée	1 171 cc
alésage et course	70,5 mm x 75 mm
puissance	116 ch @ 8 000 tr/min
couple	88,6 lb-pi @ 5 250 tr/min
boîte de vitesses	5 rapports et marche arrière électrique
transmission finale	par arbre
révolution à 100 km/h	environ 3 000 tr/min
consommation moyenne	6,2 l/100 km
autonomie moyenne	387 km

conclusion

En présentant sa K1200LT en 1999, BMW s'est introduit dans un territoire clairement marqué par Honda, qui était d'ailleurs fin prêt à riposter. Durant plusieurs années, on a pu conclure que la BMW se montrait supérieure au niveau de l'équipement et que la Honda avait le dessus au chapitre de la mécanique, mais depuis que ce dernier a transformé sa Gold Wing en véritable laboratoire roulant l'année dernière, l'avantage semble aller à la Honda. Ce qui n'empêche certainement pas la K1200LT de demeurer une fabuleuse avaleuse de kilomètres et un choix qui reste tout à fait recommandable. La rumeur veut toutefois qu'elle soit sur le point d'être retirée pour faire place à une nouvelle génération, mais ce n'est qu'une rumeur...

 QUOI DE NEUF EN 2007 ?

Aucun changement

Coûte 2 490 $ de moins qu'en 2006

⌃ PAS MAL

Un niveau de confort princier; il n'existe pas de façon plus confortable et plus luxueuse de traverser de longues distances à moto qu'aux commandes d'une K1200LT; à part peut-être sur une Gold Wing...

Une partie cycle particulièrement réussie qui donne à la K1200LT une stabilité de train dans les courbes rapides et qui lui permet même de s'amuser sur une route en lacet

Une mécanique puissante et coupleuse bien adaptée à la mission de la moto et qui est maintenant plus douce que sur les premières versions

 BOF

Une mécanique dont les performances ont effectivement augmenté depuis 2005, mais qui n'est toujours pas l'équivalent du fabuleux moteur Boxer à 6 cylindres de la Gold Wing

Un poids considérable et des dimensions imposantes qui compliquent les manœuvres lentes et serrées, et rendent délicate la conduite urbaine

Une selle large et haute qui empêche même les pilotes assez grands de poser fermement les pieds au sol à l'arrêt

BMW
K1200GT

spécial k...

L'ancienne K1200GT n'était rien d'autre qu'une vieille K1200RS mieux équipée pour la route. Comme beaucoup de montures dérivées d'un modèle original, elle atteignait ses buts, mais d'une façon plus compromise que vraiment réussie. Transformer la récente K1200S, une rapide sportive introduite en 2005, en modèle de tourisme sportif semblait pour BMW un cheminement tout à fait logique afin d'élaborer une K1200GT de nouvelle génération. Reste que si on en croit la règle, la nouvelle GT ne demeurerait quand même qu'une version dérivée, donc probablement compromise, du modèle original. Faux! Toute règle à son exception.

La réalité de la nouvelle K1200GT est toute simple. Si elle est bel et bien dérivée de la sportive K1200S, elle ne s'en trouve certainement pas compromise ou inférieure. C'est même sans la moindre hésitation que nous confirmons avoir découvert en la K1200GT une meilleure moto, et de loin s'il vous plaît, que le modèle sur lequel elle est basée. N'enlevons rien à la K1200S, qui est tout de même la plus rapide deux-roues de la riche histoire du constructeur allemand, mais le fait demeure qu'à moins d'être « vendu » aux béhèmmes, on doit conclure que sa concurrence la maltraite un peu. La situation s'inverse toutefois dans le cas de la nouvelle K1200GT puisque les standards établis de la classe, les Honda ST1300 et Yamaha FJR1300, pourraient décidément apprendre un truc ou deux de celle-ci.

Prenez par exemple le système d'ajustement électronique de la suspension ESA qui permet littéralement de faire des réglages à la volée, au moyen d'un seul bouton. Pour aller droit au but, disons simplement qu'il complète brillamment l'une des meilleures suspensions que nous ayons testées à ce jour sur la route, toutes catégories confondues. La K1200GT arrive à la fois à absorber les pires irrégularités avec douceur, à se montrer souple à souhait sur beau pavé, à afficher un parfait aplomb en courbe et à rester stable comme une locomotive à des vitesses qui vous feraient perdre votre permis pour l'éternité. Il s'agit du genre de qualités qu'on nous promet régulièrement et dont on rêve fort souvent, mais qui semblent ne jamais réellement se matérialiser.

Bien que le niveau d'équipement de la K1200GT soit si complet

> ## ON A SOUVENT RÊVÉ D'UNE SUSPENSION AUSSI EFFICACE QUE CELLE DE LA K1200GT, SANS JAMAIS LA TROUVER.

qu'on puisse aisément la qualifier de vitrine technologique, aucune de ses caractéristiques ne tombe dans la catégorie des vulgaires gadgets. Au contraire, car peu importe s'il s'agit de l'ESA, du pare-brise à ajustement électrique – qui, soit dit en passant, est facilement le meilleur de la classe –, du régulateur de vitesse, de l'ergonomie ajustable, des poignées et des sièges chauffants, des valises rigides, de la suspension avant Duolever et arrière Paralever, de l'ordinateur de bord et de son complexe écran ou encore de son système de freinage assisté avec ABS, peu de temps s'écoule avant qu'on ne veuille plus se passer d'un seul de ces équipements.

Tout n'est cependant pas parfait aux commandes de la K1200GT, à commencer par le freinage assisté qui se montre puissant, mais toujours flou à moduler (2006, freinage changé en 2007). La selle étonnamment basse signifie par ailleurs que les grandes jambes pourraient se sentir à l'étroit sur l'allemande. La transmission n'est, quant à elle, pas une merveille de douceur, particulièrement sur les rapports inférieurs où elle se montre plutôt sèche. Sans parler du prix qui, avec toutes les options, fait peur.

S'il est finalement un peu timide dans l'univers des Hayabusa et des ZX-14, chez les touristes sportives, le 4-cylindres de la K1200S est une véritable force. Ça pousse très fort, ça pousse tôt et jusqu'en haut, et à par un petit chatouillement en pleine accélération, c'est agréablement doux. La souplesse est par ailleurs excellente puisque la sixième vous permet autant de traîner à 60 km/h que de défier la loi à beaucoup, beaucoup plus que le double de la vitesse permise sur l'autoroute.

VITESSE DE POINTE
241 km/h
ACCÉLÉRATION SUR 1/4 MILLE
11,1,198 km/h

à

indice d'expertise ►

◄ rapport valeur/prix

Voir légende page 7

EXPERT	**E**
INTERMÉDIAIRE	**I**
NOVICE	**N**

Général

catégorie	Sport-Tourisme
prix	23 750 $
garantie	3 ans/kilométrage illimité
couleur(s)	bleu, gris, graphite
concurrence	Honda ST1300, Kawasaki Concours 14 Yamaha FJR1300

partie cycle

type de cadre	périmétrique, en aluminium
suspension avant	fourche Duolever avec monoamortisseur non ajustable (ajustable électroniquement en détente avec l'ESA optionnel)
suspension arrière	monoamortisseur ajustable en précharge et détente (ajustable élect. en préch., comp. et dét. avec l'ESA opt.)
freinage avant	2 disques de 320 mm de ø avec étriers à 4 pistons et système ABS Semi Integral
freinage arrière	1 disque de 294 mm de ø avec étriers à 2 pistons et système ABS Semi Integral
pneus avant/arrière	120/70 ZR17 & 180/55 ZR17
empattement	1 571 mm
hauteur de selle	820/840 mm (800/820 mm avec selle basse optionnelle)
poids à vide	249 kg
réservoir de carburant	24 litres

moteur

type	4-cylindres en ligne 4-temps, DACT, 4 soupapes par cylindre, refroidissement par liquide
alimentation	injection à 4 corps de 46 mm
rapport volumétrique	13:1
cylindrée	1 157 cc
alésage et course	70,5 mm x 75 mm
puissance	152 ch @ 9 500 tr/min
couple	96 lb-pi @ 7 750 tr/min
boîte de vitesses	6 rapports
transmission finale	par arbre
révolution à 100 km/h	environ 3 400 tr/min
consommation moyenne	6,7 l/100 km
autonomie moyenne	358 km

conclusion

La K1200GT laisse un goût légèrement amer qu'il n'est pas rare de ressentir sur une allemande de Munich. Car si l'ensemble s'avère carrément brillant, tant par la sérénité absolue de la partie cycle dans toutes les conditions possibles et imaginables que par l'impressionnante efficacité de certains équipements, il reste que ça fait très cher payé, tout ça. À un point tel que la GT sera simplement hors de portée pour plusieurs, surtout avec les options. Par ailleurs, à ces prix, on serait en droit de s'attendre à ce que le problème de facilité de modulation de ce fameux système de freinage assisté soit enfin réglé, ce qui n'est toujours pas le cas, et d'espérer mieux qu'une transmission qui, comme c'est souvent le cas chez BMW, n'est pas un exemple de fluidité. Cela dit, si vous avez la poche assez profonde pour vous la permettre et que vous arrivez à vous habituer aux quelques aspects irritants inhérents à la marque bavaroise, vous n'aquerrez rien de moins qu'une phénoménale avaleuse de kilomètres et rien d'autre qu'une des routières les plus accomplies et les plus avancées de la production actuelle. Ça, chers motocyclistes, c'est du bécyck.

 QUOI DE NEUF EN 2007 ?

Adoption d'un système ABS Semi Intergal de nouvelle génération

Coûte 1 850 $ de moins qu'en 2006

PAS MAL

Une partie cycle imperturbable, que ce soit en courbe serrée, dans les virages longs et rapides, sur mauvais revêtement, en duo ou encore à des vitesses hautement illégales, que le puissant et souple 4-cylindres en ligne ne peine par ailleurs aucunement à atteindre et maintenir

Un niveau d'équipement inégalé dans l'industrie et des équipements qui fonctionnent tous si bien qu'on ne veut rapidement plus s'en défaire

Une impression générale de sophistication et d'assurance qui rappelle étrangement ce je ne sais quoi qui distingue les voitures de la marque; c'est d'ailleurs la première BMW qui nous laisse une telle impression

BOF

Un système de freinage ABS assisté dont l'efficacité était formidable, mais dont la sensation au levier a toujours été floue et difficile à moduler; on a l'impression que BMW joue avec les réglages du système chaque année, sans jamais arriver à le rendre aussi transparent qu'un système conventionnel; le nouveau système adopté cette année réglera-t-il enfin le cas ?

Une selle basse qui favorise la pose des pieds au sol à l'arrêt, mais qui pénalise les pilotes aux grandes jambes en les coinçant un peu

Une transmission « qui clonque et qui claque » sur les premiers rapports

Un prix de base très élevé qui grimpe à des niveaux inédits pour une monture de cette catégorie lorsqu'on ajoute des options comme le système ESA, le régulateur de vitesse ou les sièges chauffants

R1200RT

L'autre GT...

En tant qu'instigateur de la catégorie Sport-Tourisme, BMW se devait de présenter une routière qui serait au sommet de son art lorsqu'il renouvela la R-RT en 2005. Plus puissante, plus légère et plus équipée que la R1150RT, la R1200RT s'est révélée être un outil de route d'une efficacité stupéfiante. Ses principales concurrentes, la Honda ST1300, la Yamaha FJR1300, la Kawasaki Concours 14 à venir et même la propre K1200GT de BMW, toutes des 4-cylindres, semblent la reléguer à second rang chez ces montures en raison de son Twin Boxer moins puissant. Mais en termes de plaisir de pilotage et de capacité à abattre de très longues distances en tout confort, la RT reste une référence.

Le poste de commande d'une R1200RT a décidément de quoi impressionner, voire intimider dans le cas d'un pilote non initié à ces luxueuses sport-tourisme. Un écran numérique aux fonctions apparemment infinies flanqué d'un tachymètre et d'un indicateur de vitesse de type classique retiennent l'attention les premiers, mais l'œil tombe rapidement sur une multitude de boutons envahissant non seulement les guidons, mais aussi la partie gauche du carénage. De ce véritable cockpit, le pilote contrôle un système audio avec lecteur de CD, varie la hauteur et l'angle de l'excellent pare-brise et actionne les éléments chauffants des poignées ou de la selle à sa guise. Entre autres. Pour les mordus de boutons, le constructeur propose en plus un système de navigation livrable en option.

Les manufacturiers font traditionnellement preuve d'une certaine retenue lorsque vient le temps d'équiper leur monture de tourisme sportif. L'idée derrière de tels engins étant d'offrir le meilleur compromis possible entre sport et confort, l'embonpoint qu'amènerait une trop grande générosité au chapitre des « gadgets » affecterait négativement l'aspect sportif de l'équation. Le constructeur de Munich a néanmoins brillamment relevé ce défi puisque sa RT est non seulement l'un des modèles les mieux équipés de sa classe, elle est aussi allégée de quelques 26 kilos par rapport à la version précédente et bénéficie d'une mécanique plus puissante et plus coupleuse.

Avec ses 110 chevaux, le bicylindre Boxer de nouvelle génération ne permet toujours pas des accélérations capables d'inquiéter une

> **PAR RAPPORT AUX VERSIONS 1100 ET 1150, LA RT ACTUELLE A ÉTÉ ADOUCIE, MAIS N'A PRESQUE RIEN PERDU DE SON ATTACHANT CARACTÈRE.**

Yamaha FJR, mais les performances qu'il génère demeurent très respectables. Non seulement la R1200RT surpasse aisément les prestations du modèle précédent en ligne droite, mais elle devrait maintenant arriver à satisfaire les pilotes considérablement plus exigeants à ce chapitre. Allégée et adoucie par rapport aux versions 1100 et 1150, la mécanique n'a pourtant rien – ou du moins très peu – perdu de son attachant caractère. Ou de sa transmission « aux-bruits-étranges », d'ailleurs... En revanche, elle grimpe maintenant en régime de manière beaucoup plus dynamique et génère des accélérations franchement amusantes. Enchaînez les rapports, poignée droite tordue et tachymètre flirtant avec la zone rouge, et à défaut de vous mettre en extase, la R1200RT vous fera à tout le moins sourire.

La réduction de poids si déterminante au niveau de l'amélioration des performances joue aussi un rôle majeur au jour le jour. Dans les situations plus serrées de l'environnement urbain et tout particulièrement dans une enfilade de courbes, la R1200RT se manie avec plus de facilité et de précision que par le passé. Le châssis, qui a toujours fait preuve d'excellentes manières sur ces modèles, demeure un exemple de solidité et de stabilité, et ce, peu importe les circonstances. Une RT n'est évidemment pas une légère 600, mais avec un pilote enclin à s'aventurer vers les étonnantes limites de la partie cycle, le rythme et les inclinaisons qu'elle permet d'atteindre pourraient aisément surprendre un propriétaire de sportive un peu endormi.

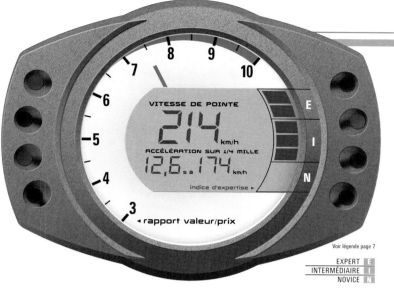

VITESSE DE POINTE
214 km/h
ACCÉLÉRATION SUR 1/4 MILLE
12,6...174 km/h

indice d'expertise ▸

◂ rapport valeur/prix

Voir légende page 7

EXPERT	**E**
INTERMÉDIAIRE	**I**
NOVICE	**N**

Général

catégorie	Sport-Tourisme
prix	21 500 $
garantie	3 ans/kilométrage illimité
couleur(s)	argent, bleu, beige
concurrence	Honda ST1300, Kawasaki Concours 14, Yamaha FJR1300

partie cycle

type de cadre	treillis en acier, moteur porteur
suspension avant	fourche Telelever de 41 mm non ajustable
suspension arrière	monoamortisseur ajustable en précharge et détente
freinage avant	2 disques de 320 mm de Ø avec étriers à 4 pistons et système ABS Semi Integral
freinage arrière	1 disque de 265 mm de Ø avec étrier à 2 pistons et système ABS Semi Integral
pneus avant/arrière	120/70 ZR17 & 180/55 ZR17
empattement	1 485 mm
hauteur de selle	820/840 mm
poids à vide	229 kg
réservoir de carburant	27 litres

moteur

type	bicylindre 4-temps Boxer, SACT, 4 soupapes par cylindre, refroidissement par air et huile
alimentation	injection à 2 corps de 47 mm
rapport volumétrique	12:1
cylindrée	1 170 cc
alésage et course	101 mm x 73 mm
puissance	110 ch @ 6 250 tr/min
couple	85 lb-pi @ 6 000 tr/min
boîte de vitesses	6 rapports
transmission finale	par arbre
révolution à 100 km/h	environ 3 200 tr/min
consommation moyenne	5,9 l/100 km
autonomie moyenne	457 km

conclusion

Avec l'arrivée de la K1200GT destinée à défendre les honneurs de la marque de Munich face aux assauts de Honda, de Yamaha et bientôt de Kawasaki, la talentueuse R1200RT a d'une certaine manière été mise de côté, comme si elle était soudainement devenue désuète. La réalité est toutefois que ce serait une grosse erreur pour n'importe lequel des intéressés à cette classe de ne pas la considérer comme une possibilité. Car si elle n'est clairement pas aussi puissante, elle reste tout de même assez puissante. Ses plus grands avantages par rapport à ses rivales multicylindres sont le caractère inimitable de son Twin Boxer et un niveau d'agilité qui est loin d'être garanti sur les montures parfois beaucoup plus lourdes qui meublent cette classe.

 QUOI DE NEUF EN 2007 ?

Adoption d'un système ABS Semi Intergal de nouvelle génération

Coûte 2 100 $ de moins qu'en 2006

 PAS MAL

Un niveau d'équipement incroyablement complet et parfaitement fonctionnel; la réalité est qu'il ne manque que très peu de choses par rapport à une K1200LT ou une K1200GT, ce qui n'est pas banal

Une mécanique qui prend ses tours avec beaucoup plus d'entrain que par le passé et qui arrive maintenant à satisfaire un pilote d'expérience

Une partie cycle admirablement posée dans toutes les circonstances, et surtout lorsqu'il s'agit de rouler vite et longtemps

⌄ **BOF**

Un niveau d'équipement incroyablement coûteux; au total, on parle d'une facture plusieurs milliers de dollars plus élevée que celle d'une Yamaha FJR ou d'une Honda ST

Un poids qui est bel et bien à la baisse depuis le passage de 1 150 cc à 1 200 cc l'an dernier, mais qui ne fait pas pour autant de la R1200RT un poids plume; elle demeure une moto lourde avec laquelle il faut faire preuve de vigilance dans les manœuvres lentes et serrées, et à l'arrêt; cela dit, les multicylindres de la classe sont encore plus lourdes

Une transmission qui fonctionne bien lorsqu'il s'agit de passer les rapports en accélération, mais d'où sortent occasionnellement des bruits gênants; le jeu excessif du rouage d'entraînement n'est rien de très agréable non plus, surtout sur une monture de ce prix

BMW
R1200ST

Drôle d'animal...

Les lignes sobres et prévisibles de la devancière de la R1200ST, la R1150RS, indiquaient de façon assez évidente qu'on avait affaire à une routière simple et sans prétention, ce que se révélait clairement être la RS sur la route. À l'inverse, la ST et son extravagante silhouette laissent perplexe. Sa vue de face, dominée par un inhabituel phare juxtaposé, est même particulièrement troublante. De plus, selon certains communiqués, un lien étroit aurait existé entre la R1200ST et la et la R1200RT, qui furent d'ailleurs présentées simultanément. La réalité est non seulement que l'une et l'autre n'ont rien à voir ensemble, mais aussi que la R1200RT n'a vraiment pas beaucoup d'équivalents.

Peu importe que la documentation de presse de BMW ait effectivement fait état d'un certain lien entre la ST et la réputée R1200RT, car du point de vue des sensations de pilotage, rien ne pourrait être plus loin de la réalité. Bien qu'elle soit mue par un Twin Boxer de nouvelle génération annoncé à 110 chevaux, soit très près de celui qui propulse la R1200RT, et bien que sa partie cycle retienne une architecture elle aussi très similaire à celle des RT et GS, sur la route, on a clairement affaire à une bête d'un tout autre genre.

L'une des caractéristiques prédominantes de la R1200ST est sa lourdeur et sa lenteur de direction, un facteur surtout attribuable au faible effet de levier des guidons rapprochés. Il s'agit d'un trait de comportement étonnant puisqu'il se veut aujourd'hui presque totalement disparu chez les modèles de nouvelle conception. Même si la ST affiche un poids à sec fort raisonnable, l'effort prononcé qui doit être appliqué aux guidons afin d'amorcer une courbe donne l'impression de piloter une machine plus massive et plus longue qu'elle ne l'est réellement. Le bon côté de cette particularité est une stabilité absolument imperturbable à haute vitesse et une impressionnante solidité dans les courbes longues et rapides. Elle doit être convaincue avant de bien vouloir s'incliner, mais une fois en angle, la ST est impériale. Le plaisir d'une enfilade de virages demeure à la portée du pilote, mais celui-ci devra adapter son rythme à la lourdeur de direction en adoptant une conduite plus coulée que nerveuse. Coupleux à souhait à bas et moyen régimes et ne demandant qu'à

être amené à sa zone rouge, le bicylindre Boxer de nouvelle génération qui anime la ST est une motorisation gavée de caractère dont la facilité d'exploitation rend le pilotage d'autant plus amical et accessible. À l'exception d'une transmission qui, sans être mauvaise, affiche encore et toujours les traits parfois peu subtils des boîtes du manufacturier allemand, on trouvera peu à reprocher à l'aspect mécanique de la ST, tout spécialement si l'on fait partie de ceux qui apprécient les sensations et les sons propres à ces légendaires Twin Boxer.

> **LA ST N'EST PAS INCONFORTABLE, MAIS IL EST CLAIR QU'ELLE N'APPARTIENT PAS À LA MÊME LIGUE QUE LA RT À CE SUJET.**

Le sigle ST signifie habituellement Sport Touring et implique normalement qu'une dose appréciable de confort peut être retrouvée sur la moto qu'il orne. Dans le cas de la R1200ST, on découvre des suspensions plutôt fermes pour une BMW, une position relativement sportive, une protection au vent modérée et une selle correcte. Bref, s'il était injuste de la qualifier d'inconfortable, il est clair qu'une R1200ST ne rivalise absolument pas avec une moto de la trempe d'une R1200RT au niveau du confort.

Comme toutes les BMW haut de gamme, la R1200ST peut être livrée avec un système de freinage ABS devant être considéré comme le plus avancé de l'industrie. Il est d'ailleurs remplacé par une nouvelle génération en 2007 et n'a désormais plus recours à l'assistance hydraulique pour le frein avant, bien qu'il la conserve pour le frein arrière. Rappelons que ce système avait été critiqué depuis sa mise en service pour la sensation floue qu'il renvoyait et qui était directement liée à l'assistance hydraulique.

VITESSE DE POINTE
218 km/h
ACCÉLÉRATION SUR 1/4 MILLE
12,5 s. 178 km/h
indice d'expertise ►
◄ rapport valeur/prix

Voir légende page 7

EXPERT E
INTERMÉDIAIRE I
NOVICE N

général

catégorie	Routière sportive
prix	19 500 $
garantie	3 ans/kilométrage illimité
couleur(s)	noir, argent
concurrence	Ducati ST3, Honda VFR800, Triumph Sprint ST

moteur

type	bicylindre 4-temps Boxer, SACT, 4 soupapes par cylindre, refroidissement par air et huile
Alimentation	injection à 2 corps de 47 mm
Rapport volumétrique	12:1
cylindrée	1 170 cc
Alésage et course	101 mm x 73 mm
Puissance	110 ch @ 7 500 tr/min
couple	85 lb-pi @ 6 000 tr/min
Boîte de vitesses	6 rapports
Transmission finale	par arbre
Révolution à 100 km/h	environ 3 100 tr/min
consommation moyenne	5,7 l/100 km
Autonomie moyenne	368 km

partie cycle

Type de cadre	treillis en acier, moteur porteur
suspension avant	fourche Telelever de 41 mm non ajustable
suspension arrière	monoamortisseur ajustable en précharge et détente
Freinage avant	2 disques de 320 mm de Ø avec étriers à 4 pistons
Freinage arrière	1 disque de 265 mm de Ø avec étrier à 2 pistons
Pneus avant/arrière	120/70 ZR17 & 180/55 ZR17
empattement	1 502
Hauteur de selle	830/806 mm
Poids à vide	205 kg
Réservoir de carburant	21 litres

conclusion

La R1200ST nous laisse une impression de déjà vu. Il ne s'agit pas d'une mauvaise moto, mais sa vocation réelle est difficile à cerner. Elle profite d'une mécanique plaisante et d'un châssis solide, mais pour une raison ou une autre, la magie d'une RT, d'une GS ou d'une S n'y est tout simplement pas. Elle s'adresse à... La vérité est qu'il est difficile de dire à qui elle s'adresse. À quelqu'un qui serait fou de son extravagante ligne ? Pourquoi pas ? Maintenant, c'est clair. Cette impression de déjà vu vient de la R1200CL puisqu'elle aussi affichait un style étrange, et elle aussi ne semblait ni avoir de mission bien définie, ni vraiment fonctionner comme une BMW l'aurait dû. Concluons en disant que si, comme la R1200CL, la R1200ST disparaît éventuellement de la gamme sans faire de bruit, nous serons les derniers à nous en trouver surpris. On ne peut pas qu'avoir de bonnes idées, même si l'on s'appelle BMW...

 QUOI DE NEUF EN 2007 ?

Aucun changement

Aucune augmentation

 PAS MAL

Un Twin Boxer adorable autant par ses bonnes performances en ligne droite que par son superbe couple à très bas régime; son caractère très particulier est également digne de mention

Une partie cycle absolument imperturbable dans les longs virages rapides où la ST est l'une des motos les plus stables qui soient

Une ligne inhabituelle, certes, mais qui a au moins le mérite de tenter de s'éloigner des formes prévisibles de la version précédente

BOF

Une direction étonnamment lourde en raison du faible effet de levier des guidons très rapprochés; on s'y habitue, mais il faut s'attendre à devoir intervenir de manière musclée sur une route serrée négociée à un rythme agressif

Un prix élevé qu'on a de la difficulté à expliquer puisque la R1200ST ne dispose d'aucun équipement particulier qui commencerait à le justifier, et puisqu'elle n'a en fait rien de suffisamment spécial pour y arriver

Une transmission qui fonctionne bien la majorité du temps, mais de laquelle se dégagent régulièrement des bruits étranges, ainsi qu'un rouage d'entraînement montrant un jeu excessif

BMW

K1200S

routière à réaction...

En mettant sur le marché une monture comme la K1200S, BMW a prouvé au monde entier qu'il était bel et bien en train de se transformer. Propulsée par le premier 4-cylindres en ligne transversal « normal » de l'histoire moto du constructeur et capable de vitesses très réprimandables, la plus rapide des deux-roues allemandes donnait l'impression de vouloir s'en prendre aux ultrarapides japonaises qui partagent la même catégorie. Mais la réalité est que derrière ses lignes de machine à vitesse, la K1200S reste d'abord et avant tout une BMW, donc d'abord et avant tout une routière. En 2007, BMW en réduit le prix de 2 500 $ et met à la retraite le système ABS assisté.

La K1200S est, et par une bonne marge, l'allemande à deux-roues la plus puissante jamais produite. Tant qu'on ne traîne pas trop en compagnie de Suzuki Hayabusa ou de Kawasaki ZX-14, deux des rares modèles du motocyclisme capables de la faire paraître, oserions-nous le dire... un peu lente, on a affaire à une moto pouvant générer des vitesses extrêmement élevées avec une facilité déconcertante. Le couple disponible dès les premiers régimes est excellent, et la puissance ne fait qu'augmenter à mesure que les tours montent, jusqu'à un niveau résolument grisant. À l'exception d'une transmission dont le fonctionnement est précis, mais parfois rude et d'un embrayage qui n'est pas le plus progressif qui soit, il s'agit d'une mécanique particulièrement réussie.

Le côté le plus intéressant de la K1200S est qu'elle combine un niveau de performances jusque-là exclusivement retrouvé sur des monstres de vitesse japonais à un degré de confort qui demeure aussi élevé qu'il a la réputation de l'être sur les montures plus traditionnelles du constructeur allemand. La position de conduite est sportive, mais reste juste au-delà de la limite du tolérable grâce à des guidons qui ne sont pas trop bas, à des repose-pieds qui ne plient pas les jambes exagérément et tout spécialement grâce à une selle qui est simplement l'une des plus confortables qui soient sur une moto à vocation sportive. La protection au vent offerte par le généreux pare-brise est aussi digne de mention puisqu'elle est efficace et exempte de turbulences.

Si on peut se douter que le comportement de la K1200S soit

> **LA SELLE EST NON SEULEMENT L'UNE DES PLUS CONFORTABLES DE L'UNIVERS SPORTIF, MAIS AUSSI L'UNE DES PLUS BASSES.**

caractérisé par une stabilité impeccable, ce qui est le cas, on peut difficilement soupçonner à quel point la moto, qui n'est pourtant pas particulièrement courte ou légère, s'avère agile. Impossible de dire quel rôle l'excentrique fourche Duolever joue à ce chapitre — elle se comporte tout simplement comme une excellente fourche conventionnelle —, mais il est certain que tous les efforts déployés par le constructeur afin d'abaisser le centre de gravité et centraliser la masse ont une part de responsabilité. Parmi ces efforts, on note une mécanique fortement inclinée vers l'avant qui a également permis à la selle d'être abaissée à un niveau résolument inhabituel pour une sportive. Un pilote de taille moyenne arrive sans problème à poser les deux pieds au sol à l'arrêt, ce qui est loin d'être commun chez ces motos dont la selle est d'habitude assez haute.

Introduit en équipement optionnel sur la K1200S et disponible sur de plus en plus de modèles allemands, l'Electronic Suspension Adjustment est l'une des plus intéressantes innovations des dernières années en matière de suspensions. En gros, il permet d'ajuster ces dernières entre des modes Sport, Normal et Confort avec la simple pression d'un bouton. Les différences entre les niveaux sont notables, si bien qu'on se retrouve à régulièrement et facilement ajuster les suspensions en fonction du type de conduite, de route ou de chargement, ce que très peu de motocyclistes se donnent la peine de faire avec des réglages conventionnels. On note par ailleurs pour 2007 que le système de freinage assisté Semi Integral est remplacé par le système inauguré l'an dernier sur la R1200S.

VITESSE DE POINTE
279 km/h
ACCÉLÉRATION SUR 1/4 MILLE
10,3 s à **222** km/h

indice d'expertise ▸

◂ rapport valeur/prix

Voir légende page 7

EXPERT	E
INTERMÉDIAIRE	I
NOVICE	N

général

catégorie	Sportive
prix	20 000 $
garantie	3 ans/kilométrage illimité
couleur(s)	noir, aluminium, noir et bleu
concurrence	Kawasaki ZX-14, Suzuki GSX1300R Hayabusa

partie cycle

type de cadre	périmétrique, en aluminium
suspension avant	fourche Duolever avec monoamortisseur non ajustable
suspension arrière	monoamortisseur ajustable en précharge et détente
freinage avant	2 disques de 320 mm de ø avec étriers à 4 pistons et système ABS Semi Integral
freinage arrière	1 disque de 265 mm de ø avec étriers à 2 pistons et système ABS Semi Integral
pneus avant/arrière	120/70 ZR17 & 190/50 ZR17
empattement	1 571 mm
hauteur de selle	820 mm
poids à vide	226,5 kg
réservoir de carburant	19 litres

moteur

type	4-cylindres en ligne 4-temps, DACT, 4 soupapes par cylindre, refroidissement par liquide
alimentation	injection à 4 corps de 46 mm
rapport volumétrique	13:1
cylindrée	1 157 cc
alésage et course	70,5 mm x 75 mm
puissance	167 ch @ 10 250 tr/min
couple	96 lb-pi @ 6 750 tr/min
boîte de vitesses	6 rapports
transmission finale	par arbre
révolution à 100 km/h	environ 3 600 tr/min
consommation moyenne	6,9 l/100 km
autonomie moyenne	275 km

conclusion

BMW n'a jamais vraiment eu l'intention d'attaquer les Japonais sur leur propre territoire avec la K1200S puisque l'expérience qu'elle propose accorde beaucoup plus d'importance au côté routier du pilotage qu'à la quête d'un quelconque record de vitesse. Il faut avoir piloté une ZX-14, l'une des motos à laquelle la K1200S se mesure supposément, pour vite saisir qu'on n'a pas du tout affaire au même genre de monture. La BMW est très rapide, mais elle n'est simplement pas dans la même ligue qu'une monture comme la Kawasaki en termes de performances pures, une vérité que confirmera d'ailleurs la prochaine Hayabusa. Ce qui, pour les pilotes auxquels elle est destinée, ne devrait avoir aucune importance. Pour ceux-ci, la capacité qu'a la K1200S de rouler non seulement vite, mais aussi et surtout longtemps, suffit pour faire oublier tout désavantage qu'elle aurait en ligne droite par rapport aux missiles de route que sont ses rivales.

 QUOI DE NEUF EN 2007 ?

Adoption d'un système ABS Semi Intergal de nouvelle génération

Coûte 2 500 $ de moins qu'en 2006

 PAS MAL

Une mécanique qui ne fait pas dans la dentelle; les 167 chevaux annoncés sont présents et bien en forme

Une tenue de route presque exceptionnelle pour une sportive de cette taille; la K1200S est parfaitement dans son élément en pleine inclinaison

Un niveau de confort qui est au moins équivalent à ce que l'on s'est habitué de retrouver chez une allemande

 BOF

Une transmission rude lors des passages de vitesses qui demande de se concentrer pour effectuer des changements propres et sans à-coups

Un prix très élevé par rapport à celui des concurrentes directes; la K1200S ne raflera probablement pas beaucoup de ventes à Kawasaki ou à Suzuki pour cette raison, et ce, même si le prix est abaissé de manière notable en 2007

Une série de « détails » comme le freinage assisté (il est supposément amélioré pour 2007 et n'est plus assisté) qui s'est toujours montré difficile à doser, comme l'embrayage qui n'est toujours pas naturel dans ses réactions, et sans oublier les caprices de la transmission qui sont agaçants pour une moto de ce prix; elle roule bien la K1200S, mais elle pourrait être mieux fignolée

 BMW
R1200S

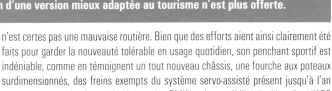

Attente profitable...

« Tout vient à point à qui sait attendre. » Le proverbe définissait parfaitement l'arrivée l'an dernier de cette R1200S de nouvelle génération. Car s'il est clair que la remplaçante de la vénérable R1100S s'est avérée être une réussite, c'est tout de même durant huit ans qu'il a fallu patienter — une éternité pour une sportive — avant que BMW daigne finalement présenter le successeur du modèle inauguré en 1998. Allégée de 13 kilos et bénéficiant de pas moins de 24 chevaux supplémentaires, la S est plus que jamais la proposition la plus sportive du catalogue allemand. Contrairement à la génération précédente, l'option d'une version mieux adaptée au tourisme n'est plus offerte.

Depuis que la firme de Munich a entrepris de revigorer son catalogue tout entier avec une politique généreuse en chevaux et sévère en kilos, il y a environ 3 ans, l'attente d'une nouvelle S était presque devenue cruelle.

Heureusement, le proverbe avait raison et l'attente fut joliment profitable. Considérablement plus légère et plus puissante, la S de nouvelle génération semble avoir des ailes par rapport à l'originale. Celle qui était ultrastable, mais quelque peu paresseuse de direction est aujourd'hui étonnamment agile sans être moins solide. Sur circuit, si on est loin d'avoir affaire à la nervosité d'une sportive japonaise de 600 cc, on découvre néanmoins une monture coopérative qui récompense davantage un pilotage coulé et précis qu'incisif et irrégulier. L'effort au guidon est notable sans être trop élevé, l'aplomb en pleine inclinaison est délicieux et l'accélération, sans être foudroyante, reste grisante.

La première génération du modèle était offerte en version « confort » équipée de poignées plus hautes et d'un plus gros pare-brise, mais BMW a choisi de pointer la nouvelle R1200S dans une direction purement sportive. Ce qui n'est absolument pas dire qu'il s'agit d'une monture inconfortable. Vibrant de manière un peu moins marquée que la 1100, dotée d'une des meilleures selles qu'il est possible de trouver sur une monture capable de rouler assez fort en piste, bénéficiant de suspensions étonnamment souples, équipée d'un excellent pare-brise et dotée d'une position de pilotage typée sans être extrême, la R1200S

> **L'EFFET DE COUPLE DU TWIN SE TRADUIT PAR UNE FRANCHE SECOUSSE À CHAQUE PASSAGE DE VITESSE, EN PLEINE ACCÉLÉRATION.**

n'est certes pas une mauvaise routière. Bien que des efforts aient ainsi clairement été faits pour garder la nouveauté tolérable en usage quotidien, son penchant sportif est indéniable, comme en témoignent un tout nouveau châssis, une fourche aux poteaux surdimensionnés, des freins exempts du système servo-assisté présent jusqu'à l'an dernier sur la plupart des BMW et la possibilité de désactiver l'ABS à la simple pression d'un bouton, pour le pilotage sur circuit. Sans parler, évidemment, de la savoureuse fougue avec laquelle le Twin Boxer prend ses tours. À 122 chevaux, le bicylindre Boxer de 1 200 cc est le plus puissant du genre jamais produit. L'effet de couple inhérent à cette configuration mécanique se traduit par une franche secousse latérale ressentie à chaque passage de vitesse en pleine accélération, tandis que chaque instant en selle est accompagné d'un vrombissement aussi mélodieux qu'exclusif à la marque allemande. Accélérant assez fortement pour envoyer l'avant en l'air presque brutalement en première, et même pour le soulever en seconde, le Twin de nouvelle génération s'emballe lorsque les gaz sont ouverts et file tout droit vers la zone rouge de 8 500 tr/min — et plus — avec un empressement jamais vu sur une mécanique de ce type. En fait, l'accélération est assez forte pour engendrer un occasionnel guidonnage sur mauvaise route, un phénomène heureusement gardé sous contrôle par l'amortisseur de direction de série. Comme sur la plupart des BMW, la transmission de la R1200S fonctionne très bien, mais son utilisation est toujours accompagnée de bruits et d'un agaçant jeu dans le rouage.

La R1100S était sportive, mais jusqu'à un certain point. Sans être de la trempe d'une sportive pure, la R1200S se montre tout de même très à l'aise en piste.

La présentation officielle de la R1200S fut tenue dans la région de Cape Town, en Afrique du Sud. BMW tente généralement de se tenir loin des circuits puisqu'un tel environnement a la fâcheuse tendance à encourager les comparaisons avec des modèles beaucoup plus capables que les allemandes dans de telles conditions. Dans le cas de la R1200S, toutefois, avec tout l'accent mis sur le côté sportif du modèle, inclure une portion sur circuit à la présentation était presque devenu obligatoire. Si le totalement inconnu Killarney Racing Circuit était plus du calibre de Saint-Eustache que de celui de Catalunya, l'auteur ne s'en est certainement pas plein. Selon un collègue qui l'a suivi — sans arriver à le passer, he he! — pendant plusieurs tours, il n'était pas rare de voir le pneu arrière de la R1200S marquer le sol d'une trace noire à la sortie des virages, alors que la moto se dandinait un peu en cherchant la traction. Il s'agit d'un des signes décrivant à quel point la R1200S, sans être l'équivalent d'une R6 en piste, demeure quand même capable et prévisible. Les photos sont l'oeuvre d'un groupe de photographes sud-africains dont les noms sont absolument introuvables.

L'Afrique du sud à moto

Afin de refléter l'utilisation réelle qui sera réservée à la R1200S par ses acheteurs, la majorité de la présentation sud-africaine de la R1200S s'est déroulée sur la voie publique où, soit dit en passant, on roule à gauche. BMW détient sans le moindre doute la palme du constructeur sachant dénicher les meilleures routes de la planète, et celles-là ne faisaient pas exception à cette règle. On passe en quelques dizaines de kilomètres de paysages montagneux à des petits chemins longeant la côte de l'Océan Atlantique, et même de l'Océan Indien. L'état de la chaussée est superbe, les routes se tortillent sans cesse entre les cols de montagnes, les paysages sont à couper le souffle, la circulation est presque inexistante — tout comme la police, d'ailleurs — et c'est l'été quand chez nous c'est l'hiver. À part le fait que presque 2 jours d'avion sont nécessaires pour s'y rendre, c'est dur à battre comme balade.

VITESSE DE POINTE
234 km/h
ACCÉLÉRATION SUR 1/4 MILLE
11,3 s à **193** km/h

indice d'expertise ▶

◀ rapport valeur/prix

Voir légende page 7

EXPERT	E
INTERMÉDIAIRE	I
NOVICE	N

général

catégorie	Routière Sportive
prix	18 500 $ (2 tons : 19 000 $)
garantie	3 ans/kilométrage illimité
couleur(s)	noir, jaune, argent, argent et rouge
concurrence	Buell XB12R, Ducati Sport 1000S, Suzuki SV1000S

moteur

type	bicylindre 4-temps Boxer, SACT, 4 soupapes par cylindre, refroidissement par air et huile
alimentation	injection à 2 corps de 52 mm
rapport volumétrique	12:5
cylindrée	1 170 cc
alésage et course	101 mm x 73 mm
puissance	122 ch @ 8 250 tr/min
couple	83 lb-pi @ 6 800 tr/min
boîte de vitesses	6 rapports
transmission finale	par arbre
révolution à 100 km/h	environ 3 300 tr/min
consommation moyenne	5,9 l/100 km
autonomie moyenne	288 km

partie cycle

type de cadre	treillis en acier, moteur porteur
suspension avant	fourche Telelever de 41 mm non ajustable
suspension arrière	monoamortisseur ajustable en précharge et détente
freinage avant	2 disques de 320 mm de Ø avec étriers à 4 pistons
freinage arrière	1 disque de 265 mm de Ø avec étrier à 2 pistons
pneus avant/arrière	120/70 ZR17 & 180/55 ZR17
empattement	1 487 mm
hauteur de selle	830 mm
poids à vide	190 kg
réservoir de carburant	17 litres

conclusion

La R1100S originale a toujours été l'une des montures favorites du Guide. Sa ligne unique, son imperturbable stabilité, l'agréable livrée de puissance et le caractère fort de son Twin Boxer sont autant de points qui lui ont mérité ce statut. Découvrir sa remplaçante fut à la fois excitant et inquiétant. Car s'il était très intéressant d'enfin connaître la suite de l'histoire après tout ce temps, la crainte que ce dénouement ne corresponde pas à nos attentes était bien réelle. Mais BMW a visé dans le mile. La nouvelle S est tout ce que l'ancienne était, en mieux. La ligne, la performance, la tenue de route, tout est mieux. Il s'agit d'une refonte menée avec classe et grand respect du modèle original, et d'une des rares motos que nous osions qualifier de classique instantané.

QUOI DE NEUF EN 2007 ?

Aucun changement

Coûte 500 $ de moins qu'en 2006

PAS MAL

Une mécanique dont la livrée de puissance frôle la perfection pour une routière; c'est coupleux en bas, fort au milieu et excitant en haut, tandis que chaque instant en selle est accompagné de la musique très particulière du Twin Boxer allemand, et ce, sans jamais vibrer désagréablement

Une tenue de route qui, sans être du calibre de celle d'une sportive pure, reste étonnamment pure et facile d'accès; la R1200S est beaucoup plus légère de direction que la 1100S et adore carrément les parcours sinueux

Un niveau de confort qui n'est pas méchant du tout pour une sportive; la position est très tolérable, la selle est bonne et les suspensions sont souples

BOF

Un thème sportif qu'on doit pondérer : la R1200S est sans l'ombre d'un doute la plus agile et la plus sportive des BMW, mais elle n'est pas du tout du même calibre qu'une sportive pure japonaise; ce sont deux catégories de motos différentes

Une transmission qui, bien qu'elle fonctionne correctement, se montre encore et toujours bruyante lors des passages de vitesses et des rétrogradages; l'agaçant jeu dans le rouage d'entraînement est aussi un peu décevant pour une moto de ce prix et de ce statut

Une direction qui s'agite occasionnellement en pleine accélération sur les premiers rapports si la chaussée est abîmée; heureusement, l'amortisseur de direction installé de série garde la situation sous contrôle

Gros nounours...

Avec ses 163 chevaux, la K1200R serait la plus puissante, ou l'une des plus puissantes — ça fait quoi déjà une B-King ? — standards de l'industrie. Ouuuu. La vérité est que malgré toute sa puissance, la K1200R livre ses chevaux avec tellement de politesse qu'on a davantage affaire à un gentil monstre qu'à une bête folle. Si la K1200R offre un comportement civilisé, c'est tout bonnement parce derrière l'image extrême projetée par cet impressionnant chiffre de puissance, se trouve une rapide routière nommée K1200S. Une nouvelle version à demi-carénage, la K1200R Sport est présentée en 2007, mais BMW Canada a décidé de ne pas l'importer au pays.

L'une des premières impressions que laisse la K1200R en est une visuelle. Car si l'excentrique fourche Duolever de BMW est aussi retrouvée sur les K1200S et K1200GT, c'est sur la K1200R, où elle est entièrement exposée, qu'elle produit l'effet le plus marquant. Cette fourche donne d'ailleurs le ton au reste du style à la fois épuré et tourmenté de la K1200R. Une standard de 163 chevaux n'a aucune raison d'avoir l'air anonyme, et celle-là dégage, au contraire, une impression de muscle qui traduit très bien l'expérience qu'elle réserve.

S'il ne fait aucun doute que la K1200R est particulièrement en santé d'un point de vue mécanique, elle surprend en se montrant étonnamment docile pour une bête d'une telle puissance. On s'attend à ce qu'une standard de plus de 160 chevaux soit violente, presque imprévisible en pleine accélération, mais c'est tout le contraire dans ce cas. La K1200R se contente plutôt de poliment étirer les bras du pilote qui tente tant bien que mal d'y rester accroché lorsque les gaz sont entièrement ouverts. La sensation a même quelque chose d'un peu étrange puisque le genre de poussée générée semble décidément du type qui soulève l'avant sans provocation, avec toutes les complexités qu'une telle figure amène au pilotage, mais il n'en est rien. Au contraire, la K1200R reste bien plantée au sol et fait preuve d'une stabilité exemplaire. L'avantage d'un tel comportement est qu'il rend ce genre de puissance régulièrement exploitable. En ville, chaque feu vert peut, au gré du pilote, se transformer en départ de course de drag intense, mais

> ## ON S'ATTEND À CE QU'UNE STANDARD DE 160 CHEVAUX SOIT VIOLENTE, VOIRE IMPRÉVISIBLE, MAIS C'EST TOUT LE CONTRAIRE.

parfaitement maîtrisée. Sur les routes secondaires, toute cette puissance est plutôt utilisée pour doubler sans le moindre effort et sans besoin de rétrograder, ou pour se catapulter poliment à la sortie des virages. La K1200R est bel et bien une brute, mais une brute civilisée qui sait montrer ses muscles sans nécessairement devoir se battre.

Et comme il s'agit d'une BMW, elle est aussi une brute plutôt confortable. Qu'il soit question de la douceur exemplaire de la mécanique ou de la belle position de conduite, la K1200R détient sans aucun doute la capacité de passer du rôle de brute à celui de routière de longue haleine. L'allemande n'est d'ailleurs pas méchamment équipée pour confortablement disposer de fortes doses de kilométrages puisque sa selle est excellente et que des équipements comme l'*Electronic Suspension Adjustment* et les poignées contribuent véritablement au plaisir de la route. L'absence d'un carénage réduit évidemment le confort à vitesse élevée, mais le travail du petit saute-vent transparent demeure surprenant puisqu'il soulage le torse du pilote d'une bonne partie de la pression du vent. BMW en propose d'ailleurs un de dimensions légèrement plus grandes dont l'efficacité est encore meilleure.

La K1200R n'a rien d'un poids plume, mais son centre de gravité bas et sa faible hauteur de selle font mentir la balance, autant à l'arrêt que lorsqu'il s'agit de la lancer en courbe ou de se faufiler dans la jungle urbaine. L'effort demandé au guidon pour négocier une série de virages est étonnamment faible tandis que la précision du châssis est sans reproches et transmet un flair décidément sportif.

VITESSE DE POINTE
252 km/h
ACCÉLÉRATION SUR 1/4 MILLE
10,6 s à 211 km/h

indice d'expertise ▸

◂ rapport valeur/prix

Voir légende page 7

EXPERT	E
INTERMÉDIAIRE	I
NOVICE	N

général

catégorie	Standard
prix	18 000 $
garantie	3 ans/kilométrage illimité
couleur(s)	jaune, graphite, aluminium
concurrence	Kawasaki Z1000, Yamaha V-Max

moteur

type	4-cylindres en ligne 4-temps, DACT, 4 soupapes par cylindre, refroidissement par liquide
alimentation	injection à 4 corps de 46 mm
rapport volumétrique	13:1
cylindrée	1 157 cc
alésage et course	70,5 mm x 75 mm
puissance	163 ch @ 10 250 tr/min
couple	93,7 lb-pi @ 8 250 tr/min
boîte de vitesses	6 rapports
transmission finale	par arbre
révolution à 100 km/h	environ 3 800 tr/min
consommation moyenne	7,0 l/100 km
autonomie moyenne	271 km

partie cycle

type de cadre	périmétrique, en aluminium
suspension avant	fourche Duolever avec monoamortisseur non ajustable
suspension arrière	monoamortisseur ajustable en précharge et détente
freinage avant	2 disques de 320 mm de ø avec étriers à 4 pistons
freinage arrière	1 disque de 265 mm de ø avec étriers à 2 pistons
pneus avant/arrière	120/70 ZR17 & 180/55 ZR17
empattement	1 571 mm
hauteur de selle	820 mm
poids à vide	211 kg
réservoir de carburant	19 litres

conclusion

Il n'est pas rare du tout qu'on se surprenne à rapidement s'habituer à un niveau de puissance qui nous semblait au départ démesuré. Les grosses Triumph Rocket III et Kawasaki Vulcan 2000 Classic, sans parler des dernières 1000 sportives, font dans chaque cas une excellente démonstration de ce fait. Cette situation décrit très bien la K1200R, car bien que sa puissance ait pu paraître immense lors des premières annonces, après en avoir fait connaissance, on renoncerait vigoureusement à rendre le moindre cheval-vapeur. BMW a non seulement lâché sur nos routes l'une des plus puissantes standards de la planète, il a aussi ajouté une fort plaisante routière à son catalogue.

 QUOI DE NEUF EN 2007 ?

Aucun changement

Coûte 1 200 $ de moins qu'en 2006

 PAS MAL

Un comportement étonnamment docile compte tenu du genre de performances élevées dont il est question; la K1200R se montre particulièrement civilisée pour une brute de 163 chevaux

Un niveau de confort à la hauteur de la réputation du constructeur allemand, et qui est amené par une position de conduite bien choisie, par une bonne selle et par des suspensions bien calibrées

Une tenue de route solide et précise qui transmet aussi une impression générale de légèreté sur une route sinueuse

 BOF

Un prix plutôt costaud qui ne met certainement pas la K1200R à la portée de toutes les bourses, surtout lorsqu'on rajoute le prix des systèmes ABS et ESA

Une exposition totale au vent qui limite les vitesses qu'on peut confortablement maintenir sur l'autoroute

Un style aux lignes très tourmentées qui attire les regards, mais que tout le monde ne trouve pas instantanément joli

Libre comme l'R...

La version R de la famille de routières allemandes à moteur Boxer a toujours incarné le côté classique du motocyclisme, et ce, tant au niveau de son style que de sa mission. Laissant les sportives se charger d'aller vite, les touristes s'adonner au tourisme et les customs aller « cruiser », la R n'a jamais eu d'autre but que celui de rouler pour le plaisir de rouler. En 2007, la mission de la toute nouvelle R1200R, remplaçante de la R1150R, est de perpétuer la tradition. Ce qu'elle entend bel et bien faire, mais pas de façon aussi timide que sa devancière. En effet, comme il l'a fait avec tous les autres modèles de la série R depuis 2004, BMW a coupé dans le gras et ajouté du muscle.

TECHNIQUE

Même si elle est toute nouvelle, la R reste la R. Ces lignes tellement simples qu'elles en sont pures, ce vénérable Twin Boxer fièrement exposé, cette position qui n'est que celle demandée par le corps, voilà autant de caractéristiques clés du modèle précédent qui sont intégralement retrouvées sur la version renouvelée. Mais la R1200R se veut bien plus qu'une R1150R gonflée de quelques centimètres cubes. En fait, il s'agit d'une autre moto qui n'a de commun avec sa devancière que l'esprit de la route. Affichant une puissance pas moins de 28 pour cent supérieure à celle de l'ancienne, une augmentation du couple de l'ordre 17 pour cent et un poids allégé de 20 kilos, la R a subi la même médecine choc administrée par la firme de Munich à sa GS, à sa S et à sa RT. C'est d'ailleurs la mécanique de cette dernière que BMW a installée dans le nouveau cadre de la R1200R. De 85 chevaux et 72 lb-pi de couple, la variante dénudée de la famille R passe à 109 chevaux et un couple 85 lb-pi, le tout poussant, encore une fois, une vingtaine de kilos en moins. Sur la RT et la S, cette évolution a complètement transformé le niveau de performances de modèles, mais sans en changer le caractère. S'il est tout à fait logique de croire que le même phénomène se réalisera sur la R1200R, il reste qu'on a peine à imaginer la sympathique et quelque peu timide R1150R rester la monture qu'elle était avec une telle modification de l'équation.

Parmi les améliorations apportées au modèle, on note la possibilité de l'équiper en option d'un système ABS Semi Integral de nouvelle génération, qui serait le même dont bénéficie la R1200S. Enfin, toujours en option, BMW propose désormais un système antipatinage.

VITESSE DE POINTE
210 km/h

ACCÉLÉRATION SUR 1/4 MILLE
12,0..180 km/h

indice d'expertise ▸

◂ rapport valeur/prix

général

catégorie	Standard
prix	16 000 $
garantie	3 ans/kilométrage illimité
couleur(s)	noir, gris, granite
concurrence	Buell XB912S Lightning, Ducati Monster, Yamaha MT-01

moteur

type	bicylindre 4-temps Boxer, SACT, 4 soupapes par cylindre, refroidissement par air et huile
Alimentation	injection à 2 corps de 47 mm
Rapport volumétrique	12:1
cylindrée	1 170 cc
Alésage et course	101 mm x 73 mm
puissance	109 ch @ 7 500 tr/min
couple	85 lb-pi @ 6 000 tr/min
Boîte de vitesses	6 rapports
transmission finale	par arbre
Révolution à 100 km/h	n/d
consommation moyenne	n/d
Autonomie moyenne	n/d

partie cycle

type de cadre	treillis en acier, moteur porteur
suspension avant	fourche Telelever de 41 mm non ajustable
suspension arrière	monoamortisseur ajustable en précharge et détente
Freinage avant	2 disques de 320 mm de Ø avec étriers à 4 pistons
Freinage arrière	1 disque de 265 mm de Ø avec étrier à 2 pistons
pneus avant/arrière	120/70 ZR17 & 180/55 ZR17
empattement	1 495 mm
Hauteur de selle	800 mm
poids à vide	198 kg
Réservoir de carburant	18 litres

conclusion

La simplicité du concept de la R1150R faisait son succès. Un moteur Boxer fort en caractère et en couple là où ça compte, un comportement prévisible et une belle position, voilà tout ce qu'elle offrait et tout ce qu'elle avait besoin d'offrir. L'évolution qu'elle subit en devenant la R1200R est majeure, même si les apparences laissent croire le contraire. Tout ce qu'il reste à espérer est qu'en lui servant un tel traitement-choc, BMW ne l'a pas traumatisée au point qu'elle change de caractère. Disons que nous ne nous inquiétons pas trop.

QUOI DE NEUF EN 2007 ?

Nouveau modèle qui remplace la R1150R

Coûte 800 $ de plus que la R1150R 2006

⌃ PAS MAL

Un traitement-choc très similaire à celui servi d'abord à la GS, puis à la RT et enfin à la S et qui, dans chaque cas, s'est soldé par un accroissement très marqué de l'agilité et des performances; prévoir que la R1200R ressortira de cette évolution transformée de la même façon n'est que logique

Une position de conduite que BMW explique avoir voulu non seulement conserver, mais aussi peaufiner légèrement dans le seul et unique but d'accroître le niveau de confort, ce qui promet

Une ligne classique renouvelée avec classe et avec le respect de l'esprit du style du modèle précédent

BOF

Une mécanique qui n'est ni plus ni moins que transformée; or, le caractère franc du moteur précédent comptait probablement plus dans son agrément de pilotage que ce n'était le cas pour les autres modèles de la famille R; connaissant la R1200RT d'où provient la mécanique, nous ne sommes pas trop inquiets, mais le risque existe que la R ne soit plus la même

Une ligne classique non seulement très similaire à celle de l'ancienne version, mais peut-être même trop au goût de certains qui auraient aimé voir une nouvelle R un peu plus épicée; rien ne dit qu'une version Rockster ne réapparaîtra pas un jour

BMW
HP2 ENDURO

GS extrême...

BMW en surprit plusieurs l'an dernier en inaugurant sa HP2. Aussi chère qu'étrangement dessinée, elle fut présentée comme la première d'une série de modèles hautement performants qui se voudraient les équivalents des versions M de la division automobile du constructeur de Munich. Élaborée autour de la mécanique Boxer de la R1200GS et dotée de suspensions avant-gardistes, la HP2 (pour *High Performance Twin*) s'adresse exclusivement à l'amateur féru de pilotage hors-route de longue haleine. Sa seule concurrence directe vient de la KTM Super Enduro 950 qui, par une drôle de coïncidence, fut annoncée quelques semaines à peine après l'allemande.

Dire qu'il y a tout juste quelques années BMW était encore largement réputé pour construire des « motos de pépères »... Si la HP2 se veut un pas de plus vers la profonde transformation qu'a entreprise la firme de Munich au début du millénaire, transformation qui devait ouvrir le catalogue allemand à une clientèle plus large et plus jeune, ironiquement, il s'agit de la BMW la plus spécialisée de l'histoire du constructeur. Haute comme un cheval, chaussée de pneus à gros crampons légaux sur la route, mais surtout conçus pour en sortir et particulièrement chère, la HP2 s'adresse exclusivement aux inconditionnels des longues distances sur routes non asphaltées. Appelez ça Baja, appelez ça Paris-Dakar ou appelez ça Parent si vous voulez, mais le fait est que ce genre d'aventure s'étalant sur des centaines, voire des milliers de kilomètres de pistes en tout genre est la raison d'être de la HP2. En plus de se présenter avec un généreux chéquier, les intéressés devront s'assurer d'arriver chez leur détaillant BMW avec un solide bagage en matière de pilotage hors-route. Car il n'est certainement pas donné à tout le monde de bousculer une telle monture dans son environnement de prédilection sans se faire bousculer en retour. Cela dit, contrairement à la machine d'enduro surdimensionnée et surmotorisée qu'est la KTM Super Enduro 950, la BMW HP2 se laisse aborder plus facilement sur une piste de terre ou de gravier où on peut la piloter debout ou assis sans trop de tracas, du moins à un rythme modéré. Bien que l'autrichienne fasse preuve d'une agilité supérieure dans ces

> ## IL N'EST PAS DONNÉ À TOUT LE MONDE DE BOUSCULER UNE HP2 EN SENTIER SANS SE FAIRE BOUSCULER EN RETOUR.

circonstances, elle se montre également plus pointue et exige une certaine habitude de ce type de monture et de ce genre de pilotage. Grâce à cette relative accessibilité de la HP2, même l'amateur parfait qu'est l'auteur de ces lignes lorsqu'il s'éloigne des routes pavées est arrivé à se tirer d'affaire honorablement — les excellentes suspensions et le caractère amical de la direction méritent un gros remerciement —, du moins tant qu'il s'en tenait à des pistes ouvertes de terre ou de gravier. Dans des conditions plus serrées ou plus extrêmes, « brasser » une HP2 demande une sérieuse dose de savoir-faire, surtout en raison de la puissance très élevée en hors-route, du poids quand même considérable et de la hauteur vertigineuse de la selle. Par ailleurs, dans ces mêmes situations serrées, un agaçant jeu dans le rouage d'entraînement semble toujours se faire sentir, surtout sur les rapports inférieurs. Les amateurs de destinations reculées devront aussi faire face d'une manière ou d'une autre au problème d'autonomie réduite de la HP2 dont le réservoir ne contient qu'un maigre 13 litres, un problème dont nous sommes devenus conscients de la mauvaise façon, en panne sèche, dans un bien mauvais endroit...

Si, pour autant qu'on soit qualifié, la HP2 remplit de manière très respectable sa mission de Super Aventurière, il en est tout autrement sur la route puisque le plaisir de pilotage qu'on en retire est pratiquement inexistant. Un ensemble optionnel de roues de 17 pouces chaussées de gommes de route règle en partie ce problème en transformant l'allemande en grosse machine de type Supermotard.

VITESSE DE POINTE
191 km/h
ACCÉLÉRATION SUR 1/4 MILLE
12,3...169 km/h

indice d'expertise ►

◄ rapport valeur/prix

E
I
N

Voir légende page 7

EXPERT **E**
INTERMÉDIAIRE **I**
NOVICE **N**

Général

catégorie	Super Aventurière
prix	24 225 $
Garantie	3 ans/kilométrage illimité
couleur(s)	gris et bleu
concurrence	KTM 950 Super Enduro R

moteur

type	bicylindre 4-temps Boxer, SACT, 4 soupapes par cylindre, refroidissement par air et huile
Alimentation	injection à 2 corps de 45 mm
Rapport volumétrique	11:1
cylindrée	1 130 cc
Alésage et course	101 mm x 73 mm
Puissance	105 ch @ 7 000 tr/min
couple	85 lb-pi @ 5 500 tr/min
boîte de vitesses	6 rapports
transmission finale	par arbre
Révolution à 100 km/h	n/d
consommation moyenne	6,1 l/100 km
Autonomie moyenne	213 km

partie cycle

type de cadre	treillis en acier, moteur non porteur
suspension avant	fourche inversée de 45 mm ajustable en précharge, compression et détente
suspension arrière	monoamortisseur pneumatique ajustable en pression
Freinage avant	1 disque de 305 mm de Ø avec étrier à 2 pistons
Freinage arrière	1 disque de 265 mm de Ø avec étrier à 2 pistons
pneus avant/arrière	90/90-21 & 140/80-17
empattement	1 610 mm
Hauteur de selle	920 mm
poids à vide	175 kg
Réservoir de carburant	13 litres

conclusion

Notre HP2 d'essai fut probablement l'une des motos de presse les plus abîmées que j'ai jamais récupérées. Guidon tordu, roue avant faussée, pneus hors-route au lieu des pneus à crampons de série légaux sur la route, sa courte vie avait clairement été tourmentée. Comme il s'agit d'une véritable moto hors-route, tout porte à croire que ce genre d'usure est celui que tout utilisateur agressif doit envisager, prix élevé ou pas. Exactement comme sa seule semblable de l'industrie la KTM Super Enduro 950, la HP2 s'adresse à un public restreint et très expérimenté pour lequel piloter hors route une moto d'une telle cylindrée et affichant de telles proportions ne pose pas de problème. Parfaitement capable de négocier des pistes serrées et accidentées, elle s'y sent néanmoins claustrophobe et ne se retrouve vraiment dans son élément que lorsque le tracé se dégage et que les vitesses grimpent. Ne reste ensuite aux aventuriers qu'à trouver le moyen de la ravitailler...

 **QUOI DE NEUF EN 2007 ?**

Aucun changement

Coûte 1 250 $ de plus qu'en 2006

PAS MAL

Des suspensions très efficaces qui rendent possible la traversée de pistes sévèrement accidentées à haute vitesse

Une puissance presque sans fond dans un environnement hors-route; même les experts de ce genre de pilotage pourraient ne jamais voir ses derniers chevaux

Une rare occasion pour les amateurs du genre d'aventures hors-route pour lesquelles ni une machine d'enduro normale ni une grosse aventurière ne représentent la monture idéale

BOF

Un agrément de pilotage presque inexistant sur la route, du moins sur notre moto d'essai : les vitesses sont courtes, les pneus à gros crampons sont bruyants et ruinent la tenue de route, la stabilité à haute vitesse est précaire, l'avant plonge énormément au freinage, le niveau pratique est faible, etc.

Une hauteur de selle dictée par les grands débattements des suspensions qui compliquera sérieusement la vie de tous les pilotes sauf les plus grands

Une autonomie passablement limitée en raison du petit réservoir d'essence et qui va étrangement à l'encontre de la mission d'aventures de longues distances qui semble être la vocation première du modèle

R1200GS

BMW
R1200GS

Découverte...

Des gens passent leur vie à essayer d'expliquer quelque chose avant qu'on finisse par les comprendre. Durant des années, BMW et sa grosse GS se sont entêtés à faire progresser l'idée biscornue qu'est une double-usage surdimensionnée pendant que le reste du motocyclisme les observait en grimaçant. Aujourd'hui, non seulement on a compris ce que les Allemands trafiquaient, mais on tente aussi par tous les moyens d'imiter le concept. La R1200GS, aussi offerte en version d'exploration lunaire nommée Adventure, reste toutefois la référence en matière de routière aventurière. Le modèle ne change en aucune façon en 2007.

Lorsque BMW annonça, il y a quelques années, un ambitieux plan de restructuration entière de sa gamme moto qui verrait les nouveaux modèles s'alléger et gagner en puissance, peu auraient pu se douter de l'ampleur des changements à venir. La GS fut le premier modèle du catalogue allemand à subir cette médecine, et revint effectivement du traitement nettement plus puissante – d'une quinzaine de chevaux –, et beaucoup plus légère – d'une trentaine de kilos – que lorsqu'elle fut admise sous la forme de la R1150GS. Par rapport à celle-ci, en pleine accélération, la GS actuelle a des ailes.

Agréablement coupleux à tous les régimes à partir des tout premiers, le bicylindre Boxer de nouvelle génération se montre également plus doux. À ce chapitre, BMW semble avoir trouvé le juste milieu en conservant juste assez des pulsations bien particulières qui font le caractère de cette mécanique et qu'adorent les connaisseurs, tout en réduisant leur intensité, surtout à haut régime, de manière à ne pas trop dérouter les nouveaux venus à la marque pour qui ce genre de sensations est inconnu.

L'allégement de l'ensemble – on parle de pas moins d'une trentaine de kilos, ce qui n'a rien de banal – est immédiatement notable et n'implique que des avantages pour la conduite. Par exemple, même si on a toujours affaire à une moto haute, les manœuvres très lentes ou serrées se réalisent avec clairement plus de facilité que par le passé. Cela dit, ce n'est ni le meilleur niveau de performances ni les kilos en moins qui font la véritable force de la

R1200GS, mais plutôt à quel point l'ensemble de ces qualités forme un tout polyvalent et facile à manier. La grosse GS fait partie de ces rares motos qui mettent tout de suite leur pilote à l'aise.

Sans aucun préavis, sans aucune modification et sans aucun ajustement, la GS se prête volontiers à une multitude de rôles, et le fait brillamment chaque fois. Qu'il s'agisse de négocier des routes sinueuses, de parcourir d'importantes distances pour arriver jusqu'à ces dernières ou de piquer à travers champ pour s'amuser ou pour s'éviter un détour, la GS reste invariablement à la hauteur. Elle arrive à jouer les sportives avec une précision et un aplomb que ses lignes d'aventurière ne laisseraient jamais soupçonner. La direction ne demande qu'un effort léger pour balancer doucement la moto d'un arc à l'autre, tandis que la trajectoire est maintenue comme si un rail servait de guide. Le rythme est élevé, les vitesses sont hautes, les angles sont prononcés et pourtant, tout est facile, coulé, précis. En ce qui concerne les capacités hors-route du modèle, elles se limitent pour la moyenne des pilotes à une très grande aisance sur tous genres de routes non pavées. Les plus téméraires et surtout les plus expérimentés arriveront néanmoins à traverser des surfaces étonnamment abîmées. La nouvelle version Adventure est d'ailleurs destinée à ces derniers. Ensemble, ils devraient être capables de traverser la planète en diagonale, du moins tant que le pilote détient l'expérience requise pour manier une moto de ce poids et de cette hauteur, dans des conditions de sol variable.

> **LA DIRECTION NE DEMANDE QU'UN EFFORT LÉGER POUR BALANCER DOUCEMENT LA MOTO D'UN ARC À L'AUTRE.**

VITESSE DE POINTE
208 km/h
ACCÉLÉRATION SUR 1/4 MILLE
12,2 ..179 km/h
à
indice d'expertise ▸

◂ rapport valeur/prix

Voir légende page 7

EXPERT	**E**
INTERMÉDIAIRE	**I**
NOVICE	**N**

général

catégorie	Routière Aventurière
prix	18 000 $ (Adventure : 20 000 $)
garantie	3 ans/kilométrage illimité
couleur(s)	noir, gris, jaune, rouge (Adventure : blanc, aluminium)
concurrence	Buell XB12X Ulysses, KTM 990 Adventure, Suzuki V-Strom 1000

partie cycle

type de cadre	treillis en acier, moteur porteur
suspension avant	fourche Telelever de 41 mm avec monoamortisseur ajustable en précharge
suspension arrière	monoamortisseur ajustable en précharge et détente
freinage avant	2 disques de 305 mm de Ø avec étriers à 4 pistons
freinage arrière	1 disque de 265 mm de Ø avec étrier à 2 pistons
pneus avant/arrière	110/80 ZR (TL) 19 & 150/70 ZR (TL) 17
empattement	1 520 mm (1 511 mm)
hauteur de selle	840/860 mm (895/915 mm)
poids à vide	199 kg (223 kg)
réservoir de carburant	20 litres (33 litres)

moteur

type	bicylindre 4-temps Boxer, SACT, 4 soupapes par cylindre, refroidissement par air et huile
alimentation	injection à 2 corps de 47 mm
rapport volumétrique	11:1
cylindrée	1 170 cc
alésage et course	101 mm x 73 mm
puissance	98 ch @ 7 000 tr/min
couple	85 lb-pi @ 5 500 tr/min
boîte de vitesses	6 rapports
transmission finale	par arbre
révolution à 100 km/h	environ 3 400 tr/min (GS)
consommation moyenne	5,8 l/100 km (GS)
autonomie moyenne	345 km (GS)

conclusion

La R1200GS définit la notion de polyvalence chez une deux-roues. Elle est plusieurs motos à plusieurs pilotes. Vous pourriez ne vivre que pour les longues distances et en être parfaitement satisfait, vous pourriez partir à l'aventure sans que rien ne vous arrête et vous pourriez aussi l'utiliser pour taquiner des pilotes de sportives sur leurs propres routes préférées sans qu'ils comprennent ce qui vient de leur arriver. Avec le temps, et en se forçant beaucoup, on lui découvre des petites bibites, comme une direction un peu nerveuse et une transmission pas toujours polie. Mais dans l'ensemble, elle reste l'étalon de mesure chez les routières aventurières, celle à laquelle les nouvelles arrivantes au créneau doivent être comparées et celle par rapport à laquelle elles seront jugées.

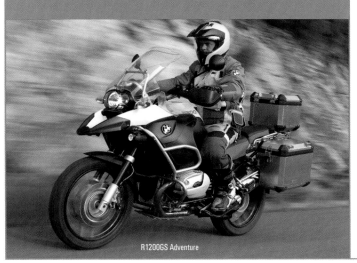

R1200GS Adventure

⊙ QUOI DE NEUF EN 2007 ?

Aucun changement

R1200GS coûte 700 $ de moins qu'en 2006

⌃ PAS MAL

Un niveau de polyvalence extraordinaire; la R1200GS passe de la route à la poussière et aux courbes avec une facilité et un naturel déconcertant

Une mécanique qui garde son tremblement bien particulier de Twin Boxer, mais qui s'adoucit juste assez pour permettre de hauts régimes sans vibrations excessives

Une partie cycle dont les capacités étonnent franchement et un excellent degré de confort

⌄ BOF

Une selle qui est toujours un peu haute, nature du modèle oblige, et qui fera pointer des pieds les pilotes de taille moyenne et moins

Une mécanique qui a perdu un tout petit peu de son grondant caractère dans l'adoucissement qu'elle a subi lors de son passage de 1150 à 1200

Une direction tellement légère qu'elle en est parfois hypersensible; par périodes de forts vents, ou en pilotage sportif, les mouvements du pilote peuvent involontairement induire de légères impulsions dans le guidon qui sont immédiatement traduites en réaction de la direction

F800S

F800

géniaux petits twins...

En mettant sur le marché sa paire de F800, BMW réussit un coup de maître en proposant des montures qui n'ont finalement aucun équivalent direct. En fait, elles incarnent un peu les versions de 750 ou 800 cc d'une SV650S ou d'une FZ6 que nous réclamons depuis des années. Elles s'adressent à une clientèle très large puisqu'elles peuvent aussi bien servir de modèle d'apprentissage pour un néophyte que de routière accomplie pour un pilote expérimenté, une combinaison qui se veut très rare. La F800S est la plus sportive, la moins équipée et la moins chère des deux, tandis que la F800ST se veut la routière de la paire avec son pare-brise plus haut et sa position de conduite redressée.

Les F800 incarnent la notion d'élégante simplicité. Il s'agit d'une plateforme entièrement nouvelle chez BMW qui ne partage aucune pièce majeure avec le reste de la gamme et qui se distingue d'abord et avant tout par le choix de sa mécanique, un bicylindre parallèle de 798 cc annoncé à 85 chevaux. Refroidi par liquide, injecté, doté d'une culasse inspirée de celle de la K1200S, marié à une transmission à 6 rapports et reprenant l'entraînement final par courroie de la défunte F650CS, le moteur des F800 n'a décidément rien du bas niveau technologique qui caractérise habituellement les mécaniques reprenant une telle configuration.

La F800S et la F800ST sont des montures légères, compactes et agréablement étroites qui dévorent littéralement le moindre bout de bitume sinueux. Sur certaines des routes côtières sud-africaines, où le modèle a été lancé, qui se tordaient sans répit à flanc de montagne, les F800 se sont avérées de véritables délices à piloter. En fait, leur comportement est tellement invitant qu'on se demande presque comment elles se débrouilleraient en piste, juste pour voir jusqu'où elles tiendraient. Notons que ces observations valent autant pour la version S légèrement plus sportive que pour la version ST à caractère un peu plus routier puisque toutes deux partagent exactement la même partie cycle. Légères de direction, elles tombent à l'angle avec un minimum d'efforts et conservent l'arc choisi avec exactitude et aplomb jusqu'à la sortie de courbe. Sur une belle route sinueuse, elles donnent envie d'arrêter, de faire demi-tour,

et de recommencer. Le freinage, qui est excellent, peut être couplé, en option, à un système ABS. Il ne s'agit toutefois pas du système assisté et parfois difficilement modulable des modèles des séries R et K, mais plutôt d'une nouvelle génération de celui qui est offert sur les F650 double-usage.

Si disséquer les virages fait donc partie des activités préférées des F800, la vigueur du Twin parallèle rend la sortie de ces derniers tout aussi intéressante. Bien que 85 chevaux ne représentent pas un chiffre particulièrement épatant, la façon dont la puissance est livrée, elle, impressionne. La bonne disponibilité du couple à bas et moyen régimes fait qu'on peut circuler et même s'amuser sans avoir besoin de faire trop grimper les tours. Mais ce serait se priver de l'excitant punch que réserve le Twin à l'approche de sa zone rouge et qui intensifie encore l'accélération.

Grâce à leur entraînement final par courroie, les F800 figurent parmi les rares BMW qui ne sont pas affectées par un agaçant jeu dans le rouage d'entraînement, ce qui rend leur pilotage d'autant plus plaisant.

Le niveau de confort est bon dans le cas des deux versions en raison des positions compactes, mais pas extrêmes, des belles façons des suspensions et de la selle qui est du genre à permettre plusieurs heures de route sans problème. Avec ses poignées un peu plus relevées et son pare-brise plus haut, la version ST se montre légèrement plus plaisante et reposante sur un long parcours. En aucun cas les vibrations du Twin parallèle ne deviennent gênantes.

> SUR UNE BELLE ROUTE SINUEUSE, LES F800 DONNENT ENVIE D'ARRÊTER, DE FAIRE DEMI-TOUR ET DE RECOMMENCER.

D'un côté le roc, de l'autre une falaise, puis l'océan. Et une route dont le tracé torturé tranche en deux ce féerique paysage sur des kilomètres et des kilomètres. Des circonstances dans lesquelles couple, précision et agilité constituent des atouts plus précieux que tous les chevaux du monde. Des circonstances dans lesquelles les minces et légères F800 se montrent tellement brillantes qu'elles poussent à se demander pourquoi diable a-t-on besoin de plus ?

sans classe

Tant d'un point de vue technique que de celui de la classification, le marché courant n'offre pas vraiment d'équivalents aux nouvelles allemandes. Elles se situent à mi-chemin entre une Suzuki SV650S et une SV1000S, à défaut d'autres exemples, mais se montrent plus confortables et beaucoup mieux adaptées aux longues distances.

- Les F800 sont des exemples de simplicité, mais elles n'en sont pas moins sérieusement construites. Chacune des pièces qui les composent a été soigneusement choisie afin de créer un ensemble compact, léger et extrêmement efficace au chapitre de la tenue de route. Une vue de la F800ST sans son carénage montre d'ailleurs à quel point le principe de la centralisation des masses a été sévèrement appliqué. L'emplacement de toutes les pièces massives est approché autant que possible du milieu de la moto tandis que les pièces qui doivent rester loin, comme le phare et l'instrumentation, sont gardées aussi légères que possible. Le comportement étonnamment sain des modèles en pilotage sportif n'est certainement pas étranger à tous ces efforts.

- Le cadre dans lequel loge le Twin parallèle des F800 est, lui aussi, de conception simple puisqu'il est composé d'une paire de longerons d'aluminium parfaitement droits et qui ne contournent donc pas l'arrière du moteur pour rejoindre le bras oscillant, qui pivote plutôt à même les carters.

- L'entraînement final par courroie élimine la nécessité du système Paralever présent sur les grosses cylindrées allemandes, tandis que la suspension avant Telelever aussi retrouvée sur ces dernières est remplacée par une fourche conventionnelle, comme sur tous les autres modèles de la série F.

VITESSE DE POINTE
217 km/h
ACCÉLÉRATION SUR 1/4 MILLE
11,6 s à **181** km/h

indice d'expertise ►

◄ rapport valeur/prix

Voir légende page 7

EXPERT	E
INTERMÉDIAIRE	I
NOVICE	N

Général

catégorie	Routière Sportive
prix	F800S : 11 500 $ F800ST : 13 000 $
garantie	3 ans/kilométrage illimité
couleur(s)	F800S : rouge, jaune F800ST : bleu, argent
concurrence	Kawasaki Z750S, Suzuki Bandit 650S, Yamaha FZ6

moteur

type	bicylindre parallèle 4-temps, DACT, 4 soupapes, refroidissement par liquide
alimentation	injection à 1 corps de 46 mm
rapport volumétrique	12:1
cylindrée	798 cc
alésage et course	82 mm x 75,6 mm
puissance	85 ch @ 8 000 tr/min
couple	63,4 lb-pi @ 5 800 tr/min
boîte de vitesses	6 rapports
transmission finale	par courroie
révolution à 100 km/h	environ 3 500 tr/min
consommation moyenne	5,6 l/100 km
autonomie moyenne	285 km

partie cycle

type de cadre	périmétrique, en aluminium
suspension avant	fourche conventionnelle de 41 mm non ajustable
suspension arrière	monoamortisseur ajustable en précharge
freinage avant	2 disques de 320 mm de Ø avec étriers à 4 pistons
freinage arrière	1 disque de 265 mm de Ø avec étrier à 1 piston
pneus avant/arrière	120/70 ZR17 & 180/550 ZR17
empattement	1 466 mm
hauteur de selle	820 mm
poids à vide	182 kg (ST : 187 kg)
réservoir de carburant	16 litres

conclusion

Judicieusement positionnée dans la gamme allemande entre les petites F650 et les gros modèles R et K, les F800 sont hors de tout doute une intelligente addition au catalogue BMW. Il reste, bien entendu, à voir comment le genre de facture qui les accompagne sera reçu par le public motocycliste, mais la vérité est que le constructeur munichois semble avoir une clientèle relativement bien nantie, laquelle n'est pas vraiment refroidie par ce genre de prix. Confortables, surtout dans le cas de la ST, agiles, amusantes et extrêmement amicales, les nouvelles F800 se veulent une rafraîchissante démonstration de ce qui peut être réalisé avec des composantes et un design simple. Par-dessus tout, elles illustrent ce que le marché semble oublier et délaisser davantage chaque année : des motos non pas conçues pour parader ou gagner des courses, mais plutôt tout bonnement, pour rouler de manière simple et amusante sur la route.

F800ST

 **QUOI DE NEUF EN 2007 ?**

Nouveaux modèles

 PAS MAL

Une tenue de route qui surprend beaucoup par sa facilité d'accès et par sa qualité qui pousse même à se demander à quel genre de moto on aurait affaire en piste, même si ce n'est bien évidemment pas la mission des modèles

Un choix mécanique très intelligent, tant en ce qui concerne la configuration du bicylindre parallèle que la cylindrée choisie ou encore que la puissance produite; ça marche tellement bien qu'on ne sent aucun besoin d'avoir plus

Un niveau de confort qui n'est pas du tout négligeable puisqu'il permet de parcourir de bonnes distances sans trop de fatigue, surtout dans le cas de la ST

BOF

Une facture qui n'est pas aussi élevée que BMW comptait la fixer au début, mais qui reste plus importante que celle des modèles plus ou moins semblables, et équivalente à celle de montures de bien plus grosses cylindrées comme une Bandit 1250S, par exemple

Un moteur complètement nouveau dont la fiabilité n'a pas encore été établie; d'un autre côté, BMW continue de se montrer rassurant en offrant de série une garantie de 3 ans

G650Xmoto

une fois trois...

En moins de 3 ans, BMW a complètement renouvelé sa gamme de deux-roues à l'exception de 2 modèles : la grosse K1200LT de tourisme — ça ne saurait trop tarder — et la double-usage F650GS dont l'introduction remonte au début de la décennie. Bien que ce modèle et sa version Dakar soient encore présents au catalogue en 2007, l'arrivée cette année d'un trio de G650 rime probablement avec la fin des F650, et ce, même si BMW refuse de le confirmer. D'ailleurs, après F, c'est G, non ? Les nouvelles G650, malgré leur apparence et leur mission bien distinctes, sont toutes construites autour d'une base qui, sans être identique, reste très similaire d'un modèle à l'autre.

TECHNIQUE

Particulièrement depuis qu'il a entamé la refonte complète de sa division moto en annonçant « plus de chevaux et moins de poids » voilà maintenant près de 5 ans, BMW s'est montré très intéressé à réduire l'âge moyen de sa clientèle, ce qu'il a fait en mettant sur le marché plusieurs modèles beaucoup plus dynamiques que les « motos de pépères » qui faisaient sa réputation jusque-là. Or, abaisser l'âge moyen de sa clientèle signifie davantage que s'adresser à des hommes de 40 plutôt que 55 ans, et implique aussi de considérer une catégorie de motocyclistes qui en est à ses tout débuts en matière de deux-roues motorisées; les débutants. Mais la gamme allemande proposait bien peu de choix à ce chapitre autre que la F650, une moto qui continue de remplir de manière fort honorable cette mission, mais qui vieillit et n'est offerte qu'en format double-usage. La solution à ce problème prend la forme de trois nouvelles motos basées sur une même plateforme, elle-même construite autour d'une version remaniée de l'excellent monocylindre de la F650. Ces modèles constituent une suite logique à la F650 non seulement en affichant une ligne plus jeune, mais aussi en diversifiant le champ d'intérêt de chaque variante afin d'intéresser une clientèle plus large.

Le modèle le plus comparable à la F650 se veut la G650Xchallenge, que BMW surnomme aussi Hard Enduro. Selon le constructeur, il s'agit non seulement d'une petite moto légère et agile, donc amicale, mais

> **ABAISSER L'ÂGE DE SA CLIENTÈLE IMPLIQUE PLUS, POUR BMW, QUE S'ADRESSER À DES HOMMES DE 40 PLUTÔT QUE 55 ANS.**

aussi d'une machine très capable en pilotage hors-route. Bénéficiant de débattements de pas moins de 270 mm à l'avant comme à l'arrière, elle est annoncée à 144 kilos à sec, ce qui extrêmement léger, du moins pour une monture aussi destinée à la route.

La G650Xmoto, comme son style l'indique d'ailleurs clairement, prend une tangente à saveur Supermoto, soit l'un des types de deux-roues générant le plus d'intérêt ces temps-ci. Au-delà de son style clairement plus routier que « hors-routier », la Xmoto se distingue surtout par ses roues coulées de 17 pouces plutôt qu'à rayons et de diamètre plus grand. Les larges gommes sportives et le disque du frein avant surdimensionné complètent un ensemble qu'on annonce toujours extrêmement léger à 147 kilos.

La dernière variante de la série G650, mais non la moindre, est la Xcountry. Comme son nom l'indique — on peut le prononcer Cross Country —, sa mission consiste à pouvoir rouler partout, en tout temps, et dans n'importe quelles conditions. BMW la qualifie à la fois de moto d'apprentissage idéale, de la citadine parfaite et même de double-usage aux capacités étonnantes. Moins typée hors-route que la Xchallenge, elle est munie de roues de 17 et 19 pouces plutôt que 18 et 21 pouces pour la double-usage, et de pneus tout-terrain moins agressifs. Le constructeur la surnomme Scrambler, un terme qui émergea durant les années 60 et qui décrivait un type de moto simple, légère et sans prétention, mais tout de même capable de faire face à une large variété de situations.

G650Xchallenge

G650Xcountry

multiplication

Chacune des trois variantes de la nouvelle série G650 est construite autour d'une plateforme unique dont le nombre de pièces a été réduit au strict minimum. Il s'agit d'un cadre composé de certaines pièces en acier et d'autres en aluminium, d'un bras oscillant en aluminium coulé, d'une fourche inversée à poteaux de 45 mm et d'un monocylindre basé sur celui de la F650, mais revu afin, entre autres, de produire un peu plus de puissance. La position de conduite à saveur hors-route est pratiquement la même d'un modèle à l'autre. Outre les distinctions de style, les trois modèles varient principalement au niveau des roues et des suspensions. Certaines des particularités intéressantes incluent la suspension arrière à air de la Xchallenge qui imite celle de la HP2 Enduro, et l'amortisseur arrière de la Xcountry dont la longueur réglable permet de faire varier l'assiette de la moto et la hauteur de la selle sur une distance de 30 mm.

Alors que le monocylindre de la F650GS était annoncé à 50 chevaux et 44 lb-pi de couple, les valeurs données pour l'évolution de cette mécanique qui anime les G650 sont respectivement de 53 et 44, atteintes à des régimes un peu plus hauts.

Enfin, un système ABS est offert en option. Il a la particularité de pouvoir être désactivé sur commande, une caractéristique indispensable pour le pilotage hors-route, par exemple.

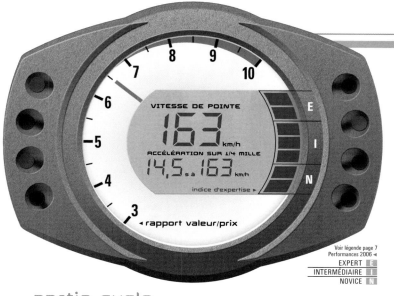

VITESSE DE POINTE
163 km/h
ACCÉLÉRATION SUR 1/4 MILLE
14,5 s à **163** km/h
indice d'expertise ►
◄ rapport valeur/prix

Voir légende page 7
Performances 2006 ◄
EXPERT **E**
INTERMÉDIAIRE **I**
NOVICE **N**

Général

catégorie	Double-Usage/Supermoto
prix	G650Xchallenge : 11 000 $ G650Xcountry : 10 500 $ G650Xmoto : 11 500 $
Garantie	3 ans/kilométrage illimité
couleur(s)	G650Xchallenge : blanc G650Xcountry : noir et blanc G650Xmoto : graphite et rouge
concurrence	Honda XR650L, Kawasaki KLR650, KTM 640 Adventure, Suzuki DR650S/Suzuki DR-Z400, KTM 690 Supermoto

partie cycle

type de cadre	périmétrique, en acier et en aluminium
suspension avant	fourche inversée de 45 mm ajustable selon modèle
suspension arrière	monoamortisseur ajustable selon modèle
freinage avant	1 disque de 300 mm (Xm : 320 mm) de Ø avec étrier à 2 (Xm : 4) pistons
freinage arrière	1 disque de 240 mm de Ø avec étrier à 1 piston
pneus avant/arrière	Xchallenge : 90/90-21 & 140/80-18; Xcountry : 100/90-19 & 130/80-17; Xmoto : 120/70-17 & 160/60-17
empattement	1 500 mm (Xcountry : 1498 mm)
hauteur de selle	Xchallenge : 930 mm; Xcountry : 840-870 mm; Xmoto : 920 mm
poids à vide	Xchallenge : 144 kg; Xcountry : 148 kg; Xmoto : 147 kg
réservoir de carburant	9,5 litres

moteur

type	monocylindre 4-temps, DACT, 4 soupapes, refroidissement par liquide
alimentation	injection à 1 corps de 43 mm
rapport volumétrique	11,5:1
cylindrée	652 cc
alésage et course	100 mm x 83 mm
puissance	53 ch @ 7 000 tr/min
couple	44 lb-pi @ 5 250 tr/min
boîte de vitesses	5 rapports
transmission finale	par chaîne
révolution à 100 km/h	n/d
consommation moyenne	n/d
autonomie moyenne	n/d

conclusion

Les G650 représentent une suite aussi logique qu'intelligente à la vieillissante F650GS puisqu'elles diversifient considérablement l'intérêt du modèle tout en donnant à BMW une manière de rejoindre une clientèle qui, si elle achète le concept, pourra éventuellement graduer à une BMW de plus grosse cylindrée. À plus ou moins 11 000 $ pièce selon du modèle, elles restent, comme la F650GS l'a toujours été, des montures qui s'adressent à un public à la fois relativement bien nanti et attiré par le nom BMW. Car s'il est indéniable que certaines caractéristiques des G650 sont novatrices, le fait est que les montants demandés permettent d'envisager nombre de modèles possiblement plus intéressants. Il sera révélateur d'observer si la stratégie du constructeur allemand fonctionne, et surtout si elle arrive à convaincre les motocyclistes de notre marché, puisque ceux-ci qui n'ont pas toujours les mêmes goûts que nos amis les Européens pour qui ces motos semblent d'abord et avant tout conçues.

⊙ QUOI DE NEUF EN 2007 ?

Nouveaux modèles

⌃ PAS MAL

Une suite très intéressante à la F650GS et une belle application du principe de la démultiplication d'une plateforme

Des motos qui sont d'abord et avant tout perçues comme des montures de débutants, mais dont la construction et la technologie sont tout ce qu'il y a de sérieux; les G650 pourraient aussi intéresser l'amateur de monocylindre détenant une certaine expérience de pilotage

Des poids extrêmement faibles et une partie cycle solidement conçue qui laisse prévoir une maniabilité d'un niveau très élevé

⌄ BOF

Un concept qui semble comporter une drôle de particularité puisqu'il s'agit de montures destinées à une clientèle jeune, mais aussi peu expérimentée; or, dans tous les cas sauf dans celui de la Xcountry, les hauteurs de selles sont très importantes

Des lignes qui sont toutes réussies et sympathiques, mais un concept qui, bien qu'intéressant, pourrait ne pas rejoindre les motocyclistes de notre marché aussi bien qu'il le fera dans le cas de ceux du marché européen

Des prix qui, comme celui de la F650GS l'a toujours été, réservent ces montures à une clientèle assez bien nantie

XB12R

FIREBOLT XB-R

mouton noir...

La plupart sont plus rapides et bien plus puissantes. Quelques unes sont plus exotiques. Et presque toutes sont propulsées par une mécanique beaucoup plus avancée. Mais aucune sportive ne s'objecte et ne s'oppose autant aux principes généralement reconnus de la classe que les Buell XB-R. Offertes en version de 984 cc ou 1 203 cc et mues par un V-Twin de Sportster sérieusement trafiqué, les XB-R représentent les premiers résultats de l'acquisition de Buell par Harley-Davidson. Lancée en 2002, la XB9R fut suivie un an plus tard d'une version 1200, la XB12R. Comme à peu près tous les produits américains, leur prix baisse encore en 2007.

Les sportives XB-R de Buell sont conçues de manière si marginale qu'on se demande parfois, n'eut été de l'entêtement d'un certain Erik Buell à coincer un V-Twin de Harley-Davidson Sportster dans un châssis sportif de fabrication maison, si une telle idée se serait jamais rendue à la chaîne de montage. Aussi étrange soit-il, ce concept décrit encore très bien les XB-R courantes qui ne sont ni plus ni moins que les descendantes directes des modèles originaux. Cela dit, alors que ces dernières étaient construites de manière presque artisanale, et ce, dans le sens décidément péjoratif du terme, les Buell actuelles sont construites par Harley-Davidson et offrent heureusement un niveau de qualité bien plus élevé à tous les chapitres.

Avec leur gros cadre jouant aussi le rôle de réservoir d'essence, leur bras oscillant contenant l'huile, leurs proportions très compactes et leur type de frein avant unique, les XB-R font partie des montures les plus particulières du motocyclisme. Non seulement d'un point de vue technique ou visuel, mais aussi — et surtout — en ce qui concerne le comportement et les sensations de pilotage. Car s'il existe sur le marché plusieurs autres sportives propulsées par un V-Twin, tout change lorsqu'on intègre dans l'équation le fait que ce dernier provient de Milwaukee. Tremblant assez, au ralenti, pour entraîner avec lui chaque pièce de la moto dans une danse qui ressemble à s'y méprendre aux convulsions d'une mécanique de Harley-Davidson Dyna, le bicylindre des XB-R et son caractère fort est une proposition que seuls les motocyclistes à la recherche de sérieuse

> **LES 1 203 CC DE LA XB12R REPRÉSENTENT DE MANIÈRE CLAIRE ET NETTE LA CYLINDRÉE DE CHOIX POUR VIVRE L'EXPÉRIENCE BUELL.**

originalité mécanique apprécieront. Les autres pourraient tout simplement ne pas aimer ou ne pas comprendre le dialecte de Buell.

Les performances varient beaucoup d'une cylindrée à l'autre. Alors que le 9R de 984 cc, qui génère une accélération progressive, mais finalement peu excitante fera surtout l'affaire des pilotes moins expérimentés, la 12R et ses 1 203 cc représente de manière claire et nette la mécanique de choix, celle qui fait vivre, sans les diluer, toutes les sensations pour lesquelles l'expérience Buell est si particulière. La poussée de la 12R est caractérisée par une livrée de couple tellement généreuse et tellement large, et sa zone rouge est tellement basse qu'on a l'impression, à ses commandes, d'accélérer à la fois avec force et douceur. La profonde musique américaine qui accompagne chaque seconde en selle, la sensation d'une montée en régime qui semble étrangement trop lente compte tenu de la force de l'accélération et l'adoucissement marqué des pulsations du V-Twin dès que les régimes grimpent sont autant de facteurs qui nous font répéter qu'une Buell — et surtout une Buell à moteur 1200 — c'est différent. Au niveau du comportement aussi, d'ailleurs, puisqu'en dépit d'une géométrie de châssis extrême qui devrait logiquement induire une certaine agitation dans la conduite, la stabilité démontrée par les XB-R s'avère sans faute. Il s'agit de sportives pouvant soutenir un rythme impressionnant sur circuit, où elles se montrent un peu lourdes de direction, mais agiles, précises, dotées d'un puissant freinage et capables d'angles quasi infinis.

Voir légende page 7

EXPERT	**E**
INTERMÉDIAIRE	**I**
NOVICE	**N**

général

catégorie	Sportive
prix	XB12R : 12 449 $; XB9R : 10 699 $
garantie	2 ans/kilométrage illimité
couleur(s)	XB12R : noir, jaune XB9R : rouge
concurrence	Ducati Supersport, Suzuki SV1000S

partie cycle

type de cadre	périmétrique, en aluminium, agit aussi à titre de réservoir d'essence
suspension avant	fourche inversée de 43 mm ajustable en précharge, compression et détente
suspension arrière	monoamortisseur ajustable en précharge, compression et détente
freinage avant	1 disque de 375 mm de Ø avec étrier à 6 pistons
freinage arrière	1 disque de 240 mm de Ø avec étrier à 1 piston
pneus avant/arrière	120/70 ZR17 & 180/55 ZR17
empattement	1 320 mm
hauteur de selle	775 mm
poids à vide	175 (179) kg
réservoir de carburant	14,5 litres

moteur

type	bicylindre 4-temps en V à 45 degrés, culbuté, 2 soupapes par cylindre, refroidissement par air forcé et air ambiant
alimentation	injection à corps unique de 45 mm (49 mm)
rapport volumétrique	10,0:1
cylindrée	984 (1 203) cc
alésage et course	88,9 mm x 79,4 (96,8) mm
puissance	92 (103) ch @ 7 500 (6 800) tr/min
couple	70 (84) lb-pi @ 5 500 (6 000) tr/min
boîte de vitesses	5 rapports
transmission finale	par courroie
révolution à 100 km/h	environ 3 300 (3 000) tr/mn
consommation moyenne	6,7 l/100 km
autonomie moyenne	209 km

conclusion

L'affirmation voulant qu'une Buell XB-R soit avant tout une sportive extrêmement différente pourrait être perçue comme un cliché tellement elle est répétée dans ces pages, mais il s'agit d'une réalité que n'importe qui s'intéressant à l'une des deux versions doit absolument réaliser et accepter. Une XB-R est un peu une porte d'entrée dans un univers parallèle du pilotage sportif dans lequel les sensations très particulières renvoyées par un V-Twin de Harley représentent non seulement le facteur dominant, mais aussi la raison principale pour laquelle on devrait envisager l'achat d'un de ces modèles. Et pour bien vivre ces sensations, rien de tel qu'une belle grosse cylindrée de 1 203 cc.

 QUOI DE NEUF EN 2007 ?

Pneus de marque Pirelli remplacent désormais les Dunlop

XB9R coûte 820 $ et XB12R 940 $ de moins qu'en 2006

⌃ PAS MAL

Un niveau de « désirabilité » qui a beaucoup changé depuis 3 ou 4 ans : la fiabilité n'est plus si problématique, la qualité de fabrication est nettement supérieure et le prix, qui baisse encore en 2007, est presque intéressant

Une expérience de pilotage unique due avant tout à la présence du V-Twin de Harley-Davidson Sportster qui propulse les XB-R, et un caractère particulièrement fort et attachant pour la version 12R à grosse cylindrée

Une tenue de route de haut calibre; les XB-R n'ont pas grand-chose à envier aux sportives japonaises en termes d'efficacité sur piste

⌄ BOF

Une version 9R dont le seul intérêt est l'économie que son choix apporte par rapport à la 12R; autrement, il s'agit d'une moto non seulement moins performante, mais surtout moins coupleuse et moins caractérielle, deux facteurs qui sont à la base même de l'agrément de l'expérience Buell

Des proportions générales compactes qui se traduisent par une position très ramassée qui pourrait paraître un peu trop serrée aux pilotes grands

Un niveau de confort correspondant à celui de la plupart des sportives pures : poids sur les mains, suspensions fermes, protection au vent faible, etc.

XB9R

BUELL

ULYSSES XB12X

Aventurière particulière...

Comme si le concept de la grosse aventurière n'était pas assez étrange — il s'agit après tout de routières hautes et relativement lourdes supposément capables de rouler hors route —, voilà que Buell mêle encore plus les cartes en proposant une monture du genre basée sur son excentrique XB12S. Lancée l'an dernier, l'Ulysses s'est révélée, disons, intéressante. Construite autour d'une partie cycle très proche de celles des autres modèles XB, elle dispose d'un cadre-réservoir plus volumineux, d'un empattement allongé et de suspensions à long débattement. Elle entame sa seconde année de production avec quelques modifications, notamment à la selle, et un prix abaissé.

Bien qu'elle soit basée sur la XB12S Lightning, l'Ulysses ne reprend en réalité que le moteur, les roues et les freins de la standard. Un cadre-réservoir plus volumineux, un empattement plus long, des débattements de suspensions plus longs, une position de conduite relevée et, bien sûr, un style nouveau sont autant de facteurs qui distinguent l'aventurière de la plateforme XB habituelle. Le résultat est à la fois familier et très différent.

Comme le font généralement les motos de ce type, la XB12X vous perche haut et loin du sol. Même si la selle est abaissée en 2007, l'Ulysses reste une moto qui favorise les grandes jambes. Une fois en route, on découvre en cette Buell un mélange de genres étrange mais plaisant. Sa conception a beau avoir nécessité la création d'un nouvel ensemble cadre-bras oscillant plus long, la XB12X reste ultracourte pour la catégorie. On ressent donc toujours la compacité habituelle des Buell, mais elle est dans ce cas combinée à la traditionnelle position relevée à saveur hors-route typiquement proposée par la plupart des aventurières.

Le massif et profond tremblement du gros V-Twin de 1 203 cc ne tarde pas à rappeler au pilote de manière très claire qu'il est aux commandes d'une Buell et de rien d'autre. Et c'est là l'un des traits les plus marquants de l'Ulysses puisqu'elle combine des sensations habituellement ressenties sur les excentriques XB-R et XB-S à tempérament sportif à un environnement typique d'une aventurière. Si cet étrange mélange de genres prend un peu par surprise au début, on s'y fait toutefois vite grâce surtout au caractère bien particulier du gros V-Twin

de Harley-Davidson Sportster qui propulse toutes les Buell 1200. Au-delà des belles performances que sa centaine de chevaux génère et du généreux couple disponible à littéralement tous les régimes, c'est surtout son caractère fort qui séduit. Du moins tant qu'on a la capacité d'apprécier un V-Twin qui convulse continuellement, dont la zone rouge est relativement basse et dont la sonorité, qui est très proche de celle d'une Harley, est absolument unique.

L'une des caractéristiques de l'Ulysses qui la démarque le plus du reste de la catégorie est la qualité de sa tenue de route, qui, pour la classe, est excellente. Très légère à lancer en courbe, neutre, posée et prévisible en pleine inclinaison, forte et précise au freinage, la XB12X n'a rien perdu de son héritage sportif. Si on peut reprocher au frein arrière d'être à la fois peu puissant et difficile à doser, l'un des pires défauts de l'Ulysses se veut plutôt l'angle de braquage inutilement réduit du guidon, une caractéristique qui soustrait beaucoup de points au niveau de l'agilité lors de manœuvres serrées et de la prise de confiance en pilotage hors-route. La qualité du comportement de l'Ulysses se distingue par ailleurs l'efficacité générale des suspensions sur route abîmée et en pilotage sportif. En ce qui concerne les capacités hors-route des suspensions, elles se limitent surtout aux chemins non asphaltés où l'Ulysses reste agréablement posée. Mais comme la plupart des aventurières, elle sort le drapeau blanc dès que le terrain devient sablonneux ou boueux, ou pire, si on tente de quitter le plancher des vaches. Notons qu'un ensemble de valises rigides optionnel permet à l'Ulysses de se rendre plus pratique sur de longs trajets.

> **LE MASSIF ET PROFOND TREMBLEMENT DU V-TWIN DE SPORTSTER RAPPELLE VITE AU PILOTE QU'IL EST AUX COMMANDES D'UNE BUELL.**

VITESSE DE POINTE

209 km/h

ACCÉLÉRATION SUR 1/4 MILLE

12,0 s à 179 km/h

indice d'expertise ▶

◀ rapport valeur/prix

Voir légende page 7

Général

catégorie	Routière Aventurière
prix	13 649 $
garantie	2 ans/kilométrage illimité
couleur(s)	noir, jaune
concurrence	Ducati Multistrada 1100, Suzuki V-Strom 1000 Triumph Tiger

partie cycle

type de cadre	périmétrique, en aluminium, agit aussi à titre de réservoir d'essence
suspension avant	fourche inversée de 43 mm ajustable en précharge, compression et détente
suspension arrière	monoamortisseur ajustable en précharge, compression et détente
freinage avant	1 disque de 375 mm de Ø avec étrier à 6 pistons
freinage arrière	1 disque de 240 mm de Ø avec étrier à 1 piston
pneus avant/arrière	120/70 R17 & 180/55 R17
empattement	1 381 mm
hauteur de selle	808 mm
poids à vide	193 kg
réservoir de carburant	16,7 litres

moteur

type	bicylindre 4-temps en V à 45 degrés, culbuté, 2 soupapes par cylindre, refroidissement par air forcé et par air ambiant
alimentation	injection à corps unique de 49 mm
rapport volumétrique	10,0:1
cylindrée	1 203 cc
alésage et course	88,9 mm x 96,8 mm
puissance	103 ch @ 6 800 tr/min
couple	84 lb-pi @ 6 000 tr/min
boîte de vitesses	5 rapports
transmission finale	par courroie
révolution à 100 km/h	environ 3 000 tr/mn
consommation moyenne	6,7 l/100 km
autonomie moyenne	249 km

conclusion

Pour le motocycliste à la recherche d'une aventurière hautement caractérielle et capable de belles manières sur la route, l'Ulysses peut s'avérer être une trouvaille aussi particulière qu'idéale. Mais on doit rester conscient du fait qu'il s'agit avant tout d'une moto de route, donc d'une aventurière dont la mission et les capacités se rapprochent beaucoup plus de celles d'une Ducati Multistrada ou d'une Suzuki V-Strom que de celles d'une BMW GS ou d'une KTM Adventure. Elle a ses petits caprices, dont certains, comme ce rayon de braquage handicapé, sont même inexcusables, mais au chapitre de la conduite sportive ou de la présence mécanique, elle n'a certainement rien à envier à ses rivales.

 QUOI DE NEUF EN 2007 ?

Selle redessinée et abaissée de à 841 à 808 mm

Ressorts de fourche modifiés

Couvercle de boîte à air (faux réservoir) modifié

Pneus de marque Pirelli remplacent désormais les Dunlop

Coûte 1 050 $ de moins qu'en 2006

PAS MAL

Un côté « bonne à tout faire » qui est non seulement bien réel, mais aussi unique chez Buell et qui contraste avec la mission beaucoup plus spécialisée des autres modèles de la gamme

Une mécanique heureusement laissée intacte par rapport aux autres Buell 1200 et qui fait donc preuve du même excellent couple et du même caractère fort qui ont fait la réputation des autres XB

Une tenue de route de haut calibre due à une construction qui, sans être identique à celle des autres XB, reste clairement influencée par le design sportif de leur partie cycle

 BOF

Un angle de braquage de la direction anormalement limité qui n'est ni plus ni moins qu'un inexcusable défaut de conception; en conséquence, les manœuvres serrées deviennent problématiques et le niveau de confiance est à la baisse

Une capacité hors-route qui se limite surtout à des routes non pavées, comme c'est d'ailleurs souvent le cas chez ces montures; les pilotes qui cherchent vraiment loin à l'aventure loin des routes ne sont pas au bon endroit

Une selle qui demeure haute pour la moyenne des motocyclistes, et ce, même si des efforts ont été faits pour faciliter la pose des pieds au sol à l'arrêt

Lightning XB12Scg

BUELL

LIGHTNING XB-S

NOUVELLE VARIANTE

Buell fétiche...

Si la GSX-R750 est la monture fétiche de Suzuki et la Fat Boy celle de Harley-Davidson, alors ce titre doit revenir à la Lightning XB-S chez Buell. Introduite sous le nom de S1 Lightning en 1996, puis complètement repensée en 2003, elle n'a depuis évolué que dans les détails. Pas moins de cinq versions sont aujourd'hui offertes : la XB9SX, la seule Lightning munie de la version de 984 cc du V-Twin Harley-Davidson; la XB12S de 1 200 cc, l'incarnation moderne de la S1 originale; la XB12Scg, une version abaissée de la 12S, la XB12Ss Long qui reprend la partie cycle de la XB12X Ulysses, et enfin une nouvelle variante à saveur supermotard, la Super TT XB12STT.

Les XB-S représentent l'essence de la marque Buell. Plus que tout autre modèle mis en marché par le constructeur, les Lightning, avec leur profil trapu, leur gueule arrogante et leur excentrique V-Twin de Sportster sont arrivées à faire leur marque dans l'industrie.

Bien que peu ou pas de changements soient apportés aux diverses variantes en 2007, il est intéressant de noter que, pour une autre année consécutive, les prix chutent. Le phénomène est d'ailleurs en train de complètement changer la valeur perçue des produits Buell. À titre d'exemple, une Lightning CityX XB9SX coûte presque 5 000 $ de moins en 2007 qu'en 2003, lors de l'introduction du modèle. C'est non seulement immense comme montant, mais cela permet désormais à un éventail beaucoup plus large de portefeuilles d'envisager l'acquisition d'une Buell XB-S. Acquisition qui, par ailleurs, devrait avant tout être envisagée par les amateurs de montures à caractère fort puisqu'il s'agit là de la caractéristique prédominante des Lightning, et surtout dans le cas des 1200. Car malgré le fait que la seule « petite » cylindrée du groupe, la CityX XB9SX, fasse presque un litre, et en dépit du fait que les accélérations dont elle est capable soient décentes et accompagnées de sensations mécaniques intéressantes, la vraie manière de vivre l'expérience d'une Lightning est sur la XB12S ou sur l'une des variantes qui en sont dérivées. Les accélérations immédiates et tout en couple du gros V-Twin ainsi que son caractère grondeur en font une mécanique irrésistible. Jamais intimidant,

au contraire, il incite fortement le pilote à le provoquer, tentation à laquelle il s'avère difficile de résister. Tremblant assez lourdement pour réveiller un sismographe entre le ralenti et les mi-régimes – il s'adoucit ensuite – le gros Twin de Milwaukee est tellement à l'aise à rouler sur le couple qu'on a presque l'impression d'accélérer sans que les régimes montent. Extraordinairement caractériel, bien assez performant, grassement coupleux, il s'agit d'un des moteurs les plus charismatiques et réussis de l'industrie.

Plus longue, plus haute et utilisant une géométrie de direction légèrement relâchée, la XB12Ss a la mission d'être plus spacieuse pour le pilote et son passager, mais sa partie cycle n'a presque rien perdu de la vivacité et de la précision bien documentée des autres versions. Peu importe la variante, la position de conduite est la même, c'est à dire relevée et tellement ramassée qu'elle donne instantanément l'impression d'être aux commandes d'une machine légère, mince, agile et facilement maîtrisable.

Les Lightning rappellent le fait qu'elles sont issues de montures sportives par leurs suspensions et leur selle plutôt fermes, mais se montrent, pour ce qui est du reste, tout à fait tolérables et faciles à vivre dans la besogne quotidienne. Elles affichent une tenue de route tout aussi solide et relevée que celle des sportives XB-R et se montrent donc parfaitement à l'aise à des angles extrêmes ou même sur piste. Leur guidon large allège beaucoup la direction par rapport aux XB-R, mais l'exposition totale du pilote au vent peut les rendre occasionnellement nerveuses.

> **LES LIGHTNING AFFICHENT UNE TENUE DE ROUTE AUSSI SOLIDE ET RELEVÉE QUE CELLE DES SPORTIVES FIREBOLT.**

Buell présente sa nouvelle Super TT comme une variante supermoto de sa plateforme XB-S. Dans les faits, il s'agit d'un croisement entre la XB9SX et la XB12Ss Long puisqu'elle reprend plusieurs éléments stylistiques de la première et, à quelques exceptions près, la partie cycle de la seconde.

à la mode

Décidément, le genre Supermotard s'épanouit. Après KTM et sa Supermoto 950, Ducati et son Hypermotard, et BMW et sa Megamoto, voilà maintenant que Buell rejoint les rangs de cette classe qui, à peine l'an dernier, ne comptait que la KTM. Techniquement, la Super TT XB12STT est, comme c'est souvent le cas chez Buell — et chez Harley-Davidson —, un mélange de composantes déjà existantes auquel on a donné un certain style. Empruntée à la XB12Ss Long, la partie cycle se distingue surtout par des débattements de suspensions qui se situent à mi-chemin entre ceux d'une XB12S de base et ceux d'une XB12SX Ulysses. Une selle amincie, allongée et un peu plus haute est installée, mais les repose-pieds du passager, eux, sont retirés, faisant de la Super TT une monture à piloter en solo. La partie avant (phares, guidon, protège-mains) provient quant à elle de la XB9SX CityX, mais avec un garde-boue haut de style hors-route. C'est au niveau de la partie arrière que la Super TT innove le plus puisque la selle et son support minimaliste, ainsi que ses larges plaques à numéros sont des pièces propres au modèle. Comme la mécanique retenue est la 1200, la Super TT peut être perçue, au sein de la gamme Buell et de la famille des Lightning, comme une version 1200 de la CityX, thème Supermotard en prime.

Lightning Super TT XB12STT

VITESSE DE POINTE
218 km/h (12S)
207 km/h (9SX)
ACCÉLÉRATION SUR 1/4 MILLE
11,9 s à 182 km/h
12,1 s à 172 km/h
indice d'expertise ►
◄ rapport valeur/prix

Voir légende page 7

EXPERT	E
INTERMÉDIAIRE	I
NOVICE	N

partie cycle

Type de cadre	périmétrique, en aluminium, agit aussi à titre de réservoir d'essence
suspension avant	fourche inversée de 43 mm (12Scg : 41 mm) ajustable en précharge, compression et détente
suspension arrière	monoamortisseur ajustable en précharge, compression et détente
Freinage avant	1 disque de 375 mm de Ø avec étrier à 6 pistons
Freinage arrière	1 disque de 240 mm de Ø avec étrier à 1 piston
Pneus avant/arrière	120/70 ZR17 & 180/55 ZR17
Empattement	1 320 mm (12Ss, 12STT : 1 372 mm)
Hauteur de selle	797 mm (9SX), 765 mm (12S), 726 mm (12Scg) 775 mm (12Ss)
Poids à vide	177 kg (9SX), 179 kg (12S et 12Scg), 181 kg (12Ss, 12STT)
Réservoir de carburant	14,5 litres (12Ss , 12STT : 16,7 litres)

général

catégorie	Standard (XB12STT : Supermoto)
prix	XB9SX : 10 699 $; XB12S : 12 449 $ XB12Ss : 12 449 $; XB12Scg : 12 449 $ XB12STT : 12 199 $
garantie	2 ans/kilométrage illimité
couleur(s)	XB9SX : bleu ou noir translucide XB12S : orange ou rouge translucide, noir XB12Ss : noir, orange XB12Scg : orange ou rouge translucide, noir XB12STT : blanc
concurrence	Ducati Monster 1000, Kawasaki Z1000 Triumph Speed Triple (XB12STT : BMW Megamoto, Ducati Hypermotard, KTM Supermoto 950)

moteur

Type	bicylindre 4-temps en V à 45 degrés, culbuté, 2 soupapes par cylindre, refroidissement par air forcé et par air ambiant
Alimentation	injection à corps unique de 45 mm (49 mm)
Rapport volumétrique	10,0:1
Cylindrée	984 (1 203) cc
Alésage et course	88,9 mm x 79,4 (96,8) mm
Puissance	92 (103) ch @ 7 500 (6 800) tr/min
couple	70 (84) lb-pi @ 5 500 (6 000) tr/min
Boîte de vitesses	5 rapports
Transmission finale	par courroie
Révolution à 100 km/h	environ 3 300 (3 000) tr/mn
consommation moyenne	6,7 l/100 km
Autonomie moyenne	216 km (12Ss, 12STT : 249 km)

conclusion

Il est ironique, compte tenu de leur ligne tellement marginale et de leur mécanique excentrique, que les XB-S s'avèrent au bout du compte être des montures aussi faciles à vivre au jour le jour, surtout dans un environnement urbain. *Le Guide de la Moto* a toujours eu et continuera d'avoir un penchant marqué pour la mécanique de 1 203 cc, la seule qui rend de manière vraiment fidèle tous les sons et toutes les sensations qui font d'une Buell une expérience aussi particulière. Par ailleurs, la version XB12Ss Long introduite l'an dernier n'est pas une mauvaise idée du tout puisqu'elle dégage considérablement la position de conduite qui, sur toutes les autres variantes, n'est pas des plus aérées. Les Américains engraissent, leurs motos aussi...

Lightning Long XB12Ss

 QUOI DE NEUF EN 2007 ?

Introduction d'une nouvelle variante de style Supermotard, la Super TT XB12STT

Pneus de marque Pirelli remplacent désormais les Dunolp

XB9SX coûte 820 $ et XB12S, XB12Scg et XB12Ss 940 $ de moins qu'en 2006

 PAS MAL

Une mécanique (1200) qui séduira les plus exigeants amateurs de caractère grâce à ses lourds tremblements et à sa profonde sonorité américaine

Une partie cycle solide et précise qui est directement empruntée des sportives Firebolt XB-R et qui se prête donc aussi bien à une utilisation en piste qu'à une séance de pilotage agressif sur une route en lacet

Un effort qui vaut la peine d'être souligné de la part de Buell qui, avec ses variantes haute, basse ou longue tente de résoudre la problématique d'ergonomie fixe inhérente à tant de motos

 BOF

Un certain manque de charisme et de performances dans le cas de la XB9SX qui, avec les baisses continuelles de prix, commence à prendre le rôle de la Buell Lightning d'entrée en matière relativement économique mais compromise; la vraie reste la 1200

Un guidon dont la capacité de braquage est limitée, ce qui complique les manœuvres lentes et serrées durant lesquelles on souhaiterait pouvoir le tourner davantage

Des commandes (poignées, boutons, et même instrumentation) qui sont toutes fonctionnelles, mais qui laissent l'impression de provenir d'un genre de deux-roues économique et peu sérieux, comme un scooter

BLAST

pout pout...

À peu près tous les constructeurs incluent dans leur catalogue un modèle permettant d'aborder le pilotage d'une moto de manière très amicale. La recette est aussi simple que prévisible : poids faible, selle basse, position relevée, direction légère. Ironiquement, c'est chez les généralement costauds d'Américains qu'on trouve l'une des plus chétives montures d'initiation jamais produites, la Buell Blast. Conçue de façon non pas simple, mais bien simpliste et propulsée par un monocylindre refroidi par air de 500 cc, la Blast semble être exclusivement destinée aux plus craintifs des néophytes. Introduite en 2000, elle n'a jamais évolué depuis et coûte encore une fois moins cher que l'an dernier.

La raison pour laquelle Buell continue de produire la Blast nous échappe un peu. La firme, qui est aujourd'hui une filiale de Harley-Davidson semble tranquillement mais sûrement arriver à se refaire une réputation après des années de concepts intéressants, mais oh combien pauvrement exécutés. Sans qu'elles soient vendues à gros volume, les XB-R, les XB-S et même l'Ulysses demeurent des motos hautement particulières et plutôt exclusives. La seule exception à cette gamme se veut la Blast. Si le but original de celle-ci fut d'attirer une clientèle jeune et inexpérimentée, la véritable conséquence de sa présence semble plutôt être le rappel de bien mauvais souvenirs.

Contrairement à d'autres modèles d'entrée en matière comme la Sportster 883 chez Harley-Davidson, le fait est que la Blast ne représente absolument pas un fidèle échantillonnage de l'expérience offerte par les autres montures de la gamme Buell. En d'autres mots, et bien que certaines pièces mécaniques soient empruntées aux modèles de la plateforme XB, aucun lien ne peut être fait entre les sensations bien particulières renvoyées par les moteurs de ces derniers et le bourdonnement très quelconque du monocylindre de la petite Buell. Les 34 chevaux générés suffisent à déplacer pilote et moto sans problème, mais même un débutant ne s'excitera pas devant la mollesse des accélérations proposées par la Blast. Il s'agit toutefois, il faut l'avouer, d'un niveau de performances parfaitement adapté à la formation d'un pilote débutant, surtout si ce dernier est

craintif et surtout si le tout se passe dans l'environnement d'une école de conduite. Comme c'est souvent le cas sur des montures produisant une très faible puissance, la Blast perd tout intérêt dès que survient la fin de la période d'apprentissage, ce qui rend son acquisition uniquement envisageable si l'on demeure conscient de ce fait.

Si son petit moteur tremble abondamment, mais sans gêner dès le relâchement de l'embrayage, on peut dire exactement le contraire de la transmission qui pourrait bien être la pire de l'industrie. En effet, chaque passage de vitesses effectué de manière non méticuleuse est généralement accompagné d'un douloureux bruit d'engrenages, une caractéristique non seulement déplaisante, mais dont il est difficile de comprendre ou d'accepter la présence aussi longtemps après l'introduction du modèle. Buell devrait franchement s'y attarder s'il compte continuer de vendre la Blast.

Même si elle n'est pas réellement très légère, la Blast est si mince et sa selle est si basse qu'on la sent très agile, un atout pour les novices. Ces derniers ne devront toutefois pas être trop grands puisqu'il s'agit d'une moto qui semble minuscule lorsqu'on y prend place, une impression que la selle optionnelle très basse amplifie davantage. Bien qu'il soit un peu sensible, le freinage est plus qu'à la hauteur. Le niveau de confort n'est pas mauvais tant qu'on demeure dans un environnement urbain et que les sorties sont de courte durée. La selle peu rembourrée, surtout la basse, l'exposition au vent sur l'autoroute et le travail rudimentaire des suspensions sont les premiers facteurs qui limitent le confort.

> ## LA BLAST NE REPRÉSENTE ABSOLUMENT PAS UN ÉCHANTILLONNAGE FIDÈLE DE L'EXPÉRIENCE OFFERTE PAR LE RESTE DE LA GAMME.

VITESSE DE POINTE
160 km/h
ACCÉLÉRATION SUR 1/4 MILLE
16,0 .. 130 km/h

◄ indice d'expertise ►

◄ rapport valeur/prix

Voir légende page 7

EXPERT **E**
INTERMÉDIAIRE **I**
NOVICE **N**

général

catégorie	Standard
prix	5 569 $
garantie	2 ans/kilométrage illimité
couleur(s)	noir, blanc
concurrence	Kawasaki Ninja 500R, Suzuki GS500F

moteur

type	monocylindre 4-temps, culbuté, 2 soupapes par cylindre, refroidissement par air
alimentation	carburateur simple Keihin à corps de 40 mm
rapport volumétrique	9,2:1
cylindrée	492 cc
alésage et course	88,9 mm x 79,38 mm
puissance	34 ch @ 7 500 tr/min
couple	30 lb-pi @ 3 200 tr/min
boîte de vitesses	5 rapports
transmission finale	par courroie
révolution à 100 km/h	environ 4 000 tr/min
consommation moyenne	4,5 l/100 km
autonomie moyenne	235 km

partie cycle

type de cadre	poutre centrale, en acier, agit aussi à titre de réservoir d'huile
suspension avant	fourche conventionnelle de 37 mm non ajustable
suspension arrière	monoamortisseur non ajustable
freinage avant	1 disque de 320 mm de Ø avec étrier à 2 pistons
freinage arrière	1 disque de 220 mm de Ø avec étrier à 1 piston
pneus avant/arrière	100/80-16 & 120/80-16
empattement	1 397 mm
hauteur de selle	699 mm (selle optionelle : 648 mm)
poids à vide	163 kg
réservoir de carburant	10,6 litres

conclusion

Le but d'un modèle comme la Blast est strictement d'introduire un débutant à la conduite d'une moto. Si tel est le but de l'achat, la plus abordable des Buell livrera la marchandise. Mais elle ne constitue d'aucune façon le genre de modèle qu'on souhaite garder après l'initiation, ni qu'on devrait garder, d'ailleurs. Nous croyons qu'elle a surtout sa place dans une école de conduite, un environnement pour lequel elle semble avoir été expressément conçue. Pour quoi que ce soit de plus sérieux, des modèles comme la Ninja 500R de Kawasaki ou la GS500 de Suzuki, même d'occasion, constituent une option bien plus intéressante.

 QUOI DE NEUF EN 2007 ?

Aucun changement
Coûte 430 $ de moins qu'en 2006

PAS MAL

Une facture qui a de plus en plus de sens à mesure que Buell la réduit; la Blast coûtait 7 299 $ en 2003, un prix qui la mettait nez à nez avec une concurrence asiatique beaucoup, beaucoup plus intéressante

Une agilité exceptionnelle qui représente probablement l'atout principal du modèle compte tenu de sa mission d'initiation

Une hauteur de selle extrêmement faible, surtout avec la selle optionnelle, ce qui devrait représenter une rare qualité pour les motocyclistes en devenir vraiment petits

 BOF

Une position de conduite qu'on sent étrange en raison de la hauteur exceptionnellement basse de la selle; les pilotes grands auront l'impression d'être assis sur un jouet

Une transmission rude et imprécise qui se met à grincer des dents dès que les changements de rapports ne sont pas très attentionnés

Un prix plancher qui se reflète dans la qualité des suspensions dont le travail est rudimentaire au mieux, ainsi qu'une selle basse optionnelle dont le rembourrage n'est pas très généreux

marathonienne italienne...

Ayant comme mission la difficile tâche de marier sport et confort, aucune classe de motos n'est aussi profondément définie par la notion de compromis que celle qu'on appelle Sport-Tourisme. Si les monstres sacrés de la catégorie — des multicylindres généralement aussi lourdes que luxueusement équipées — ont traditionnellement retenu une approche plaçant le confort d'abord et le sport ensuite, il existe quelques rares montures qui, elles, préfèrent aborder la problématique en commençant par le sport. Nous les appelons des routières sportives, et la Ducati ST3 en fait partie. Pour 2007, le prix de la version de base et de celle équipée de l'ABS est retranché de 1 000 $.

La compétition de niveau mondial et les montures hypersportives ayant toujours fait partie intégrante du décor, on a choisi chez Ducati de donner au côté sportif de l'équation d'une Sport-Tourisme toute la place qu'il méritait. Le résultat, la ST3, que nous catégorisons d'ailleurs plutôt de Routière Sportive, affiche ainsi une architecture clairement inspirée de celle des célèbres et racées montures de course du constructeur de Bologne. Le cadre en treillis d'acier tubulaire est évidemment retenu, tandis que toutes les composantes qui y sont rattachées, des suspensions aux freins en passant par les pneus, ont, elles aussi, des origines sportives.

En utilisant un thème aussi sportif comme point de départ, il serait facile de croire que l'élément confort ait été délaissé, mais Ducati a heureusement évité le piège. Grâce à une protection au vent, à une selle et à des suspensions qui sont toutes rien de moins qu'excellentes, la ST3 devient une compagne de route étonnamment agréable, et ce, qu'il s'agisse de traverser des portions longues et droites du pays ou de négocier des routes secondaires en mauvais état. Il est vrai qu'on ne dispose pas des gadgets retrouvés sur les gros canons de la classe comme un pare-brise ajustable, des poignées chauffantes ou une ergonomie variable, mais le fait est que la ST3, qui est quand même livrée avec une paire de valises latérales de série, représente un ensemble très fonctionnel même sans ces équipements.

Si la ST3 ne peut ainsi faire un long étalage de sa liste d'équipement de tourisme, elle peut en revanche vanter la richesse de sa partie cycle

> **LA ST3 SE VEUT PLUS UNE ROUTIÈRE SPORTIVE QU'UNE MONTURE DE COURSE DONT LE CONFORT AURAIT ÉTÉ REHAUSSÉ.**

aux origines sportives. Son impressionnante fiche technique se traduit sur la route par des prestations tout aussi impressionnantes à certains niveaux, comme le freinage et la solidité en courbe. Mais la réalité est qu'on a davantage affaire à une routière sportive très compétente qu'à une machine de course confortable. Le meilleur exemple en est le comportement routier : caractérisé par une grande stabilité et une certaine lourdeur de direction, il démontre des attributs qui dictent une conduite plus posée et coulée que nerveuse et incisive. L'italienne permet quand même de tirer un grand et réel plaisir d'une portion de route en lacet, mais elle demande du pilote qu'il se satisfasse d'un rythme qui, sans du tout être lent, demeure relativement modéré, point au-delà duquel la souplesse des suspensions amènera un certain flou au comportement.

Lorsqu'on parle Ducati, on parle aussi de V-Twin forts en caractère. Annoncée à 107 chevaux, la version qui propulse la ST3 est particulièrement généreuse en sensations tant auditives que tactiles, car quel que soit le régime ou l'intensité de l'accélération, il s'agit d'une mécanique dont le travail est constamment et clairement ressenti par le pilote. Sans être hyperpuissant, le V-Twin réussit tout de même à plaire grâce à des montées en régime suffisamment énergiques pour soulever l'avant à l'accélération, sur le premier rapport. Outre le fait qu'elle soit légèrement paresseuse à très bas régime et que l'injection demande quelques minutes de réchauffement avant de bien fonctionner, la mécanique qui anime la ST3 attire surtout de bons commentaires.

VITESSE DE POINTE
243 km/h
ACCÉLÉRATION SUR 1/4 MILLE
11,4..193 km/h

indice d'expertise ►

◄ rapport valeur/prix

Voir légende page 7

EXPERT	E
INTERMÉDIAIRE	I
NOVICE	N

général

catégorie	Routière Sportive
prix	ST3 : 15 995 $ ST3s-ABS : 18 995 $
garantie	2 ans/kilométrage illimité
couleur(s)	rouge
concurrence	BMW R1200ST, Honda VFR800, Triumph Sprint ST

partie cycle

type de cadre	treillis en acier tubulaire
suspension avant	fourche inversée de 43 mm ajustable en précharge
suspension arrière	monoamortisseur ajustable en précharge, compression et détente
freinage avant	2 disques de 320 mm de Ø avec étriers à 4 pistons
freinage arrière	1 disque de 245 mm de Ø avec étrier à 2 pistons
pneus avant/arrière	120/70 ZR17 & 180/55 ZR17
empattement	1 430 mm
hauteur de selle	820 mm
poids à vide	201 kg
réservoir de carburant	21 litres

moteur

type	bicylindre 4-temps en V à 90 degrés, contrôle desmodromique des soupapes, 3 soupapes par cylindre, refroidissement par liquide
alimentation	injection à 2 corps de 50 mm
rapport volumétrique	11,3:1
cylindrée	992 cc
alésage et course	94 mm x 71,5 mm
puissance	107 ch @ 8 750 tr/min
couple	72,5 lb-pi @ 7 250 tr/min
boîte de vitesses	6 rapports
transmission finale	par chaîne
révolution à 100 km/h	environ 3 500 tr/min
consommation moyenne	6,9 l/100 km
autonomie moyenne	304 km

conclusion

Le marché offre plusieurs autres façons — la plupart étant d'origine japonaise — de rouler vite, longtemps et confortablement, mais aucune ne chatouille les sens comme le fait la ST3 à chaque ouverture des gaz. Ce caractère mécanique est non seulement la plus grande force de l'italienne, mais aussi une facette du pilotage que l'acheteur doit absolument privilégier. Sinon, un effort financier supplémentaire relativement léger permettrait d'envisager des montures moins sensorielles, mais beaucoup mieux équipées.

 QUOI DE NEUF EN 2007 ?

Aucun changement

ST3 et ST3S ABS coûtent 1 000 $ de moins qu'en 2006

 PAS MAL

Une mécanique particulièrement caractérielle qui a une façon de trembler et de gronder fort plaisante, et ce, à l'accélération, à vitesse d'autoroute et même en ville

Une partie cycle solide dérivée de celle des modèles sportifs de la marque; la ST3 fait preuve d'une grande assurance en courbe et son freinage est excellent

Un niveau de confort étonnant puisqu'il est vraiment possible de parcourir de longues distances sans souffrir

 BOF

Une réputation de machine de course confortable un peu surfaite puisque si la ST3 a effectivement une belle tenue de route, c'est avant tout une routière; poussez un peu trop et elle le prouvera

Une mécanique qui, comme c'est souvent le cas pour une Ducati, a une démultiplication tellement longue que le moteur cafouille et rouspète lorsqu'on ouvre les gaz sous les 3 000 tr/min, à partir du troisième rapport; or, les V-Twin ne sont-ils pas censés être coupleux ?

Un prix élevé, surtout pour la version ABS, et ce, même s'il est encore abaissé en 2007

1098

NOUVEAUTÉ 2007

par et pour le circuit...

La nouvelle 1098 est, et de très loin, le travail le plus sérieux du constructeur de Bologne en matière de sportives de production. Sa ligne, aussi exquise que bienvenue après la débâcle de la 999, nourrira la plupart des observations dirigées vers la nouveauté, mais le progrès réalisé sous toutes ces fort élégantes pièces de plastique est encore plus remarquable. Après une vingtaine d'années à faire évoluer pas à pas le même concept, avec beaucoup de succès, il faut le dire, Ducati est reparti à zéro. L'idéologie, celle de la sportive à bicylindre en V, reste la même, mais chacune des pièces qui transforment cette idéologie en réalité a été réinterprétée.

TECHNIQUE

Malgré toute la gloire qui entoure le succès en compétition de la marque italienne et toute la fanfare qu'on fait autour de ses montures de production, un fait est toujours resté agaçant chez Ducati. Car s'il est indéniable que les sportives du constructeur représentent depuis presque toujours de formidables armes une fois apprêtées pour la compétition, dans leur livrée d'origine, la situation se veut bien différente. La réalité est qu'une Ducati de production a toujours été une belle image d'une Ducati de course, mais seulement une image. Contrairement à une sportive japonaise de pointe qui se veut littéralement une moto de course légale sur la route, il a toujours fallu beaucoup travailler et beaucoup investir sur une Ducati de production avant de pouvoir en faire une vraie monture de course. On achetait une réplique de la vraie chose, mais pas la vraie chose. Cette vraie chose existait bien sous la forme d'une version R, mais à plus ou moins 50 000 $ pièce, elle aurait pu ne pas exister sans que cela ne change quoi que ce soit à la situation de la moyenne des motocyclistes.

Tout ça change avec la 1098.

Dans l'un des cas de revirement à 180 degrés les plus spectaculaires des dernières années, le modèle qu'on aurait pu qualifier – là, ils ne seront pas contents, les Ducatistes – de « sportive de parade » semble être en train de se transformer en légitime représentante de machine de MotoGP.

> **D'UNE « SPORTIVE DE PARADE », LA 999 SE TRANSFORME EN LÉGITIME HÉRITIÈRE DES MACHINES DE MOTOGP ET DEVIENT LA 1098.**

À lui seul, le régime imposé à la 1098 et qui lui a permis de perdre plus d'une dizaine de kilos serait un exploit majeur, mais la réalité de la 1098 va beaucoup plus loin puisqu'il s'agit du premier modèle de grande production qui affiche clairement des technologies empruntées aux machines de MotoGP. Du moins si on fait exception d'une autre Ducati de « production », l'exotique Desmosedici RR. Des technologies comme des tubulures d'alimentation de forme elliptique qui accroîtraient le remplissage des cylindres de 30 pour cent. Avec ses culasses entièrement repensées, son augmentation de cylindrée et ses nombreuses pièces internes allégées, la 1098 est annoncée à 160 chevaux, ce qui en fait non seulement une monture plus puissante que la dispendieuse 999R de l'an dernier, mais aussi la sportive de production à moteur V-Twin la plus puissante au monde.

Évidemment, tout ce qui est boulonné au cadre en treillis – lui aussi repensé et allégé grâce à des tubes d'acier de plus gros diamètre, mais d'épaisseur réduite – n'est que de première qualité, des roues aux suspensions en passant par les freins. En ce qui concerne ces derniers, Ducati affirme d'ailleurs être le premier constructeur à installer sur une moto de production des étriers Brembo Monobloc usinés dans la masse. Le bras oscillant est également digne de mention puisqu'il figure probablement parmi les plus belles pièces jamais vues sur une moto.

Le clou du spectacle qu'est la 1098 reste toutefois ce panneau numérique qui sert à la fois d'instrumentation, et d'écran au système d'acquisition de données...

1098S

ce que la 999 aurait toujours dû être...

On regarde la 1098, et on la regarde encore. Ensuite, on la regarde encore un peu. Telle est la marque d'une vraie exotique, telle est la signature d'un design réussi. Certes, certains traits manquent un peu d'originalité, comme les phares qui font décidément Triumph Daytona 675. Mais l'on a qu'à se rappeler ce qu'on a presque été obligé d'appeler une exotique durant tant d'années pour se consoler.

Moyennant un supplément de 5 000 $ par rapport aux 19 995 $ demandés pour la 1098, Ducati propose une version S dotée de plusieurs pièces en fibre de carbone, de roues allégées Marchesini et de suspensions Öhlins à l'avant comme à l'arrière. De plus, la S est livrée de série avec le fameux système d'acquisition de données qui permet d'amasser une foule d'informations recueillies durant une séance de piste, puis de les transférer sur un ordinateur pour les consulter. Ou, de simplement les afficher sur l'écran de bord servant aussi d'instrumentation!

VITESSE DE POINTE

270 km/h

ACCÉLÉRATION SUR 1/4 MILLE

10,4 s à **220** km/h

indice d'expertise ▸

◂ rapport valeur/prix

E
I
N

Voir légende page 7
Performances estimées ◂
EXPERT E
INTERMÉDIAIRE I
NOVICE N

général

catégorie	Sportive
prix	19 995 $ (24 995 $)
garantie	2 ans/kilométrage illimité
couleur(s)	rouge
concurrence	Aprilia RSV 1000 R, Benelli Tornado, MV Agusta F4 1000

moteur

type	bicylindre 4-temps en V à 90 degrés, contrôle desmodromique des soupapes, 4 soupapes par cylindre, refroidissement par liquide
alimentation	injection à 2 corps elliptiques
rapport volumétrique	12,5:1
cylindrée	1 098 cc
alésage et course	104 mm x 64,7 mm
puissance	160 ch @ 9 750 tr/min
couple	90,4 lb-pi @ 8 000 tr/min
boîte de vitesses	6 rapports
transmission finale	par chaîne
révolution à 100 km/h	n/d
consommation moyenne	n/d
autonomie moyenne	n/d

partie cycle

type de cadre	treillis en acier tubulaire
suspension avant	fourche inversée de 43 mm ajustable en précharge, compression et détente
suspension arrière	monoamortisseur ajustable en précharge, compression et détente
freinage avant	2 disques de 330 mm de ø avec étriers radiaux à 4 pistons
freinage arrière	1 disque de 245 mm de ø avec étrier à 2 pistons
pneus avant/arrière	120/70 ZR17 & 190/50 ZR17
empattement	1 430 mm
hauteur de selle	820 mm
poids à vide	173 kg (S : 171 kg)
réservoir de carburant	15,5 litres

conclusion

Au-delà de toutes les prouesses techniques réalisées par les ingénieurs de Ducati pour créer cette très impressionnante pièce qu'est la 1098, au-delà de la phénoménale puissance qu'ils ont été capables de produire à partir du V-Twin, au-delà du poids qu'ils ont été capables de retrancher et au-delà de la superbe ligne qu'un certain Giandrea Fabbro a eu l'audace et l'inspiration de tracer, la plus grande réussite de Ducati est d'avoir trouvé le moyen d'abaisser le prix de sa nouveauté jusqu'à un niveau que la moyenne des mortels peut envisager. D'un coup, le porte-drapeau de la gamme italienne n'est plus qu'une intouchable exotique, elle devient une réelle candidate à une place dans le garage de Monsieur l'amateur de sportives moyen. Pour avoir créé une telle machine, et pour l'avoir rendue accessible au peuple, non seulement nous disons Bravo!, mais nous lui faisons aussi une petite place sur notre prisée couverture.

 QUOI DE NEUF EN 2007 ?

Nouveau modèle qui remplace la 999

PAS MAL

Une ligne magnifique qui rend vraiment, enfin, justice au titre d'exotique que la 916 s'est mérité; honte à Terreblanche pour avoir privé le motocyclisme d'une digne suite à l'épopée de la 916 durant toutes ces années

Une puissance annoncée qui est réellement impressionnante; en fait, toute la fiche technique de la 1098 impressionne au plus haut point

Un prix qui constitue probablement la plus grande surprise apportée par la nouveauté; enfin, on peut parler d'une exotique accessible

 BOF

Une fiche technique tellement impressionnante que les attentes sont maintenant très hautes; on dit souvent que les chiffres d'une fiche suffisent à vendre des motos, et ceux-là y parviendront à n'en pas douter; espérons donc qu'ils se matérialisent une fois sur le terrain

Une accessibilité problématique des motos d'essais du constructeur italien avec laquelle nous avons presque appris à vivre, mais qui vient de devenir un peu plus difficile à supporter

Sport 1000S

RÉVISION 2007

Hommage historique...

Les premières grosses cylindrées de Ducati furent produites au début des années 70. Il s'agissait de sportives hautement performantes pour l'époque, de motos qui couraient et qui gagnaient. Figurant aujourd'hui parmi les modèles les plus convoités des collectionneurs, elles sont les motos qui bâtirent l'héritage du constructeur de Bologne. Pour la première fois il y a 2 ans, Ducati dévoilait une série de prototypes rendant hommage à ces mythiques montures. Enfin, l'an dernier, celles qui forment la nouvelle famille des SportClassic furent mises en production. En 2007, la Paul Smart 1000 L.E. est remplacée par la Sport 1000S. Avec la Sport 1000 et la GT 1000, elles sont les SportClassic.

TECHNIQUE

Avant de parler technique, un peu d'histoire s'impose dans le cas des montures de la famille SportClassic. La Sport 1000S, alias la Paul Smart 1000 L.E. de 2006, prend son inspiration de la Super Sport 750 de 1974, un modèle lui-même issu d'une moto de course baptisée 750 Imola que le coureur Paul Smart mena à une extraordinaire victoire lors de l'Imola 200, un certain jour d'avril 1972. La particularité de cette victoire vient du fait qu'elle fut obtenue aux commandes d'une moto de conception entièrement nouvelle n'ayant jamais été testée. Inspiré de telles performances, Ducati décida de créer un modèle de production basé sur la machine de course. La sportive mue par un gros V-Twin, celle qui aujourd'hui représente l'essence de la marque italienne, était née.

La Sport 1000 – qui, techniquement, est une Sport 1000S sans carénage – fait, quant à elle, revivre l'esprit de la 750 Sport de 1973, un modèle qui fut le prédécesseur de la Super Sport 1974 sur laquelle la Sport 1000S est basée. Enfin, bien qu'elle soit construite sur la même plateforme, la GT 1000 propose une interprétation encore plus nostalgique des lignes en vogue durant les années 70. Avec sa position de conduite relevée moins sévère que celle des deux autres SportClassic, il s'agit de la plus routière du trio.

Étant non seulement des Ducati, mais aussi des Ducati rendant hommage à une importante époque de l'histoire du constructeur, il était essentiel que leur conception fasse appel à certains éléments traditionnels comme

> **LES SPORTCLASSIC RÉINTERPRÈTENT PARTICULIÈREMENT BIEN LE THÈME DES DUCATI DES ANNÉES 70.**

un classique cadre en treillis et un moteur en V – ou en L si vous tenez le langage des puristes – refroidi par air. Une nécessité qui n'a pas été trop difficile à satisfaire puisque chaque Ducati du catalogue actuel dispose de ces éléments. Le V-Twin d'un litre Dual Spark aussi présent sur plusieurs autres Ducati est la mécanique retenue tandis qu'un cadre unique à la nouvelle famille a été conçu. Semblable à un cadre de Supersport, il a été allongé de 25 mm au niveau de la colonne de direction afin de rendre aux modèles les proportions allongées plutôt que compactes qui caractérisaient les sportives de cette époque.

Les SportClassic reprennent tout le degré de qualité et de performances retrouvé aujourd'hui sur les autres sportives italiennes. Les Sport 1000 et 1000S sont équipées d'une fourche inversée Marzocchi de 43 mm non ajustable et d'une paire d'amortisseurs arrière Sachs complètement réglables. La partie cycle de la GT 1000 est très proche de celle des autres SportClassic, mais elle fait appel à des amortisseurs uniquement réglables en précharge. De superbes roues à rayons de 17 pouces montées de larges gommes sportives équipent chacun des modèles de la famille.

Alors que les versions Paul Smart L.E. et Sport 1000 de 2006– les premières SportClassic – n'étaient offertes qu'en versions à selle solo, des versions Biposto sont introduites en 2007. Selon les informations de Ducati, au moins la Sport 1000 sera importée au Canada en version biplace.

VITESSE DE POINTE
240 km/h
ACCÉLÉRATION SUR 1/4 MILLE
11,5 s à **190** km/h
indice d'expertise ▸
◂ rapport valeur/prix

Voir légende page 7
Performances estimées ◂
EXPERT **E**
INTERMÉDIAIRE **I**
NOVICE **N**

partie cycle

TYPE DE CADRE	treillis en acier tubulaire
SUSPENSION AVANT	fourche inversée de 43 mm non ajustable
SUSPENSION ARRIÈRE	monoamortisseur ajustable en précharge, compression et détente (GT 1000 : précharge)
FREINAGE AVANT	2 disques de 320 mm de Ø avec étriers à 2 pistons
FREINAGE ARRIÈRE	1 disque de 245 mm de Ø avec étrier à 1 piston
PNEUS AVANT/ARRIÈRE	120/70 R17 & 180/55 R17
EMPATTEMENT	1 425 mm
HAUTEUR DE SELLE	825 mm
POIDS À VIDE	Sport 1000 : 186 kg (S : 188 kg); GT 1000 : 185 kg
RÉSERVOIR DE CARBURANT	15 litres

Général

CATÉGORIE	Routière Sportive
PRIX	Sport 1000 S : 14 995 $ Sport 1000 Biposto : 13 995 $ GT 1000 : 13 495 $
GARANTIE	2 ans/kilométrage illimité
COULEUR(S)	Sport 1000 S : rouge Sport 1000 Biposto : rouge, jaune, noir GT 1000 : noir et beige
CONCURRENCE	Triumph Thruxton

moteur

TYPE	bicylindre 4-temps en V à 90 degrés, contrôle desmodromique des soupapes, 2 soupapes par cylindre, refroidissement par air
ALIMENTATION	injection à 2 corps de 45 mm
RAPPORT VOLUMÉTRIQUE	10:1
CYLINDRÉE	992 cc
ALÉSAGE ET COURSE	94 mm x 71,5 mm
PUISSANCE	92 ch @ 8 000 tr/min
COUPLE	67 lb-pi @ 6 000 tr/min
BOÎTE DE VITESSES	6 rapports
TRANSMISSION FINALE	par chaîne
RÉVOLUTION À 100 KM/H	n/d
CONSOMMATION MOYENNE	n/d
AUTONOMIE MOYENNE	n/d

conclusion

Les SportClassic sont décidément de belles pièces que Ducati a manifestement conçues avec une grande attention et un grand respect pour son passé. Elles s'adressent non seulement à ceux qui ont vécu cette époque de l'histoire de la moto, mais aussi à une clientèle plus jeune qui se montre souvent branchée par un thème nostalgique. L'un des côtés intéressants des modèles est par ailleurs qu'ils sont construits avec de la technologie actuelle et connue, un fait d'autant plus étonnant que leurs prix semblent agréablement conservateurs compte tenu des habitudes du constructeur.

GT 1000

⦿ QUOI DE NEUF EN 2007 ?

GT 1000 introduite au courant de l'année dernière

Introduction d'une Sport 1000 Biposto

Modèle Paul Smart L.E. remplacé par la Sport 1000S pour 3 000 $ de moins

PAS MAL

Des styles non seulement extrêmement fidèles aux modèles d'époque, mais aussi très agréables à l'oeil pour le motocycliste d'aujourd'hui, quelle que soit la génération ou les goûts de ce dernier en matière de motos

Une mécanique connue et appréciée pour son plaisant couple à mi-régime, ses performances très honnêtes et son caractère franc

Une partie cycle construite à partir d'éléments de qualité qui peuvent être retrouvés sur les modèles haut de gamme actuels; les SportClassic ne sont des antiquités que par leur style

BOF

Une position de conduite qui semble assez sévère pour les Sport 1000 et 1000S; s'il s'agit d'une caractéristique que Ducati a volontairement incluse dans les concepts par respect pour les modèles originaux, mais qui pourrait aussi affecter le niveau de confort

Une mécanique plaisante, mais qui est aussi bien connue, sur les modèles actuels, pour sa timidité à très bas régime sur les rapports supérieurs

Des selles dont la forme semble avoir été davantage dictée par les stylistes que par souci du confort, mais rien à ce sujet ne peut évidemment être confirmé avant que des modèles d'essai soient finalement mis à notre disposition

pas si fous, ces italiens...

D'abord présentée comme un concept — elle a d'ailleurs fait la couverture du Guide en 2002 —, la Multistrada s'est mérité des observations en tout genre lorsqu'elle fut enfin produite en 2004. Au-delà de ses traits torturés signés Terreblanche et qui ne font toujours pas l'unanimité — ce pare-brise détaché... —, c'est l'idée de la routière aventurière exclusivement destinée à la route qui dérangea le plus. La raison d'être d'une telle monture n'est-elle pas de rouler partout, comme la BMW R-GS ? La multiplication de modèles similaires comme la véritable Multistrada anglaise qu'est la nouvelle Triumph Tiger, ou la Buell XB12SX Ulysses, semble indiquer une réponse négative.

Combinant le traditionnel V-Twin refroidi par air de la marque accroché bien en vue sous un tout aussi classique cadre en treillis, une partie cycle athlétique, un demi-carénage et une position de conduite relevée, la Multistrada confond les genres. Certains y perçoivent une adaptation Ducatiste du thème de la routière aventurière façon BMW R1200GS ou Suzuki V-Strom 1000, mais l'italienne nie catégoriquement tout lien avec l'univers hors-route. Les longs débattements de ses suspensions, une caractéristique habituellement associée aux motos à vocation double-usage, existent surtout pour lui permettre d'affronter l'état rarement parfait des voies publiques. Pensez à une sportive pour la vraie vie, et vous venez de saisir le concept relativement terre-à-terre qui a motivé sa création. Concept qui semble d'ailleurs de plus en plus populaire comme en témoigne l'arrivée de modèles comme la Triumph Tiger, la Buell Ulysses et même la Kawasaki Versys.

Même si ses lignes étranges ne lui donnent pas l'immédiate crédibilité sportive dont jouissent la plupart des autres modèles de la gamme Ducati, il reste que la Multistrada est construite très sérieusement. Le cadre en treillis d'acier tubulaire est très similaire à celui de l'ancienne Superbike 999, tandis que le reste des composantes de sa partie cycle, des freins au bras oscillant monobranche en passant par les belles roues à cinq branches, est littéralement emprunté aux modèles sportifs du catalogue italien. La version S pousse d'ailleurs les choses encore plus loin en ayant recours à des suspensions Öhlins entièrement réglables.

Le comportement est caractérisé par une mise en angle ne demandant qu'un effort au guidon minimal, et par un caractère neutre, précis et posé en virage. La position de conduite relevée et avancée à saveur hors-route met instantanément le pilote en confiance en lui donnant l'impression d'une maîtrise parfaite des réactions de la moto. Cette position ne taxant aucune partie de l'anatomie contribue aussi grandement au confort, tout comme l'agréable souplesse des suspensions.

L'arrivée en 2007 d'une mécanique revue et améliorée ne peut que représenter une bonne nouvelle pour la Multistrada. La version 1000 essayée, la seule que nous ayons d'ailleurs testée, s'était montrée honnêtement performante, mais quelque peu paresseuse à mi-régime et carrément allergique aux très bas régimes. Or, la nouvelle mécanique aurait justement comme but de meubler le bas et le milieu de la plage de régimes, ce qui collerait parfaitement au thème de l'utilisation quotidienne de la Multistrada. Les valeurs de puissance et de couple n'augmentent que légèrement, mais les régimes où elles sont produites sont abaissés, ce qui laisse croire que la nouvelle 1100 sera plus généreuse en chevaux et en couple, plus tôt.

Un plus grand pare-brise est venu améliorer la protection au vent depuis de 2005, tandis qu'une nouvelle selle tentait de remédier, avec un résultat que nous ignorons toujours, au pire défaut de la première version de la Multistrada. Car l'accès aux Ducati demeure toujours parmi les plus ardus pour *Le Guide de la Moto*. On verra en 2007.

> **DUCATI ANNONCE QUE SA NOUVELLE 1100 SERAIT PLUS GÉNÉREUSE EN CHEVAUX ET EN COUPLE, PLUS TÔT.**

VITESSE DE POINTE

209 km/h

ACCÉLÉRATION SUR 1/4 MILLE

11,5 s à **179** km/h

indice d'expertise ▶

◀ rapport valeur/prix

Voir légende page 7
Performances 2006 ◀

EXPERT	**E**
INTERMÉDIAIRE	**I**
NOVICE	**N**

général

catégorie	Routière Aventurière
prix	14 995 $ (S : 17 995 $)
garantie	2 ans/kilométrage illimité
couleur(s)	rouge (S : roure, noir)
concurrence	Buell XB12X Ulysses, Suzuki V-Strom 1000, Triumph Tiger

partie cycle

type de cadre	treillis en acier tubulaire
suspension avant	fourche inversée de 43 mm ajustable en précharge, compression et détente
suspension arrière	monoamortisseur ajustable en précharge, compression et détente
freinage avant	2 disques de 320 mm de Ø avec étriers à 4 pistons
freinage arrière	1 disque de 245 mm de Ø avec étrier à 2 pistons
pneus avant/arrière	120/70 ZR17 & 180/55 ZR17
empattement	1 462 mm
hauteur de selle	850 mm
poids à vide	196 kg
réservoir de carburant	20 litres

moteur

type	bicylindre 4-temps en V à 90 degrés, contrôle desmodromique des soupapes, 2 soupapes par cylindre, refroidissement par air
alimentation	injection à 2 corps de 45 mm
rapport volumétrique	10,5:1
cylindrée	1 078 cc
alésage et course	98 mm x 71,5 mm
puissance	95 ch @ 7 750 tr/min
couple	76 lb-pi @ 4 750 tr/min
boîte de vitesses	6 rapports
transmission finale	par chaîne
révolution à 100 km/h	environ 4 000 tr/min (2006)
consommation moyenne	6,4 l/100 km (2006)
autonomie moyenne	312 km (2006)

conclusion

L'idée d'une routière aventurière exclusivement destinée à la route n'était évidement pas mauvaise, puisque toutes les statistiques de ventes concernant ce genre de montures montrent très clairement que seule une fraction des acheteurs entrent en contact avec une quelconque forme de poussière. Ce que propose donc la Multistrada est une partie cycle tout à fait capable de soutenir un rythme sportif combinée à une position de conduite tolérable sur une base quotidienne. Le passage à une cylindrée supérieure en 2007 semble surtout une bonne nouvelle en raison des efforts qui auraient été mis sur la générosité des mi-régimes, là où la majorité de cette fameuse utilisation quotidienne se déroule.

 QUOI DE NEUF EN 2007 ?

Multistrada 620 retirée du catalogue

Multistrada 1000 devient la Multistrada 1100, cylindrée passe de 992 à 1 078 cc

Nouveau moteur serait plus silencieux grâce à un embrayage baignant dans l'huile, et coûterait 50 pour cent moins cher en frais d'entretien

Poignées isolant des vibrations

Multistrada 1000 et Multistrada 1000S coûtent 1 000 $ de moins qu'en 2006

PAS MAL

Une position de conduite à mi-chemin entre celle d'une standard et celle d'une monture hors-route qui met immédiatement en confiance et qui ne fait pas souffrir les mains et les poignets

Une partie cycle de haute qualité qui permet un comportement léger, précis et solide en pilotage sportif

Des suspensions particulièrement bien calibrées qui se montrent non seulement posées en mode sport, mais aussi contrôlées et confortables sur route abîmée

 BOF

Un niveau de confort qui était limité par une selle atroce en 2004, selle que Ducati affirme avoir améliorée pour 2005, et selle qui reste toujours pour nous une inconnue en raison de la rareté des modèles d'essais du constructeur

Un système d'échappement dont la voix est tellement faible qu'on entend à peine le V-Twin italien (Multistrada 1000)

Une mécanique (Multistrada 1000) qui, en raison d'une démultiplication trop longue, n'est pas à l'aise à très bas régime, sur un des rapports supérieurs, et qui préfère qu'on la garde au-dessus des 3 000 tr/min

HYPERMOTARD

NOUVEAUTÉ 2007

Terreblanche se rachète...

Comme plusieurs nouvelles Ducati ces dernières années, dont les Multistrada et SportClassic, l'Hypermotard fut d'abord présentée sous la forme d'un concept à la fin de 2005. L'idée derrière l'exercice, comme ce fut le cas des autres modèles, se voulait de jauger la réaction du public avant de presser sur le bouton de la mise en production. Cette réaction ayant été extrêmement favorable, l'annonce de la mise en marché fut faite au courant de 2006. Selon Ducati, deux versions seront offertes lorsque l'Hypermotard arrivera en salle de montre au printemps 2007. Comme la Multistrada, l'Hypermotard sera ainsi accompagnée d'une variante S à composantes haut de gamme.

TECHNIQUE

Après s'être attiré les foudres du motocyclisme pour avoir violé la pureté des lignes de la 916 en la remplaçant par la pseudo exotique qu'était la 999, Pierre Terreblanche se rachète en dessinant cette superbe Hypermotard. Relativement peu de détails sont fournis par Ducati à propos de la nouveauté au moment de mettre le Guide sous presse. La base autour de laquelle le modèle est construit est toutefois bien connue puisqu'il s'agit du traditionnel cadre en treillis italien duquel est suspendue la dernière évolution du V-Twin refroidi par air de Bologne. D'une cylindrée de 1 078 cc et annoncé à 95 chevaux, il s'agit du jumeau de la mécanique qui anime la Multistrada 2007. Selon le constructeur, la position de conduite a été dictée par la nature d'une monture de type Supermoto. La selle est longue et étroite pour faciliter les mouvements du pilote vers l'avant ou l'arrière, le guidon est large et presque droit pour favoriser le contrôle, et la posture générale aurait une certaine saveur hors-route.

Ducati présente l'Hypermotard comme une moto « fun », point final. Toutes considérations concernant le confort ou le niveau pratique auraient donc été mises de côté afin de donner au but premier toute la place. Comme c'est le cas sur la plupart des montures de la firme de Bologne, la partie cycle est très sérieuse. La fourche avant Marzocchi affiche de massifs poteaux de 50 mm et étreint une superbe roue Marchesini à rayons en Y, elle-même flanquée d'un système de frein Brembo haut de gamme. À l'arrière, un monoamortisseur Sachs contrôle les mouvements d'un magnifique bras oscillant monobranche. La version S propose quant à elle diverses pièces en fibre de carbone ainsi que des roues, des freins et des suspensions encore plus relevées que sur la version de base.

VITESSE DE POINTE
215 km/h
ACCÉLÉRATION SUR 1/4 MILLE
11,5 s à **190** km/h

indice d'expertise ▶

◀ rapport valeur/prix

Voir légende page 7
Performances estimées ◀

EXPERT	E
INTERMÉDIAIRE	I
NOVICE	N

Général

catégorie	Supermoto
prix	13 995 $ (S: 17 995 $)
garantie	2 ans/kilométrage illimité
couleur(s)	rouge
concurrence	BMW Megamoto, Buell XB12STT, KTM 950 Supermoto

partie cycle

type de cadre	treillis en acier tubulaire
suspension avant	fourche inversée de 50 mm ajustable en précharge, compression et détente
suspension arrière	monoamortisseur ajustable en précharge, compression et détente
freinage avant	2 disques de 305 mm de Ø avec étriers à 4 pistons
freinage arrière	1 disque de 245 mm de Ø avec étrier à 2 pistons
pneus avant/arrière	120/70 ZR17 & 180/55 ZR17
empattement	n/d
hauteur de selle	n/d
poids à vide	175 kg
réservoir de carburant	n/d

moteur

type	bicylindre 4-temps en V à 90 degrés, contrôle desmodromique des soupapes, 2 soupapes par cylindre, refroidissement par air
alimentation	injection à 2 corps de 45 mm
rapport volumétrique	10,5:1
cylindrée	1 078 cc
alésage et course	98 mm x 71,5 mm
puissance	95 ch @ 7 750 tr/min
couple	76 lb-pi @ 4 750 tr/min
boîte de vitesses	6 rapports
transmission finale	par chaîne
révolution à 100 km/h	n/d
consommation moyenne	n/d)
autonomie moyenne	n/d

conclusion

Piloter la KTM 950 Supermoto a suffi à nous vendre à tout jamais le bienfait du concept d'une monture de type Supermoto de grosse cylindrée. Sur papier, comme cette Hypermotard semble très proche de l'autrichienne — et même clairement supérieure à certains égards techniques, comme au niveau des composantes de la partie cycle —, la possibilité qu'elle soit une machine exceptionnelle existe bien. Reste maintenant à voir comment ce qu'il y a sur papier se traduit sur la route. Car s'il existe quelque chose d'aussi maniaque qu'une 950 Supermoto, nous devrons le voir avant de le croire.

◉ QUOI DE NEUF EN 2007 ?

Nouveau modèle

⌃ PAS MAL

Un style réussi et très agressif; la ligne est signée Terreblanche, qui semble se reprendre un peu après avoir violé la 916 en dessinant la 999

Un concept qui a du potentiel si l'on en croit l'expérience de pilotage qu'une moto comme la KTM 950 Supermoto est capable de livrer; reste maintenant à voir si l'Hypermotard est aussi agressive dedans que dehors

Une partie cycle on ne peut plus sérieuse, comme c'est d'ailleurs habituellement la norme chez Ducati; fourche inversée massive de 50 mm, cadre en treillis, freins Brembo et bras monobranche, tout y est

⌄ BOF

Un niveau de confort qui reste à déterminer; la position ne devrait poser aucun problème, pas plus que les suspensions, mais la selle semble particulièrement étroite

Une mécanique avec laquelle nous n'avons passé que peu de temps et seulement dans sa version de 1 000 cc, mais qui s'est montrée quelque peu timide en sensations; espérons que ce ne soit pas le cas dans cette version

SUPERSPORT 800

en voie d'extinction ?

Les Supersport ont historiquement été les Ducati dont le rôle était de joindre la tradition des moteurs en V refroidis par air du constructeur de Bologne à un niveau technologique moderne. Or, la mission des SportClassic semble ressembler beaucoup à celles des vieillissantes Supersport. De plus, pour 2007, seule une version de 800 cc est importée. Serait-ce le début de la fin pour cette famille ?

TECHNIQUE

Ayant comme mission de respecter l'histoire et la tradition du constructeur italien, la Supersport 800 ne pourrait être propulsée par un autre moteur que le classique V-Twin refroidi par air et à entraînement desmodromique des soupapes. À la fois simple et moderne, il dispose d'une culasse à 2 soupapes et d'une alimentation par injection. Uniquement offert en version de 800 cc en 2007, le modèle ne change pas cette année. Il reçut toutefois plusieurs modifications en 2005. On notait alors, entre autres, des gains en puissance plus ou moins importants selon la version. Dans le cas de la 800 cc, le nombre de chevaux annoncé passait de à de 74,5 à 77, ce qui n'est pas mauvais pour un moteur de cette cylindrée affichant une technologie plus traditionnelle que moderne. La même philosophie conservatrice appliquée à la mécanique l'est aussi à la partie cycle sur la Supersport 800 puisqu'elle reste moderne sans être exceptionnelle. Ainsi, même si elle n'est pas du tout lourde, il ne s'agit pas d'une sportive hyperlégère, et même si toutes ses pièces sont de haute qualité, elle n'utilise pas non plus le dernier cri en matière de composantes de freinage ou de suspensions. La Supersport 800 se veut un échantillon légitime et atteignable de la technologie de pointe qui fait la réputation des exotiques et dispendieux modèles Superbike. Bref, il s'agit d'une porte d'entrée au catalogue italien relativement abordable, à défaut d'être réellement excitante.

Général

catégorie	Sportive
prix	11 995 $
garantie	2 ans/kilométrage illimité
couleur(s)	rouge
concurrence	Buell XB9R, Suzuki SV1000S

moteur

type	bicylindre 4-temps en V à 90 degrés, contrôle desmodromique des soupapes, 2 soupapes par cylindre, refroidissement par air
alimentation	injection à 2 corps de 45 mm
rapport volumétrique	10:1
cylindrée	803 cc
alésage et course	88 mm x 66 mm
puissance	77 ch @ 8 250 tr/min
couple	52 lb-pi @ 6 250 tr/min
boîte de vitesses	6 rapports
transmission finale	par chaîne

partie cycle

type de cadre	treillis en acier tubulaire
suspension avant	fourche inversée de 43 mm non ajustable
suspension arrière	monoamortisseur ajustable en précharge, compression et détente
freinage avant	2 disques de 320 mm de Ø avec étriers à 4 pistons
freinage arrière	1 disque de 245 mm de Ø avec étrier à 2 pistons
pneus avant/arrière	120/70 ZR17 & 170/60 ZR17
empattement	1 405 mm
hauteur de selle	815 mm
poids à vide	185 kg
réservoir de carburant	16 litres

S4R S

■■■■■ DUCATI

MONSTER

Général

catégorie	Standard
prix	9 995 $ à 19 995 $
Garantie	2 ans/kilométrage illimité
couleur(s)	noir, rouge, noir mat, rouge et blanc, blanc et rouge, argent et noir, noir et blanc, titane
concurrence	Buell XB-S, BMW R1200R, Triumph Speed Triple

moteur

type	bicylindre 4-temps en V à 90 degrés, contrôle desmodromique des soupapes, 2 ou 4 soupapes par cylindre, refroidissement par air ou liquide
Alimentation	injection à 2 corps de 45 mm
Rapport volumétrique	695 : 10,5:1; 800 : 10,5 :1; 1000 : 10,1:1; S4R : 11,4:1
cylindrée	695 : 695 cc; 800 : 803 cc; 1000 : 992 cc; S4R : 998 cc
Alésage et course	695 : 88 x 57,2 mm; 800 : 88 x 66 mm; 1000 : 94 x 71,5 mm; S4R : 100 x 63,5 mm
puissance	695 : 73 ch; 800 : 77 ch; 1000 : 94 ch; S4R : 130 ch
couple	695 : 45 lb-pi; 800 : 53,6 lb-pi; 1000 : 69,6 lb-pi; S4R : 77 lb-pi
boîte de vitesses	6 rapports
transmission finale	par chaîne

partie cycle

type de cadre	treillis en acier tubulaire
suspension avant	fourche inversée de 43 mm non ajustable (1000, S4R : ajustable en précharge, compression et détente)
suspension arrière	monoamortisseur ajustable en précharge, compression et détente (695 : précharge et détente)
freinage avant	2 disques de 320 mm (695, 800 : 300 mm) de Ø avec étriers à 4 (695 : 2) pistons
freinage arrière	1 disque de 245 mm de Ø avec étrier à 2 pistons
pneus avant/arrière	120/60 ZR17 & 180/55 (695 : 160/60) ZR17
empattement	1 440 mm
hauteur de selle	800 mm (695 : 770 mm)
poids à vide	695 : 168 kg; 800 : 173 kg; 1000, S4R : 178 kg
réservoir de carburant	14 litres

essence italienne...

Ramenez une Ducati à son expression la plus pure, et vous obtenez une Monster. Pas de pedigree de machine de course, pas de position de conduite extrême, pas même de carénage. Le V-Twin italien, le cadre en treillis et la partie cycle moderne — bref, l'essentiel — sont toutefois tous bien présents. Pour 2007, pas moins de 5 variantes sont offertes, dont plusieurs nouvelles. La S4R fait un retour, accompagnée d'une version S4R S, tandis que la 620 devient la 695.

Ce sont les Ducati Monster qui, en 1993, firent naître le phénomène des standards à caractère en amenant le motocycliste à redécouvrir les plaisirs de la simplicité sur deux roues. Le créneau dont elles sont l'origine est aujourd'hui l'un des plus prolifiques du marché et génère certains des modèles les plus intéressants du motocyclisme. Quelques 14 ans après l'introduction du premier modèle, la fiche technique s'est étoffée et une véritable famille s'est créée, mais le concept original demeure intact. Un important événement dans l'histoire des Monster fut l'introduction de la S4R en 2004 qui, avec son échappement à double silencieux superposé et son bras oscillant monobranche, apporta une variante au look du modèle qui généra beaucoup d'intérêt. Aujourd'hui, toutes les Monster proposent ce look sauf une, la 695. Cette dernière remplace en 2007 la 620 au bas de la gamme. Ducati l'offre au même prix que la 620 Dark, et annonce une puissance qui passe de 63 à 73 chevaux. Viennent ensuite les S2R 800 de 77 chevaux et S2R 1000 de 94 chevaux offertes à 11 995 $ et 13 995 $ respectivement. Les modèles phares de la gamme italienne restent néanmoins les S4R et S4R S, des véritables Superbike en tenues légères. Elles remplacent la première S4R et sa mécanique de 117 chevaux empruntée à la sportive 996 par le V-Twin Testastretta de 999 cc de la Superbike 999. Annoncé à 130 chevaux, il fait des S4R les Monster les plus puissantes jamais produites. Afin de justifier le supplément de 4 000 $ qu'elle affiche par rapport à la S4R, la S4RS est couverte de pièces de fibre de carbone et de composantes de course.

Screamin'Eagle Ultra Classic Electra Glide

SÉRIE ELECTRA GLIDE

RÉVISION 2007

La route, un kilomètre à la fois...

On peut résoudre de manières bien différentes l'équation du tourisme à moto. Alors qu'on tente généralement, ailleurs, d'y arriver par une avalanche d'équipement et de technologie, chez Harley-Davidson, on fait évidemment tout le contraire. Bénéficiant enfin en 2007 d'une mécanique plus musclée, la famille de montures de tourisme de la firme de Milwaukee propose de vivre l'expérience du tourisme sur deux roues sous le thème du plaisir de la route et de l'émotion plutôt que sous celui de l'efficacité et de la rapidité. Constituée de 6 modèles allant de l'économique Electra Glide Standard à l'extravagante version Screamin'Eagle à 40 000 $, la famille offre littéralement de tout pour tous.

Personne ne propose une gamme de montures destinées au tourisme aussi large que celle offerte par Harley-Davidson. Par ailleurs, personne ne s'emploie à multiplier les modèles provenant d'une même plateforme avec la conviction du constructeur américain. Ainsi, que l'on envisage la Screamin'Eagle Electra Glide Ultra Classic, l'Ultra Classic Electra Glide, l'Electra Glide Classic, l'Electra Glide Standard, la Street Glide ou encore la Road Glide, la réalité est qu'on a affaire à une seule et même plateforme apprêtée à divers niveaux de finition, d'équipement et de confort, avec, évidemment, un prix correspondant. À ce sujet, on note encore une fois en 2007 une intéressante baisse de prix sur toutes les variantes, et ce, malgré l'adoption généralisée cette année de l'injection d'essence. Mais la plus grosse nouvelle est bien entendu l'arrivée fort appréciée d'une sérieuse évolution du Twin Cam 88 de 1 450 cc qui avait déjà 7 ans, le Twin Cam 96 de 1 584 cc. Le terme évolution n'est pas choisi au hasard puisqu'on a littéralement affaire à un TC88 non seulement plus raffiné, plus puissant et surtout plus coupleux, mais aussi plus communicatif grâce à un système d'échappement légèrement moins timide. Un travail d'ingénierie considérable a été effectué afin que le savoureux cocktail de sons et de vibrations offert par le TC88 ne soit aucunement altéré. Cette façon absolument unique qu'avaient dans le passé ces montures de tourisme de trembler à la fois doucement et franchement à très bas régime, puis de s'adoucir énormément à partir de 2 000 tr/min, demeure donc intacte. En prime, on a maintenant droit à une mélodie un peu plus audible des silencieux.

> **L'AUGMENTATION DES PERFORMANCES DU TC96 PAR RAPPORT À CELLES DU TC88 EST AUSSI NETTE QU'INTELLIGEMMENT CIBLÉE.**

L'augmentation des performances par rapport au TC88 est aussi nette qu'intelligemment ciblée puisqu'elle se manifeste surtout par un accroissement marqué du couple disponible entre le ralenti et les mi-régimes, ce qui facilite et surtout agrémente toutes les facettes de la conduite. Les hauts régimes, eux, n'amènent rien de beaucoup plus excitant que dans le cas du TC88, ce qui ne constitue nullement un désavantage. Le calibre de l'accélération est plus ou moins celui d'une custom japonaise d'environ 1 600 cc, ce qui revient à dire qu'il est plaisant et qu'il devrait satisfaire la plupart des acheteurs, pour autant qu'ils soient conscients de ce qu'une Electra Glide n'a jamais prétendu être: une bombe.

Le Guide de la Moto a souvent qualifié les modèles de la série Electra Glide de customs de tourisme parce que c'est exactement ce qu'elles sont. La position classique et décontractée d'une custom est intégralement retrouvée sur chaque variante, tout comme la minceur de la moto entre les jambes. Le comportement stable et sans surprise est caractérisé par une direction étonnamment légère une fois en mouvement et des manières très saines en virage, du moins tant qu'on n'exagère pas. Les selles sont toutes très confortables, les suspensions se débrouillent généralement fort bien et les vibrations de la mécanique ne deviennent jamais désagréables. En fait, la seule véritable ombre au tableau du confort est le niveau élevé et agaçant de turbulence généré par le pare-brise, qui arrive, en plus, juste à la hauteur des yeux.

street glide

À mi-chemin entre une Electra Glide Standard et une Electra Glide Classic, car mieux finie et mieux équipée que la première, mais moins cossue que la deuxième, la Street Glide se présente un peu comme une Electra Glide urbaine. Pare-brise court, suspension arrière légèrement plus basse, absence de « top case » et de garnitures sur les ailes, roues au design massif et système de son constituent les caractéristiques qui la distinguent d'une Electra Glide Classic.

ultra classic electra glide

Exception faite de la dispendieuse version Screamin'Eagle, l'Ultra Classic se veut l'expression suprême du tourisme à l'américaine, un statut d'ailleurs bien illustré par une finition impeccable et un niveau d'équipement très appréciable incluant, entre autres, de volumineuses valises, une protection aux éléments généreuse et un système de son complet. Il reste toutefois que par rapport aux luxueuses touristes provenant de chez BMW et Honda, on note l'absence de systèmes ABS, de poignées et de sièges chauffants, ou encore d'aérodynamisme ajustable. Il s'agit d'un genre de simplicité volontaire qui est généralement accepté avec beaucoup de facilité par les acheteurs.

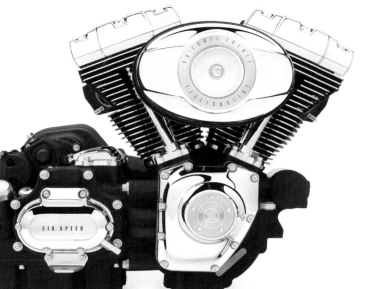

electra glide standard

Le nouveau Twin Cam 96 est là, le traditionnel carénage avant en forme « d'ailes de chauve-souris » aussi, tout comme les valises rigides. Même l'injection est désormais livrée de série. En fait, tout ce qu'il manque à la version Standard de la série Electra Glide, c'est une finition plus élaborée de la mécanique et un système de son. Il s'agit du seul modèle de la série vendu sous les 20 000 $.

métal précieux

Il n'existe probablement aucun constructeur qui voue autant d'importance à l'apparence de ses mécaniques que Harley-Davidson. Le nouveau Twin Cam 96 confirme cette réalité puisqu'en plus de ses nombreuses modifications internes, chacune de ses pièces externes a fait l'objet d'un travail esthétique poussé. Comme s'il s'agissait d'un bijou, des paramètres comme la forme de chaque couvercle, l'espacement et la forme de chaque ailette de refroidissement et l'emplacement de chaque boulon, entre autres, ont d'abord été approuvés par les stylistes, et ensuite transmis aux ingénieurs. La norme de l'industrie est un partage de pouvoir généralement plus équitable entre forme et fonction, mais chez Harley, le style est clairement roi.

road glide

On ne la trouve pas toujours très belle, mais la Road Glide a l'avantage d'être équipée du seul carénage fixe du catalogue américain, ce qui allège la direction et offre une meilleure protection des éléments. La finition se situe à mi-chemin entre celle des modèles haut de gamme et celle de la Standard. Un système de son et l'injection sont tous deux livrés de série.

electra glide classic

Tout est une question d'équipement, avec la série Electra Glide. Prenez l'Ultra Classic Electra Glide, soustrayez-lui ses protections pour les jambes, son régulateur de vitesse, son CB avec intercom et quelques watts de puissance à son système de son, bref réduisez son niveau de luxe – et sa facture, d'environ 2 500 $ –, et vous obtenez l'Electra Glide Classic. La mécanique et la partie cycle, elles, restent absolument intactes et la qualité de la finition demeure très élevée.

VITESSE DE POINTE
169 km/h
ACCÉLÉRATION SUR 1/4 MILLE
14,0...148 km/h
indice d'expertise ▶
◀ rapport valeur/prix

Voir légende page 7

EXPERT	E
INTERMÉDIAIRE	I
NOVICE	N

partie cycle

Type de cadre	double berceau, en acier
suspension avant	fourche conventionnelle de 41,3 mm ajustable pour la pression d'air
suspension arrière	2 amortisseurs ajustables pour la pression d'air
Freinage avant	2 disques de 292 mm de Ø avec étriers à 4 pistons
Freinage arrière	1 disque de 292 mm de Ø avec étrier à 4 pistons
Pneus avant/arrière	MT90 B16 & MU85 B16
empattement	1 613 mm
Hauteur de selle	780 mm
Poids à vide	367 kg (Ultra Classic), 356 kg (Classic), 335 kg (Standard) 333 kg (Street Glide), 345 kg (Road Glide), 390 kg (SE)
Réservoir de carburant	18,9 litres

Général

catégorie	Tourisme de luxe/léger
Prix	19 769 $ - 24 659 $ (SE : 40 899 $)
Garantie	2 ans/kilométrage illimité
couleur(s)	Classic et Ultra : noir, noir perle, violet, argent, perle, bleu, bleu pâle, bleu et noir, olive et noir, bleu et argent, bourgogne et noir, bleu et perle, violet et argent Standard : noir, rouge, bleu Road Glide : noir, noir perle, violet, argent, rouge, bleu, bleu pâle, jaune, orange Street Glide : noir, noir perle, violet, argent, bleu
concurrence	BMW K1200LT, Honda Gold Wing, Victory Kingpin Tour, Yamaha Royal Star Venture

moteur

Type	bicylindre 4-temps en V à 45 degrés (Twin Cam 96), culbuté, 2 soupapes par cylindre, refroidissement par air
Alimentation	injection séquentielle
Rapport volumétrique	9,2:1
cylindrée	1 584 cc
Alésage et course	95,25 mm x 111,25 mm
Puissance estimée	70 ch @ 5 000 tr/min
couple	92,6 lb-pi @ 3 500 tr/min
Boîte de vitesses	6 rapports
Transmission finale	par courroie
Révolution à 100 km/h	environ 2 400 tr/min
consommation moyenne	6,1 l/100 km
Autonomie moyenne	309 km

conclusion

Même s'ils n'ont finalement rien à voir avec de « vraies » montures de tourisme comme la BMW K1200LT ou la Honda Gold Wing, les modèles de la série Electra Glide demeurent tous parfaitement capables d'avaler de sérieuses quantités de kilomètres dans un confort appréciable. Ils s'adressent toutefois à des amateurs de tourisme bien particuliers pour lesquels le rythme profond et réconfortant d'un gros V-Twin doit absolument faire partie de l'expérience de la route. En raison des importantes améliorations apportées à la charmante mécanique qui anime chacun de ces modèles et en raison des prix encore à la baisse pour une quatrième année consécutive, plus que jamais en 2007 ces motocyclistes sont ici à la bonne adresse.

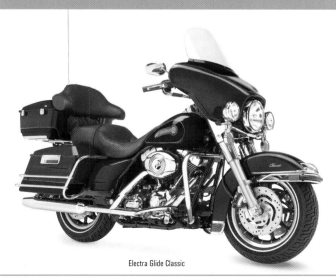

Electra Glide Classic

 QUOI DE NEUF EN 2007 ?

TC88 de 1 450 cc/5 vitesses remplacé par le TC96 de 1 584 cc/6 vitesses

Effort au levier d'embrayage réduit de 7 pour cent; instrumentation revue

Alimentation par injection sur tous les modèles, carburateurs discontinués

Élimination des durites d'huile externes

Screamin'Eagle Electra Glide Ultra Classic propulsée par un TC110 de 1 800 cc

SEEGUC coûte 1 200 $, EGUC 1 340 $, EGC 1 290 $, EGS 855 $, SG 1 325 $ et RG 1 380 $ de moins que les modèles injectés 2006

 PAS MAL

Un V-Twin enfin revigoré dont les performances et le charisme sont tous deux à la hausse, le tout pour moins cher!

Un comportement relativement facile d'accès, du moins une fois en route, un fait qui est surtout dû à la minceur des modèles

Un niveau de confort très appréciable sur toutes les variantes, mais l'équipement supplémentaire des versions haut de gamme fait de celles-ci les modèles les plus désirables sur un long trajet

BOF

Une mécanique qui aurait facilement pu, de série, être gonflée à 1 700 cc (103 pouces cubes) plutôt qu'à 1 600 cc (96 pouces cubes), mais il s'agit plutôt d'une option. Selon Harley-Davidson, la raison est « qu'il fallait bien laisser aux nouveaux propriétaires quelque chose à acheter en option... »

Une protection au vent correcte de la part du carénage avant et du pare-brise, mais une efficacité aérodynamique pitoyable à la hauteur du casque dont la conséquence est un écoulement de l'air bruyant et turbulent autour de la tête; de plus, le pare-brise arrive juste à la hauteur des yeux pour un pilote de taille moyenne

Un poids élevé pour toutes les versions qui demande une attention particulière lors des manœuvres très lentes ou pour les déplacements dans le garage

Road King

ROAD KING

RÉVISION 2007

intemporel classique...

Ses lignes sont si naturelles que la Road King semblait toujours avoir existé lorsqu'elle fut présentée en 1994. Plus d'une douzaine d'années plus tard, si le modèle original partage la scène avec une paire de variantes stylistiques, la Road King Custom et la Road King Classic, l'essentiel du coup de crayon original demeure intact. Tout ce conservatisme n'empêche cependant pas le plus épuré des modèles de la famille de tourisme Harley-Davidson de subir une très sérieuse évolution mécanique. En effet, après 7 ans de bons et loyaux services, le vénérable Twin Cam 88 est remplacé par un V-Twin d'architecture similaire, mais plus gros. L'ère du Twin Cam 96 est arrivée.

L'escalade de cylindrée dont a été témoin le genre custom au cours des dernières années a semblé, par moment, totalement ignorée de la part de celui qui, ironiquement, occupe le plus haut rang des constructeurs de motos de ce type au monde. Or, s'il est une démonstration faite par cette escalade, c'est que plus un V-Twin est gros, plus les sensations qu'il fait vivre à son pilote sont plaisantes et plus ses performances sont grisantes. Bref, tôt ou tard, que ce soit en réaction aux produits concurrents ou simplement par évolution naturelle, Harley-Davidson se devait de remplacer son excellent Twin Cam 88 de 1 450 cc par une mécanique plus grosse. Voilà qui est enfin chose faite en 2007 avec l'apparition du Twin Cam 96 de 1 584 cc, que le constructeur de Milwaukee a par ailleurs désormais jugé bon de marier à une boîte à 6 plutôt que 5 rapports. On note aussi cette année que les carburateurs deviennent chose du passé en raison de normes antipollution toujours plus sévères. L'injection est ainsi livrée de série sur toutes les Harley 2007.

Sur les vénérables Road King, qui sont pour le reste inchangées cette année, l'arrivée du TC96 est une véritable bouffée d'air frais. Le TC88 avait ses qualités, mais après avoir goûté aux plaisirs de cylindrées beaucoup plus importantes que ses 1 450 cc, notamment sur des produits japonnais, on n'en pouvait plus d'attendre la génération suivante. Certains se diront déçus de ne pas voir le V-Twin américain passer à une cylindrée encore plus importante, mais le constructeur demeure persuadé que la vaste majorité de ses clients

sera comblée par le nouveau moteur. Quant aux plus gourmands, la possibilité de faire passer la cylindrée à 103 pouces cubes, ou environ 1 700 cc, est une option que leur détaillant Harley-Davidson se fera un plaisir de rajouter à leur facture...

Sur la route, les Road King 2007 sont nettement plus plaisantes que leur équivalent 2006. D'abord, évidemment, en raison de leur niveau de performances nettement supérieur, et ce, surtout en ce qui a trait à la livrée de couple aux régimes bas et moyen, donc là où ça compte. Il ne s'agit absolument pas de customs brutales à la façon d'une Suzuki M109R ou d'une Kawasaki Vulcan 2000, mais plutôt de montures maintenant beaucoup plus libres, beaucoup moins paresseuses. Et ensuite, grâce à quelques trucs ayant rendu la transmission moins bruyante, le niveau sonore des silencieux a pu être monté d'un cran, ce qui, lorsqu'on connaît la douce mélodie dont est capable un V-Twin de

> **GRÂCE À QUELQUES TRUCS AYANT RENDU LA TRANSMISSION MOINS BRUYANTE, LE NIVEAU SONORE DES SILENCIEUX A PU ÊTRE RELEVÉ.**

Milwaukee lorsqu'il est un tant soit peu « débouché », n'est certes pas désagréable.

La nouvelle transmission à 6 rapports, quant à elle, pourrait ne pas avoir que des fans, puisque si, d'un côté, il est vrai qu'elle abaisse de manière très notable les régimes sur l'autoroute et qu'elle favorise les accélérations, il est aussi vrai qu'elle augmente le nombre de changements de vitesse qu'on doit effectuer par rapport à une transmission à 5 vitesses. On s'habitue toutefois rapidement à ce léger supplément de travail, surtout que le fonctionnement de la nouvelle boîte est sans faille et que l'effort au levier d'embrayage est étonnamment faible.

slience, on roule

Parmi les objectifs de la toute nouvelle transmission Cruise Drive à 6 rapports, on note celui de la réduction des bruits mécaniques. L'utilisation de nouveaux engrenages hélicoïdaux est, entre autres, ce qui a permis d'atteindre ce but. La limite de bruit autorisée par les autorités a ensuite été atteinte, mais par un bruit beaucoup plus plaisant que le sifflement d'une transmission, celui d'un système d'échappement légèrement moins restrictif laissant au caractériel V-Twin de Milwaukee une meilleure chance de s'exprimer que dans le passé.

v comme dans vert

Les normes antipollution ne cesseront probablement jamais d'être resserrées. La norme Euro III, qui entre en vigueur cette année, est la plus sévère à ce jour pour les motos. Afin de la satisfaire, Harley-Davidson n'a eu d'autre choix que de dire adieu aux carburateurs, qui n'existent tout simplement plus dans la gamme américaine 2007. Une évolution du système d'injection utilisé jusqu'à maintenant alimente le modèle. Grâce à ce nouveau système, le traditionnel refroidissement par air a pu être épargné.

vibrer juste

Une véritable armée d'ingénieurs travaille à temps plein dans le département acoustique de Harley-Davidson. Les propriétés harmoniques d'une mécanique ont la plus haute importance pour le constructeur. Le passage de 1 450 cc à 1 584 cc ne s'est donc pas simplement fait en augmentant la course et l'alésage du piston, mais aussi en ajustant la masse de chacune des pièces en mouvement afin que le niveau de vibrations final soit, comme sur l'ancien TC88, parfaitement contrôlé et uniquement plaisant. C'est réussi.

une vraie évolution

Il y a beaucoup plus au passage du TC88 au TC96 qu'une simple augmentation de la cylindrée. Il s'agissait pour le constructeur, de l'occasion parfaite pour revoir son vénérable V-Twin là où se sont manifestées toutes les défaillances ou les faiblesses notées depuis sa mise en service en 1999. Selon Harley-Davidson, cette révision a nécessité pas moins de 700 nouvelles pièces et a permis de simplifier plusieurs parties du moteur. Des exemples du travail réalisé sont : une réduction de l'entretien grâce à l'élimination de l'ajustement manuel pour la chaîne primaire et l'instauration d'un ajustement automatique; l'utilisation d'un nouveau matériau plastique sur le sabot du tensionneur de la chaîne d'entraînement des arbres à cames permettrait d'augmenter la fiabilité du système qui a été victime de certains cas d'usure prématurée sur le TC88; des modifications aux divers joints des carters permettraient à ceux-ci de demeurer plus étanches, plus longtemps; et la liste continue longuement.

une de plus

Plusieurs raisons expliquent le choix d'un passage à une boîte à 6 rapports pour 2007. L'attrait d'une mécanique qui tourne plus bas à vitesse d'autoroute et la possibilité qu'offrent des rapports plus courts d'améliorer les accélérations n'en sont que deux. Les ingénieurs du constructeur ont par ailleurs profité de l'occasion pour revoir complètement le fonctionnement de la boîte. Précision des changements de rapports, facilité à trouver le neutre et capacité à soutenir la puissance supplémentaire d'une mécanique modifiée sont quelques exemples des buts visés.

Road King Custom

Dépourvue d'un pare-brise et soulagée de tout artifice visuel à saveur rétro, la Road King Custom se veut une variante épurée au possible de la populaire Road King originale. La plus grande différence en termes de pilotage par rapport à cette dernière découle de la largeur extrême du guidon qui l'équipe, et surtout de l'angle prononcé des poignées qui complique quelque peu les manœuvres serrées demandant un braquage complet.

Screamin'Eagle Road King

Le choix d'une version Screamin'Eagle ajoute plus de 13 000 $ à la facture d'une Road King de base, ce qui est bien entendu substantiel. Mais la liste d'équipements ajoutés est littéralement interminable et comprend des éléments extrêmement désirables, dont une version de 110 pouces cubes du nouveau TC96 est certainement en tête de liste. Il ne fait aucun doute que la Screamin'Eagle Road King représente une option très dispendieuse pour le commun des mortels, mais il faut savoir à quel point 13 000 $ peuvent rapidement s'envoler lorsqu'on entre dans le monde de la personnalisation pour apprécier la véritable valeur du modèle.

Road King Classic

Nostalgiques pneus à flancs blanc, traditionnelles roues à rayons, sacoches latérales en cuir et emblème rétro ne sont que quelques-uns des éléments qui confèrent à la Road King Classic son légitime air d'antan. À peine plus chère que la version de base, elle est, comme cette dernière, livrée de série avec le nouveau Twin Cam 96 alimenté par injection et marié à une nouvelle boîte à 6 vitesses. Les phares auxiliaires et le pare-brise à détache rapide font eux aussi partie de l'équipement d'origine.

VITESSE DE POINTE

169 km/h

ACCÉLÉRATION SUR 1/4 MILLE

14,0 s,148 km/h

indice d'expertise ▸

◂ rapport valeur/prix

Voir légende page 7

EXPERT	E
INTERMÉDIAIRE	I
NOVICE	N

Général

catégorie	Tourisme léger
prix	RK : 21 259 $; RKCm : 21 459 $; RKC : 21 599 $
garantie	2 ans/kilométrage illimité
couleur(s)	Road King : noir, rouge, violet, noir perlé, blanc, bleu et noir, olive et noir, argent et violet, rouge et noir; Custom : noir, violet, noir perlé, bleu, bleu pâle, jaune, blanc; Classic : noir, violet, bleu, argent, blanc et bleu, bleu et noir, olive et noir, argent et violet, rouge et noir, bleu et argent
concurrence	Kawasaki Vulcan 1600 Nomad, Yamaha Royal Star Tour Deluxe et Yamaha Stratoliner 1900

partie cycle

type de cadre	double berceau, en acier
suspension avant	fourche conventionnelle de 41,3 mm ajustable pour la pression d'air
suspension arrière	2 amortisseurs ajustables pour la pression d'air
freinage avant	2 disques de 292 mm de Ø avec étriers à 4 pistons
freinage arrière	1 disque de 292 mm de Ø avec étrier à 4 pistons
pneus avant/arrière	MT90 B16 & MU85 B16
empattement	1 613 mm
hauteur de selle	780 mm (Road King), 718 mm (Road King Custom), 749 mm (Road King Classic)
poids à vide	335 kg (Road King), 330 kg (Road King Custom), 332 kg (Road King Classic)
réservoir de carburant	18,9 litres

moteur

type	bicylindre 4-temps en V à 45 degrés (Twin Cam 96), culbuté, 2 soupapes par cylindre, refroidissement par air
alimentation	injection séquentielle
rapport volumétrique	9,2:1
cylindrée	1 584 cc
alésage et course	95,25 mm x 111,25 mm
puissance estimée	70 ch @ 5 000 tr/min
couple	92,6 lb-pi @ 3 500 tr/min
boîte de vitesses	6 rapports
transmission finale	par courroie
révolution à 100 km/h	environ 2 400 tr/min
consommation moyenne	6,1 l/100 km
autonomie moyenne	309 km

conclusion

Même si le comportement routier des Road King est en tout point identique à celui des modèles de l'an dernier, l'arrivée de la nouvelle mécanique les transforme. Des charismatiques mais timides versions en tenue légère des Electra Glide qu'elles étaient, elles deviennent des customs enfin plus vivantes, enfin plus éveillées, enfin plus plaisantes. Les amateurs de grosses performances n'y trouveront toujours pas leur compte, mais ceux qui attendaient simplement quelque chose de moins paresseux qu'un Twin Cam 88 devraient s'avérer tout à fait heureux de l'amélioration. Le fait qu'elles soient élaborées autour d'une plateforme de tourisme en dit par ailleurs long sur leur niveau de confort général tandis que la magie d'un centre de gravité bas semble couper de moitié le poids de ces mastodontes. Comme si ce n'était pas assez, les prix baissent encore...

Road King Classic

QUOI DE NEUF EN 2007 ?

TC88 de 1 450 cc/5 vitesses remplacé par le TC96 de 1 584 cc/6 vitesses

Effort au levier d'embrayage réduit de 7 pour cent; instrumentation revue

Alimentation par injection sur tous les modèles, carburateurs discontinués

Élimination des durites d'huile externes

Screamin'Eagle Road King propulsée par un TC110 de 1 800 cc

Road King coûte 1 450 $, Road King Custom 1 500 $ et Road King Classic 1 400 $ de moins que les modèles injectés 2006

PAS MAL

Une ligne superbe et une finition sans bavure pour chacune des versions, avec le nouveau TC96 qui brille comme un bijou au milieu du tableau

Une nouvelle mécanique qui améliore de façon très nette les accélérations, et qui le fait de manière intelligente en ciblant les régimes bas et moyens

Un comportement étonnamment facile d'accès pour des motos aussi lourdes, qualité due à un centre de gravité bas, mais aussi à des selles exceptionnellement basses et à une direction très légère

⌄ BOF

Un guidon qui figure assurément parmi les plus larges du marché sur la version Custom et dont la courbure extrême au niveau des poignées complique les manœuvres lentes et serrées demandant un braquage complet

Un pare-brise qui offre une très bonne protection, mais dont la pauvre efficacité aérodynamique provoque d'agaçantes turbulences au niveau du casque à des vitesses d'autoroute

Un poids élevé pour toutes les versions qui demande une attention particulière lors de la sortie du garage ou de toute autre manœuvre exigeant un déplacement manuel

Fat Boy

Big bang...

Il est une théorie cosmologique généralement admise, le big bang, selon laquelle une gigantesque explosion serait à l'origine de notre univers. Dans l'univers customs, cette étincelle originelle pourrait bien être la Harley-Davidson Fat Boy, puisqu'il semble que ce soit sa présentation en 1990 qui déclencha l'explosion du genre custom. Pour 2007, si les proches cousines que sont les Softail Deluxe et Heritage Softail Classic profitent comme la Fat Boy d'une toute nouvelle mécanique de 1 584 cc, cette dernière, elle, reçoit en plus de nombreuses modifications d'ordre stylistique et quelques-unes d'ordre technique. L'œil averti devrait repérer ces changements assez facilement, mais les autres...

Les Harley-Davidson et leurs amateurs ont cela de particulier qu'ils semblent non seulement figés dans le temps, mais aussi que leur fascination de La Belle Époque en est une qu'ils protègent avec ferveur et passion. Ce qui, d'une manière contradictoire, ne signifie absolument pas que l'univers Harley n'évolue pas. La révision que subit la Fat Boy en 2007 constitue d'ailleurs une éloquente démonstration de ce phénomène, car si dans les faits le modèle reçoit, en plus d'un tout nouveau V-Twin marié à une toute nouvelle transmission, une liste quand même assez exhaustive de composantes revues ou modifiées, il reste qu'à première vue, elle semble identique. Même sur la route, malgré le passage des roues de 16 pouces à des roues de 17 pouces – considérablement plus large à l'arrière, avec pneu de 200 mm plutôt que 150 mm en 2006 – on ne note presque aucun changement relatif au comportement, ce qui n'a rien d'une mauvaise nouvelle. À très peu de choses près, le freinage décent, la direction étonnamment légère, la rassurante stabilité et les belles manières en courbe du modèle 2006 sont retrouvées non seulement sur la Fat Boy, mais aussi sur les Softail Deluxe et Heritage Softail Classic qui utilisent pratiquement la même partie cycle.

L'histoire est néanmoins bien différente en ce qui concerne le V-Twin qui anime ces modèles à ce sujet, on est clairement passé à autre chose. *Le Guide de la Moto* reproche depuis plusieurs années aux Harley en général d'être trop paresseuses en ligne droite, et aux Softail d'être trop timides

> **L'OUVERTURE DES GAZ CORRESPOND MAINTENANT À UN DEGRÉ DE COMMUNICATION BIEN PLUS CLAIR ENTRE PILOTE ET MOTEUR.**

dans leurs conversations avec le pilote. Voilà qui, nous sommes heureux de le constater, change considérablement en 2007 grâce à l'adoption de la version B du tout nouveau Twin Cam 96 (pour 96 pouces cubes) de 1 584 cc. Si le nombre de chevaux ne fait pas un bond important, le couple à bas et moyen régimes, lui, est clairement supérieur. Il s'agit d'une amélioration intelligente des performances puisqu'on note le progrès dès le premier tour d'accélérateur. D'une façon générale, la Fat Boy et ses cousines tirent nettement plus fort du relâchement de l'embrayage jusqu'aux mi-régimes, où l'on est de toute façon instinctivement poussé à changer de rapport. À titre de comparaison, le calibre de l'accélération reste loin de celui d'une custom japonaise de performance comme une Suzuki Boulevard M109R et approche celui d'une Yamaha Road Star 1700, sans toutefois l'égaler. La vérité, c'est qu'aux commandes de l'une ou l'autre de ces Softail, on se fiche un peu de ces comparaisons et tout ce qui importe, c'est qu'un tour d'accélérateur corresponde non seulement à une poussée plus que satisfaisante, mais aussi à un degré de communication bien plus clair entre pilote et moteur. Si le nouveau V-Twin reste toujours doux grâce à ses contre-balanciers, il tremble quand même juste assez en pleine accélération pour qu'on le sente bien là. On découvre aussi avec plaisir une sonorité profonde grave et veloutée provenant des silencieux, ce qui constitue une nette amélioration par rapport aux versions 2006 de toutes ces motos, qui sont par ailleurs exclusivement alimentées par injection en 2007.

Après des années à reprocher aux Softail leur timidité mécanique et leur paralysie sonore, voilà enfin que Harley-Davidson leur injecte une dose délicieusement calibrée de caractère. Sans du tout qu'elles soient moins douces, on arrive désormais à les sentir, et à les écouter.

Amen.

Par une quarantaine de brûlants degrés Celsius, au beau milieu d'une vague de chaleur sans pitié dans le sud des États-Unis, l'auteur enfile un virage quelque part dans la région de San Diego. Comme par hasard, Tom Riles de Riles & Nelson, était là pour immortaliser le moment.

Heritage softail classic

Au même titre que la Fat Boy, l'Heritage Softail Classic incarne un peu l'origine de l'espèce des customs accessoirisées en motos de tourisme léger. Sur une base qui est essentiellement celle de la Fat Boy, on a installé un gros pare-brise, des phares auxiliaires, une paire de sacoches en cuir souple et un dossier de passager. Avec l'exception de l'agaçante turbulence créée par le pare-brise à la hauteur du casque sur l'autoroute, il s'agit d'une recette d'accessoires simple, mais particulièrement intelligente puisqu'elle améliore non seulement de façon très notable le confort du pilote et de son passager, mais aussi le côté pratique de la moto. Notons que le supplément demandé pour cet ensemble d'équipement, par rapport au prix d'une Fat Boy, est de moins de 1 000 $, soit sensiblement moins que le standard de l'industrie.

softail deluxe

L'ergonomie et les proportions générales de la Fat Boy, mais dans un emballage à saveur beaucoup plus classique, voilà qui décrit la nature de la Softail Deluxe, présente dans la gamme depuis 2005. Selon le chef du département de stylisme chez Harley-Davidson, Willie G. Davidson, le modèle se veut un genre d'amalgame des touches esthétiques les plus réussies et les plus désirables des dernières décennies. Une telle idée aurait facilement pu donner naissance à un thème sans queue ni tête, mais le styliste américain s'est plutôt appliqué à faire, une fois de plus, l'éloquente démonstration de son bon goût. À notre humble avis, la Softail Deluxe est simplement l'une des plus belles Harley jamais produites.

VITESSE DE POINTE
178 km/h
ACCÉLÉRATION SUR 1/4 MILLE
13,9 s à **155** km/h
indice d'expertise ▶
◀ rapport valeur/prix

Voir légende page 7

EXPERT **E**
INTERMÉDIAIRE **I**
NOVICE **N**

Général

catégorie	Custom / Tourisme léger
prix	FB : 20 979 $; HSC : 21 839 $; SD : 21 259 $
Garantie	2 ans/kilométrage illimité
couleur(s)	Fat Boy : noir, noir perle, argent, violet, rouge, blanc, bleu, bleu pâle, jaune, olive, bleu et bleu, noir et violet, vert et vert, crème et bourgogne
concurrence	Fat Boy et Softail Deluxe : Kawasaki Vulcan 1600 Classic, Suzuki C90, Victory Kingpin, Yamaha Road Star 1700 Heritage Softail Classic : Kawasaki Vulcan 1600 Nomad, Suzuki C90 SE, Yamaha Road Star 1700 Silverado

partie cycle

TYPe de cadre	double berceau, en acier
suspension avant	fourche conventionnelle de 41,3 mm non ajustable
suspension arrière	2 amortisseurs ajustables en précharge
freinage avant	1 disque de 292 mm de Ø avec étrier à 4 pistons
freinage arrière	1 disque de 292 mm de Ø avec étrier à 4 pistons
pneus avant/arrière	MT90 B16 & 150/80 B16 (FB : 140/75-17 & 200/55-17)
empattement	1 638 mm
hauteur de selle	FB : 699 mm; HSC : 697 mm; SD : 660 mm
poids à vide	FB : 315 kg; HSC : 329 kg; SD : 315 kg
réservoir de carburant	18,9 litres

moteur

TYPe	bicylindre 4-temps en V à 45 degrés (Twin Cam 96B), culbuté, 2 soupapes par cylindre, refroidissement par air
Alimentation	injection séquentielle
Rapport volumétrique	9,2:1
cylindrée	1 584 cc
Alésage et course	95,25 mm x 111,25 mm
puissance estimée	70 ch @ 5 000 tr/min
couple	89,8 lb-pi @ 2 750 tr/min
boîte de vitesses	6 rapports
transmission finale	par courroie
révolution à 100 km/h	environ 2 400 tr/min
consommation moyenne	5,7 l/100 km
Autonomie moyenne	331 km

conclusion

Plus que tout autre modèle du catalogue américain, ce trio définit la custom traditionnelle au style et aux proportions classiques. Si l'interprétation de ce thème diffère sensiblement d'un modèle à l'autre, le comportement général, lui, se ressemble énormément. Ce qui n'a rien d'un défaut puisqu'aussi bien pour la célèbre Fat Boy que pour la chic Softail Deluxe ou pour la très imitée Heritage Softail Classic, les intéressés peuvent s'attendre à des manières saines dans pratiquement toutes les circonstances, ainsi qu'à une grande accessibilité de pilotage. Par ailleurs, l'introduction du Twin Cam 96B en 2007, parallèlement au « débouchage » du système d'échappement, change complètement l'attitude des modèles par rapport aux versions de l'an dernier en leur conférant un agrément d'utilisation en clair et net progrès. Enfin, on ne peut passer sous silence le fait que, comme pour le reste des prix de la gamme, ceux des modèles présentés sur ces pages continuent de baisser cette année. Ce qui, au bout du compte, fait tout simplement de 2007 une saprée bonne année pour devenir proprio d'une Harley.

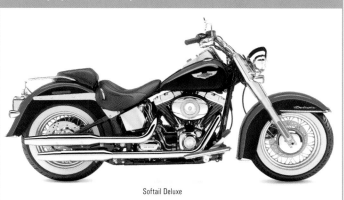

Softail Deluxe

 **QUOI DE NEUF EN 2007 ?**

TC88B de 1 450 cc/5 vitesses remplacé par le TC96B de 1 584 cc/6 vitesses

Effort au levier d'embrayage réduit de 10 pour cent; instrumentation revue

Alimentation par injection sur tous les modèles, carburateurs discontinués

Screamin'Eagle Fat Boy et Heritage Softail ne figurent plus au catalogue

Fat Boy : roues plus grandes de 17 pouces et pneus plus larges; garde-boue arrière redessiné; roues « disque troué »; selle modifiée; guidon plus gros 1 1/4 pouce avec filage interne

FB coûte 1 290 $, SD 1 450 $ et HSC 1 390 $ de moins qu'en 2006

PAS MAL

Un V-Twin dont on a enfin débouché le système d'échappement, du moins juste assez pour laisser au pilote le plaisir d'arriver à entendre cette fameuse musique de Milwaukee qui n'était jusque-là véritablement accessible que par l'installation de silencieux plus bruyants et généralement illégaux

Des performances en net progrès qui, bien qu'elles ne soient pas du tout du niveau de celles des rapides customs japonaises de gros calibre, augmentent considérablement l'agrément de conduite

Des lignes, une finition et un soin du détail qui font que chacune de ces montures figure parmi les customs les plus désirables du marché

 BOF

Une suspension arrière dont le comportement sur des routes pas trop abîmées peut être qualifié de correct, mais qui devient sèche dès que l'état de la chaussée se détériore au-delà de ce point

Une nouvelle transmission à 6 rapports qui atteint très bien son but de réduire les révolutions moteur à des vitesses d'autoroute, mais dont le rapport supplémentaire implique une quantité de changements de vitesses plus grande dans l'environnement de la ville

Une mécanique nettement plus vivante que dans le passé, mais qui, en ligne droite, n'est pas à la hauteur de plusieurs gros V-Twin japonais; on peut s'approcher de ce niveau de performances avec l'option du Twin Cam 103 qui pousse la cylindrée à environ 1 700 cc, mais c'est une option

Springer Classic

SPRINGER CLASSIC, DEUCE

RÉVISION 2007

Les extravagantes...

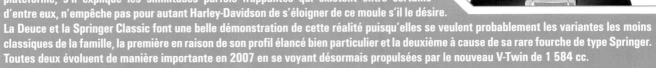

Le fait que les modèles de la famille Softail soient tous construits autour d'une même plateforme, s'il explique les similitudes parfois frappantes qui existent entre certains d'entre eux, n'empêche pas pour autant Harley-Davidson de s'éloigner de ce moule s'il le désire. La Deuce et la Springer Classic font une belle démonstration de cette réalité puisqu'elles se veulent probablement les variantes les moins classiques de la famille, la première en raison de son profil élancé bien particulier et la deuxième à cause de sa rare fourche de type Springer. Toutes deux évoluent de manière importante en 2007 en se voyant désormais propulsées par le nouveau V-Twin de 1 584 cc.

La famille Softail ne compte aucun modèle qui semble davantage vouloir s'éloigner du moule original que la Deuce et la Springer Classic. La première doit sa personnalité bien distincte à la volonté de Willie G. Davidson d'en faire un exemple en matière de personnalisation. Non pas en lui lançant le catalogue Screamin'Eagle en entier comme cela semble être le cas avec les modèles de la division CVO, mais de façon plus subtile et retenue. Les éléments clés de la Deuce sont une longue fourche chromée étreignant une mince et grande roue à rayon de 21 pouces, une roue arrière pleine de 17 pouces contrastant avec cette dernière, le seul réservoir allongé de la gamme Harley-Davidson et une partie arrière fuyante. Quant à la Springer Classic, bien qu'elle affiche des proportions très semblables à celles de la Fat Boy, elle se distingue en proposant un type de fourche absolument exclusif au constructeur de Milwaukee. D'ailleurs, avec la disparition de la Springer Softail en 2007, il s'agit désormais du seul modèle équipé de cette fameuse fourche. Malgré l'âge de son design, cette dernière fonctionne de manière très convenable dans toutes les situations sauf une; au freinage. Si les ralentissements modérés n'amènent aucune observation particulière, un freinage intense aura par contre l'effet de faire plonger l'avant jusqu'à ce que l'ensemble amortisseur/ressort talonne. Ce problème est d'ailleurs l'une des raisons principales pour lesquelles le frein avant utilise encore un archaïque étrier monopiston, puisqu'installer un système plus puissant ne ferait

> WILLIE G. DAVIDSON A VOULU FAIRE DE LA DEUCE UN EXEMPLE EN MATIÈRE DE PERSONNALISATION, MAIS DE FAÇON SUBTILE ET RETENUE.

qu'empirer le cas. À cette exception près, la Springer Classic est un charme à piloter. Son comportement rappelle beaucoup celui de la Fat Boy, surtout en raison de la légèreté de la direction et de la position de conduite classique, décontractée et dégagée. D'une façon générale, tout se passe bien en courbe tant que l'esprit reste à la promenade et qu'on ne bouscule pas les choses.

Une observation très similaire pourrait être formulée à l'égard de la Deuce, même si l'expérience de pilotage est dans ce cas passablement différente, notamment en raison de la position en C beaucoup plus typée. Pieds et mains devant, bien qu'on ne se retrouve pas installé inconfortablement, il est clair qu'on ne doit pas s'attendre à pouvoir traverser le continent sans quelques courbatures. Comme c'est souvent le cas avec les grandes roues avant, la direction de la Deuce semble vouloir « tomber » vers l'intérieur des virages très lents, un comportement qui ne dérange pas vraiment, mais qui demande plutôt un minimum d'adaptation. La suspension arrière se montre par ailleurs occasionnellement rude sur les deux modèles.

Si le comportement de la partie cycle ne change aucunement en 2007, il en est tout autrement dans le cas des performances qui sont en très net progrès. Sans que le nouveau V-Twin transforme la Deuce ou la Springer Classic en fusée, il reste responsable d'une claire amélioration du couple à bas et moyen régimes, donc là où ça compte. En plus, on l'entend et on le sent beaucoup mieux que sur les timides versions 2006, ce qui ne fait qu'ajouter à l'agrément de pilotage.

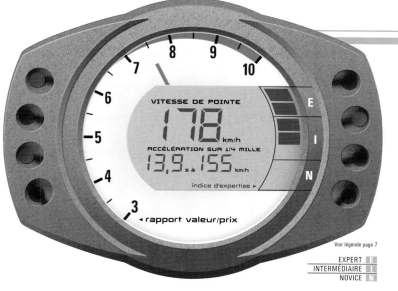

VITESSE DE POINTE
178 km/h

ACCÉLÉRATION SUR 1/4 MILLE
13,9 s à **155** km/h

indice d'expertise ▸

◂ rapport valeur/prix

Voir légende page 7

EXPERT	E
INTERMÉDIAIRE	I
NOVICE	N

général

catégorie	Custom
prix	Deuce : 21 259 $; Springer Classic : 21 429 $
garantie	2 ans/kilométrage illimité
couleur(s)	Deuce : noir, noir perle, argent, violet, bleu, blanc, bleu et bleu, argent et violet, noir et rouge, bleu et argent Springer Classic : noir, noir perle, olive, violet, olive et noir, rouge et noir
concurrence	Harley-Davidson Dyna Wide Glide et Softail Deluxe; Victory Vegas et Kingpin

partie cycle

type de cadre	double berceau, en acier
suspension avant	fourche conv. de 41,3 mm non ajustable (fourche Springer)
suspension arrière	2 amortisseurs ajustables en précharge
freinage avant	1 disque de 292 mm de Ø avec étrier à 4 pistons (1 piston)
freinage arrière	1 disque de 292 mm de Ø avec étrier à 4 pistons
pneus avant/arrière	MH90-21 & 160/70 B17 (MT90 B16 & 150/80 B16)
empattement	1 691 mm (1 639 mm)
hauteur de selle	681 mm (700 mm)
poids à vide	301 kg (321 kg)
réservoir de carburant	18,5 litres (Springer Classic : 18,9 litres)

moteur

type	bicylindre 4-temps en V à 45 degrés (Twin Cam 96B), culbuté, 2 soupapes par cylindre, refroidissement par air
alimentation	injection séquentielle
rapport volumétrique	9,2:1
cylindrée	1 584 cc
alésage et course	95,25 mm x 111,25 mm
puissance estimée	70 ch @ 5 000 tr/min
couple	89,8 lb-pi (88,2 lb-pi) @ 2 750 tr/min
boîte de vitesses	6 rapports
transmission finale	par courroie
révolution à 100 km/h	environ 2 400 tr/min
consommation moyenne	5,7 l/100 km
autonomie moyenne	324 km (Springer Classic : 331 km)

conclusion

Les motifs pour lesquels la Harley qu'on choisit est une Deuce ou une Springer Classic sont hautement personnels. Il ne s'agit pas de choix dictés par la logique, mais bien par le subconscient, parce que pour une raison ou pour une autre, l'une d'elle a poussé les bons boutons de votre système émotionnel. Les propriétaires n'ont ainsi généralement aucun problème à pardonner les caprices des modèles, que ceux-ci soient plus ou moins sérieux. Comme ni l'une ni l'autre n'affiche de vices majeurs et comme toutes deux sont désormais propulsées par un V-Twin beaucoup moins paresseux en ligne droite et bien moins timide d'un point de vue auditif que par le passé, tout ce que nous avons à ajouter est qu'il s'agit d'une des rares décisions émotionnelles de la vie auxquelles aucune conséquence potentiellement regrettable n'est liée.

⊙ QUOI DE NEUF EN 2007 ?

TC88B de 1 450 cc/5 vitesses remplacé par le TC96B de 1 584 cc/6 vitesses

Effort au levier d'embrayage réduit de 10 pour cent; instrumentation revue

Alimentation par injection sur les deux modèles, carburateurs discontinués

Springer Softail ne figure plus au catalogue

Deuce : suspension arrière abaissée, nouveaux amortisseurs arrière, repose-pieds du pilote allongés

Deuce coûte 1 450 $ et Springer Classic 1 460 $ de moins qu'en 2006

PAS MAL

Un style absolument réussi, qu'il s'agisse des lignes minces et effilées de la Deuce ou des formes rondes et nostalgiques de la Springer Classic; dans les deux cas, on ne trouve de telles créations que chez Harley-Davidson

Une mécanique qu'on entend et qu'on sent clairement mieux que dans le passé et qui se montre bien plus intéressante en ligne droite

Un comportement général plutôt sain et facile d'accès, grâce en partie à un centre de gravité bas et à une très faible hauteur de selle

BOF

Un freinage déficient pour la Springer Classic dont l'étrier avant à un piston ne suffit simplement pas à ralentir convenablement toute cette masse

Une fourche Springer qui fait le charme de la Springer Classic, mais dont le comportement en freinage intense n'est plus acceptable depuis des décennies

Une position de conduite très typée pour la Deuce qui, quand combinée aux effets inhérents à une grande roue avant, demande une certaine adaptation

Des suspensions arrière qui se comportent décemment si le revêtement n'est pas trop abîmé, mais qui deviennent rudes sur routes en mauvais état

Deuce

Softail Custom

 HARLEY-DAVIDSON

SOFTAIL CUSTOM, NIGHT TRAIN, SOFTAIL STANDARD

NOUVELLE VARIANTE

signe des temps...

Lorsque toutes les étoiles s'alignent et qu'elle naît, une mode devient un phénomène social puissant, souvent impossible à arrêter. Du moins jusqu'à l'arrivée de la prochaine mode... Un tel phénomène existe présentement autour de tout ce qui peut être qualifié de Chopper, une situation dont l'origine n'est autre que la très populaire émission American Chopper. Incroyablement, tout le monde semble aujourd'hui caresser la possibilité d'acquérir son propre Chopper. Il était normal et prévisible que Harley-Davidson décide d'entrer dans le jeu; ce qu'il fait en 2007 en proposant une nouvelle Softail Custom inspirée non pas des Choppers de la télé, mais de ceux des années 60.

Il faut généralement plusieurs années pour développer un nouveau modèle à partir de rien. Or, quelques années plus tard, une mode peut très bien avoir complètement disparu. Harley-Davidson, maître incontesté de la multiplication des modèles basés sur une même plateforme, arrive souvent à contourner ce problème non pas en développant un modèle à partir de rien, mais plutôt à partir d'une base existante. Sa famille Softail étant la plus populaire de sa gamme, la décision d'élaborer un Chopper autour de la plateforme Softail était tout à fait naturelle, surtout que la Wide Glide remplit déjà ce rôle chez les Dyna. En raison des proportions et des caractéristiques particulières du style Chopper, la Night Train et la Softail Standard ont servi de base à la nouvelle Softail Custom. En fait, prenez l'un ou l'autre de ces modèles, installez un guidon de type Ape Hanger et une selle de genre « King and Queen » et vous obtenez littéralement la nouveauté. Tous ces modèles sont propulsés en 2007 par un tout nouveau V-Twin de 1 584 cc et une nouvelle boîte de vitesses à 6 plutôt que 5 rapports.

L'adoption de ce nouveau moteur, le Twin Cam 96B, constitue l'un des atouts majeurs de ce trio puisqu'il est considérablement plus performant que le Twin Cam 88B qu'il remplace et qu'il est aussi clairement moins timide, au chapitre de la sonorité des silencieux, que l'ancien V-Twin. L'augmentation de la cylindrée, la boîte à 6 rapports et l'adoption de l'injection comme seul mode d'alimentation n'ont pas changé la Night Train ou la Softail Standard

> **LA NOUVELLE SOFTAIL CUSTOM REPREND LE RÔLE DE LA WIDE GLIDE CHEZ LES DYNA; CELUI DU CHOPPER DE LA FAMILLE.**

en customs de performances, mais elles ont décidément rendu leur pilotage plus intéressant grâce à des accélérations plus franches et à des reprises plus généreuses. La nouvelle transmission fonctionne parfaitement. Chaque passage de vitesse est accompagné d'un « clonk » traditionnel, et tout à fait volontaire, tandis que la sixième vitesse abaisse nettement les régimes sur l'autoroute. Mais cette boîte pourrait ne pas plaire à tous puisqu'avec 6 rapports, on change de vitesse plus souvent qu'avec 5, ce qui va un peu à l'encontre de la mentalité custom.

S'il est toujours très doux grâce à son système de contre-balanciers, le TC96B tremble quand même assez lors des accélérations pour rappeler au pilote qu'il s'agit d'un V-Twin, tandis que la sonorité qui s'échappe de ses silencieux est beaucoup plus audible que dans le passé, ce qui permet enfin d'arriver à écouter le rythme de Milwaukee sans avoir recours à des silencieux de remplacement trop bruyants.

Aucune de ces motos, en raison des positions de conduite très typées qu'elles retiennent, n'est un exemple de confort sur un long trajet. Mais les selles ne sont pas mauvaises et bien que la suspension arrière ait tendance à devenir sèche sur chaussée abîmée, la fourche est calibrée de façon souple et se tire généralement bien d'affaire. Malgré la hauteur hors-normes du guidon de la nouvelle Softail Custom, étonnamment, on s'habitue à ce dernier sans trop de difficulté ou d'inconfort.

Dans tous les cas, le comportement routier s'avère honnête puisqu'il est caractérisé par une direction assez légère, un bel aplomb en courbe et une stabilité sans reproche.

Il fut un temps où les combinaisons aussi dépareillées de dimensions de roues que celle de la nouvelle Softail Custom équivalaient presque assurément à un comportement routier loufoque. Mais la magie de l'ingénierie moderne permet désormais d'opter pour de tels mélanges tout en gardant des manières relativement saines tant en virage qu'en ligne droite, ou au freinage.

Différente

Il n'y a que Harley-Davidson pour oser positionner un pilote de la sorte... Étrangemment, une telle posture, si elle n'est certes pas pour tout le monde, n'a rien de vraiment désagréable. La vérité est même qu'elle vous immerge complètement dans l'ambiance et le thème du modèle. Les positions de conduite que détermine avec beaucoup de réflexion le constructeur de Milwaukee font ainsi partie intégrante de l'expérience qu'est le pilotage d'une Harley. Elles ont une grande part de responsabilité dans le fait qu'on perçoit souvent une Harley-Davidson comme étant différente du reste des customs du marché.

softail standard

Elle est ce que Harley-Davidson aime appeler une toile blanche, un point de départ parfait pour un projet de personnalisation poussé. Pour cette raison, la finition est considérablement réduite au chapitre des pièces chromées, surtout sur le moteur. L'élimination de plusieurs étapes du processus de finition permet non seulement de réduire la facture – la Softail Standard est le modèle le plus abordable de la famille –, mais aussi d'éviter d'avoir à enlever une certaine finition pour en appliquer une autre. Banalement peint en gris, le V-Twin utilisé demeure quand même identique à celui propulsant le reste des modèles de la famille Softail et profite donc de toutes les améliorations faites en 2007, incluant l'alimentation par injection et la nouvelle boîte à 6 rapports.

night train

La Night Train est l'un des plus beaux exemples du talent qu'a Harley-Davidson lorsque vient le temps de créer des modèles différents autour d'une base commune. Elle se distingue visuellement à la fois par le rare fini noir texturé de sa mécanique et par le choix de composantes minimalistes, comme la roue avant mince et grande surmontée d'un garde-boue symbolique, le guidon droit et très étroit, la selle de dimension réduite pour le passager et le système d'échappement peu encombrant. Le résultat est une monture d'allure très typée qui plaît surtout aux amateurs de lignes franches et simples, mais quand même musclées. Grâce à une utilisation réduite de pièces chromées et à la simplicité générale du modèle, la Night Train a également l'avantage d'être l'une des Softail les moins chères. Comme le reste de la famille, elle reçoit en 2007 le nouveau TC96B avec l'injection de série et la boîte à 6 rapports.

VITESSE DE POINTE
178 km/h
ACCÉLÉRATION SUR 1/4 MILLE
13,9 s à **155** km/h
indice d'expertise ▶

◀ rapport valeur/prix

Voir légende page 7

EXPERT **E**
INTERMÉDIAIRE **I**
NOVICE **N**

Général

catégorie	Custom
prix	NT : 19 459 $; SS : 18 429 $; SC : 20 679 $
garantie	2 ans/kilométrage illimité
couleur(s)	NT : noir, noir perle, noir denim, violet, bleu, gris; SS : noir, rouge, bleu, gris; SC : noir, rouge, bleu, noir et bleu, violet et gris, rouge et noir, bleu et gris
concurrence	Harley-Davidson Dyna Wide Glide, Kawasaki Vulcan 1600 Mean Streak, Victory Vegas

moteur

type	bicylindre 4-temps en V à 45 degrés (Twin Cam 96B), culbuté, 2 soupapes par cylindre, refroidissement par air
alimentation	injection séquentielle
rapport volumétrique	9,2:1
cylindrée	1 584 cc
alésage et course	95,25 mm x 111,25 mm
puissance estimée	70 ch @ 5 000 tr/min
couple	87,9 lb-pi @ 2 750 tr/min
boîte de vitesses	6 rapports
transmission finale	par courroie
révolution à 100 km/h	environ 2 400 tr/min
consommation moyenne	5,7 l/100 km
autonomie moyenne	331 km

partie cycle

type de cadre	double berceau, en acier
suspension avant	fourche conventionnelle de 41,3 mm non ajustable
suspension arrière	2 amortisseurs ajustables en précharge
freinage avant	1 disque de 292 mm de Ø avec étrier à 4 pistons
freinage arrière	1 disque de 292 mm de Ø avec étrier à 4 pistons
pneus avant/arrière	MH90-21 & 200/55 R17
empattement	1 638 mm
hauteur de selle	NT : 680 mm; SS : 718 mm; SC : 719 mm
poids à vide	NT : 298 kg; SS : 297 kg; SC : 305 kg
réservoir de carburant	18,9 litres

conclusion

Bien qu'elles soient presque jumelles sur le plan technique, chacune de ces Softail a sa propre identité et affiche son propre thème. La Standard est le modèle le plus économique, donc le plus sommairement fini de la famille; la Night Train reprend le style bas et direct d'une moto d'accélération et se distingue par sa mécanique au fini noir et la nouvelle Custom se veut la variante à saveur Chopper du trio. Toutes sont parfaitement recommandables, surtout compte tenu des améliorations mécaniques et des baisses de prix de 2007. S'il est tout à fait normal et acceptable de faire le choix d'un de ces modèles purement en fonction du style, il reste qu'il s'agit de Softail et qu'un acheteur peu familier avec les produits de Milwaukee devrait s'assurer de bien connaître ce qui distingue cette famille des Dyna, où des lignes plus ou moins similaires peuvent être retrouvées.

Night Train

⊙ QUOI DE NEUF EN 2007 ?

TC88B de 1 450 cc/5 vitesses remplacé par le TC96B de 1 584 cc/6 vitesses

Effort au levier d'embrayage réduit de 10 pour cent; instrumentation revue

Alimentation par injection sur tous les modèles, carburateurs discontinués

Introduction de la Softail Custom reprenant le thème du Chopper

Night Train coûte 1 180 $ et Softail Standard 1 020 $ de moins que les modèles injectés en 2006

⊼ PAS MAL

Un V-Twin beaucoup plus vivant que par le passé grâce à un système d'échappement qui censure désormais moins cette musique de Milwaukee qui ne demande qu'à en sortir et qu'on ne demande qu'à écouter

Un niveau de performance en net progrès, surtout au chapitre de la force des accélérations à très bas régime et de la franchise des reprises à mi-régime

Un comportement routier tout à fait décent et exempt de défauts majeurs, ainsi qu'une maniabilité fortement aidée par une selle très basse

⊽ BOF

Une position de conduite très particulière sur la nouvelle Softail Custom, qui ne plaira qu'à ceux qui recherchent ce genre de posture « pieds devant, mains en haut », et une ligne qui pourrait paraître maladroite aux yeux de plusieurs

Une transmission à 6 rapports qui atteint son but de réduire les révolutions de façon notable sur l'autoroute, mais qui a le désavantage d'augmenter le nombre de changements de vitesse

Des suspensions arrière qui se tirent assez bien d'affaire si la chaussée est belle, mais qui deviennent rudes si le revêtement est abîmé

Super Glide

HARLEY-DAVIDSON

SUPER GLIDE, STREET BOB, SUPER GLIDE CUSTOM

RÉVISION 2007

La Harley à (partir de) 15 000 $...

Remercions la force du dollar canadien, remercions la décision des gens de Milwaukee d'avoir régulièrement revu leurs prix à la baisse ces dernières années et remercions même les couvercles de moteurs sans chrome, car c'est grâce à chacun de ces facteurs qu'on peut aujourd'hui acquérir une grosse Harley pour à peine plus de 15 000 $. Qu'il s'agisse de l'économique Super Glide, de la sobre Street Bob, de la chic Super Glide Custom ou de l'endimanchée Screamin'Eagle Dyna à V-Twin de 1 800 cc de 30 000 $, on a essentiellement affaire à la même moto présentée sous divers degrés de finition. Pour 2007, le Twin Cam 96 et l'injection de série font leur apparition.

Avec un V-Twin gonflé de 1 584 cc à 1 800 cc, une liste littéralement interminable d'accessoires et de pièces chromées et une facture permettant d'envisager l'achat de *deux* Super Glide, la dernière création de la division CVO (Custom Vehicle Operations), Screamin'Eagle Dyna, s'adresse évidemment à une classe d'acheteurs bien particuliers. N'en déplaise toutefois à ces derniers, il reste que la version Screamin'Eagle et les plus mondaines Super Glide, Super Glide Custom et Street Bob partagent toutes une base à toutes fins pratiques identique à celle de la plateforme Dyna.

Ce groupe de Dyna a cela de particulier que chacun des modèles qui s'y trouvent affiche un comportement étonnamment accessible compte tenu de leur poids approchant les 300 kilos et de leur cylindrée de presque 1 600 cc. Des selles basses, un centre de gravité bas et des guidons larges, et plutôt bas qui tombent naturellement sous les mains résument les caractéristiques responsables de cette facilité de prise en main. La seule exception, à ce sujet, concerne la Street Bob dont la position de conduite dictée par son haut guidon Ape Hanger n'a non seulement rien de très naturel, mais demande même une bonne attention lors de manœuvres serrées. En raison de la distance réduite entre les selles basses et les commandes aux pieds situées en position centrale (sauf sur la Screamin'Eagle), les pilotes aux jambes le moindrement longues pourraient se sentir coincés, ou à tout le moins, étrangement installés. *Le Guide de la Moto* n'a jamais été très friand de cette position de

> **MONTÉ DE MANIÈRE SOUPLE, LE GROS V-TWIN BOUGE À L'INTÉRIEUR DU CADRE DE FAÇON PRESQUE HYPNOTIQUE.**

conduite, mais il semblerait que Harley-Davidson y tienne, entre autres, parce que les Dyna intéressent souvent les femmes et les motocyclistes de petite stature pour qui des repose-pieds en position trop avancée deviennent un handicap.

Les Dyna sont munies des suspensions calibrées de façon relativement molle, encore une fois, en fonction de leur clientèle souvent pas très lourde, ce qui leur confère un niveau de confort plutôt intéressant en général, et qui ne se dégrade que si la chaussée devient très abîmée. Si les selles ne sont pas conçues pour le tourisme de longue haleine, elles offrent tout de même un niveau de confort honnête tant que les sorties ne s'éternisent pas.

La caractéristique la plus intéressante des Dyna demeure néanmoins leur système de montage souple de la mécanique qui permet au V-Twin américain de bouger à l'intérieur du cadre de façon presque hypnotique. À l'exception de Buell, aucun autre constructeur ne propose un phénomène semblable. Le résultat sur la route est un degré de communication extraordinaire élevé entre les mouvements des pistons et les pulsations mécaniques ressenties par le pilote, du moins à très bas régime, disons environ 2 000 à 2 500 tr/min. Au-delà de ce point, le gros V-Twin s'adoucit comme par magie, si bien qu'on ne le sent plus que doucement gronder à 100 km/h. Grâce à l'arrivée du nouveau Twin Cam 96 cette année, les performances sont enfin d'un niveau bien plus intéressant que par le passé, et ce, surtout à bas et moyen régimes, là où la mécanique se trouve la majorité du temps, donc là où ça compte.

street bob

La Street Bob peut être perçue comme la rebelle de ce groupe de Dyna. Alors que le trait commun des Super Glide et Super Glide Custom est une étonnante accessibilité de pilotage, la Steet Bob semble tenter d'accomplir le contraire; un fait dont est responsable la combinaison des repose-pieds centraux élevés et la hauteur du guidon Ape Hanger. La position de conduite résultante est au bas mot étrange. On doit néanmoins réaliser que le rôle du modèle n'est pas de se rendre attirant au moyen d'une quelconque facilité de prise en main, mais plutôt de plaire à une certaine catégorie de motocyclistes pour lesquels son style dépouillé et presque arrogant semble irrésistible. Notons, soit dit en passant, que notre version d'essai 2007 s'est avérée exempte des problèmes de suspensions trop molles et de frein avant trop faible que nous avons éprouvés sur la version 2006. Selon Harley-Davidson, le fait que cette dernière ait été empruntée au programme d'essai routier serait possiblement le responsable de cette situation puisqu'il n'y a eu aucun changement officiel entre 2006 et 2007 du côté des freins ou de la suspension.

screamin'eagle dyna

Tout le monde sait à quel point le prix d'achat d'une voiture grimpe lorsque la liste d'options qu'on lui ajoute commence à s'allonger. Dans le cas de la Screamin'Eagle Dyna, la facture double carrément par rapport à celle du modèle de base, la Super Glide. Il est vrai qu'on ne parle plus ici de l'addition d'une liste d'options, mais plutôt de l'ajout d'un catalogue entier d'accessoires... La preuve est qu'on peine à trouver quoi que ce soit sur la Screamin'Eagle Dyna qui n'ait pas déjà été remplacé, chromé, peint ou gonflé. Parlant de gonflage, l'une des caractéristiques les plus attrayantes de cette dispendieuse version est la mécanique qui la propulse. Au lieu de nouveau Twin Cam 96 de 1 584 cc, les gens de la division CVO de Harley-Davidson ont installé dans son châssis Dyna la plus grosse variante de ce V-Twin, le Twin Cam 110 de 1 800 cc. Notons par ailleurs que la Screamin'Eagle Dyna est munie une fourche chromée de type inversée, la seule chez les Harley refroidies par air.

super glide custom

L'an dernier, la Super Glide Custom n'était guère plus qu'une version un peu mieux finie de la Super Glide de base, ce qui expliquait difficilement l'écart d'environ 2 500 $ qui les séparait. Afin de mieux justifier ce supplément, la version Custom gagne en 2007 des roues à rayons plutôt que coulées, une console d'instrumentation positionnée sur le réservoir plutôt que sur le guidon, ainsi que quelques autres menus détails de finition. Contrairement à la version de base qui ne peut accueillir de passager, la Super Glide Custom est par ailleurs livrée de série avec une selle biplace et des repose-pieds arrière. D'un point de vue technique, les deux versions sont autrement identiques et utilisent donc le nouveau Twin Cam 96.

VITESSE DE POINTE
178 km/h
ACCÉLÉRATION SUR 1/4 MILLE
13,7.156 km/h
indice d'expertise ►
◄ rapport valeur/prix

Voir légende page 7

EXPERT **E**
INTERMÉDIAIRE **I**
NOVICE **N**

général

catégorie	Custom
prix	SG : 15 299 $; SB 16 759 $; SGC : 17 949 $
garantie	2 ans/kilométrage illimité
couleur(s)	SB : noir, noir perle, argent, bleu, violet, olive et noir; SG : noir, rouge, bleu, argent; SGC : noir, noir perle, argent, bleu, violet, jaune, rouge
concurrence	Kawasaki Vulcan 1600 Classic, Suzuki Boulevard C90, Yamaha Road Star 1700

partie cycle

type de cadre	double berceau, en acier
suspension avant	fourche conventionnelle de 49 mm non ajustable
suspension arrière	2 amortisseurs ajustables en précharge
freinage avant	1 disque de 300 mm de Ø avec étrier à 4 pistons
freinage arrière	1 disque de 292 mm de Ø avec étrier à 4 pistons
pneus avant/arrière	100/90-19 & 160/70 B17
empattement	1 630 mm
hauteur de selle	SB : 680 mm; SG : 700 mm; SGC : 705 mm
poids à vide	SB : 288 kg; SG : 287 kg; SGC : 293 kg
réservoir de carburant	Street Bob : 18,2 litres; Super Glide et Custom : 19,3 litres

moteur

type	bicylindre 4-temps en V à 45 degrés (Twin Cam 96), culbuté, 2 soupapes par cylindre, refroidissement par air
alimentation	injection séquentielle
rapport volumétrique	9,2:1
cylindrée	1 584 cc
alésage et course	95,25 mm x 111,25 mm
puissance estimée	70 ch @ 5 000 tr/min
couple	91 lb-pi @ 3 000 tr/min
boîte de vitesses	6 rapports
transmission finale	par courroie
révolution à 100 km/h	environ 2 400 tr/min
consommation moyenne	5,6 l/100 km
autonomie moyenne	SB : 325 km; SG et SGC : 344 km

conclusion

Le groupe de Dyna présenté sur ces pages est très intéressant. D'abord parce qu'il comporte les modèles à moteur TC96 les plus abordables de la gamme américaine — il y a maintenant des grosses Harley compétitives et vendues moins cher que des customs japonaises de cylindrée semblable —, et ensuite parce qu'il s'agit de certaines des grosses Harley les plus faciles d'accès au point de vue du pilotage. Mais la raison principale pour laquelle une Dyna représente une acquisition particulière est l'ensorcelante mécanique qui l'anime. Plus que jamais en 2007, avec la venue du TC96 plus puissant et moins timide au chapitre auditif, vivre le tremblement et le vrombissement de ce V-Twin se veut une expérience qui sort de l'ordinaire. Ça ne plaira pas à tout le monde, ce qui est normal. Mais pour les amateurs de moteurs à caractère, et plus particulièrement pour les amateurs de V-Twin à caractère, les Dyna sont une avenue magique, et rien de moins.

 QUOI DE NEUF EN 2007 ?

TC88 de 1 450 cc remplacé par le TC96 de 1 584 cc

Instrumentation revue sur tous les modèles

Roues coulées remplacées par roues à rayons sur la Super Glide Custom

Introduction de la Screamin'Eagle Dyna à moteur de 103 pouces cubes

SB coûte 730 $, SG 870 $ et SGC 750 $ de moins qu'en 2006

 PAS MAL

Une excellente occasion pour tous ceux et celles qui rêvent d'une Harley-Davidson, mais que les prix corsés des modèles haut de gamme refroidissent, surtout en 2007 avec l'arrivée du nouveau V-Twin de 1 584 cc

Une mécanique au caractère carrément ensorcelant qui tremble et qui gronde comme nulle autre en ce bas monde; le niveau de performance en net progrès est aussi digne de mention

Une accessibilité de pilotage étonnante pour des customs d'une telle cylindrée de tels poids; les Dyna sont agréablement amicales à piloter

BOF

Un bas prix alléchant pour la Super Glide, mais qui implique un niveau de finition rudimentaire et une ligne ordinaire; au moins, les bons morceaux (TC96, injection, transmission six vitesses) sont tous là

Une position de conduite plus ou moins naturelle sur tous les modèles à cause de la position centrale des repose-pieds, et une posture très particulière qui ne plaira décidément pas à tout le monde sur la Street Bob

Une transmission à 6 rapports qui a la qualité de très bien fonctionner et d'abaisser les tours sur l'autoroute, mais qui a aussi le désavantage d'augmenter le nombre de changements de vitesse à effectuer

Super Glide Custom

Wide Glide

WIDE GLIDE, LOW RIDER

RÉVISION 2007

caractère et style...

La famille Dyna n'est ni la plus populaire chez Harley-Davidson ni celle qui reçoit le plus d'attention du département de stylisme du constructeur de Milwaukee. Avec son profil de Chopper et son haut guidon Ape Hanger, la Wide Glide échappe à cette règle en s'affichant comme la plus typée des Dyna. Quant à la Low Rider, comme son nom l'indique, elle joue la carte classique du style long et bas. Même si elle conserve un lien de parenté relativement serré avec les Super Glide, elle se distingue quand même de celles-ci par un niveau de finition beaucoup plus poussé et une suspension arrière abaissée. Comme sur le reste de la gamme, le nouveau Twin Cam 96 est adopté en 2007.

La mission première de la Wide Glide fut, durant de nombreuses années, d'incarner la monture rebelle de la gamme américaine. Munie d'un haut guidon de type Ape Hanger et fièrement ornée d'un protubérant dosseret de passager « à la Easyrider », elle jouait son rôle de Harley marginale à la perfection. Si bien, en fait, que cela devint un problème puisque, par défaut, elle n'attira plus qu'une clientèle marginale, donc réduite. En donnant à sa nouvelle Softail Custom une ligne semblable à celle de l'ancienne Wide Glide, Harley-Davidson conserve ce genre de style au sein de sa gamme, mais le déplace sur une plateforme beaucoup plus populaire. Inaugurée l'an dernier, la ligne un peu plus douce de la Wide Glide devrait permettre au modèle de rejoindre une clientèle plus vaste. Il s'agit même maintenant d'un des modèles les plus intéressants de la famille Dyna puisqu'il est le seul — autre que la version Screamin'Eagle — muni des repose-pieds en position avancée et un angle de fourche ouvert à 36 degrés, deux caractéristiques donnant décidément à la Wide Glide une ligne et une position de conduite très distinctes. Quant à ceux qui n'aimeraient pas le guidon Ape Hanger, ils n'ont qu'à envisager une opération simple et peu coûteuse, son remplacement.

Contrairement à l'extravagante Wide Glide, la Low Rider fait plutôt dans la sobriété et l'élégance. On ne trouve rien de criard dans sa ligne basse, effilée et classique. Si sa position de conduite est beaucoup moins typée que celle de la Wide Glide, elle pourrait néanmoins déplaire à certains en raison

de la posture peu naturelle que dicte l'emplacement central des repose-pieds. Son niveau de confort est par ailleurs affecté par une suspension arrière à débattement réduit qui se montre sèche sur mauvais revêtement.

Grâce à des efforts beaucoup plus nombreux qu'il n'en apparaît sur ces modèles dont la ligne change très peu au fil des ans, des progrès considérables ont été faits au chapitre de la tenue de route, qui est aujourd'hui étonnamment saine. On s'attend à ce qu'une custom classique comme la Low Rider soit stable, maniable et à l'aise en courbe, mais lorsqu'on entre dans l'équation une géométrie de direction et une dimension de roue avant comme celles de la Wide Glide, il est un peu plus impressionnant que le comportement fasse preuve d'aussi belles manières.

La grande particularité de la famille Dyna a toujours été le genre de sensations fortes que font vivre aux pilotes ses mécaniques montées de manière souple. Au ralenti, tout tremble au point de brouiller la vue, tandis qu'on peut clairement apercevoir le traditionnel V-Twin danser dans le cadre. Les secousses de basse fréquence qui traversent les entrailles du pilote et du passager d'une Dyna, à bas régime, sont magiques et absolument uniques dans l'industrie. La beauté des Dyna est que ces pulsations n'atteignent jamais un niveau inconfortable puisqu'elles s'adoucissent énormément dès les mi-régimes, pour ne devenir qu'un doux murmure sur l'autoroute. Le nouveau Twin Cam 96 conserve intimement ce caractère, mais le fait avec des performances en net progrès.

> **LA WIDE GLIDE EST UNE DYNA TRÈS PARTICULIÈRE DU FAIT QU'ELLE EST LA SEULE MUNIE DE REPOSE-PIEDS AVANCÉS ET D'UNE FOURCHE AFFICHANT UN TEL ANGLE.**

VITESSE DE POINTE
178 km/h
ACCÉLÉRATION SUR 1/4 MILLE
13,7.156 km/h
indice d'expertise ▶

◀ rapport valeur/prix

Voir légende page 7

EXPERT	E
INTERMÉDIAIRE	I
NOVICE	N

général

catégorie	Custom
prix	Wide Glide : 20 599; Low Rider : 19 349 $
garantie	2 ans/kilométrage illimité
couleur(s)	WG : noir, noir perle, argent, bleu, violet, jaune, blanc, bleu et noir, violet et argent, rouge et noir; LR : noir, noir perle, rouge, bleu, argent, blanc, noir et bleu, noir et rouge, bleu et argent
concurrence	Wide Glide : Harley-Davidson Softail Deuce et Custom, Victory Vegas; Low Rider : Harley-Davidson Softail Standard et Dyna Super Glide Custom, Kawasaki Vulcan 1600 Classic, Suzuki Boulevard C90, Yamaha Road Star 1700

partie cycle

type de cadre	double berceau, en acier
suspension avant	fourche conventionnelle de 49 mm non ajustable
suspension arrière	2 amortisseurs ajustables en précharge
freinage avant	1 disque de 300 mm de Ø avec étrier à 4 pistons
freinage arrière	1 disque de 292 mm de Ø avec étrier à 4 pistons
pneus avant/arrière	MH90-21 (Low Rider : 100/90-19) & 160/70 B17
empattement	Wide Glide : 1 735 mm; Low Rider : 1 640 mm
hauteur de selle	Wide Glide : 723 mm; Low Rider : 655 mm
poids à vide	Wide Glide : 295 kg; Low Rider : 291 kg
réservoir de carburant	Wide Glide : 19,3 litres; Low Rider : 18,2 litres

moteur

type	bicylindre 4-temps en V à 45 degrés (Twin Cam 96), culbuté, 2 soupapes par cylindre, refroidissement par air
alimentation	injection séquentielle
rapport volumétrique	9,2:1
cylindrée	1 584 cc
alésage et course	95,25 mm x 111,25 mm
puissance estimée	70 ch @ 5 000 tr/min
couple	91 lb-pi @ 3 000 tr/min
boîte de vitesses	6 rapports
transmission finale	par courroie
révolution à 100 km/h	environ 2 400 tr/min
consommation moyenne	5,6 l/100 km
autonomie moyenne	Wide Glide : 344 km; Low Rider : 325 km

conclusion

Plus que jamais en 2007 avec l'introduction du Twin Cam 96, la Wide Glide revue l'an dernier et la Low Rider font partie des customs favorites du Guide. D'abord et avant tout en raison des sensations aussi fortes que peu communes que le grondant V-Twin de Milwaukee fait vivre lorsqu'il se trouve installé dans un châssis Dyna. Ensuite parce qu'au sein de cette famille, ces modèles sont ceux qui disposent du niveau de finition le plus avancé et ceux dont la ligne est la plus équilibrée. Et enfin, à cause de leur impressionnante facilité de prise en main. Harley-Davidson semble passer beaucoup de temps à fignoler sa populaire famille de Softail, mais nous croyons que si le talentueux Willie G. daignait s'attarder un peu à la ligne des Dyna, il pourrait aisément en décupler le degré de désirabilité.

Low Rider

 QUOI DE NEUF EN 2007 ?

TC88 de 1 450 cc remplacé par le TC96 de 1 584 cc

Instrumentation revue sur les deux modèles

Wide Glide coûte 1 320 $ et Low Rider 1 250 $ de moins qu'en 2006

⌃ **PAS MAL**

Une ligne très particulière pour la Wide Glide qui est moins « hippie » depuis sa révision de 2006; remplacez l'Ape Hanger par un guidon plus bas et plat et vous avez un légitime équivalent de la Deuce ou de la Night Train en version Dyna

Une mécanique qui dégage des sensations magiques en secouant tout sans gêne à bas régime, puis en s'adoucissant complètement en haut

Une facilité de pilotage étonnante pour des motos de tels poids qui rend ces modèles accessibles même à des motocyclistes de petite stature

 BOF

Une position de conduite pas très naturelle sur la Low Rider en raison de l'emplacement central des repose-pieds, et sur la Wide Glide à cause de la hauteur inhabituelle, bien que tolérable, du guidon Ape Hanger

Une suspension arrière qui peut se montrer assez sèche sur mauvais revêtement dans le cas de la Low Rider qui a un débattement arrière réduit afin d'abaisser la hauteur de selle au minimum

Une transmission qui fonctionne très bien, mais dont le nombre de rapports – 6 plutôt que les 5 traditionnels – augmente le nombre de changements de vitesse effectués en conduite quotidienne; en revanche, le sixième rapport offre l'avantage de réduire les tours à des vitesses d'autoroute

STREET ROD

mal aimée...

La pénétration de Harley-Davidson sur le marché européen est l'une des rares facettes de la firme de Milwaukee qui n'est pas reluisante, surtout lorsqu'on la compare à la part de marché phénoménale du constructeur aux États-Unis. En effet, sur le vieux continent, une Harley demeure essentiellement une excentricité. Pour y remédier, et en se basant sur le fait que les standards sont de loin les modèles les plus populaires en Europe, il fut tout simplement décidé de créer une standard à l'américaine, la Street Rod. Profondément basée sur la V-Rod, la mission de ce modèle serait de donner aux motocyclistes européens une Harley-Davidson qu'ils reconnaissent. Mission non accomplie.

Le problème derrière le raisonnement de Harley-Davidson et sa Street Rod est pourtant simple. Le Québécois ne va pas au Mexique pour avoir froid, manger de la poutine et entendre Céline; il s'y rend pour avoir chaud, manger des tacos et entendre des airs mexicains. En proposant aux Européens une standard, on a non seulement tenté de leur vendre le genre de motos qu'ils connaissent le mieux, mais aussi une Harley qui, à leurs yeux, n'est plus une Harley. Pieds devant, mains en l'air, gros V-Twin plutôt paresseux refroidi par air et traditionnelle musique d'échappement saccadée, voilà, pour un motard outre-Atlantique, à quoi doit ressembler une Harley-Davidson. Évidemment, cette description ne correspond en rien à la Street Rod, qui n'est absolument pas pour autant un échec.

Position de conduite relevée de type routière, mécanique puissante au caractère presque sportif qui monte vite en régime et sonorité qui n'a finalement rien à voir avec celle des Harley traditionnelles sont autant de caractéristiques qui font de la Street Rod une américaine non seulement vraiment différente, mais aussi une monture qui, tout compte fait, n'a aucun équivalent sur le marché.

Vos jambes sont pliées à la façon d'une sportive, mais sans exagération; vos mains tombent naturellement sur un guidon large, bas et presque plat; vous prenez place sur une selle qui, comme c'est normal sur une standard, est plutôt haute et vous fait pointer les pieds à l'arrêt; vous avez presque l'impression d'être aux commandes d'une anglaise, d'une japonaise

> ## LE QUÉBÉCOIS NE VA PAS AU MEXIQUE POUR AVOIR FROID, MANGER DE LA POUTINE ET ENTENDRE CÉLINE.

ou d'une allemande. Mais la Street Rod est différente de tout ce que vous connaissez. En combinant la mécanique de la V-Rod, des dimensions totalement hors-normes – pour une standard, l'empattement, le poids et l'angle de direction sont tous démesurés – Harley-Davidson a créé quelque chose de nouveau, peut-être même par accident. Relativement lourde de direction et lente à faire changer de cap, la Street Rod n'affiche décidément pas un comportement fin et léger. L'agilité dont la privent ses dimensions costaudes est en revanche compensée par une impression de solidité et de stabilité aussi imperturbable que plaisante à haute vitesse, en ligne droite et même dans les courbes rapides. Si la Street Rod n'est donc pas l'une de ces motos qu'on jette dans une enfilade de courbes sans effort, pour autant qu'on veuille bien s'investir un peu, le plaisir qu'on peut retirer de sa conduite sur une route en lacet demeure bien réel.

Les seules circonstances où le poids élevé et les dimensions hors-normes deviennent gênantes sont les courbes bosselées, qui semblent taxer les suspensions et le châssis, et le freinage, qui n'est qu'ordinaire.

Ces proportions, disons généreuses de la Street Rod ne représentent pas vraiment un problème au jour le jour puisqu'on s'y fait rapidement. Surtout que chaque instant en selle est accompagné du caractère très particulier du V-Twin. Souple à souhait à bas régime, il génère une poussée absolument grisante dans le dernier tiers de sa plage de régimes, et le fait avec une sonorité très plaisante. On l'a souvent répété, le V-Twin de la famille VRSC est l'une des mécaniques les plus réussies du marché.

VITESSE DE POINTE
212 km/h
ACCÉLÉRATION SUR 1/4 MILLE
11,6 s à **183** km/h

indice d'expertise ►

◄ rapport valeur/prix

Voir légende page 7

EXPERT	E
INTERMÉDIAIRE	I
NOVICE	N

général

catégorie	Standard
prix	18 949 $
garantie	2 ans/kilométrage illimité
couleur(s)	noir, bleu, argent, orange
concurrence	Benelli TnT 1130, BMW R1200R, Triumph Speed Triple, Yamaha MT-01

moteur

type	bicylindre 4-temps en V à 60 degrés (Revolution), DACT, 4 soupapes par cylindre, refroidissement par liquide
alimentation	par injection
rapport volumétrique	11,3:1
cylindrée	1 130 cc
alésage et course	100 mm x 72 mm
puissance	120 ch @ 8 250 tr/min
couple	80 lb-pi @ 7 000 tr/min
boîte de vitesses	5 rapports
transmission finale	par courroie
révolution à 100 km/h	environ 4 000 tr/min
consommation moyenne	5,5 l/100 km
autonomie moyenne	343 km

partie cycle

type de cadre	périmétrique à double berceau, en acier
suspension avant	fourche conventionnelle de 49 mm non ajustable
suspension arrière	2 amortisseurs ajustables en précharge
freinage avant	2 disques de 300 mm de Ø avec étriers à 4 pistons
freinage arrière	1 disque de 300 mm de Ø avec étrier à 4 pistons
pneus avant/arrière	120/70 ZR19 & 180/55 ZR18
empattement	1 697 mm
hauteur de selle	762 mm
poids à vide	281 kg
réservoir de carburant	18,9 litres

conclusion

Comme un acteur « pris » dans ses rôles de comique ou de méchant, Harley-Davidson semble avoir de la difficulté à vendre autre chose que des customs. Si elle n'est probablement pas la solution du constructeur de Milwaukee à son problème européen, la Street Rod n'est pas pour autant une mauvaise moto. Au contraire, puisqu'elle nous a carrément séduits, lourde ou pas. Il s'agit, comme on le dit à l'occasion lorsqu'une moto est si différente, d'une monture particulière pour pilote particulier. Tant que ce dernier reste ouvert à une nouvelle expérience, et qu'il recherche, comprend et apprécie la notion de caractère chez une mécanique, les chances sont élevées que la Street Rod exerce sur lui une forte attraction.

 QUOI DE NEUF EN 2007 ?

Contenance du réservoir d'essence passe de 14 litres à 18,9 litres

Cadre et fourche peint en noir

Coûte 1 450 $ de moins qu'en 2006

PAS MAL

Une standard qui, bien qu'elle soit très différente de tout le reste de la classe, n'en demeure pas moins plaisante; il s'agit d'une monture aussi unique dans son comportement que sa ligne bien particulière le laisse croire

Un V-Twin qui pousse fort sans jamais se fatiguer, et qui le fait avec charisme et douceur; sa transition de la V-Rod jusqu'à la Street Rod a été accomplie avec une étonnante facilité et est une réussite complète

Un style non seulement unique, mais aussi fort réussi; voyez-vous ça, après tout ce temps on découvre que Willie G. a d'autres talents que celui de dessiner des belles customs

 BOF

Un poids beaucoup plus élevé que la moyenne pour cette classe, qui est généralement constituée de légères sportives sans carénage; ce poids est responsable d'un freinage qui n'est que décent, d'une agilité ordinaire et d'un comportement plutôt moyen en courbe, surtout bosselée

Un concept finalement difficile à vendre puisque même les Européens, pour lesquels la Street Rod a été conçue, ne semblent pas réellement emballés

Un prix relativement abordable par rapport aux autres Harley-Davidson, mais qui demeure considérablement plus élevé que celui des standards traditionnelles offertes sur le marché

V-Rod

HARLEY-DAVIDSON

V-ROD, NIGHT ROD

RÉVISION 2007

Révolution américaine...

Harley-Davidson choqua le motocyclisme lorsqu'il dévoila sa V-Rod en 2002. La rumeur à l'effet que la firme de Milwaukee travaillait sur un moteur refroidi par liquide courrait alors depuis belle lurette, mais la croyance populaire liait cette supposition à un éventuel remplacement des traditionnels V-Twin refroidis par air, pas à une nouvelle famille de modèles, et certainement pas à quelque chose au design aussi révolutionnaire que la V-Rod. Quant à la Night Rod, il s'agit d'un modèle dérivé de la V-Rod qui se distingue par son cadre et sa mécanique au fini foncé ainsi que par la position extrêmement reculée de ses repose-pieds.

La V-Rod arriva sur le marché à une époque où le concept de custom de performances commençait à prendre forme. Alors que tous les autres modèles pouvant légitimement recevoir cette appellation ont opté pour une vraie mécanique de custom – bicylindre en V, grosse cylindrée, zone rouge relativement basse –, Harley-Davidson opta pour un V-Twin conçu non pas pour les balades, mais pour la course; celui de la défunte VR1000 de Superbike. Le résultat est une monture qui propose une expérience de pilotage unique dans le motocyclisme, et ce, d'abord et avant tout, en raison du type de moteur utilisé. Il s'agit d'une mécanique qui se distingue par le fait qu'elle se situe à mi-chemin entre un puissant V-Twin de sportive et un langoureux V-Twin classique de custom. Sa zone rouge fixée à 9 000 tr/min illustre d'ailleurs bien ce fait puisqu'elle-même se situe juste entre les quelque 11 000 tr/min d'une sportive et les quelque 6 000 tr/min d'une custom traditionnelle. Cette double nature est par ailleurs clairement ressentie sur la route puisqu'il s'agit à la fois d'un moteur très communicatif et très performant. Bien qu'on sente clairement les pulsations de ce dernier au ralenti, elles se transforment ultimement en doux vrombissement sur l'autoroute et ne deviennent jamais gênantes, même à haut régime. Parfaitement à l'aise en traversant un petit village à 2 000 tr/min sur le dernier rapport, la souplesse du V-Twin de 1 130 cc lui permet d'accélérer franchement une fois que la route s'ouvre de nouveau. En fait, on pourrait rouler longtemps de manière plus que

> **LA V-ROD RESTE À CE JOUR LA SEULE CUSTOM DE PERFORMANCES PROPULSÉE PAR UN V-TWIN AUX ORIGINES SPORTIVES.**

satisfaisante sans passer la barre des 6 000 tr/min. Mais ce serait se limiter à une sonorité relativement banale et se priver d'un niveau de performances exceptionnel pour une custom. Car s'il peut être décrit comme souple et bien manié sous les 5 500 tr/min, le bicylindre de la V-Rod et de la Night Rod s'emballe littéralement une fois ce régime passé, et catapulte pilote et moto avec une force et une sonorité qui ne sont pas sans rappeler celles d'une véritable sportive à moteur V-Twin d'un litre, comme la Suzuki SV1000S ou la regrettée Honda VTR1000F.

Si elles proposent finalement le même bon comportement routier, avec leur stabilité imperturbable et leur grande solidité en courbe, du moins tant qu'on ne les prend pas pour des sportives, deux différences majeures distinguent la V-Rod de la Night Rod. La plus importante concerne la position de conduite qui est du type pied devant, mains devant pour la V-Rod, mais qui, sur la Night Rod, a la particularité de sévèrement plier les jambes sous le bassin, à la manière d'une sportive extrême. Des repose-pieds secondaires en position avancée permettent de se délier les jambes. Tout le monde n'aimera pas, et plusieurs pourraient même simplement ne pas arriver à plier autant leurs jambes.

L'installation d'un pneu arrière de 240 mm sur la V-Rod, cette année, constitue la seconde différence importante entre les deux modèles puisqu'elle alourdit la direction et demande une certaine adaptation de la conduite lors de manœuvres lentes et serrées. On s'habitue toutefois rapidement à ce nouveau comportement.

VITESSE DE POINTE
212 km/h
ACCÉLÉRATION SUR 1/4 MILLE
11,6 s **183** km/h
indice d'expertise ►

◄ rapport valeur/prix

Voir légende page 7

EXPERT **E**
INTERMÉDIAIRE **I**
NOVICE **N**

général

catégorie	Custom
prix	V-Rod : 20 149 $; Night Rod : 18 399 $
garantie	2 ans/kilométrage illimité
couleur(s)	V-Rod : noir, noir perle, argent, violet, bleu, olive et noir, violet et argent, bleu et argent Night Rod : noir, bleu, jaune
concurrence	Kawasaki Vulcan 1600 Mean Streak, Suzuki Boulevard M109R, Yamaha Road Star Warrior, Victory Hammer

moteur

type	bicylindre 4-temps en V à 60 degrés (Revolution), DACT, 4 soupapes par cylindre, refroidissement par liquide
alimentation	par injection
rapport volumétrique	11,3:1
cylindrée	1 130 cc
alésage et course	100 mm x 72 mm
puissance	115 ch (Night Rod : 120 ch) @ 8 500 tr/min
couple	74 lb-pi (Night Rod : 80 lb-pi) @ 7 000 tr/min
boîte de vitesses	5 rapports
transmission finale	par courroie
révolution à 100 km/h	environ 4 000 tr/min
consommation moyenne	5,5 l/100 km
autonomie moyenne	343 km

partie cycle

type de cadre	périmétrique à double berceau, en acier
suspension avant	fourche conventionnelle de 49 mm non ajustable
suspension arrière	2 amortisseurs ajustables en précharge
freinage avant	2 disques de 300 mm de Ø avec étriers à 4 pistons
freinage arrière	1 disque de 300 mm de Ø avec étrier à 4 pistons
pneus avant/arrière	120/70 ZR19 & 240/40 R18 (Night Rod : 180/55 ZR18)
empattement	1 706 mm
hauteur de selle	688 mm
poids à vide	289 kg
réservoir de carburant	18,9 litres

conclusion

Cinq ans après son introduction, la V-Rod demeure une proposition unique puisque, ironiquement pour une Harley-Davidson, elle reste la seule custom du marché qui soit propulsée par un V-Twin aux origines sportives. Or, au-delà de sa ligne très particulière qui continue toujours de faire tourner les têtes, cette mécanique représente le point d'intérêt principal du modèle. Non seulement en raison de ses performances inhabituellement élevées pour la classe, mais aussi à cause de son charmant caractère et de sa surprenante souplesse. Nous le répétons, il s'agit d'un des meilleurs moteurs du motocyclisme. Quant à la Night Rod, elle se veut surtout un choix stylistique. Les intéressés devront néanmoins absolument s'assurer de pouvoir tolérer sa position de conduite réellement unique.

 QUOI DE NEUF EN 2007 ?

Nouveau type de roues et roue arrière de 8 pouces de largeur avec pneu à section de 240 mm pour la V-Rod

Contact repositionné; béquille latérale plus facile à atteindre

Contenance du réservoir d'essence passe de 14 litres à 18,9 litres

V-Rod coûte 850 $ et Night Rod 1 400 $ de moins qu'en 2006

PAS MAL

Un des meilleurs moteurs de l'industrie qui se montre à la fois souple et performant, et à la fois doux et caractériel

Un comportement relativement sain qui permet même se s'amuser un peu en virage et qui se caractérise par une imperturbable stabilité

Une ligne qui, même cinq ans après son dévoilement, continue de générer des commentaires flatteurs de la part des passants et de faire tourner les têtes

 BOF

Une suspension arrière qui, comme sur bien des customs, a tendance à ne pas très bien digérer le genre de route en mauvais état tellement typique de notre belle province

Une position de conduite qui plie sévèrement les jambes sur la Night Rod, une caractéristique que les acheteurs potentiels doivent absolument considérer

Un pneu arrière très large sur la V-Rod qui alourdit la direction, qui demande une pression constante sur le guidon en virage et qui demande de s'habituer à un comportement quelque peu différent lors de manœuvres lentes et serrées

Night Rod

VRSCX

HARLEY-DAVIDSON

VRSCX, NIGHT ROD SPECIAL

NOUVEAUTÉ 2007

superbike américain...

La perception de la monture ultime dépend beaucoup de la culture du constructeur qui la fait naître. Comme l'ont été à une certaine époque les Mustang Boss 302, Duster 340, Road Runner et autres Charger Daytona chez les bagnoles, la nouvelle VRSCX se veut aujourd'hui l'expression ultime de la moto « sport » à l'américaine. Fortement inspirée de la Screamin'Eagle V-Rod 2006, la nouvelle VRSCX n'a d'autre but que celui de brûler du caoutchouc en ligne droite, et de le faire avec force et panache. Quant à la Night Rod Special, une autre nouveauté pour 2007, elle représente une suite logique et magnifiquement réalisée de la Night Rod inaugurée l'an dernier.

Pneu arrière immense, mécanique monstre et look indéniablement macho. Voilà autant de caractéristiques typiques des *muscle cars* énumérés plus tôt et qui se voient reprises par la nouvelle VRSCX. Équipée d'un guidon plat et étroit de type drag et arborant une peinture orange avec flammes argentées, la nouveauté, qui rend à la fois hommage à la V-Rod Destroyer d'accélération présentée l'an dernier et aux motos de compétitions de l'équipe Screamin'Eagle/Vance & Hines, est une pièce superbe. Au-delà de son attrait visuel, c'est surtout par la mécanique qui l'anime que la VRSCX retient l'attention. Il s'agit d'un V-Twin basé sur celui de la V-Rod, mais que la division CVO de Harley-Davidson a fait passer de 1 130 cc à 1 250 cc. Bien que l'augmentation de puissance et de couple, qui est de l'ordre de 8 chevaux (de 115 ch à 123 ch) et de 12 lb-pi (de 74 lb-pi à 86 lb-pi), ne semble pas extraordinaire, une fois en selle, la différence en termes de performances amenée par les 120 cc additionnels est aussi nette que gratifiante. En ligne droite, la VRSCX est une délicieuse bête. Lâchez l'embrayage avec un léger empressement au départ, puis ouvrez grand et malgré tout le caoutchouc que son énorme section de 240 mm met au sol, le pneu arrière s'enfumera sans peine, accompagné d'une musique mécanique déchaînée. Si la sonorité du V-Twin refroidi par liquide n'a rien à voir avec le traditionnel rythme des moteurs Harley-Davidson refroidis par air, son agrément ne s'en trouve certainement pas diminué. Grondant avec une résonance « technologique » rappelant une sportive propulsée par un

> **VOUS NE TROUVEREZ SIMPLEMENT PAS UNE CUSTOM DE PRODUCTION À MOTEUR V-TWIN PLUS RAPIDE QUE LA VRSCX.**

bicylindre en V, la VRSCX est non seulement un bonheur pour l'oreille en pleine accélération, mais aussi pour le cœur, puisque vous ne trouverez simplement pas une custom de production à moteur V-Twin plus rapide. La poussée générée par le V-Twin, si elle est imprégnée de la progressivité du moteur de la V-Rod, représente un niveau d'accélération clairement supérieur. Ça tire fort dès le ralenti, ça tire fort au milieu et ça continue de tirer fort jusqu'à la zone rouge de 9 000 tr/min. Les mécaniques modifiées, même par le constructeur, deviennent parfois capricieuses, mais celle de la VRSCX n'exhibe que de belles manières avec son injection sans faille, son embrayage léger et progressif et sa transmission précise. De plus, elle est agréablement douce sur l'autoroute et ne vibre que légèrement en pleine accélération.

L'une des caractéristiques de la VRSCX qui en font une moto aussi particulière est sa position de conduite. Plaçant les mains loin devant sur un tout petit guidon bas et étroit, et les pieds carrément sous les mains, donc tout aussi loin, elle donne littéralement au pilote l'impression d'être plié en deux. Alors qu'on pourrait, avec raison, percevoir une telle posture comme étant extrême, le fait est que la nature justement extrême de la VRSCX la rend tout à fait justifiée. Les intéressés doivent savoir et accepter qu'ils n'ont pas affaire à une custom normale, mais plutôt à un concept repoussant les standards habituels, même ceux de Harley. Cette position affecte évidemment le niveau de confort en le limitant lors de randonnées longues, en courbant le dos peut-être plus que certains pilotes ne peuvent le tolérer et en rendant le bas du dos

particulièrement vulnérable aux coups occasionnels renvoyés par la suspension arrière sur mauvais revêtement. Personnellement, et même si j'aime généralement voir un niveau de confort être aussi élevé que possible, je crois qu'une telle position de conduite respecte l'esprit et le thème de la VRSCX, et j'admire la volonté de Harley-Davidson de mettre sur le marché une moto aussi radicalement différente.

Dans ce livre, la position de conduite de la VRSCX est cool.

La mode actuelle chez les customs haut de gamme reflète l'admiration populaire pour les gros pneus. Harley-Davidson, toujours à l'écoute de sa clientèle et à l'affût des tendances sur marché de la personnalisation, a donc repris les dimensions de la roue arrière large de 8 pouces et l'énorme pneu de 240 mm qui avaient été introduits l'an dernier sur la Sceamin'Eagle V-Rod. Même s'il est évident qu'un tel pneu ne peut qu'affecter le comportement routier d'une moto, les nouvelles sont bonnes dans le cas de la VRSCX puisqu'à l'exception d'un effort plus élevé en entrée de courbe et de la nécessité d'une certaine adaptation de la conduite lors des manœuvres lentes et serrées, les manières du châssis restent bonnes. La stabilité en ligne droite est irréprochable et le comportement en virage se montre solide et précis. La direction n'est plus vraiment neutre, ce qui veut dire qu'une certaine pression doit être maintenue sur le guidon tout au long d'une courbe, mais cela n'a rien de réellement agaçant. En fait, de toutes les customs à gros pneu arrière (240 mm ou plus) actuellement sur le marché, la VRSCX – de même que la V-Rod et la Night Train Special– est probablement la mieux maniérée. La production de la VRSCX doit être limitée à 1 400 unités.

La présentation de modèles Harley-Davidson 2007 a physiquement été l'une des plus difficiles auxquelles j'ai assisté ces dernières années. Lorsqu'il fait plus ou moins 40 degrés Celsius, qu'on roule du matin au soir sous un soleil de plomb avec blouson, gants et bottes, et que plusieurs interminables sessions de photos doivent être réalisées, les journées peuvent devenir longues. Dans mon cas, pour la première fois de ma carrière, je n'ai pu terminer la seconde journée d'essais. Des bouteilles d'eau dans toutes les poches de mon blouson et d'autres dedans, j'ai pourtant pris soin de m'hydrater. Mais après m'être perdu — pour faire changement — quelque part dans une région désertique aux environs de San Diego, avec une carte très primitive et des routes sans nom, les choses se sont détériorées. La chaleur du vent sur l'autoroute était telle que j'avais l'impression d'avoir un séchoir à cheveux pointé vers mon visage. Ouvrir mon blouson et m'arrêter en dessous des viaducs pour éviter le soleil quelques instants a aidé, mais si peu. Lentement mais sûrement, mon système perdait la bataille contre le soleil, la chaleur et la déshydratation. Lorsque j'arrivai enfin au point de ralliement, les gens de Harley-Davidson, inquiets, furent heureux de me voir. Apparemment, j'avais l'air mal en point. L'air conditionné du petit restaurant où ils m'attendaient depuis plusieurs heures m'a semblé être une bénédiction, tout comme de l'eau fraîche, mais il était trop tard. Je ne récupérais pas. Je n'arrivais pas à accepter de ne pas terminer la journée en roulant, mais tout le monde fut soulagé lorsque j'acceptai finalement de faire monter la VRSCX dans une camionnette et de retourner à l'hôtel avec le chauffeur. À mon retour, j'appris que plusieurs autres journalistes avaient été incommodés par la chaleur, dont certains sérieusement. La photo principale, prise juste avant que je m'égare, est de Tom Riles de Riles & Nelson.

Et willie G. créa la Night Rod Special...

La Night Rod Special combine deux des tendances les plus populaires du moment; un traitement noir mat et un massif pneu arrière. À l'exception de sa mécanique légèrement moins puissante produisant 120 chevaux et 80 lb-pi de couple, il s'agit d'une moto qui est pratiquement la jumelle de la VRSCX. Techniquement, elle s'en distingue par un autre genre de saute-vent, par l'utilisation d'une roue avant coulée plutôt qu'à rayon, par un guidon un peu moins étroit, par des disques de freins différents et par un système d'échappement lui aussi différent. Tous des détails qui n'affectent pas le comportement, qui se veut donc identique à celui de la VRSCX décrit sur les pages précédentes. Si les performances maximales sont inférieures à celles de la VRSCX et son V-Twin de 1 250 cc, la Night Rod Special, avec ses 1 130 cc, reste tout de même très excitante en ligne droite puisque son niveau de performances est à très peu de choses près celui de la V-Rod ou de la Night Rod. Nous hésitons beaucoup avant de formuler des opinions sur l'apparence des motos, mais celle-là mérite de sérieuses félicitations. On ne le répétera jamais assez, Harley-Davidson est le maître incontesté lorsqu'il est question de faire du neuf avec du vieux. Dans ce cas, le vieux n'est nul autre que la V-Rod et le neuf est absolument superbe.

VITESSE DE POINTE
217 km/h (VRSCX)
212 km/h (special)
ACCÉLÉRATION SUR 1/4 MILLE
11,2 s à 191 km/h
11,6 s à 183 km/h
indice d'expertise ▸

◂ rapport valeur/prix

Voir légende page 7

EXPERT	E
INTERMÉDIAIRE	I
NOVICE	N

général

catégorie	Custom
prix	Night Rod Special : 20 149 $; VRSCX : 24 399 $
garantie	2 ans/kilométrage illimité
couleur(s)	VRSCX : orange et argent Night Rod Special : noir mat, noir lustré
concurrence	Kawasaki Vulcan 1600 Mean Streak, Suzuki Boulevard M109R, Yamaha Road Star Warrior

moteur

type	bicylindre 4-temps en V à 60 degrés (Revolution), DACT, 4 soupapes par cylindre, refroidissement par liquide
alimentation	par injection
rapport volumétrique	11,3:1
cylindrée	1 130 cc (VRSCX : 1 250 cc)
alésage et course	100 (105) mm x 72 mm
puissance	120 (123) ch @ 8 250 (8 000) tr/min
couple	80 (86) lb-pi @ 7 000 tr/min
boîte de vitesses	5 rapports
transmission finale	par courroie
révolution à 100 km/h	environ 4 000 tr/min
consommation moyenne	5,5 l/100 km
autonomie moyenne	343 km

partie cycle

type de cadre	périmétrique à double berceau, en acier
suspension avant	fourche conventionnelle de 49 mm non ajustable
suspension arrière	2 amortisseurs ajustables en précharge
freinage avant	2 disques de 300 mm de Ø avec étriers à 4 pistons
freinage arrière	1 disque de 300 mm de Ø avec étrier à 4 pistons
pneus avant/arrière	120/70 ZR19 & 240/40 R18
empattement	1 706 mm
hauteur de selle	668 mm
poids à vide	291 kg (VRSCX : 289 kg)
réservoir de carburant	18,9 litres

conclusion

Ces deux Harley pourraient presque être des favorites du Guide seulement grâce à leur apparence, qui souligne encore une fois le génie de l'équipe de design du constructeur de Milwaukee, équipe dirigée de main de maître par Wille G. Davidson. Mais la réalité est qu'autant la VRSCX que la Night Rod Special méritent surtout notre plus haute appréciation pour l'ensemble de l'expérience qu'elles proposent. Il s'agit de montures très particulières en raison de leur position de conduite extrême, et qui ne s'adressent donc pas à la masse, mais dont la mécanique, surtout celle de la VRSCX, est carrément brillante, dont le comportement est étonnamment sain et dont le niveau de désirabilité est exceptionnel. Nous ne pouvons qu'applaudir l'audace de mettre de tels modèles sur le marché et le talent de le faire avec autant de style et d'agrément. Bravo.

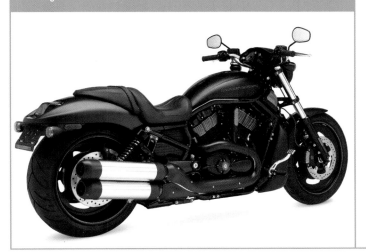

QUOI DE NEUF EN 2007 ?

VRSCX : nouveau modèle profondément basé sur la Screamin'Eagle V-Rod 2006 dont le prix était de 34 869 $

Night Rod Special : nouveau modèle techniquement proche de la V-Rod, mais reprenant un thème noir mat et la position de conduite de la VRSCX

⌃ PAS MAL

Un V-Twin aussi puissant que caractériel sur la Night Rod Special, et rien de moins que fabuleux sur la VRSCX; à lui seul, le moteur justifie la différence de prix entre les deux modèles

Un style qu'on pourrait presque qualifier de révolutionnaire; Harley-Davidson prouve une fois de plus, et de façon fort éloquente, qu'il est encore et toujours le leader incontesté en matière de stylisme chez les customs

Un comportement qui n'est pas trop affecté par l'installation d'un pneu arrière ultralarge, ce qu'on ne peut dire de toutes les customs équipées de la sorte

BOF

Une position de conduite non plus typée, mais bel et bien extrême qui place littéralement les pieds aussi loin que les mains et plie le pilote en deux; à la défense de cette position, elle arrive à imprégner le pilote du thème très particulier de ces motos

Une suspension arrière qui n'est pas une merveille de souplesse et dont le rendement moyen est considérablement amplifié par la position qui place le bas du dos de manière vulnérable; sur les belles routes non québécoises, ça va, mais chez nous, ça peut devenir douloureux

Une lourdeur de direction, un besoin d'exercer une pression constante sur le guidon et un comportement pas très naturel dans les manœuvres serrées qui découlent de la présence du gros pneu arrière

Sportster 50ᵉ anniversaire

SPORTSTER 1200

un demi-siècle de sportster...

Née en 1957 durant une ère de l'univers motocycliste dominée par les Britaniques et les Américains, la Sportster fête en 2007 ses 50 ans. Pour souligner l'événement, tradition oblige, Harley-Davidson propose non seulement une jolie version 50ᵉ anniversaire, mais profite aussi de l'occasion pour faire passer la famille entière des Sportster à l'ère moderne en équipant dorénavant chaque modèle d'une alimentation par injection. Trois autres modèles sont offerts : la traditionnelle Roadster, l'élégante Custom et l'ultrabasse Low. Par ailleurs, encore une fois en 2007, la force du dollar canadien amène une réduction de prix par rapport aux modèles de l'an dernier.

Le *Guide de la Moto* n'a pas toujours été tendre envers les Sportster, mais chaque commentaire, aussi peu élogieux ait-il pu être, restait justifié et presque seulement dû à la nonchalance du constructeur de Milwaukee, qui ne semblait absolument pas pressé de sortir ses modèles d'entrée de gamme de l'ère préhistorique où ils restaient désespérément coincés. Toutefois, depuis la refonte de 2004, la situation a heureusement beaucoup changé, car même si elles ont volontairement gardé un air de famille avec la génération précédente, les Sportster sont depuis transformées.

Non seulement la Sportster d'aujourd'hui n'est plus affligée du problème de vibrations excessives des versions pré-2004, elle est carrément devenue la custom de cette catégorie disposant de la mécanique la plus plaisante. Pas mal, comme amélioration, on en conviendra. Laissez une Sportster 1200 tourner au ralenti, reculez-vous un peu et observez. Avec chaque mouvement des pistons, le moteur et le système d'échappement tout entier basculent et tremblent, au point que la roue avant semble même sautiller sur le sol, exactement comme sur les modèles de la famille de tourisme et sur les Dyna. L'arrivée de l'injection, cette année, élimine tous les caprices des carburateurs des versions 2006, notamment le temps de réchauffement et le besoin d'utilisation de l'enrichisseur.

Une fois installé sur une des selles plutôt dures mais basses des diverses versions, on découvre une position qui demande d'étendre les jambes jusqu'à des repose-pieds naturellement avancés pour le

> **LA SPORTSTER 1200 EST CARRÉMENT DEVENUE LA CUSTOM DE SA CLASSE DISPOSANT DE LA PLUS AGRÉABLE MÉCANIQUE.**

modèle Custom, ou de poser les pieds sur des commandes hautes et reculées pour toutes les autres variantes. La première s'enclenche dans le « clonk » typique d'un V-Twin américain et l'embrayage s'avère agréablement léger.

La Sportster 1200 est peut-être la seule custom traditionnelle du marché qui fasse mentir sa cylindrée au chapitre des performances puisqu'elle s'avère facilement la plus rapide des modèles américains refroidis par air. Au-delà de ses impressionnantes accélérations, c'est surtout par le genre d'expérience sensorielle qu'il fait vivre à son pilote que ce V-Twin se distingue. Les lourdes pulsations qu'il transmet au ralenti se transforment en un grondant et plaisant roulement de tambour à chaque montée de régime, tandis que le tout est accompagné d'une sonorité aussi profonde qu'étonnamment présente pour une mécanique de série. L'expérience rappelle d'ailleurs beaucoup les modèles de la famille Dyna. Même si elles ont pris quelques kilos après la refonte de 2004, les Sportster 1200 restent relativement légères, minces et plutôt agiles pour des customs; des avantages importants surtout pour les motocyclistes de plus faible stature. Les moins grands parmi ces derniers devraient par ailleurs apprécier la version Low et sa selle ultrabasse.

L'un des pires défauts des Sportster 1200 se situe au niveau des suspensions dont le comportement est rudimentaire, surtout à l'arrière où des réactions douloureusement sèches ne sont pas rares. Des freins ordinaires et une finition moyenne à certains endroits trahissent par ailleurs le souci d'économie.

VITESSE DE POINTE
187 km/h

ACCÉLÉRATION SUR 1/4 MILLE
13,4 s à 161 km/h

indice d'expertise ▶

◀ rapport valeur/prix

Voir légende page 7

EXPERT **E**
INTERMÉDIAIRE **I**
NOVICE **N**

Général

catégorie	Custom
prix	Roadster : 10 649 $; Custom : 11 869 $ Low : 11 649 $; 50ᵉ : 11 999 $
Garantie	2 ans/kilométrage illimité
couleur(s)	Roadster : 7 choix Custom : 12 choix Low : 8 choix 50ᵉ : noir ou orange
concurrence	Honda VTX1300 et Shadow 1100, Suzuki Boulevard S83, Yamaha V-Star 1100 et 1300

partie cycle

TYPE de cadre	double berceau, en acier
suspension avant	fourche conventionnelle de 39 mm non ajustable
suspension arrière	2 amortisseurs ajustables en précharge
Freinage avant	1 (R : 2) disque de 292 mm de Ø avec étrier à 2 pistons
Freinage arrière	1 disque de 292 mm de Ø avec étrier à 1 piston
Pneus avant/arrière	100/90-19 (Custom : MH90-21) / 150/80 B16
empattement	R : 1 524 mm; C : 1 534 mm; L : 1 516 mm; 50ᵉ : 1 516 mm
Hauteur de selle	R : 759 mm; C : 711 mm; L : 711 mm; 50ᵉ : 744 mm
Poids à vide	R : 256 kg; C : 255 kg; L : 253 kg; 50ᵉ : 253,6 kg
Réservoir de carburant	R et 50ᵉ : 12,5 litres; C et L : 17 litres

moteur

TYPE	bicylindre 4-temps en V à 45 degrés (Evolution), culbuté, 2 soupapes par cylindre, refroidissement par air
Alimentation	par injection
Rapport volumétrique	9,7:1
cylindrée	1 203 cc
Alésage et course	88,8 mm x 96,8 mm
Puissance estimée	65 ch @ 6 000 tr/min
couple	79,1 lb-pi @ 4 000 tr/min
Boîte de vitesses	5 rapports
Transmission finale	par courroie
Révolution à 100 km/h	environ 2 800 tr/min
consommation moyenne	6,0 l/100 km
Autonomie moyenne	R et 50ᵉ : 208 km; C et L : 283 km

conclusion

La transformation qu'ont subie les Sportster 1200 en 2004 doit figurer parmi les réalisations les plus impressionnantes du motocyclisme moderne. De montures qu'on n'aurait pas recommandées à un agent de l'impôt avant cette année, elles sont non seulement devenues des customs caractérielles et désirables, mais aussi, grâce à de nombreuses baisses de prix, des modèles étonnamment abordables. Nous croyons qu'elles constituent aujourd'hui d'excellentes valeurs et, en raison de la différence de prix de plus en plus faible qui les distingue des modèles 883, que les 1200 constituent aussi le meilleur choix de cylindrée.

Sportster 1200 Custom

⊙ QUOI DE NEUF EN 2007 ?

Disponibilité d'une version 50ᵉ anniversaire à tirage limité

Disponibilité d'une version Low avec hauteur de selle réduite

Alimentation par injection remplace les carburateurs sur tous les modèles

Effort au levier de frein réduit de 14 pour cent et au levier d'embrayage de 8 pour cent

Instrumentation revue sur tous les modèles

Roadster coûte 680 $ et 1200 Custom 780 $ de moins qu'en 2006

⌃ PAS MAL

Un V-Twin qui a longtemps été plutôt désagréable en raison d'un niveau de vibration trop élevé, mais qui est aujourd'hui devenu le moteur de custom le plus plaisant du marché dans cette classe de cylindrée

Une ligne soignée qui n'est pas nécessairement au goût du jour pour certains amateurs de customs, mais qui respecte avec élégance l'héritage des modèles

Un comportement simple, stable et exempt de vice important qui s'avère aussi facile d'accès pour les motocyclistes ne disposant pas d'une grande expérience

⌄ BOF

Des suspensions qui donnent l'impression d'être des composantes économiques en raison de leur comportement rudimentaire, et qui peuvent se montrer particulièrement rudes à l'arrière sur route abîmée; mieux vaut passer à côté des trous avec une Sportster...

Une position de conduite un peu étrange sur les modèles munis de repose-pieds en position centrale; on ne retrouve ce genre de posture que sur certains modèles Harley-Davidson et nulle part ailleurs

Un modèle Low qui arrive à une hauteur de selle exceptionnellement basse en coupant de manière importante dans les débattements de suspensions et dans le rembourrage de la selle

Sportster 883

SPORTSTER 883

une vraie Harley, pour pas cher...

Pour les motocyclistes moins fortunés, moins expérimentés ou moins exigeants, la Sportster 883 représente la façon idéale d'accéder au rêve qu'est souvent l'acquisition d'une Harley-Davidson. Un rêve qui aurait pu tourner au cauchemar voilà à peine quelques années, n'eut été de la refonte complète et tout à fait réussie du modèle. Pour 2007, question de bien souligner le 50e anniversaire du modèle lancé en 1957 — et pour se plier aux dernières normes antipollution —, le constructeur de Milwaukee continue de faire progresser la 883 en l'alimentant désormais par un système d'injection. Pas moins de quatre versions sont proposées : la 883, la Roadster, la Custom et la Low.

Faire un parallèle entre l'histoire de la 883 et celle de Cendrillon serait probablement pousser un peu fort, mais le fait demeure qu'une telle comparaison résume quand même assez fidèlement le progrès du modèle depuis sa refonte de 2004. D'une atrocité mécanique digne de tout sauf du plus respecté constructeur de customs au monde, la 883 est devenue, le temps d'une révision, une authentique et légitime Harley-Davidson format réduit.

Quatre versions de Sportster 883 sont aujourd'hui offertes. La 883 est la plus économique et la plus élémentaire, avec sa selle solo et son look dépourvu de tout artifice. Abaissez les suspensions de la 883 et vous obtenez la version Low dont la seule raison d'être est de faciliter autant que possible l'accès au pilotage pour les motocyclistes de petite stature, notamment les femmes d'environ 5 pieds. La Low est équipée de suspensions abaissées et d'un siège moins rembourré afin de réduire la hauteur de la selle au minimum. Cette dernière est par ailleurs formée de manière à pousser le pilote légèrement vers l'avant, tandis que le guidon est reculé. Enfin, la béquille latérale est conçue de manière à minimiser l'effort requis pour relever la moto. La 883 Custom se distingue par sa position de conduite classique avec un guidon reculé et des repose-pieds avancés. Affichant une finition un peu plus poussée, elle dispose d'une selle biplace et ajoute environ 1 500 $ au prix d'une 883 de base. La dernière, mais non la moindre, la 883R se veut un hommage stylistique aux XR de compétition sur terre battue des années 70. Guidon large et

> **LA CONCURRENCE DIRECTE DES 883 TRAÎNE SÉRIEUSEMENT DERRIÈRE AU CHAPITRE DU CARACTÈRE DE LA MÉCANIQUE.**

avancé, mécanique au fini noir texturé, frein à double disque à l'avant, selle biplace et repose-pieds en position centrale sont autant de caractéristiques qui distinguent cette version dont le prix est exactement le même que celui de la Custom.

Malgré une cylindrée tout de même assez imposante de presque 900 cc, du moins pour cette classe, la 883 n'est pas particulièrement rapide. L'arrivée de l'injection cette année, de concert avec quelques modifications internes portées à la mécanique améliorent légèrement le niveau de performances de la petite Sportster qui satisfera surtout les motocyclistes peu expérimentés ou peu exigeants en matière de chevaux. Si la force des accélérations reste modeste, le couple livré à bas et moyen régimes a au moins le mérite d'être suffisamment intéressant pour qu'on arrive à circuler sans aucun problème, surtout si l'esprit est à la promenade. La plus grande qualité du V-Twin de 883 cc reste néanmoins les sensations aussi franches que plaisantes qu'elle communique au pilote sous la forme d'agréables pulsations et d'une sonorité américaine authentique. À ce sujet, presque toutes les concurrentes directes de la 883 traînent sérieusement derrière puisqu'elles ont le défaut commun de manquer sévèrement de caractère.

L'une des indications les plus évidentes de la nature économique des Sportster 883 est le rendement à peine satisfaisant des suspensions sur pavé en bon état, et carrément pauvre lorsque l'état de la route se dégrade, surtout au niveau des amortisseurs arrière et surtout sur la version Low à débattement réduit.

VITESSE DE POINTE
166 km/h
ACCÉLÉRATION SUR 1/4 MILLE
14,9 s @ **144** km/h
indice d'expertise ▶

◀ rapport valeur/prix

Voir légende page 7

EXPERT **E**
INTERMÉDIAIRE **I**
NOVICE **N**

Général

catégorie	Custom
prix	883 : 8 059 $; 883R : 9 579 $ Custom : 9 579 $; Low : 8 549 $
Garantie	2 ans/kilométrage illimité
couleur(s)	883 : noir, rouge, bleu, argent 883R : noir, argent, orange Custom : 11 choix Low : 8 choix
concurrence	Honda Shadow 750, Hyosung Aquila 650, Kawasaki Vulcan 900 Classic, Suzuki C50 et M50, Triumph America et Speedmaster

moteur

Type	bicylindre 4-temps en V à 45 degrés (Evolution), culbuté, 2 soupapes par cylindre, refroidissement par air
Alimentation	par injection
Rapport volumétrique	8,9:1
Cylindrée	883 cc
Alésage et course	76,2 mm x 96,8 mm
Puissance estimée	53 ch @ 6 000 tr/min
couple	55 lb-pi @ 3 500 tr/min
boîte de vitesses	5 rapports
transmission finale	par courroie
Révolution à 100 km/h	environ 3 100 tr/min
consommation moyenne	5,8 l/100 km
Autonomie moyenne	215 km (Custom : 293 km)

partie cycle

Type de cadre	double berceau, en acier
suspension avant	fourche conventionnelle de 39 mm non ajustable
suspension arrière	2 amortisseurs ajustables en précharge
Freinage avant	1 (R : 2) disque de 292 mm de Ø avec étrier à 2 pistons
Freinage arrière	1 disque de 292 mm de Ø avec étrier à 1 piston
pneus avant/arrière	100/90-19 (Custom : MH90-21) & 150/80 HB16
empattement	1 524 mm (Custom : 1 534 mm)
hauteur de selle	883 : 744 mm; R : 759 mm; C : 711 mm; L : 668 mm
poids à vide	883 : 255 kg; R : 258 kg; C : 256 kg; R : 255 kg
Réservoir de carburant	12,5 litres (Custom : 17 litres)

conclusion

Les comparaisons techniques avec les produits concurrents, asiatiques ou autres, sont un exercice qui n'a jamais joué en faveur de la petite Sportster. Mais les temps changent et voilà que la 883 est aujourd'hui l'un des seuls modèles de sa classe bénéficiant de l'injection, qu'elle dispose de l'une des plus grosses cylindrées et qu'elle propose assurément la mécanique la plus caractérielle chez les petites customs. Le tout pour un prix non seulement compétitif, mais parfois inférieur à celui de la concurrence. La Sportster 883, un modèle compétitif tant au niveau de la valeur que de l'agrément de pilotage et de la technologie ? Le monde à l'envers.

⊙ QUOI DE NEUF EN 2007 ?

Alimentation par injection remplace les carburateurs sur tous les modèles

Nouveau profil des cames favorisant le couple à bas régime

Effort réduit de 14 pour cent au levier de frein et de 8 pour cent à l'embrayage

Instrumentation revue sur tous les modèles

Suspensions recalibrées et nouvelle béquille latérale (Low)

883 coûte 610 $, 883R 600 $, Custom 600 $ et Low 670 $ de moins qu'en 2006

PAS MAL

Un « petit » V-Twin – il fait tout de même près de 900 cc – dont le caractère est indéniablement authentique; le couple des gros modèles n'y est pas, mais le rythme et la sonorité sont un échantillonnage parfaitement légitime de ce qu'offrent les grosses Harley

Une facilité de prise en main intéressante pour les motocyclistes plus ou moins expérimentés qui prennent rapidement confiance à ses commandes

Une valeur incontestable; pour une somme qui n'achète généralement que des customs japonaises d'entrée de gamme, on peut se payer une Harley

BOF

Un niveau de performances qui n'a rien d'étincelant, et ce, malgré une certaine amélioration due à l'arrivée de l'injection en 2007; les novices et les pilotes peu exigeants s'en accommoderont, tandis que les autres devraient sérieusement envisager la 1200

Des suspensions rudimentaires qui ne se comportent décemment que sur de belles routes; les amortisseurs arrière peuvent se montrer douloureusement rudes sur mauvais revêtement, surtout sur le modèle Low équipé de suspensions abaissées

Une position de conduite quelque peu étrange dans le cas des modèles avec repose-pieds en position centrale (tous sauf la Custom)

Sportster 883 Custom

GOLD WING

Full équipée...

Sur le marché depuis maintenant plus de 30 ans, la Gold Wing en est venue à incarner la notion de voyage à moto. Propulsée par un impressionnant 6-cylindres à plat de 1,8 litre et construite autour d'un massif châssis en aluminium d'inspiration sportive, la vénérable touriste entame le millésime 2007 sans changement majeur, mais plutôt en se démultipliant. En effet, la version généreusement équipée offerte l'an dernier — et qui revient sous l'appellation de code AL — est jointe par une version de base dont la facture est allégée de 3 300 $. Une version AD équipée de ce fameux coussin de sécurité gonflable, le premier à être installé sur une moto, rappelons-le, fait aussi son apparition.

À cent soixante à l'heure, la Gold Wing et son pilote filent le parfait bonheur. Blotti dans un siège qui tient davantage du fauteuil, presque aussi bien protégé du vent que dans une bagnole, toute la puissance du seul 6-cylindres de l'industrie au bout des doigts, on oublie complètement la notion de limite de vitesse. Bien qu'aucun changement mécanique n'ait été apporté à la Gold Wing depuis 2001, un ajout substantiel d'équipement, l'an dernier, a quand même transformé l'expérience de pilotage proposée par le modèle. Si le motocycliste moyen reconnaît surtout la version 2006-2007 à sa partie arrière légèrement redessinée, le connaisseur, lui, note une considérable évolution de ce qui est désormais un véritable cockpit. Celui-ci est dominé par un panneau d'instrumentation d'inspiration automobile et souligné du large écran couleur du premier système de navigation – il est dérivé de celui de la Honda Accord – installé en équipement de série (versions AL et AD) sur une moto. Notons qu'il sert aussi d'écran d'affichage pour tout ce qui a trait aux systèmes audio et de communication. Un petit cours est nécessaire afin d'arriver à tirer le meilleur de toute cette technologie, mais on y arrive sans trop de difficultés et on s'attache vite à l'excellent système de navigation, surtout en voyage. Une autre impressionnante amélioration concerne le système audio des versions AL et AD qui est tout simplement le plus puissant et celui dont la sonorité est la plus claire jamais installé sur une moto. Le changeur de CD optionnel ne lit toutefois pas le format MP3, ce qui frôle

> ## LA PRÉSENCE D'ÉQUIPEMENTS CHAUFFANTS PERMET DÉSORMAIS DE ROULER SANS PROBLÈME PAR UNE DIZAINE DE DEGRÉS CELSIUS.

l'inacceptable sur une monture de ce prix. Longtemps critiquée pour ne pas offrir les sièges chauffants dont sa concurrente directe, la BMW K1200LT, était équipée, la Gold Wing (AL et AD) en est désormais munie. Combinés aux poignées chauffantes, ces équipements élèvent réellement le niveau de confort par temps froid. On peut ainsi rouler sans aucun problème par une température d'une dizaine de degrés Celsius, et même moins, ce qui permet carrément d'étirer la saison. En ce qui concerne le coussin gonflable de la version AD, le premier du motocyclisme, le surplus de 1 450 $ qu'il commande par rapport à la version AL semble très raisonnable compte tenu des gains amenés par sa présence en matière de sécurité.

Quant à la version de base de la Gold Wing, qui fait un retour cette année, elle illustre bien que du point de vue du comportement, rien n'a changé depuis l'introduction de la génération actuelle de cette excellente machine de tourisme en 2001. On peut surtout reprocher à la Gold Wing son poids élevé, son pare-brise à ajustement manuel et l'écoulement d'air moins que parfait qu'il génère, et le caractère rugueux, presque vieillot, de sa transmission. D'un autre côté, on ne peut qu'admirer à quel point l'ensemble s'allège et devient même agile dès qu'on se met à rouler. La légèreté de la direction en amorce de virage, la stabilité à très haute vitesse en ligne droite ou en courbe, l'efficacité du système de freinage combiné avec ABS et la superbe souplesse de la vénérable mécanique Boxer à 6 cylindres font aussi partie des caractéristiques faisant de la Gold Wing la référence qu'elle est.

VITESSE DE POINTE
203 km/h
ACCÉLÉRATION SUR 1/4 MILLE
12,3 s à **174** km/h
indice d'expertise ▶
◀ rapport valeur/prix

Voir légende page 7

EXPERT	E
INTERMÉDIAIRE	I
NOVICE	N

général

catégorie	Tourisme de luxe
prix	26 099 $; AL : 29 399 $; AD : 30 849 $
garantie	3 ans/kilométrage illimité
couleur(s)	modèle de base : noir, rouge foncé AL et AD : bleu, orange foncé, rouge foncé
concurrence	BMW K1200LT, Harley-Davidson Electra Glide Ultra Classic; Yamaha Royal Star Venture

moteur

type	6-cylindres 4-temps boxer, SACT, 2 soupapes par cylindre, refroidissement par liquide
alimentation	injection à 2 corps de 40 mm
rapport volumétrique	9,8:1
cylindrée	1 832 cc
alésage et course	74 mm x 71 mm
puissance	118 ch @ 5 500 tr/min
couple	125 lb-pi @ 4 000 tr/min
boîte de vitesses	5 rapports avec marche arrière électrique
transmission finale	par arbre
révolution à 100 km/h	environ 2 800 tr/min
consommation moyenne	7,6 l/100 km
autonomie moyenne	329 km

partie cycle

type de cadre	périmétrique, en aluminium
suspension avant	fourche conventionnelle de 45 mm non ajustable
suspension arrière	monoamortisseur ajustable en précharge
freinage avant	2 disques de 296 mm de Ø avec étriers à 3 pistons et systèmes ABS (versions AL et AD) et LBS
freinage arrière	1 disque de 316 mm de Ø avec étrier à 3 pistons et systèmes ABS (versions AL et AD) et LBS
pneus avant/arrière	130/70 R18 & 180/80 R16
empattement	1 692 mm
hauteur de selle	739 mm
poids à vide	de 372 kg à 380 kg selon la version et l'équipement
réservoir de carburant	25 litres

conclusion

Si la Gold Wing constitue présentement le summum en matière de tourisme à moto, il reste qu'elle pourrait être améliorée. Désormais reine de l'équipement avec son impressionnant système de navigation, sa puissante chaîne audio, son agréable sellerie chauffante et son révolutionnaire coussin gonflable, elle fait preuve d'une étonnante facilité de pilotage une fois en route et d'une imperturbable stabilité dans toutes les circonstances. Mais c'est lourd, tout ça, très lourd. À quand un sérieux programme d'amaigrissement sur ces mastodontes ? Et comment se fait-il que la Gold Wing ne bénéficie toujours pas d'un meilleur pare-brise à ajustement électrique ? La transmission pourrait, quant à elle, être plus douce et la mécanique, aussi réussie soit-elle, ne pourrait que bénéficier d'une bonne petite augmentation de cylindrée. Oui, nous sommes difficiles. Mais la Gold Wing est l'un des modèles les plus importants d'un manufacturier s'affichant comme le numéro un mondial de la moto, et sa facture n'est pas tout à fait légère. Alors, il y a lieu d'être difficile. Cela dit, quelle joie de filer à toute allure, en tout confort, sa musique plein les oreilles, sur une moto aussi bien équipée, jusqu'à où bon nous semble... La Gold Wing, malgré tout, reste un formidable engin.

QUOI DE NEUF EN 2007 ?

Retour d'une version de base sans les équipements de luxe : ABS, poignées et selles chauffantes, système audio supérieur, déflecteur d'air chaud pour les pieds et système de navigation par satellite

Introduction d'une version avec coussin gonflable, la AD; cette dernière est identique à la version AL tout équipée, mais avec le coussin

Version AL coûte 400 $ de plus que la Gold Wing équivalente en 2006

⌃ PAS MAL

Une mécanique unique au motocyclisme qui joue un rôle très important dans l'agrément de pilotage; la sonorité du 6-cylindres, sa souplesse et sa puissance constituent certaines des plus grandes forces du modèle

Un niveau de confort princier amené par une selle qui tient presque du fauteuil, par une protection au vent complète, par une absence quasi totale de vibrations, par une liste d'équipements interminable, etc.

Un comportement étonnamment solide, précis et même agile une fois en mouvement; balourde à l'arrêt, la Gold Wing surprend à ce chapitre sur la route

⌄ BOF

Un poids très élevé qui demande une bonne expérience de pilotage pour être géré correctement; si elle s'allège une fois en route, à l'arrêt ou dans les situations serrées, la Gold Wing est un véritable éléphant sur deux roues

Une efficacité aérodynamique très bonne, mais quand même perfectible puisque l'écoulement du vent n'est pas exempt de turbulence à la hauteur du casque; l'ajustement manuel du pare-brise n'a pas sa place sur une monture de ce prix et de ce calibre; Honda traîne et ne l'installe pas sur la Gold Wing... parce que, selon le constructeur, ça permet d'éviter le poids du mécanisme!

Une transmission qui fait son travail sans accroc, mais qui se montre rugueuse et pas très précise lors des passages de vitesses; ça fait un peu vieillot comme comportement

ST1300

sport-tourisme caractériel...

Lancée au début des années 90, la ST de Honda a durant de nombreuses années fait figure de référence incontestée en matière de tourisme sportif. Il a fallu attendre le début des années 2000 pour voir arriver des rivales dignes de mention. Aujourd'hui, tous les grands constructeurs japonais à l'exception de Suzuki en offrent une dans leur catalogue, tandis que du côté européen, BMW se montre plus concurrentiel que jamais depuis l'introduction de la K1200GT l'an dernier. Caractérisée par son 4-cylindres en V longitudinal, le seul de l'industrie, la ST1300 continue malgré tout de bien tirer son épingle du difficile jeu d'équilibre qu'est celui de cette classe.

La situation pourrait bientôt changer avec l'arrivée de la nouvelle Concours 14 2008 de Kawasaki puisque les chances sont fortes pour que celle-ci vienne brouiller les cartes de la catégorie, mais d'ici là, la majorité des acheteurs de touristes sportives continuera d'hésiter entre deux modèles théoriquement nez à nez, la Honda ST1300 et la Yamaha FJR1300. Aucune n'est mauvaise, mais arriver à choisir la bonne exige avant tout de s'attarder non seulement à la personnalité des modèles, mais aussi à celle du futur propriétaire. En laissant de côté ses rivales et en l'isolant, la ST1300 doit être considérée comme une sport-tourisme exceptionnelle. Rappelons qu'en ce qui concerne *Le Guide de la Moto*, n'est classifiée sous l'appellation sport-tourisme qu'une moto capable de démontrer une capacité à mélanger de façon aussi transparente et intégrée que possible deux aspects du motocyclisme qui sont pourtant contradictoires : la conduite sportive et le tourisme de luxe. Étonnamment agile et maniable pour une monture de ces proportions, la ST1300 parvient de fort belle façon à mélanger ces deux facettes du pilotage d'une moto. Un effort minimal suffit à l'inscrire en courbe ou à la basculer d'un côté à l'autre, tandis que le châssis renvoie une forte impression de solidité et de précision dans les virages de tous types. Une enfilade de courbes à ses commandes devient un exercice à la fois plaisant et étonnamment facile.

Si le comportement de la ST1300 est irréprochable jusqu'à plus ou moins 140 km/h, il reste possible de prendre sa stabilité en faute à

> **LE CARACTÉRIEL ET COUPLEUX V4 LONGITUDINAL DE LA ST1300 CONSTITUE L'UN DES POINTS LES PLUS INTÉRESSANTS DU MODÈLE.**

très haute vitesse. On parle ici de 180 km/h et plus, des vitesses qui semblent extrêmes au commun des mortels, mais qui restent relativement communes pour certains amateurs de tourisme sportif. Évidemment, ces derniers ont généralement assez de jugement pour décider avec sagesse où et quand piloter de cette façon.

Le charismatique V4 longitudinal qui propulse la ST1300 joue un important rôle dans l'agrément de conduite du modèle. Murmurant d'une façon aussi unique qu'agréable, il est bourré de couple dans les premiers tours, assez même pour envoyer l'avant en l'air après un départ, si les gaz sont brusquement ouverts. L'accélération est ensuite linéaire jusqu'à la zone rouge, si bien qu'on a toujours la sensation de disposer d'assez de puissance, et qu'on ne pense pratiquement jamais à rétrograder pour rendre les choses plus intéressantes. La ST n'est pas ultrarapide, mais elle satisfait pleinement.

Évidemment, qui dit tourisme dit aussi confort et à cet égard, la ST continue d'exceller grâce à une position de conduite agréablement équilibrée, à une très bonne selle et à des suspensions à la fois souples et juste assez fermes. L'une des seules critiques au chapitre du confort concerne l'agaçant retour d'air que provoque le pare-brise à ajustement électrique – qui offre autrement une protection assez généreuse – lorsqu'il se trouve en position élevée. L'écoulement de l'air n'est pas totalement exempt de turbulence, mais ça reste acceptable. Enfin, on note un dégagement de chaleur élevée par temps chaud, dans des situations lentes comme la conduite urbaine.

VITESSE DE POINTE

225 km/h

ACCÉLÉRATION SUR 1/4 MILLE

11,6 à 188 km/h

indice d'expertise ►

◄ rapport valeur/prix

Voir légende page 7

EXPERT	E
INTERMÉDIAIRE	I
NOVICE	N

Général

catégorie	Sport-Tourisme
prix	ST1300 : 18 999 $; ST1300A : 19 699 $
garantie	3 ans/kilométrage illimité
couleur(s)	argent
concurrence	BMW K1200GT, Kawasaki Concours 14, Yamaha FJR1300

partie cycle

type de cadre	périmétrique, en aluminium
suspension avant	fourche conventionnelle de 45 mm non ajustable
suspension arrière	monoamortisseur ajustable en précharge et détente
freinage avant	2 disques de 310 mm de Ø avec étriers à 3 pistons et système LBS (ABS optionnel)
freinage arrière	1 disque de 316 mm de Ø avec étrier à 3 pistons et système LBS (ABS optionnel)
pneus avant/arrière	120/70 ZR18 & 170/60 ZR17
empattement	1 490 mm
hauteur de selle	775/790/805 mm
poids à vide	286,2 kg (ST1300A : 289 kg)
réservoir de carburant	29 litres

moteur

type	4-cylindre longitudinal 4-temps en V à 90 degrés, DACT, 4 soupapes par cylindre, refroidissement par liquide
alimentation	injection à 4 corps de 36 mm
rapport volumétrique	10,8:1
cylindrée	1 261 cc
alésage et course	78 mm x 66 mm
puissance	125 ch @ 8 000 tr/min
couple	85 lb-pi @ 6 000 tr/min
boîte de vitesses	5 rapports
transmission finale	par arbre
révolution à 100 km/h	environ 3 400 tr/min
consommation moyenne	6,5 l/100 km
autonomie moyenne	446 km

conclusion

Plus la catégorie des touristes sportives évolue, plus le rôle de la ST1300 se clarifie. Moins fine en pilotage sportif que la Yamaha FJR1300, moins poussée que la nouvelle Kawasaki Concours 14 et bien moins chère que la BMW K1200GT, elle incarne aujourd'hui le modèle établi, la valeur sûre de la classe. Elle s'adresse non pas à l'amateur de records ou au sportif à la retraite, mais plutôt à l'amateur de moto moyen, celui qui ne demande qu'à rouler longtemps et confortablement avec un minimum tracas. Elle accomplit très bien tout ce qu'on attend d'une monture de cette classe, sans toutefois exceller nulle part, et ne se démarque vraiment que par le caractère aussi particulier que plaisant de son excellente mécanique en V. Il s'agit d'un choix qu'on ne regrette que si l'on s'attend à être épaté plutôt que tout à fait satisfait.

QUOI DE NEUF EN 2007 ?

Aucun changement

Les deux versions coûtent 400 $ de plus qu'en 2006

PAS MAL

Un excellent niveau de confort amené par une très bonne protection au vent, par une position de conduite bien équilibrée, par des suspensions bien calibrées, et par une bonne selle pour le pilote et son passager

Une sport-tourisme qui ne fait pas qu'exceller dans son environnement idéal, soit les longues distances parsemées de routes en lacet, mais qui se montre aussi étonnamment facile à vivre au quotidien

Un niveau de performances qui, sans qu'il batte de records, reste tout à fait satisfaisant, surtout compte tenu du caractère bien particulier du V4

BOF

Un pare-brise électrique qui ne constitue pas une référence puisqu'il crée de la turbulence à la hauteur du casque et qu'il génère un retour d'air poussant le pilote dans le dos, à haute vitesse et lorsqu'il se trouve en position haute

Une mécanique qui dégage beaucoup de chaleur par temps chaud, surtout dans des conditions sans déplacement d'air comme la circulation dense

Une stabilité qui peut être prise en faute par un léger louvoiement, mais seulement à très haute vitesse et surtout lorsque le pare-brise est en position haute; les utilisateurs qui respectent plus ou moins les limites de vitesse ne s'en rendront jamais compte

HONDA
CBR1000RR

à jour...

Incroyablement stable, mais plus lourde et pas tout à fait aussi rapide que ses redoutables rivales, la CBR1000RR 2004-2005 n'avait pas réussi à s'imposer dans cet univers fou qu'est celui des sportives pures d'un litre. La sérieuse évolution qu'a subie la grosse CBR-RR l'an dernier a toutefois permis de rectifier la situation en élevant le modèle jusqu'à un niveau de performances et de tenue de route n'ayant plus rien à envier à la concurrence. Il reste à voir à quel point et comment a progressé la cuvée 2007 des Suzuki GSX-R1000 et Yamaha YZF-R1, bien sûr, mais à moins que vous soyez carrément insatiable, la CBR1000RR actuelle devrait vous tenir occupé...

Les améliorations portées à cette seconde génération de la CBR1000RR correspondent aux critiques formulées face à la première génération du modèle, critiques qui visaient surtout une direction relativement lourde et un poids supérieur à ce que proposaient les modèles rivaux. Si Honda n'a pas voulu réinventer sa CBR1000RR afin de satisfaire ces demandes, il n'a néanmoins eu d'autre choix que de la remanier dans sa presque totalité. Même si l'architecture des première (2004-2005) et seconde (2006-2007) générations du modèle se veut ainsi très similaire, dans les faits, la CBR actuelle n'a presque plus de pièces communes avec l'originale. Elle est légèrement plus courte, dotée d'une géométrie de direction plus agressive, allégée d'environ 4 kilos et bénéficie d'un tirage final plus court afin de favoriser les accélérations.

Il arrive parfois que les avantages d'une telle révision soient plus évidents sur papier qu'en selle, mais tel n'est absolument pas le cas de la CBR1000RR. Si les utilisateurs routiers ne ressentent qu'une légère diminution de l'effort à la direction et notent probablement une mécanique tournant plus haut et prenant ses tours avec un peu plus d'empressement, les propriétaires roulant sur circuit, eux, découvriront par contre la véritable étendue des améliorations dont profite la génération courante.

Des gains intéressants ont par exemple été réalisés au niveau de la tenue de route. Ceux-ci ne sont pas uniquement dus au régime subi par la grosse CBR ou même aux modifications apportées à la partie cycle, mais sont

> ## C'EST SUR CIRCUIT QUE TOUTES LES AMÉLIORATIONS PORTÉES À LA CBR1000RR SONT LE PLUS CLAIREMENT RESSENTIES.

plutôt le résultat de l'ensemble de toutes les améliorations. La CBR1000RR 2006-2007 est ainsi considérablement plus facile à manier en pilotage sportif, sur circuit, que le modèle 2004-2005 puisqu'on n'a désormais plus cette impression de se battre avec elle sur un tour de piste. Au contraire, la CBR peut être poussée agressivement avec une précision, une assurance et un plaisir de pilotage qui rappellent beaucoup ce que la concurrence propose, une affirmation qu'il n'a jamais vraiment été possible de faire sur le modèle original. Malgré un léger accroissement de la nervosité de la direction, la superbe stabilité du modèle 2004-2005 est intégralement retrouvée sur la version 2006-2007.

D'une façon similaire aux bénéfices ressentis au niveau de la partie cycle, les prestations de la mécanique sont améliorées par l'ensemble des modifications plutôt que par seulement l'une ou l'autre de ces dernières. Dans ce cas, l'impression ressentie est celle d'un moteur qui grimpe en régimes de manière plus empressée et qui tourne quelques centaines de tours / minute plus haut que sur le modèle original, par rapport auquel un léger gain en accélération est notable. Si ce gain n'est pas suffisant pour transformer la nouvelle CBR1000RR en première de classe en termes de performances, on peut certainement dire que l'écart avec la concurrence, si écart il y a, est plus mince que jamais. De telles comparaisons sont de toute façon peu réalistes puisque le 4-cylindres en ligne d'un litre de la Honda offre des performances de très haut niveau qui occuperont sérieusement tous sauf les plus avertis et les plus gourmands des experts.

VITESSE DE POINTE

286 km/h

ACCÉLÉRATION SUR 1/4 MILLE

10,1 s à **226** km/h

indice d'expertise ▸

◂ rapport valeur/prix

Voir légende page 7

EXPERT	**E**
INTERMÉDIAIRE	**I**
NOVICE	**N**

Général

catégorie	Sportive
prix	15 549 $
garantie	1 an/kilométrage illimité
couleur(s)	rouge et noir, argent
concurrence	Kawasaki Ninja ZX-10R, Suzuki GSX-R1000, Yamaha YZF-R1

partie cycle

type de cadre	périmétrique, en aluminium
suspension avant	fourche inversée de 43 mm ajustable en précharge, compression et détente
suspension arrière	monoamortisseur ajustable en précharge, compression et détente
freinage avant	2 disques de 320 mm de Ø avec étriers radiaux à 4 pistons
freinage arrière	1 disque de 220 mm de Ø avec étrier à 1 piston
pneus avant/arrière	120/70 ZR17 & 190/50 ZR17
empattement	1 400 mm
hauteur de selle	831 mm
poids à vide	176 kg
réservoir de carburant	18 litres

moteur

type	4-cylindres en ligne 4-temps, DACT, 4 soupapes par cylindre, refroidissement par liquide
alimentation	injection à 4 corps de 44 mm
rapport volumétrique	12,2:1
cylindrée	998 cc
alésage et course	75 mm x 56,5 mm
puissance sans ram air	172 ch @ 11 250 tr/min
couple	85 lb-pi @ 8 500 tr/min
boîte de vitesses	6 rapports
transmission finale	par chaîne
révolution à 100 km/h	environ 4 300 tr/min
consommation moyenne	7,1 l/100 km
autonomie moyenne	253 km

conclusion

Même si on n'a pas vraiment apprécié, chez Honda, qu'on qualifie la première version de la CBR1000RR d'un peu lourde et lente de direction, le fait est que la révision du modèle effectuée l'an dernier a très exactement ciblé ces défauts. À un point tel qu'il s'agit ici d'un des rares cas où les améliorations qui avaient été promises sur papier sont parfaitement notables en selle. Considérablement plus facile à manier et légèrement plus rapide que l'originale, la CBR1000RR de seconde génération s'élève enfin au niveau de performances et au degré d'agilité offerts par le reste de la classe. Évidemment, Suzuki et Yamaha récidivent en 2007, ce qui pourrait changer l'équation.
On n'en sort pas...

Modèle européen. Diffère légèrement du modèle canadien sur la photo principale.

⊙ QUOI DE NEUF EN 2007 ?

Aucun changement

Coûte 300 $ de plus qu'en 2006

⌃ PAS MAL

Un niveau de performances désormais équivalent ou très proche de celui proposé par la concurrence

Une tenue de route qui a fait un pas de géant après la révision de 2006, surtout au chapitre de la facilité de pilotage sur circuit, qui est de loin supérieure à celle de la lourde version originale

Une impressionnante stabilité, même en pilotage très agressif sur une piste bosselée, qui fait toujours partie des belles qualités du modèle

⌄ BOF

Une amélioration des performances qui a en partie été réalisée en raccourcissant le tirage, ce qui signifie que le moteur tourne toujours un peu plus haut que sur la version originale; comme il est doux, au moins, ça ne dérange pas vraiment

Un niveau de confort habituel pour ce genre de moto, c'est à dire plutôt limité en raison surtout d'une selle ferme et de poignées basses

Une image qui semble souffrir de la tendance qu'a Honda à se laisser dépasser par la concurrence, puis à la rattraper un an après; or, les acheteurs choisissent très souvent un modèle non pas en fonction de ses qualités réelles, mais plutôt en fonction de l'image plus ou moins extrême que ce modèle projette

Édition 25ᵉ anniversaire

HONDA
VFR800

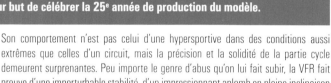

équilibre fin, et fragile...

La ligne qui sépare une routière sportive d'une sportive pure est très clairement définie, ce qui n'empêche toutefois pas certains modèles à caractère routier de s'en approcher. La VFR800 fait partie de ces derniers, car même si elle se veut d'abord et avant tout une routière polyvalente, Honda en a fait une monture capable d'un rythme très étonnant en pilotage sportif, sur route ou sur piste. On aurait cru, comme la coutume le veut, la voir changer de peau l'an dernier, mais il n'en fut rien. Pour 2007, l'ABS est désormais offert de série tandis qu'une version affichant les traditionnelles couleurs bleu, blanc et rouge a pour but de célébrer la 25ᵉ année de production du modèle.

La VFR800 est probablement la routière sportive la plus reconnue du motocyclisme pour sa polyvalence. C'est en se montrant capable de prendre une multitude de rôles pour une multitude de genres de pilotes que le modèle qui célèbre en 2007 sa 25ᵉ année de production s'est bâti cette réputation. Sans pour autant être parfaite, il est ainsi indéniable que la VFR propose un équilibre fort intéressant entre les différentes utilisations habituellement réservées à une moto.

L'une des facettes clés de cet équilibre concerne le juste milieu qu'elle semble avoir atteint entre sport et confort. Malgré le fait qu'il faille vivre avec un tout petit peu plus de poids sur les mains et des suspensions un peu plus fermes que dans le cas de la génération précédente – qui était plus confortable mais moins sportive –, la VFR reste tout à fait capable de parcourir de longues distances en offrant un confort raisonnable. Ni les suspensions ni la position ne peuvent être honnêtement qualifiées de sévères, mais la VFR gagnerait tout de même à se montrer moins axée sur le sport et un peu plus sur le confort, de manière à ne pas se montrer seulement raisonnable sur long trajet, mais bien excellente. Cela dit, on n'aimerait pas perdre les belles qualités du modèle en pilotage sportif... Car même si la VFR800 n'appartient pas à la même race de motos que sont les CBR-RR et GSX-R, le fait est qu'elle reste parfaitement capable de boucler des tours de piste à un rythme étonnant, ce qui en dit long sur sa tenue de route dans un environnement routier.

> **LA VFR800 EST UNE EXCELLENTE MOTO, MAIS SON VTEC CONSTITUE UNE MAUVAISE SOLUTION À UN VRAI PROBLÈME, CELUI DU MANQUE DE COUPLE.**

Son comportement n'est pas celui d'une hypersportive dans des conditions aussi extrêmes que celles d'un circuit, mais la précision et la solidité de la partie cycle demeurent surprenantes. Peu importe le genre d'abus qu'on lui fait subir, la VFR fait preuve d'une imperturbable stabilité, d'un impressionnant aplomb en pleine inclinaison et d'une étonnante légèreté de direction. Le freinage est sans reproche puisque le système LBS qui lie les freins avant et arrière fonctionne sans accroc et que l'ABS, désormais de série, travaille de façon efficace et transparente.

Le V4 qui la propulse est une mécanique particulièrement plaisante. Ses montées en régime sont franches, à défaut d'être fulgurantes, et même si sa sonorité n'est plus aussi exotique que celle de la génération précédente, elle reste agréable. Son ensemble transmission/embrayage est impeccable. L'entrée en action plus ou moins en douceur du système VTEC – qui permet au moteur d'ouvrir 8 soupapes sous 6 400 tr/min et 16 soupapes ensuite – et ses « hésitations » autour du régime de transition constituent l'un des deux principaux désagréments de cette mécanique. L'autre concerne le faible couple généré par le V4 à bas régime. On s'en satisfait sans trop de problèmes, mais compte tenu de sa nature avant tout routière, il n'est certainement pas exagéré de souhaiter voir la VFR800 offrir un niveau de performances plus généreux dans la besogne quotidienne, c'est-à-dire une quantité de couple considérablement plus élevée à bas et moyen régimes.

VITESSE DE POINTE
240 km/h
ACCÉLÉRATION SUR 1/4 MILLE
11,1 s à 192 km/h

indice d'expertise ▸

◂ rapport valeur/prix

Voir légende page 7

général

catégorie	Routière Sportive
prix	14 699 $; édition 25e anniversaire : 14 999 $
garantie	1 an/kilométrage illimité
couleur(s)	version de base : rouge bourgogne édition 25e anniversaire : bleu, blanc et rouge
concurrence	BMW R1200S, Ducati ST3, Triumph Sprint ST

partie cycle

type de cadre	périmétrique, en aluminium
suspension avant	fourche conventionnelle de 43 mm ajustable en précharge
suspension arrière	monoamortisseur ajustable en précharge et détente
freinage avant	2 disques de 296 mm de Ø avec étriers à 3 pistons et système LBS (VFR800A : avec ABS)
freinage arrière	1 disque de 256 mm de Ø avec étrier à 3 pistons et système LBS (VFR800A : avec ABS)
pneus avant/arrière	120/70 ZR17 & 180/55 ZR17
empattement	1 460 mm
hauteur de selle	805 mm
poids à vide	VFR800A : 219 kg
réservoir de carburant	22 litres

moteur

type	4-cylindres 4-temps en V à 90 degrés, DACT, 4 soupapes par cylindre, refroidissement par liquide
alimentation	injection à 4 corps de 36 mm
rapport volumétrique	11,6:1
cylindrée	782 cc
alésage et course	72 mm x 48 mm
puissance	109,5 ch @ 10 500 tr/min
couple	60 lb-pi @ 8 750 tr/min
boîte de vitesses	6 rapports
transmission finale	par chaîne
révolution à 100 km/h	environ 5 500 tr/min
consommation moyenne	6,0 l/100 km
autonomie moyenne	366 km

conclusion

Le virage qu'a pris Honda en 2002 lorsqu'il a repensé la vénérable VFR en a profondément changé la personnalité puisqu'elle est passée d'une caractérielle et confortable routière sportive à une monture beaucoup plus axée sur l'aspect sportif du pilotage. Ce qu'elle a d'ailleurs déjà été à une certaine époque. S'il s'agit toujours d'une des motos à caractère sportif les plus polyvalentes du marché et d'un achat que nous ne saurions faire autrement que de recommander, il reste qu'elle gagnerait à revoir sa position, ne serait-ce que légèrement. Si on nous demandait ce qu'il lui manque pour atteindre un niveau de désirabilité bien plus intéressant, nous dirions qu'elle devrait être portée à 1 000 cc afin d'en augmenter le couple de manière claire, qu'elle devrait afficher une position de conduite un peu plus relevée et recevoir une selle un peu plus tendre, et enfin qu'elle devrait retrouver l'entraînement par pignons qui lui donnait une sonorité aussi exotique avant 2002. Le reste est parfait, n'y touchez pas.

 QUOI DE NEUF EN 2007 ?

Version 25e anniversaire offerte; ne diffère du modèle de base que par le prix et la peinture

ABS en équipement d'origine; version sans ABS n'est plus offerte

Coûte ND $ de plus qu'en 2006

PAS MAL

Un ensemble d'une rare polyvalence : il s'agit d'une moto de tous les jours, d'une moto de piste, d'une moto de balade, d'une moto de voyage, bref, de tout ce qu'on veut bien qu'elle soit

Un comportement non seulement assez relevé pour permettre une utilisation en piste, mais aussi très facile d'accès; la VFR800 peut parfaitement faire l'affaire comme première moto

L'une des rares motos de ce type et de cette cylindrée équipée d'ABS; de plus, le système de freinage combiné est le meilleur sur le marché

BOF

Un système VTEC qu'on sent clairement s'activer puis se désactiver autour de 6 400 tr/min; la transition était supposément moins abrupte à partir de 2006, mais en selle, tout ce qu'on sent est que le VTEC s'active quelques tours/minutes plus tôt; il reste agaçant et la sonorité qu'il génère est très discutable

Une position à la limite de ce qui n'est pas considéré sportif; on est basculé sur l'avant et les suspensions sont calibrées assez fermement; l'ancienne génération de la VFR800, produite jusqu'en 2001, était plus confortable

Un niveau de performances très satisfaisant, mais un couple à bas régime qu'on souhaiterait vraiment plus musclé; le VTEC, qui devait régler cela, est la mauvaise solution au bon problème; la bonne solution serait probablement d'augmenter la cylindrée à environ un litre

Modèle canadien

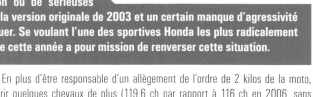

Agressivité retrouvée...

Au sein de l'ultracompétitive catégorie des sportives pures de 600 centimètres cubes, la dernière génération de la CBR600RR n'est jamais vraiment arrivée à surclasser la concurrence. Le modèle s'est brillamment tiré d'affaire en compétition où de sérieuses modifications font partie du jeu, mais sur la route, un surplus de poids sur la version originale de 2003 et un certain manque d'agressivité de la révision de 2005 ont empêché la CBR600RR de vraiment se démarquer. Se voulant l'une des sportives Honda les plus radicalement conçues depuis très longtemps, la seconde génération du modèle présentée cette année a pour mission de renverser cette situation.

TECHNIQUE

L'arène des sportives pures de 600 cc représente un peu le baromètre du talent des constructeurs qui s'y affrontent. Véritable vitrine des capacités techniques d'une marque, une 600 *doit* être poussée à l'extrême. C'est ce que le consommateur exige pour en faire son choix, et ce, qu'il exploite ou non les extraordinaires capacités de sa moto. Or, quand quatre firmes japonaises jouent à ce jeu, le terme extrême devient vite commun, et la possibilité de se démarquer de manière claire implique un impensable niveau d'ingénierie. Il y a très longtemps, peut-être depuis aussi loin que la CBR900RR de 1992, que Honda n'a pas présenté de sportive conçue de manière aussi agressive que la nouvelle génération de la CBR600RR.

Au-delà de sa silhouette beaucoup plus svelte et effilée que celle de la génération précédente, au-delà même des quelques chevaux additionnels, c'est surtout au chapitre du poids que la dernière CBR600RR se démarque. Comme pour clouer le bec à tous ceux, nous y compris, qui avaient critiqué le modèle pour son poids trop élevé et sa lourdeur de direction lorsqu'il fut lancé en 2003, Honda s'est lancé dans une frénétique chasse aux kilos. Un nouveau poids à sec incroyablement faible de 156,5 kilos est annoncé, ce qui représente un allègement de plus de 7 kilos par rapport à la version de 2005 et de près de 13 kilos par rapport à l'originale de 2003! Évidemment, la recherche d'une centralisation des masses toujours plus pointue et efficace a fait partie de cette refonte complète du modèle. Voici ce que tout cela donne en chiffres.

> POUR CLOUER LE BEC À CEUX QUI TROUVAIENT LA PREMIÈRE CBR600RR TROP LOURDE, HONDA S'EST LANCÉ DANS UNE FRÉNÉTIQUE CHASSE AUX KILOS.

En plus d'être responsable d'un allègement de l'ordre de 2 kilos de la moto, d'offrir quelques chevaux de plus (119,6 ch par rapport à 116 ch en 2006, sans l'apport du système Ram Air) et de permettre une réponse supposément améliorée aux régimes moyens, le tout nouveau 4-cylindres serait, selon Honda, le plus compact 600 jamais produit. En partie attribuable à une disposition triangulée des axes principaux, la réduction de la longueur du moteur a permis de raccourcir l'empattement, d'allonger le bras oscillant et d'avancer la colonne de direction. Il est intéressant de noter que Honda a choisi de reculer d'une quinzaine de millimètres la position du pilote, elle qui avait été considérablement avancée sur la dernière génération, et de hausser légèrement le centre de gravité de la moto. Selon le constructeur, il s'agit de choix qui seraient tous basés sur l'expérience acquise en compétition et visant à rendre la nouvelle CBR600RR à la fois plus rapide et plus accessible en piste. La seule concession favorisant la conduite sur route est un rehaussement de 10 mm des poignées. C'est du côté du châssis que la majeure partie du reste de l'allègement a été réalisé, grâce surtout à un procédé de coulage de l'aluminium qui a permis de réduire le nombre de pièces du cadre de 11 à seulement 4, et ce, en diminuant leur épaisseur et en augmentant leur rigidité. Enfin, Honda ayant jugé que la qualité des suspensions demeurait suffisante et que le comportement de celles-ci ne pouvait que s'améliorer avec la diminution de poids, ni la fourche ni le monoamortisseur ne sont modifiés.

Modèle européen. Diffère légèrement du modèle canadien. Couleur non offerte au Canada.

affûtée comme une lame

L'étendue des efforts déployés par Honda pour faire de sa CBR600RR une nouvelle référence chez les 600 impressionne. En voilà quelques exemples.

— Contrairement à la version révisée de 2005, le modèle 2007 est une refonte complète. Très différente, la ligne se distingue par la séparation des parties avant supérieure et inférieure du carénage, un choix non seulement dicté par des leçons apprises en Formule 1, mais aussi par des principes reconnus dans le domaine de l'aéronautique et qui permettraient un meilleur écoulement de l'air. La partie arrière est quant à elle plus épurée que jamais, si bien que le peu de plastique restant ressemble presque à un « couvre silencieux ».

— Un radiateur plus étroit de 40 mm réduit la surface frontale, tandis que la pointe avant du carénage est reculée de 30 mm. Une prise d'air centrale à la RC51 rehausserait l'efficacité du système Ram Air à haute vitesse.

— La réduction de la longueur du moteur a permis son repositionnement dans le cadre, mais aussi l'allongement du bras oscillant qui demeure du même type.

— Toutes les autres 600 profitent d'un embrayage muni d'un limiteur de contre-couple, un équipement très apprécié en piste. Honda a choisi de ne pas avoir recours à un tel dispositif, mais plutôt d'incorporer un genre de système d'absorption à même la transmission dans le but de réduire le sautillement de l'arrière en freinage intense. Ce système apporterait également l'avantage d'un passage des vitesses plus doux et plus précis.

— Contrairement à la tendance actuelle en matière de silencieux, la nouvelle CBR600RR conserve une position haute et centrale du silencieux, un choix qui va à l'encontre du principe de la centralisation des masses et qui semble donc avoir été fait en fonction de critères stylistiques.

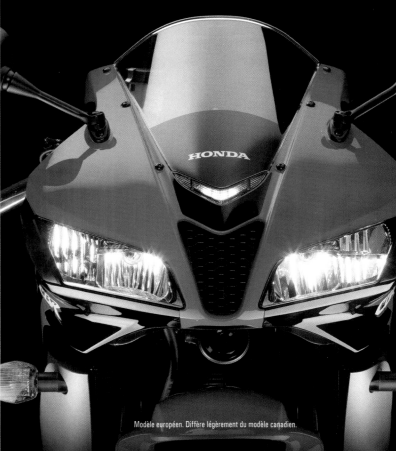

Modèle européen. Diffère légèrement du modèle canadien.

général

catégorie	Sportive
prix	12 499 $
garantie	1 an/kilométrage illimité
couleur(s)	rouge et noir, bleu et argent, noir
concurrence	Kawasaki ZX-6R, Suzuki GSX-R600, Yamaha YZF-R6, Triumph Daytona 675

Voir légende page 7
Performances estimées ◄
EXPERT **E**
INTERMÉDIAIRE **I**
NOVICE **N**

partie cycle

type de cadre	périmétrique, en aluminium
suspension avant	fourche inversée de 41 mm ajustable en précharge, compression et détente
suspension arrière	monoamortisseur ajustable en précharge, compression et détente
freinage avant	2 disques de 310 mm de Ø avec étriers radiaux à 4 pistons
freinage arrière	1 disque de 220 mm de Ø avec étrier à 1 piston
pneus avant/arrière	120/70 ZR17 & 180/55 ZR17
empattement	1 375 mm
hauteur de selle	820 mm
poids à vide	156,5 kg
réservoir de carburant	18 litres

moteur

type	4-cylindres en ligne 4-temps, DACT, 4 soupapes par cylindre, refroidissement par liquide
alimentation	injection à 4 corps de 40 mm
rapport volumétrique	12,2:1
cylindrée	599 cc
alésage et course	67 mm x 42,5 mm
puissance sans ram air	119,6 ch @ 13 500 tr/min
couple sans ram air	48,8 lb-pi @ 11 250 tr/min
boîte de vitesses	6 rapports
transmission finale	par chaîne
révolution à 100 km/h	5 200 tr/min (2006)
consommation moyenne	6,3 l/100 km (2006)
autonomie moyenne	288 km (2006)

conclusion

Plus courte, plus puissante, plus racée, plus aérodynamique et beaucoup plus légère, la version 2007 de la CBR600RR semble tout avoir pour laisser, cette fois, une très forte impression sur la catégorie des 600 sportives. Elle démontre que Honda, qui a paru ralentir en ce qui a trait à l'introduction de modèles phares ces dernières années (Où se trouve la remplaçante tant attendue de la CBR1100XX et son supposé V5 ? Pourquoi la VFR800 n'a-t-elle pas évolué depuis si longtemps ? Qu'advient-il des excellentes VTR1000F et RC51 ?), n'a rien perdu de ses capacités d'ingénierie. Elle démontre que lorsqu'il s'y met, le géant rouge peut toujours, et sans le moindre problème, repousser les limites. Il ne nous reste qu'à confirmer le tout, en piste.

QUOI DE NEUF EN 2007 ?

Nouvelle génération de la CBR600RR

PAS MAL

Un effort d'ingénierie comme on n'avait pas vu Honda en faire depuis des années; sur papier, la nouvelle CBR600RR a de quoi impressionner

Un poids à sec extrêmement bas et une centralisation de la masse plus poussée que jamais qui laissent croire à une qualité de tenue de route considérablement relevée

Des guidons remontés d'une dizaine de millimètres qui devraient amoindrir la sévérité de la position de conduite

BOF

Des suspensions que le constructeur annonce entièrement inchangées, et qui se montraient dans le passé très efficaces en piste, mais rudes sur la route

Une selle qui était déjà à la limite de l'inconfortable, et que Honda annonce encore plus mince...

Une absence de limiteur de contre-couple sur l'embrayage qui s'explique mal lorsqu'on connaît les avantages qu'un tel équipement apporte à la conduite sur piste, au moment de rétrograder durant un freinage intense, et ce, surtout dans le cas des 600 et de leurs moteurs à très hauts régimes; il reste à voir l'efficacité du système que Honda propose et qui pourrait très bien étonner

HONDA

L'habit ne fait pas le moine...

Vite, vite, la 919 rappelle une CB quelconque du début des années 80. Habillement minimal, mécanique complètement exposée, position de pilotage relevée et traditionnel phare rond. Rien de bien excitant, quoi. Faux. Car en fait de « moto à problèmes », la 919 ne donne pas sa place. Construite autour d'un cadre simple mais solide et propulsée par un 4-cylindre injecté dérivé de celui de la défunte CBR900RR, la 919 peut aussi bien servir de moyen de déplacement que vous permettre de gagner un concours de wheelie. Assurez-vous toutefois de détenir le talent nécessaire à réaliser ce genre de cascade, puisque la 919 a tendance à ne pas tolérer le manque d'expérience.

D'accord, la comparaison est boiteuse, mais affirmer que la 919 est en quelque sorte l'équivalent d'une standard basée sur l'ancienne CBR900RR n'est pas si loin de la réalité. C'est, après tout, de la défunte sportive que provient la mécanique, alimentation par injection en prime. Honda a évidemment poussé la transformation un peu plus loin, question d'offrir une machine nettement plus homogène qu'une sportive simplement déshabillée, mais la nature à la fois autoritaire et nerveuse de la CBR900RR demeure bien présente. Honda a d'abord vu à la qualité esthétique en retravaillant la finition du moteur, en amplifiant la présence mécanique avec des échappements remontant sous la selle – à peu près la seule touche stylistique moderne du modèle – et en ayant recours à un discret cadre sans berceau. Les concepteurs ont aussi opté pour une position de conduite relevée, que l'on peut qualifier de classique dans le sens, pourquoi pas, de la légendaire CB750. Il en résulte une machine qui affiche une simplicité élégante, se montre extrêmement facile d'accès et s'avère parfaitement à l'aise dans la besogne quotidienne. Sa position de conduite relevée favorise le confort et contribue beaucoup à mettre le pilote à l'aise dès l'instant où il en prend les commandes. La hauteur de selle est par ailleurs raisonnable, tandis que le poids est relativement faible. La direction, qu'on découvre extrêmement légère, demande une absence d'effort presque bizarre pour amorcer une quelconque manœuvre, une caractéristique qui contribue également à la prise de confiance rapide. Une mécanique

> **LA 919 EST UNE MONTURE SYMPATHIQUE ET POLYVALENTE, MAIS ELLE CACHE UNE SECONDE NATURE QUI DOIT ABSOLUMENT ÊTRE RESPECTÉE.**

agréablement souple dès les premiers régimes, une alimentation sans faille et un ensemble transmission/embrayage qui fait son travail de façon transparente et sans accroc facilitent davantage la conduite. Tout ceci rend la 919 très facile à vivre et en fait une machine polyvalente, toujours prête à assurer des déplacements, partir en promenade ou même prendre la route des vacances. L'absence de protection au vent impose évidemment une limite au confort, tout comme ses suspensions plutôt fermes, trop en fait, qui rappellent ses origines sportives. Ces fameuses origines sont d'ailleurs la base d'une seconde nature beaucoup moins rangée que la 919 cache derrière son allure calme et tranquille. Même si Honda a réduit la puissance à haut régime du moteur d'origine, la 919 n'a rien perdu au change puisque la transformation a gavé les mi-régimes de couple. Ceci se traduit en outre par une insidieuse invitation à la délinquance puisque l'avant se soulève avec une facilité déconcertante en ouvrant généreusement les gaz sur les deux premiers rapports. Le couple immédiat du moteur, la position relevée, le faible poids, la direction ultralégère et la surprenante solidité de la partie cycle font de la 919 une arme redoutable sur un tracé sinueux, voire un véritable circuit routier. L'envers de la médaille de cette grande facilité de maniement est un comportement quelque peu hyperactif qui peut affecter négativement la stabilité, en outre en pilotage agressif sur une route abîmée. Ou lorsque la roue avant retouche au sol après un long wheelie... La 919 est sympathique, mais elle doit être respectée.

VITESSE DE POINTE
230 km/h
ACCÉLÉRATION SUR 1/4 MILLE
11,2 s à **193** km/h
◄ indice d'expertise ►
◄ rapport valeur/prix

Voir légende page 7

EXPERT	E
INTERMÉDIAIRE	I
NOVICE	N

général

catégorie	Standard
prix	11 399 $
garantie	1 an/kilométrage illimité
couleur(s)	rouge bourgogne
concurrence	Benelli TnT, Kawasaki Z1000 Triumph Speed Triple

moteur

type	4-cylindres en ligne 4-temps, DACT, 4 soupapes par cylindre, refroidissement par liquide
alimentation	injection à 4 corps de 36 mm
rapport volumétrique	10,8:1
cylindrée	919 cc
alésage et course	71 mm x 58 mm
puissance	110 ch @ 9 000 tr/min
couple	68 lb-pi @ 6 500 tr/min
boîte de vitesses	6 rapports
transmission finale	par chaîne
révolution à 100 km/h	environ 4 500 tr/min
consommation moyenne	6,5 l/100 km
autonomie moyenne	292 km

partie cycle

type de cadre	épine dorsale rectangulaire, en acier
suspension avant	fourche conventionnelle de 43 mm ajustable en précharge et compression
suspension arrière	monoamortisseur ajustable en précharge
freinage avant	2 disques de 296 mm de Ø avec étriers à 4 pistons
freinage arrière	1 disque de 240 mm de Ø avec étrier à 1 piston
pneus avant/arrière	120/70 ZR17 & 180/55 ZR17
empattement	1 460 mm
hauteur de selle	795 mm
poids à vide	194 kg
réservoir de carburant	19 litres

conclusion

L'expression disant on n'en fait plus des comme ça colle parfaitement à la 919 puisqu'elle reste aujourd'hui l'une des seules façons de rouler à moto sur une monture de conception efficace mais simple. Remplacez son système d'échappement haut par une paire de mégaphones bas et vous croirez avoir affaire à une moto de trente ans. Ceux que ce genre de style attire doivent toutefois réaliser que sous cette robe d'époque, la 919 est tout ce qu'il y a de moderne, et ce, pour le meilleur et pour le pire. Le meilleur, c'est la fiabilité, la puissance et la surprenante tenue de route. Quant au pire, c'est cette hypersensibilité à chaque mouvement du pilote et cette direction ultralégère qui peuvent se traduire par des situations, disons, intéressantes lorsqu'on pousse la mécanique à fond. Cela dit, tant qu'on ne la provoque pas, elle ne mord pas...

QUOI DE NEUF EN 2007 ?

Aucun changement
Coûte 200 $ de plus qu'en 2006

PAS MAL

Une agilité hors du commun qui provient de la combinaison d'une direction extrêmement légère, d'une position relevée et d'un poids relativement faible

Un 4-cylindres intelligemment réglé pour lâcher une montagne de couple à mi-régime, donc là où ça compte et où c'est plaisant au jour le jour

Une tenue de route très surprenante grâce au châssis solide et précis; nous avons bouclé de nombreux tours de piste aux commandes d'une 919 avec une étonnante facilité et sans le moindre problème

BOF

Une direction légère au point de devenir hypersensible; l'air innocent de la 919 cache une monture dont le comportement peut devenir pointu si on s'excite; elle s'adresse aux pilotes d'expérience et demande du respect

Une exposition complète au vent qui réduit à la fois le côté pratique et la liberté avec laquelle on peut profiter des bonnes performances du moteur; bref, la pression du vent devient vite insoutenable

Un niveau de confort décent, mais pas suffisamment élevé pour qu'on puisse en faire une moto vraiment plaisante sur de longues distances

VTX1800F

retour au travail...

C'est la VTX 1800 qui, la première en 2001, partit le bal des mégacustoms. La Kawasaki Vulcan 2000 Classic suivit, puis la Yamaha Roadliner 1900 et enfin la Suzuki Boulevard M109R. Après une année sabbatique, la grosse Honda est de retour au catalogue du géant rouge sous presque toutes ses formes. La variante originale C, la N inspirée du prototype de production Rune et la plus récente, la chic F, sont toutes présentes, inchangées. Mais la R et ses garde-boue évasés a été remplacée, à la demande générale, par une version T de tourisme léger. Il s'agit en fait d'une R à laquelle les habituels accessoires ont été greffés.

On a compris, il y a très longtemps chez Harley-Davidson, que le succès d'une custom est d'abord et avant tout dû à son style. Pas à la qualité de ses suspensions, pas aux limites de sa tenue de route et pas non plus à ses performances, mais bien à son style. Or, comme tous les goûts sont dans la nature, il semblait évident d'offrir une variété de styles qui, pour des raisons d'économies tout aussi évidentes, seraient basés autour d'une seule et unique plateforme. Aussi ancienne soit-elle, la stratégie commence à peine à être reprise par les constructeurs rivaux, dont Honda avec ses VTX1800.

On peut parler de ligne autant qu'on veut avec cette dernière, mais seulement après avoir parlé de moteur. Car on a beau donner au style d'une custom toute l'importance qui lui est due, il reste que quiconque s'intéresse à une VTX1800 – ou à l'une des mégacustoms rivales – l'est très probablement à cause du très gros V-Twin qui l'anime. Il est vrai qu'on ne peut plus parler de cette mécanique en termes aussi forts qu'avant l'arrivée de la Vulcan 2000, de la Roadliner et de la M109R, mais la VTX1800 ne doit absolument pas être considérée comme dépassée puisque son V-Twin demeure tout à fait dans le coup.

Dès le relâchement de l'embrayage, le gros bicylindre génère le genre de poussée brute et immédiate qui ne peut que faire sourire. Comme c'est habituellement le cas sur ces motos, enfumer le pneu arrière à la tombée du feu vert tient presque du jeu d'enfant, et pourtant, la mécanique de la grosse VTX est tout sauf une brute sans manière. Pour un V-Twin

> ## QUICONQUE S'INTÉRESSE À LA GROSSE VTX L'EST TRÈS PROBABLEMENT À CAUSE DU VOLUMINEUX V-TWIN QUI L'ANIME.

d'une telle cylindrée et d'une telle puissance, la douceur et la modestie sonore du gros Twin étonnent. Pour un certain type de pilote, elles vont même jusqu'à décevoir un peu. En effet, pour ces amateurs de moteurs à caractère, un tempérament moins timide et plus expressif, une présence un peu plus forte de la part de cette mécanique ne serait certainement pas de refus.

En raison de leur position plus décontractée, les modèles de style classique que sont la N et la nouvelle T de tourisme léger représentent les variantes les plus confortables en raison de leur guidon très large et de leurs plateformes qui permettent une certaine diversité de positions pour les jambes. Avec son pare-brise, ses sacoches latérales et son dossier, la T est bien entendu plus pratique et plus confortable sur l'autoroute. Quant aux variantes C et F, elles sont légèrement en retrait à ce chapitre à cause de leur position plus typée. Tant qu'il n'est pas question de nombreuses heures de route, les selles restent confortables. Toutefois, si la fourche se tire bien d'affaire même sur mauvais revêtement, il en est tout autrement pour les amortisseurs arrière qui, sur route endommagée, deviennent carrément rudes.

Les VTX 1800 sont toutes des motos massives qui exigent muscle et attention lors des manœuvres lentes, mais elles s'allègent dès qu'elles se retrouvent en mouvement. Elles affichent un comportement en courbe étonnamment solide et leur stabilité est imperturbable. Grâce à l'important effet de levier des guidons larges, la direction ne demande que peu d'efforts en amorce de virage.

VITESSE DE POINTE
202 km/h
ACCÉLÉRATION SUR 1/4 MILLE
12,2 s à **172** km/h

indice d'expertise ▶

◀ rapport valeur/prix

Voir légende page 7

EXPERT	**E**
INTERMÉDIAIRE	**I**
NOVICE	**N**

général

catégorie	Custom/Tourisme Léger
prix	C : 18 699 $; F : 19 199 $; N : 19 499 $; T : 20 499 $
garantie	1 an/kilométrage illimité
couleur(s)	S : noir F : jaune, rouge et noir N : noir et bourgogne T : noir et rouge, bleu et argent
concurrence	Kawasaki Vulcan 2000, Suzuki Boulevard M109R, Yamaha Roadliner 1900

partie cycle

type de cadre	double berceau, en acier
suspension avant	fourche inversée de 45 mm non ajustable
suspension arrière	2 amortisseurs ajustables en précharge
freinage avant	2 disques de 296 mm de Ø avec étriers à 3 pistons et LBS
freinage arrière	1 disque de 316 mm de Ø avec étrier à 2 pistons et LBS
pneus avant/arrière	C : 130/70R-18 & 180/70R-16 N, T : 150/80R-17 & 180/70R-16 F : 130/70R18 & 180/55R18
empattement	C : 1 717 mm; F, N, T : 1 714 mm
hauteur de selle	C, F : 701 mm; T, N : 696 mm
poids à vide	C : 333 kg; N : 343 kg; F : 337 kg;
réservoir de carburant	C, F : 18,2 litres; N, T : 20 litres

moteur

type	bicylindre 4-temps en V à 52 degrés, SACT, 3 soupapes par cylindre, refroidissement par liquide
alimentation	injection à 2 corps de 42 mm
rapport volumétrique	9:1
cylindrée	1 795 cc
alésage et course	101 mm x 112 mm
puissance	106 ch @ 5 000 tr/min
couple	120 lb-pi @ 3 500 tr/min
boîte de vitesses	5 rapports
transmission finale	par arbre
révolution à 100 km/h	environ 2 600 tr/min
consommation moyenne	7,9 l/100 km
autonomie moyenne	C, F : 230 km; N, T : 253 km

conclusion

Jamais, depuis l'arrivée de la version C en 2001, la VTX1800 n'a reçu le succès qu'elle méritait. On la trouvait parfois trop chère, parfois pas assez aguichante et parfois trop massive. L'absence du modèle en 2006 semble d'ailleurs refléter cette situation, puisqu'on attendait que les stocks s'écoulent. Peut-être, avec la présence sur le marché de mégacustoms rivales aussi chères et lourdes, les VTX1800 seront-elles mieux acceptées, mieux comprises ? Propulsées par un V-Twin doux et coupleux, affichant une tenue de route étonnante pour des bêtes de telles proportions, et mieux présentées que jamais — la version F est, à notre avis, particulièrement réussie —, les VTX format géant de Honda méritent décidément ce respect.

VTX1800N

VTX1800T Touring

QUOI DE NEUF EN 2007 ?

Retour de la famille des VTX1800 après une année sabbatique en 2006

Disparition des versions S et R et introduction d'une variante T de tourisme léger équipée d'un gros pare-brise, de sacoches latérales et d'un dossier pour le passager

Coûtent 200 $ de plus qu'en 2005

PAS MAL

Un V-Twin de 1,8 litre qui pousse fort et qui pousse tout de suite; malgré le fait qu'il s'agisse de la plus vieille mécanique de la classe, elle ne se montre absolument pas déclassée et reste toujours dans le coup

Un comportement solide et rassurant, du moins une fois en mouvement; à haute vitesse et même dans les courbes rapides, la grosse VTX est plantée

Une ligne agressive franchement réussie dans le cas de la F, et un style classique propre et bien intégré pour la T

BOF

Une suspension arrière beaucoup trop rude pour tous les modèles; s'ils ne posent pas trop de problèmes chez nos voisins du sud où les customs Honda sont conçues, ces réglages suspensions sont inadéquats pour nos routes abîmées

Un poids très élevé qui complique les manœuvres à l'arrêt et demande expérience et attention dans les situations lentes et serrées

Une ligne un peu anonyme et un niveau de finition peu impressionnant sur la version C avec moteur gris

VTX1300T Touring

Judicieux compromis...

Lorsqu'elle fut lancée en 2002, la VTX1300 intrigua. On s'interrogea alors sur la nécessité d'une autre classe de cylindrée chez les customs, un créneau du marché déjà bien garni. La réponse, qui est affirmative, devient on ne peut plus claire cette année avec l'introduction de la Yamaha V-Star 1300, dont l'existence est étroitement liée au succès de la plus petite des VTX. Comme c'est le cas avec la VTX1800, la 1300 est offerte en plusieurs variantes. L'originale, la S de style classique avec roues à rayons, fut rejointe un an plus tard par une variante C de style plus épuré. Enfin, une version de tourisme léger basée sur la R de 2005, la T, arriva l'an dernier. Rien de tout ça ne change en 2007.

Personne ne se serait intéressé à la VTX1300 et à sa cylindrée peu habituelle si elle n'avait pas obtenu un certain succès. Or, lorsque vous vous donnez la peine d'interroger groupe après groupe de motocyclistes sur le raisonnement derrière leurs achats, le succès d'une 1300 ne devient presque plus qu'une formalité quand ceux-ci vous répètent qu'entre une custom poids lourd trop chère ou trop lourde et une « petite » 1100 se trouve un gros vide qu'ils aimeraient bien voir comblé.

Pour certaines customs, la performance et le cubage occupent le premier rang des priorités, tandis que pour d'autres le but premier se résume à présenter un maximum d'économie. La mission de la VTX1300, elle, est d'offrir la plus grosse cylindrée possible au prix le plus faible possible, dans un ensemble aussi accessible et désirable que possible. Réduite à l'essentiel, la VTX1300 se veut donc d'abord et avant tout un compromis, mais un compromis intelligent et intéressant.

D'une façon générale, chaque augmentation de cylindrée sur une mécanique de custom équivaut à un agrément de pilotage accru. Par rapport à une 1100, la VTX1300 propose ainsi clairement plus de couple à bas régime et un net accroissement du plaisir de conduite. Par ailleurs, sans qu'il soit tout à fait aussi musclé qu'un plus gros moteur à bas régime, le V-Twin de la VTX1300 génère des accélérations qui restent satisfaisantes à défaut d'être équivalentes. En fait, tant qu'un motocycliste n'a pas connu le couple massif des plus grosses cylindrées, le niveau de performances offert par la plus petite des VTX devrait le combler, et

> **LA VTX1300 SE VEUT AVANT TOUT UN COMPROMIS INTELLIGENT ET INTÉRESSANT ENTRE LE PRIX, LA PUISSANCE ET L'ACCESSIBILITÉ.**

pas seulement équivaloir à un compromis plus ou moins intéressant. Cela dit, dans le cas où on a déjà goûté au genre de poussée qu'offre un V-Twin de 1 500, 1 600 ou 1 700 cc, et qu'on a *vraiment* aimé l'expérience, il serait peut être plus sage de s'orienter vers un cubage plus élevé, même à un prix plus fort. Au-delà de sa puissance, la mécanique de la VTX1300 se distingue aussi par son sympathique caractère puisqu'on sent toujours la présence du V-Twin sans jamais que son tremblement ne devienne gênant, bien au contraire. La sonorité est franche et suffisamment audible pour qu'on ne soit pas immédiatement tenté d'installer des silencieux plus bruyants.

Le côté intéressant du compromis offert par la VTX1300 se poursuit au niveau du comportement puisqu'en termes de poids et de dimensions, celle-ci représente le dernier échelon vraiment accessible chez les customs, celui avec lequel la plupart des pilotes, même relativement peu expérimentés, devraient demeurer à l'aise. Ensuite, ça peut devenir lourd. La direction des modèles S et T, avec leur très large guidon, ne demande qu'un effort minimal pour amorcer un virage, tandis que toutes les variantes se montrent solides et rassurantes en courbe, du moins tant que ces dernières ne sont pas trop bosselées. Les modèles équipés de plateformes (la S et la T) frottent assez tôt en virage. Toutes les versions s'équivalent plus ou moins au niveau du confort, avec leurs selles correctes et leurs suspensions arrière occasionnellement rudes. La position de conduite très décontractée des modèles S et T est, quant à elle, particulièrement plaisante.

VITESSE DE POINTE
165 km/h

ACCÉLÉRATION SUR 1/4 MILLE
13,9..150 km/h

indice d'expertise ▶

◀ rapport valeur/prix

Voir légende page 7

EXPERT	E
INTERMÉDIAIRE	I
NOVICE	N

général

catégorie	Custom/Tourisme Léger
prix	C : 13 799 $; S : 14 099 $; T : 15 299 $
garantie	1 an/kilométrage illimité
couleur(s)	C : bleu, rouge, noir S : noir, bleu T : noir, rouge
concurrence	Harley-Davidson Sportster 1200, Kawasaki Vulcan 1500 Classic, Yamaha V-Star 1300

moteur

type	bicylindre 4-temps en V à 52 degrés, SACT, 3 soupapes par cylindre, refroidissement par liquide
alimentation	1 carburateur à corps de 38 mm
rapport volumétrique	9,2:1
cylindrée	1 312 cc
alésage et course	89,5 mm x 104,3 mm
puissance	76 ch @ 5 000 tr/min
couple	78 lb-pi @ 3 000 tr/min
boîte de vitesses	5 rapports
transmission finale	par arbre
révolution à 100 km/h	n/d
consommation moyenne	6,5 l/100 km
autonomie moyenne	280 km

partie cycle

type de cadre	double berceau, en acier
suspension avant	fourche conventionnelle de 41 mm non ajustable
suspension arrière	2 amortisseurs ajustables en précharge
freinage avant	1 disque de 336 mm de Ø avec étrier à 2 pistons
freinage arrière	1 disque de 296 mm de Ø avec étrier à 1 piston
pneus avant/arrière	140/80-17 (C : 110/90-19) & 170/80-15
empattement	T, S : 1 669 mm; C : 1 662 mm
hauteur de selle	T,S : 695 mm; C : 686 mm
poids à vide	S : 300 kg; T : 319 kg; C : 291 kg
réservoir de carburant	18,2 litres

conclusion

La copie est souvent le prix du succès. En visant juste avec sa VTX1300, Honda devait donc s'attendre à voir arriver tôt ou tard des modèles directement concurrents, ce qu'est la nouvelle Yamaha V-Star 1300. Cela dit, sa combinaison d'une cylindrée plus intéressante que celle du créneau inférieur, les 1100, d'une facture plus raisonnable que celle du créneau supérieur, les 1500 et plus, et d'une facilité de pilotage accessible à un large éventail de niveaux d'expérience continue de représenter le compromis aussi attrayant qu'intelligent qui rend la VTX1300 désirable.

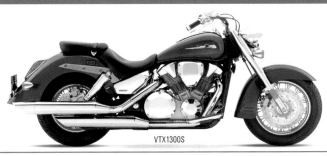

VTX1300S

VTX1300C

 QUOI DE NEUF EN 2007 ?

Aucun changement

VTX1300C coûte 100 $, VTX1300S 100 $ et VTX1300T 300 $ de plus qu'en 2006

⌃ **PAS MAL**

Un judicieux compromis entre les prix souvent beaucoup plus élevés d'une custom poids lourd et le niveau de performances plus ou moins intéressant d'une cylindrée plus petite comme une 1100

Une accessibilité du pilotage suffisamment bonne pour que même des motocyclistes moins expérimentés arrivent à la manier sans problème

Une jolie ligne classique et des proportions qui semblent bien plaire, particulièrement dans le cas des versions S et T

 BOF

Une alimentation par carburateur qui se montre sans faille, mais qui exige l'utilisation de l'enrichisseur au démarrage, un geste qu'on a presque oublié

Un comportement qui s'agite légèrement lorsqu'on négocie des courbes bosselées, et une limite d'inclinaison plus vite atteinte que sur la moyenne des customs en virage, ce qui demande de rester conscient de son rythme

Une suspension arrière ferme qui peut devenir rude sur des routes abîmées

Un pare-brise qui offre une bonne protection sur la version T sans gêner la vue, mais dont la hauteur n'est pas ajustable et dont l'écoulement d'air provoque une agaçante turbulence au niveau du casque

Shadow Spirit C2

SHADOW 750

NOUVELLE VARIANTE

importante demi-portion...

Le motocycliste moyen sous-estime bien trop facilement l'importance d'une custom économique de petite cylindrée, car la réalité de ces modèles est qu'ils figurent régulièrement tout en haut des palmarès de ventes des constructeurs. Chez Honda, c'est le cas des Shadow 750 depuis de nombreuses années. Pour 2007, une autre variante vient rejoindre les versions Spirit et Aero... et elle aussi se nomme Spirit! La Shadow Spirit C2, de son nom de code, se veut en fait la remplaçante de l'ancien modèle — que nous appellerons Spirit D — duquel elle se distingue par une ligne beaucoup plus élégante et actuelle, ainsi que par son entraînement final par arbre.

Soyons réalistes : on trouve facilement plus excitant, comme nouveauté et comme moto, que la Shadow Spirit C2, surtout d'un point de vue technique. Après tout, il s'agit d'une petite cylindrée encore alimentée par carburateur et dont la puissance est inférieure à celle d'un Silver Wing. Vrai. Elle confie désormais — et enfin — son entraînement final à un arbre, mais c'était aussi l'une des dernières de sa classe encore entraînées par une chaîne. Et pourtant, pour un ou une motocycliste peu expérimenté ou ayant peu d'attentes, pour celui ou celle qui ne demande qu'à rouler en custom pour un déboursé minimum, la dernière variante de la Shadow 750 a un certain sens. D'abord, c'est une Honda. Si *Le Guide de la Moto* considère depuis belle lurette que n'importe quel autre produit rival japonais propose une qualité au moins équivalente, le fait est qu'il reste encore beaucoup de gens pour lesquels le nom du géant nippon rime plus que toute autre marque avec qualité et fiabilité. Tant mieux pour eux et tant mieux pour Honda. Puis, soyons francs, pour une « petite custom économique », elle a fière allure, la nouvelle Spirit. Un simple coup d'œil à la version originale suffit pour saisir à quel point les proportions se sont raffinées. La ligne tombante du garde-boue arrière, la selle de style *Gunfighter,* le V-Twin bien en vue et la peinture avec motifs de flammes sont autant de points qui ne la rendent pas du tout désagréable à regarder. Mais c'est surtout par la partie avant que le style définit son identité. Le guidon fuyant, l'angle de fourche

> **SI LE PETIT V-TWIN SE COMPORTE BIEN JUSQU'À ENVIRON 100 KM/H, LES VITESSES PLUS ÉLEVÉES NE LE MONTRENT PAS SOUS SON PLUS BEAU JOUR.**

ouvert, le phare compact en forme d'obus et la grande roue avant mince de 21 pouces, une première sur une custom Honda, se combinent parfaitement avec le reste pour faire ce que nous considérons aisément comme l'une des customs les plus élégantes du constructeur. En plus, personne ne saura qu'il s'agit « seulement » d'une 750, le chiffre étant absolument introuvable sur la moto...

Le petit V-Twin qui anime la Spirit C2 n'a rien de nouveau puisque c'est lui qui propulse le modèle sous l'une ou l'autre de ses formes depuis une dizaine d'années. Moins puissant que celui des customs rivales qui bénéficient presque toutes d'une cylindrée plus importante, il arrive quand même à tirer son épingle du jeu en se montrant agréablement coupleux dès les premiers tours. Comme c'est typique sur une custom Honda, toutes les commandes fonctionnent de façon transparente, qu'il s'agisse de l'embrayage, de la transmission, des freins ou même des commandes électriques. Comme le poids s'avère suffisamment faible pour qu'un pilote de n'importe quelle stature détenant n'importe quel niveau d'expérience n'éprouve pas la moindre difficulté à le manier, la Spirit laisse l'impression d'être une custom simple, agile et décemment performante. On arrive sans peine à s'élancer d'un arrêt avec assez d'autorité pour laisser loin derrière la majorité des véhicules à 4 roues, et les 100 km/h sont promptement atteints. Si le moteur des Shadow 750 se tire honorablement d'affaire jusque-là, vrombissant de façon plaisante et ne vibrant jamais au point d'agacer, les vitesses

machine de guerre...

Mais non, pas la moto...

À San Diego, en Californie, sur le pont supérieur du porte-avions américain USS Midway, aujourd'hui transformé en musé militaire, la dernière variante de la famille des Shadow 750 exhibe ses jolies proportions devant la lentille du photographe américain Kevin Wing, dont les services avaient été retenus par Honda Canada à l'occasion de la présentation officielle de la Spirit de nouvelle génération.

plus élevées ne le montrent pas sous son plus beau jour. Il soutiendra un rythme beaucoup plus élevé si on le lui demande, mais plus la vitesse grimpe et plus l'agrément de l'expérience se dissipe. À partir de ce point, l'agréable vrombissement du petit V-Twin se transforme en une vibration à haute fréquence qui ne présente plus d'intérêt, la sonorité perd tout son charme et l'exposition au vent devient simplement déplaisante.

Peu importe la variante, les Shadow 750 affichent toutes un comportement extrêmement facile d'accès. Munies de selles très basses, elles sont toutes très légères de direction. Pour autant qu'on soit en mouvement, la grande roue avant de 21 pouces de la nouvelle Spirit n'attire aucune critique, la monture s'inclinant

avec un effort minimum et demeurant solide et précise en courbe Cette une observation est tout aussi valable pour les deux autres modèles. Le seul reproche qu'on pourrait formuler à l'égard du comportement de la Spirit C2 concerne une tendance qu'a la direction à vouloir tourner d'elle-même vers l'intérieur d'un virage lors de manœuvres très lentes et serrées, comme un virage en U.

Malgré la présence d'un tambour à l'arrière et d'un seul disque à l'avant, le freinage s'avère satisfaisant.

Le niveau de confort proposé par la Spirit C2 dépend beaucoup des circonstances dans lesquelles elle est roulée. Tenez-vous en à des sorties de courte ou de moyenne durée, sur des routes pas trop amochées, et tout vous semblera correct. Mais roulez sur de plus longues distances, sur des routes abîmées et la selle deviendra vite désagréablement dure, tandis que la rude suspension arrière vous convaincra tout aussi vite d'apprendre à contourner les trous au lieu de sauter dedans.

Enfin, en ce qui concerne l'entraînement final par arbre, il représente décidément un avantage puisqu'il élimine presque tout entretien à ce niveau.

shadow touring

Ces jours-ci, tous les constructeurs offrent des versions de tourisme léger de leurs customs, peu importe la cylindrée. Alors que ce genre de façon d'accessoiriser une custom était réservé, il y a à peine quelques années, aux plus grosses cylindrées, aujourd'hui, même les plus petites ont droit au traitement. Sur la Shadow Touring, qui n'est ni plus ni moins qu'une Shadow Aero équipée, ce traitement équivaut à l'installation d'un gros pare-brise, d'une paire de sacoches souples et d'un dossier pour le passager. En additionnant séparément le coût des pièces et de leur installation, on arrive facilement à la conclusion que le supplément demandé est raisonnable.

shadow spirit D

Ceux qui opteront pour la version D de la Spirit, qui fut introduite en 2001 et qui n'a jamais changé, s'ils réalisent une certaine économie, ils ne bénéficieront pas des avantages clairs d'un entraînement final par arbre, sans parler de la ligne plus moderne et soignée. La mécanique est toutefois exactement la même et le niveau de performances est donc identique à celui de la nouveauté. Comme l'économie proposée n'est pas extraordinaire, il ne faudrait pas s'étonner de voir le modèle disparaître dès l'an prochain.

shadow aero

Sans être totalement identique du point de vue technique, la version Aero de la Shadow 750 partage la majorité de ses composantes avec la nouvelle Spirit, ce qui inclut la mécanique, le cadre et l'entraînement final par arbre, entre autres. La position de conduite ne diffère que légèrement en raison du guidon un peu plus reculé de l'Aero, tandis que le comportement se montre un peu plus naturel sur celle-ci à cause de la présence d'une roue avant de 17 pouces montée d'un pneu plus large. Au chapitre de l'accessibilité du pilotage, ni l'une ni l'autre des variantes ne se distingue vraiment, les deux se montrant très amicales, même pour les novices.

VITESSE DE POINTE

160 km/h

ACCÉLÉRATION SUR 1/4 MILLE

15,4 s à **138** km/h

indice d'expertise ▸

◂ rapport valeur/prix

Voir légende page 7

EXPERT	E
INTERMÉDIAIRE	I
NOVICE	N

général

catégorie	Custom/Tourisme Léger
prix	Aero : 8 699 $; Spirit C2 : 8 799 $ Touring : 10 099 $; Spirit D : 8 699 $
garantie	1 an/kilométrage illimité
couleur(s)	Aero : noir, blanc Spirit C2 : noir, bleu, noir avec flammes, rouge avec flammes Touring : argent et blanc, rouge et noir, noir et titane Spirit D : titane, rouge bourgogne, noir et rouge
concurrence	Kawasaki Vulcan 900 Classic, Suzuki Boulevard C50/M50, Yamaha V-Star 650

moteur

type	bicylindre 4-temps en V à 52 degrés, SACT, 3 soupapes par cylindre, refroidissement par liquide
alimentation	1 (D : 2) carburateur à corps de 34 mm
rapport volumétrique	9,6:1 (D : 9:1)
cylindrée	745 cc
alésage et course	79 mm x 76 mm
puissance	45 ch @ 5 000 tr/min
couple	45 lb-pi @ 3 000 tr/min
boîte de vitesses	5 rapports
transmission finale	par arbre
révolution à 100 km/h	n/d
consommation moyenne	6,5 l/100 km
autonomie moyenne	215 km (D : 209 km)

partie cycle

type de cadre	double berceau, en acier
suspension avant	fourche conventionnelle de 41 mm non ajustable
suspension arrière	2 amortisseurs ajustables en précharge
freinage avant	1 disque de 296 mm de Ø avec étrier à 2 pistons
freinage arrière	tambour mécanique de 180 mm de Ø
pneus avant/arrière	A, T : 120/90-17; C2 : 90/90-21; D : 110/80-19 & 160/80-15
empattement	A, T : 1 638 mm; C2 : 1 653 mm; D : 1 646 mm
hauteur de selle	A, T : 658 mm; C2 : 652 mm; D : 676 mm
poids à vide	A : 236 kg; D,C2 : 225 kg; T : 251kg
réservoir de carburant	14 litres (D : 13,6 litres)

conclusion

Pour autant qu'on attende surtout d'une custom de cette catégorie qu'elle représente une monture facile d'accès, qu'elle affiche des manières saines sur la route, qu'elle soit propulsée par un V-Twin raisonnablement coupleux et qu'elle soit offerte pour un montant abordable, n'importe laquelle des Shadow 750 fera très bien l'affaire. Notons qu'en raison de leur entraînement par arbre et de leur design beaucoup plus actuel, nous penchons fortement en faveur de l'Aero et de la nouvelle Spirit. Cela dit, il est important de réaliser que le marché offre plus gros et plus confortable pour environ le même genre de facture. Si les Shadow 750 ne sont ainsi pas des choix qui se démarquent clairement au sein de leur catégorie, elles n'en demeurent pas moins recommandables.

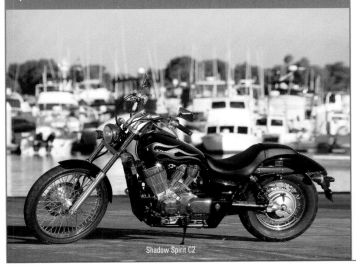

Shadow Spirit C2

QUOI DE NEUF EN 2007 ?

Introduction d'une nouvelle génération de la Spirit entièrement redessinée et équipée d'un entraînement final par arbre

Shadow Aero coûte 50 $, Spirit D 50 $, Spirit D 2 tons 100 $ et Touring 100 $ de plus qu'en 2006

⌃ PAS MAL

Un petit V-Twin qui comble ses lacunes en matière de performances par une livrée hâtive de couple et par une sonorité saccadée qui n'est pas désagréable du tout et qui donne même l'impression que la cylindrée est plus grosse

Une accessibilité de pilotage impressionnante qui permet même aux motocyclistes sans expérience d'envisager sans problème l'une des variantes de la Shadow 750

Une ligne aussi soignée que réussie dans le cas de la nouvelle Spirit comme dans celui de l'Aero

BOF

Un niveau de performances suffisant pour tout genre de déplacement, mais certainement pas excitant; on arrive à s'en satisfaire tant qu'on n'est pas trop gourmand de ce côté, mais il serait sage d'envisager une plus grosse cylindrée si tel n'est pas le cas

Une suspension arrière qui devient rude sur mauvaise route, et ce, pour toutes les versions

Une selle dont la forme est flatteuse sur la nouvelle Spirit, mais dont la limite de confort s'atteint assez vite

feu sans fumée...

Sans puiser aussi profondément dans l'histoire de la marque mère que ne le font les customs de la gamme Harley, la Shadow Sabre respecte une tradition puisqu'elle demeure intimement liée à la Shadow 1100 de 1985. À sa sortie en 2000, Honda a présenté la Sabre en tant que custom musclée, son gros V-Twin, ses massives roues coulées et son allure élancée annonçant une nature athlétique plus ou moins réelle. Pour 2007, le prix monte de 250 $.

La Sabre est la seule survivante d'une lignée de motos qui a déjà compté dans ses rangs les modèles American Classic Edition, Aero et autres A.C.E. Tourer. Honda continue surtout de l'offrir à cause du petit côté performant qui définit son allure élancée. Son look est solidement appuyé par un guidon fuyant relativement bas, par une selle étagée mais basse et profilée, par de roues coulées en alliage à forte présence visuelle et par un imposant pneu arrière de 170 mm. Côté puissance, la Sabre se tire assez bien d'affaire avec son V-Twin relativement nerveux de 75 chevaux qui prend ses tours rapidement et continue de tirer franchement jusqu'à haut régime. Sa souplesse aux régimes inférieurs est honnête et son niveau de vibration ne devient jamais gênant. Son caractère est toutefois ordinaire.

La tenue de route reste dans la bonne moyenne pour une custom, mais sans plus. La Sabre démontre une stabilité presque sans fautes en ligne droite ou dans les grandes courbes prises à un rythme modéré. L'effort à la direction est faible en entrée de courbe grâce au large guidon et la moto conserve sa trajectoire de manière solide et assez précise. Côté freinage, la puissance est adéquate. La position de conduite place les pieds très à l'avant, et les mains larges et basses, ce qui n'est pas déplaisant à court ou moyen terme. La selle est bonne, mais le fait de concentrer tout le poids sur le fessier et le bas du dos devient inconfortable à la longue. Les suspensions travaillent bien en général, mais le débattement limité à l'arrière amène une certaine rudesse sur route dégradée.

Général

catégorie	Custom
prix	12 649 $
Garantie	1 an/kilométrage illimité
couleur(s)	noir avec flammes
concurrence	Harley-Davidson Sportster 1200, Honda Shadow Sabre, Yamaha V-Star 1100

moteur

type	bicylindre 4-temps en V à 45 degrés, SACT, 3 soupapes par cylindre, refroidissement par liquide
alimentation	2 carburateurs à corps de 36 mm
rapport volumétrique	8:1
cylindrée	1 099 cc
alésage et course	87,5 mm x 91,4 mm
puissance	75 ch @ 5 200 tr/min
couple	65 lb-pi @ 3 000 tr/min
boîte de vitesses	5 rapports
transmission finale	par arbre
révolution à 100 km/h	environ 3 300 tr/min
consommation moyenne	5,2 l/100 km
autonomie moyenne	307 km

partie cycle

type de cadre	double berceau, en acier
suspension avant	fourche conventionnelle de 41 mm non ajustable
suspension arrière	2 amortisseurs ajustables en précharge
freinage avant	1 disque de 316 mm de Ø avec étrier à 2 pistons
freinage arrière	1 disque de 276 mm de Ø avec étrier à 1 pistons
pneus avant/arrière	120/90-18 & 170/80-15
empattement	1 640 mm
hauteur de selle	690 mm
poids à vide	260 kg
réservoir de carburant	16 litres

HONDA
SHADOW SPIRIT 1100

Général

catégorie	Custom
prix	11 849 $
Garantie	1 an/kilométrage illimité
couleur(s)	argent
concurrence	Harley-Davidson Sportster 1200, Honda Shadow Sabre, Yamaha V-Star 1100

moteur

Type	bicylindre 4-temps en V à 45 degrés, SACT, 3 soupapes par cylindre, refroidissement par liquide
Alimentation	2 carburateurs à corps de 36 mm
Rapport volumétrique	8:1
cylindrée	1 099 cc
Alésage et course	87,5 mm x 91,4 mm
puissance	75 ch @ 5 200 tr/min
couple	65 lb-pi @ 3 000 tr/min
Boîte de vitesses	5 rapports
Transmission finale	par arbre
Révolution à 100 km/h	environ 3 300 tr/min
consommation moyenne	5,2 l/100 km
Autonomie moyenne	305 km

partie cycle

Type de cadre	double berceau, en acier
suspension avant	fourche conventionnelle de 41 mm non ajustable
suspension arrière	2 amortisseurs ajustables en précharge
freinage avant	1 disque de 316 mm de Ø avec étrier à 2 pistons
freinage arrière	tambour mécanique
pneus avant/arrière	110/90 H19 & 170/80 H15
empattement	1 651 mm
Hauteur de selle	730 mm
poids à vide	251 kg
Réservoir de carburant	15,9 litres

Retro...

La Shadow 1100 de 1985 représente plus que la version originale de cette Shadow Spirit; c'est elle. Quelques retouches esthétiques ont bien été apportées au modèle 1997, mais à cette exception près, on a affaire à une monture du milieu des années 80. Les Shadow American Classic Edition, A.C.E. Tourer, Aero, et Sabre ont d'ailleurs toutes été développées à partir de cette base. Pour 2007, à part un prix qui grimpe de 250 $, aucun changement n'est annoncé.

La Spirit personnifie d'un point de vue stylistique le chopper de la gamme Honda avec son guidon en cornes de bouc reculé et ses repose-pieds placés loin devant. La mécanique s'est vu apprêter à plusieurs saveurs au fil des ans, dont l'une émettait même une sonorité étonnamment proche de celle d'une Harley-Davidson – celle de la Shadow 1100 A.C.E. 1995 –, mais depuis peu, toutes les versions de ce V-Twin ont ironiquement disparu sauf l'originale, qui propulse encore cette Spirit et la Sabre. En dépit du déficit de cylindrée qu'elle accuse par rapport aux customs poids lourds de bien plus gros cubage, les accélérations restent vives, alors que les tours grimpent rapidement et autoritairement jusqu'à des régimes relativement hauts.

La qualité de la tenue de route de la Spirit est satisfaisante, mais sa position de conduite à l'ancienne met le pilote moins à l'aise en virage que celle plus décontractée de la plupart des customs courantes. Même si la vitesse est élevée, la stabilité reste toujours bonne en ligne droite ou dans les courbes rapides, alors que le comportement en virage s'avère solide et relativement précis.

Au chapitre du confort, si la position reste acceptable à court ou moyen terme en dépit de sa saveur vieillotte, de longues randonnées taxeront le bas du dos. La selle est en revanche plutôt confortable.

shadow miniature...

Exception faite de légères modifications à sa ligne et à sa carburation en 1999, la petite Shadow VLX 600 est pratiquement une monture identique à celle que Honda présenta en 1988. Il s'agit d'un modèle destiné à une clientèle novice ou craintive pour laquelle des éléments comme une selle très basse, un poids faible et un niveau de puissance modeste sont tout désignés. Pour 2007, Honda augmente le prix de 200 $ et ne change rien d'autre que la couleur.

Grâce à son faible gabarit, la VLX représente une option intéressante pour les débutants craintifs face à une cylindrée supérieure puisque ses 39 chevaux n'arrivent pas à effrayer qui que ce soit. Par ailleurs, les pilotes de très petite taille l'apprécient pour sa selle exceptionnellement basse.

Même si la puissance de la mécanique n'est pas très élevée, elle permet des accélérations respectables pour autant qu'on soit prêt à la faire tourner. Elle est aussi amplement suffisante pour se déplacer sans difficulté en ville comme sur l'autoroute. Comme le couple à bas régime est décent et que la transmission ne compte que 4 rapports, les changements de vitesses peuvent être gardés à un minimum. Si tout ça ne semble pas si mal, il faut réaliser qu'il s'agit quand même d'un petit moteur qui renvoie des sensations de petit moteur.

Dès qu'on s'habitue à sa position de conduite de style chopper, la petite VLX se pilote très facilement. Elle s'incline sans effort en entrée de courbe grâce au guidon large, demeure solide et rassurante lorsqu'elle est inclinée et se montre toujours très stable. La garde au sol est relativement généreuse et le freinage est honnête.

Si l'on s'en tient à des sorties de courte ou de moyenne durée, la bonne selle et les suspensions correctes conservent un niveau de confort acceptable.

HONDA
SHADOW VLX

Général

catégorie	Custom
prix	7 999 $
garantie	1 an/kilométrage illimité
couleur(s)	bleu, noir
concurrence	Kawasaki Vulcan 500 LTD, Suzuki Boulevard S40, Yamaha V-Star 650

moteur

type	bicylindre 4-temps en V à 52 degrés, SACT, 3 soupapes par cylindre, refroidissement par liquide
alimentation	1 carburateur à corps de 34 mm
rapport volumétrique	9,2:1
cylindrée	583 cc
alésage et course	75 mm x 66 mm
puissance	39 ch @ 6 500 tr/min
couple	35,5 lb-pi @ 3 500 tr/min
boîte de vitesses	4 rapports
transmission finale	par chaîne
révolution à 100 km/h	environ 4 200 tr/min
consommation moyenne	4,2 l/100 km
autonomie moyenne	262 km

partie cycle

type de cadre	double berceau, en acier
suspension avant	fourche conventionnelle de 39 mm non ajustable
suspension arrière	monoamortisseur ajustable en précharge
freinage avant	1 disque de 296 mm de Ø avec étrier à 2 pistons
freinage arrière	tambour mécanique de 160 mm de Ø
pneus avant/arrière	110/90 H19 & 170/80 H15
empattement	1 600 mm
hauteur de selle	650 mm
poids à vide	208 kg
réservoir de carburant	11 litres

Général

catégorie	Custom
prix	4 999 $
garantie	1 an/kilométrage illimité
couleur(s)	rouge
concurrence	Hyosung Aquila 250, Suzuki Marauder 250, Yamaha Virago 250

moteur

type	bicylindre parallèle 4-temps, SACT, 2 soupapes par cylindre, refroidissement par air
alimentation	1 carburateur à corps de 26 mm
rapport volumétrique	9,2:1
cylindrée	234 cc
alésage et course	53 mm x 53 mm
puissance	18,5 ch @ 8 250 tr/min
couple	14 lb-pi @ 4 500 tr/min
boîte de vitesses	5 rapports
transmission finale	par chaîne

partie cycle

type de cadre	berceau semi-double, en acier
suspension avant	fourche conventionnelle de 33 mm non ajustable
suspension arrière	2 amortisseurs ajustables en précharge
freinage avant	1 disque de 240 mm de Ø avec étrier à 2 pistons
freinage arrière	tambour mécanique
pneus avant/arrière	300-18 & 130/90-15
empattement	1 450 mm
hauteur de selle	676 mm
poids à vide	139 kg
réservoir de carburant	9,8 litres

écolière...

Introduite il y a plus de 20 ans, la toute petite moto d'initiation qu'est la Rebel 250 s'est vue à plusieurs reprises retirée de la gamme pour y être ensuite réintégrée, quand les quantités restantes sur le marché avaient diminué. Le modèle courant est en tout point identique à l'original de 1986, ce qui s'explique en partie par le fait qu'il s'agit d'un genre de motos qui intéresse surtout les écoles de conduite. Pour 2007, le prix grimpe de 100 $.

Les écoles de conduite affectionnent depuis presque toujours la petite Rebel en raison de sa nature extraordinairement basse et légère. Le petit bicylindre de 234 cc refroidi par air ne risque d'effrayer personne. Bien que sa puissance annoncée soit de seulement 18 chevaux, la Rebel demeure parfaitement capable de suivre le flot de la circulation urbaine, et même de s'aventurer sur l'autoroute où elle peut maintenir sans trop de problèmes une vitesse légale. Dans presque toutes les situations, il faut néanmoins s'attendre à devoir jouer du sélecteur de vitesses et à faire tourner la mécanique abondamment pour en extraire le meilleur. L'accessibilité est excellente puisque le poids est très faible et qu'il est porté bas sur la moto, si bien que même les plus craintifs prennent rapidement confiance. La très faible hauteur de selle joue aussi un grand rôle à ce sujet. Sur la route, le comportement est caractérisé par une très bonne stabilité en ligne droite, une direction très légère et une solidité tout à fait acceptable en virage. Bien que la position de conduite soit dictée par l'allure custom, elle est plutôt compacte et rien ne semble exagéré. Comme la selle n'est pas mauvaise et que les suspensions sont assez molles, le niveau de confort reste correct.

GT650R

comparaisons et réflexions...

La philosophie derrière certains véhicules coréens constitue à offrir des caractéristiques semblables, voire supérieures à celles des produits établis, à moindre prix. Cette idéologie décrit de façon très juste le positionnement de la GT650 puisque le rôle du modèle est de proposer une alternative à la réputée SV650 de Suzuki. Dans le cas de la version standard, la GT650, Hyosung fait miroiter une économie d'environ 1 100 $, ce qui n'est certainement pas négligeable, tandis que dans celui de la version sportive, la GT650R, c'est plutôt l'attrait visuel du plein carénage qui constitue l'appât. Pour 2007, le guidon de la R est haussé et la version S disparaît.

H yosung compare ouvertement sa GT650 à la SV650 de Suzuki parce que les ressemblances techniques entre les deux modèles sont tellement fortes qu'il serait difficile de faire avaler autre chose même à un néophyte. Si cette comparaison a le côté bénéfique de placer instantanément la coréenne en bonne compagnie, elle a aussi le désavantage d'encourager des comparaisons qui ne tournent pas souvent à sa faveur. La SV650 reste l'une des motos les plus acclamées du motocyclisme, ne l'oublions pas.

Les similitudes entre la GT et la SV sont nombreuses. Il s'agit dans les deux cas de motos dont les dimensions compactes, dont le poids est faible et dont la position de pilotage est sportive. Notons que la version R bénéficie cette année d'un guidon plus haut améliorant le confort.

L'impression générale renvoyée par la GT650 est celle d'une moto japonaise et non celle d'un produit de construction douteuse, une façon dont on perçoit parfois les produits asiatiques non japonais. Mais une GT650 est également très différente d'une SV650 en ce sens qu'on ne ressent pas, à ses commandes, la finesse et le degré extrêmement élevé de sophistication de la Suzuki. En fait, la GT650 semble avoir un retard d'au moins une génération sur la Suzuki.

Cette réalité ne fait absolument pas une mauvaise moto de la coréenne, mais elle doit être connue et acceptée du motocycliste qui envisage son achat.

Avec son cadre périmétrique, sa fourche inversée ajustable et ses roues larges chaussées de pneus sportifs de qualité, la partie cycle de

> **LES SIMILITUDES TECHNIQUES ENTRE LA GT650 ET LA SV650 SONT TELLEMENT FORTES QU'ON NE PEUT QUE LES COMPARER.**

la GT 650 se montre solide et relativement précise. Pilotée très agressivement, sur une piste, la coréenne se débrouille sans toutefois afficher la pureté d'une sportive japonaise actuelle. La stabilité dans toutes les circonstances est particulièrement impressionnante, même si elle vient au détriment d'une légèreté de direction qui ne sort pas de l'ordinaire dans les enfilades rapides. Sur la route, l'écart existant en piste par rapport aux prestations d'une SV650 devient négligeable. Dans cet environnement, qui est d'ailleurs celui de la grande majorité des propriétaires, on découvre des suspensions qui travaillent correctement, une protection au vent généreuse dans le cas de la R, une selle satisfaisante pour un modèle sportif et une instrumentation qui, malgré sa portion numérique parfois difficile à lire, s'avère complète. L'un des seuls véritables bémols de la GT 650 au chapitre du comportement se trouve au niveau des freins qui, sur les modèles d'essai, n'avaient pas le mordant auquel on s'attend d'un système à disque triple.

Le petit V-Twin de 650 cc est l'un des principaux attraits des GT 650. Si le niveau de performances de la Suzuki est légèrement supérieur à celui de la Hyosung, il demeure un bon indicateur de celui de la coréenne. Agréablement coupleuse à bas et moyen régimes et réservant un amusant punch juste avant la zone rouge, la GT 650 fait vivre à son pilote l'expérience du V-Twin sportif au moyen d'une plaisante sonorité et de pulsations clairement ressenties par les poignées. Comme sur la Suzuki, il s'agit de sensations qui compensent amplement pour le niveau de puissance limité.

VITESSE DE POINTE

198 km/h

ACCÉLÉRATION SUR 1/4 MILLE

12.3. s à 170 km/h

indice d'expertise ►

◄ rapport valeur/prix

Voir légende page 7

général

catégorie	Routière Sportive/Standard
prix	GT650R : 8 295 $ GT650 : 7 395 $
garantie	2 ans/kilométrage illimité
couleur(s)	GT650R : rouge, jaune, gris GT650 : noir, bleu, rouge, jaune
concurrence	Kawasaki Ninja 650R, Suzuki SV650S et SV650

moteur

type	bicylindre 4-temps en V à 90 degrés, DACT, 4 soupapes par cylindre, refroidissement par liquide
alimentation	2 carburateurs à corps de 36 mm
rapport volumétrique	11,4:1
cylindrée	647 cc
alésage et course	81,5 mm x 62 mm
puissance	76 ch @ 9 000 tr/min
couple	50 lb-pi @ 7 500 tr/min
boîte de vitesses	6 rapports
transmission finale	par chaîne
révolution à 100 km/h	environ 4 200 tr/min
consommation moyenne	6,9 l/100 km
autonomie moyenne	246 km

partie cycle

type de cadre	périmétrique, en acier tubulaire
suspension avant	fourche inversée de 41 mm ajustable en compression et détente
suspension arrière	monoamortisseurs ajustable en précharge
freinage avant	2 disques de 300 mm de Ø avec étriers à 2 pistons
freinage arrière	1 disque de 230 mm de Ø avec étrier à 2 pistons
pneus avant/arrière	120/60 ZR17 & 160/60 ZR17
empattement	1 435 mm
hauteur de selle	780 mm
poids à vide	190 kg (GT650 : 180 kg)
réservoir de carburant	17 litres

conclusion

La GT650 prend les motocyclistes par deux sentiments qui les rendent particulièrement vulnérables. D'abord en y allant doucement sur leur portefeuille grâce à l'économique version standard, et ensuite en flattant leur amour-propre avec la jolie version R. Rouler en SV ou économiser avec la GT650, rouler en SV ou sur une sportive entièrement carénée avec la GT650R, telles sont les questions. La réponse dépend, évidemment, de l'état de votre portefeuille, et de la force de votre amour-propre. Si vos finances n'y voient pas d'objection, alors le fait que la SV650 — et la Kawasaki Ninja 650R, ne l'oublions pas — constitue clairement une meilleure moto ne peut être ignoré. La même conclusion s'applique si votre ego vous permet de rouler sur autre chose qu'une sportive entièrement carénée. Si toutefois la tentation de la GT650 s'avérait trop forte, alors vous pourriez au moins y succomber en sachant qu'il s'agit d'une moto qui, sans être aussi finement conçue que les deux japonaises rivales, livrera quand même la marchandise.

GT650

QUOI DE NEUF EN 2007 ?

Retrait de la GT650S avec demi-carénage

La GT650 S/T devient la GT650R

Guidon tubulaire haut de la GT650 installé sur la GT650R

Aucune augmentation de prix

PAS MAL

Une valeur intéressante puisqu'on parle d'une économie de plus ou moins un millier de dollars par rapport une Suzuki SV650, pour des caractéristiques peut-être pas équivalentes, mais à tout le moins semblables

Un petit V-Twin au caractère plaisant, dont la souplesse à bas et mi-régime est agréable et dont les performances sont fort acceptables

Un comportement qui impressionne par sa stabilité dans toutes les circonstances ainsi que par sa facilité de prise en main

⌄ BOF

Une tenue de route qui n'est pas aussi pure que celle de la SV650 à laquelle Hyosung compare le modèle, et ce, surtout en pilotage agressif

Une mécanique carburée qui fonctionne correctement, mais qui n'affiche pas le degré de sophistication du V-Twin doux et parfaitement injecté de la SV650

Un système de freinage techniquement à jour sur papier, mais qui déçoit sur le terrain : la sensation au levier avant est spongieuse et la puissance est limitée, tandis que l'arrière « crie » presque toujours

Un niveau de fiabilité qui doit être établi en passant le test du temps avant d'être tenu pour acquis

HYOSUNG

AQUILA 650

Ressemblances multiples...

La rumeur veut qu'on se soit fâché, chez Harley-Davidson, après avoir aperçu l'Aquila 650. Trop de ressemblances avec la célèbre V-Rod, dit-on. Force est d'admettre qu'il y a du V-Rod dans l'intrigante custom de Hyosung, et ce, non seulement au chapitre du style, qui est clairement inspiré de la création de Willie G., mais aussi au niveau de la conception. Car comme l'américaine, la coréenne a la particularité d'être une custom propulsée par une mécanique de configuration V-Twin provenant d'un modèle sportif, dans son cas la GT650. Le fait que la transplantation ait été faite sans qu'on ait trop soustrait de puissance confère d'ailleurs au modèle une personnalité bien à elle.

Dans un univers où les produits rivaux se ressemblent souvent beaucoup, l'Aquila semble tout faire pour s'éloigner des sentiers battus en proposant des lignes résolument inhabituelles et une mécanique à haut régime empruntée à une sportive. Bref, il s'agit complètement d'autre chose que de la typique réinterprétation de la Fat Boy que sont bien des customs. Cela dit, si la direction empruntée par l'Aquila est clairement originale, cela n'implique pas nécessairement que cette direction soit née chez Hyosung. En y réfléchissant un tout petit peu, on saisit d'ailleurs assez vite que l'idée provient d'une certaine firme de Milwaukee et de sa célèbre V-Rod. Ce qui ne devrait étonner personne, d'abord parce que les Coréens ont la réputation d'être très habile pour « s'inspirer » des idées des autres, et ensuite parce que, comme à peu près toutes les directions prises par Harley-Davidson, celle de la V-Rod aurait tôt ou tard été copiée.

Il n'y a d'ailleurs pas qu'au niveau du style que l'Aquila 650 rappelle la V-Rod puisque les deux modèles empruntent également des directions parallèles au niveau technique. En effet, il s'agit actuellement des seules customs du marché propulsées par des V-Twin sportifs beaucoup plus puissants que les moteurs de customs classiques de cylindrée équivalente. Selon Hyosung, le V-Twin qui anime l'Aquila serait un proche parent du moteur de la SV650S, ce qui s'expliquerait par le fait que la compagnie coréenne aurait durant plusieurs années construit des motos pour le compte de Suzuki. Plus précisément, il est emprunté à la GT650.

> **L'AQUILA EST INDÉNIABLEMENT UNE CUSTOM ORIGINALE. DU MOINS, PRESQUE AUTANT QUE LA V-ROD DE LAQUELLE ELLE S'INSPIRE.**

L'utilisation d'une telle mécanique donne à l'Aquila un caractère double. Car si le petit Twin fait preuve de suffisamment de souplesse pour traîner sans jamais rouspéter sur la première moitié de sa plage de régimes – dont la zone rouge s'élève au-delà des 10 000 tr/min, un régime stratosphérique pour une custom traditionnelle –, on a littéralement qu'à retarder les changements de rapport et laisser le V-Twin tourner sur la moitié supérieure de cette plage de régime pour avoir droit à des performances qui sont simplement dans une autre ligue pour une monture de cette catégorie. En ligne droite, en pleine accélération, l'Aquila 650 se moquera de customs disposant d'une cylindrée deux fois plus importante. Le couple généré à bas régime n'est pas extraordinaire, cylindrée limitée oblige, mais les performances sont tout de même de l'ordre de celles de la GT650.

L'une des appréhensions les plus communes auxquelles sont confrontés les produits coréens concerne la qualité réelle des véhicules. Bien qu'il soit toujours difficile de se prononcer sur sa fiabilité à long terme, force est d'admettre qu'à aucun niveau l'Aquila 650 ne donne l'impression d'être mal conçue ou mal assemblée. Et après un an sur le marché canadien, les problèmes semblent mineurs. En fait, à l'exception d'une transmission légèrement rugueuse et occasionnellement imprécise, et de l'aspect un peu plastique de certains chromes, on trouve peu à lui reprocher. Surtout que la liste de caractéristiques – freinage par disque triple, entraînement par courroie, fourche inversée, etc. – qu'elle offre dans sa livrée d'origine est particulièrement généreuse, surtout au prix demandé.

VITESSE DE POINTE

191 km/h

ACCÉLÉRATION SUR 1/4 MILLE

13.4 s à **168** km/h

◄ indice d'expertise ►

◄ rapport valeur/prix

Voir légende page 7

EXPERT **E**
INTERMÉDIAIRE **I**
NOVICE **N**

Général

catégorie	Custom
prix	8 795 $
garantie	2 ans/kilométrage illimité
couleur(s)	noir, bleu, gris
concurrence	Honda Shadow 750, Suzuki Boulevard C50 Yamaha V-Star 650

moteur

type	bicylindre 4-temps en V à 90 degrés, DACT, 4 soupapes par cylindre, refroidissement par liquide
alimentation	2 carburateurs à corps de 36 mm
rapport volumétrique	11,4:1
cylindrée	647 cc
alésage et course	81,5 mm x 62 mm
puissance	72,4 ch @ 9 000 tr/min
couple	55,2 lb-pi @ 7 200 tr/min
boîte de vitesses	5 rapports
transmission finale	par courroie
révolution à 100 km/h	environ 4 200 tr/min
consommation moyenne	6,8 l/100 km
autonomie moyenne	250 km

partie cycle

type de cadre	double berceau, en acier
suspension avant	fourche inversée de 41 mm ajustable en compression et détente
suspension arrière	2 amortisseurs ajustable en précharge
freinage avant	2 disques de 300 mm de Ø avec étriers à 2 pistons
freinage arrière	1 disque de 230 mm de Ø avec étrier à 2 pistons
pneus avant/arrière	120/70 ZR18 & 180/55 ZR17
empattement	1 700 mm
hauteur de selle	749 mm
poids à vide	220 kg
réservoir de carburant	17 litres

conclusion

Propulsée par une mécanique dont la nature nerveuse compense amplement pour son manque de sensations classiques, bâtie autour d'un châssis solide et bien maniéré, présentée de façon étonnamment différente pour un manufacturier dont le pays d'origine rime pourtant avec « imitation » et offerte pour une somme fort raisonnable, l'Aquila 650 semble presser tous les bons boutons pour convaincre un marché friand de bons prix, mais non moins prudent, le nôtre, que l'option d'une moto coréenne mérite à juste titre d'être considérée. Quant au mécontentement de Harley-Davidson, il est facile à comprendre, mais il serait peut-être plus sage pour ce dernier de voir la situation de manière plus philosophique, en se rappelant que l'imitation reste la plus belle forme de flatterie. Il pourrait avoir grand besoin de cette attitude zen lorsque l'Aquila 1000 actuellement en développement sera dévoilée...

⦿ QUOI DE NEUF EN 2007 ?

Aucun changement

Aucune augmentation de prix

⌃ PAS MAL

Une mécanique provenant de la sportive GT650 qui donne à l'Aquila des ailes en ligne droite – pour une custom bien entendu – du moins tant qu'on soit prêt à faire tourner le V-Twin à haut régime

Une tenue de route solide et sans surprises qui se combine à un poids relativement faible pour en faire une monture dont la prise en main est d'une grande facilité

Une ligne qui fait plus qu'essayer de recréer le thème de la custom classique et cherche plutôt à rejoindre celui de la radicale V-Rod

⌄ BOF

Une transmission dont les rapports ne se passent pas toujours en douceur et avec laquelle on doit occasionnellement insister

Une fiabilité à long terme qui reste à établir; cela dit, après un an sur notre marché, rien n'indique que les 650 coréennes sont problématiques et la garantie de 2 ans offerte par Hyosung demeure rassurante

Une qualité de finition très correcte compte tenu du prix, mais on ne peut que constater l'aspect plastique et un peu bon marché des pièces chromées qui abondent sur l'Aquila

GT250R

GT250

NOUVEAUTÉ 2007

Hyper abordable...

Le marché de la moto nord-américain propose des modèles sportifs à couper le souffle, des véhicules figurant parmi les plus rapides et les plus avancés au monde. S'il couvre donc très bien la partie experte du motocyclisme, ce même marché affiche en revanche une lacune flagrante lorsque vient le temps de s'adresser aux nouveaux arrivants. Le nombre presque nul de modèles suffisamment excitants pour générer de telles émotions chez une clientèle débutante, du moins chez nous, constitue d'ailleurs une démonstration éloquente de ce fait. Basée sur la GT250 standard, la nouvelle Hyosung GT250R tente en 2007 d'étoffer cette sélection.

Accéder au côté sportif du motocyclisme d'une façon moins extrême que celle de sauter sur la dernière 600 n'est pas nécessairement chose facile – ou surtout attrayante – pour le nouvel initié au sport. Certes, des montures d'apprentissage existent, mais leur seul intérêt se limite généralement au côté technique de l'initiation, sans que l'idée d'aguicher les sens semble avoir le moindrement fait partie du design de base. Pourtant, qui a dit qu'on ne pouvait pas à la fois faire ses dents et être fier de sa monture ? Pas Hyosung.

Bien que l'arrivée du constructeur coréen dans le monde des motos de grosses cylindrées soit relativement récente, les petites cylindrées constituent la spécialité de la firme depuis toujours. En présentant en 2007 cette nouvelle et fort jolie petite GT250R, Hyosung joint toute cette expertise à un style n'ayant rien à envier à celui d'une « vraie » sportive, ce qui constitue actuellement une proposition qui serait unique sur notre marché si ce n'était de la présence de la petite ZZR250 dans la gamme de Kawasaki.

Des versions de 125, 250 et 400 cc de plusieurs sportives de pointe courantes existent, mais les constructeurs ne les importent pas chez nous sous prétexte que leur prix serait illogiquement élevé. Hyosung fait très exactement la démonstration du contraire avec sa GT250R qui, à seulement 600 $ de plus que l'économique GT250 standard sur laquelle elle est basée, offre un plein carénage au style racé, ajoute un second disque au frein avant, et est équipée de poignées sportives basses et d'une instrumentation analogique/numérique.

> ## QUI A DIT QU'ON NE POUVAIT PAS À LA FOIS FAIRE SES DENTS ET ÊTRE FIER DE SA MONTURE ?
>
> ## PAS HYOSUNG.

Techniquement, la GT250R est identique à la GT250 et propose donc le même niveau de performances et le même comportement routier, bien que la différence au niveau de la position de conduite change un peu les sensations de pilotage et réduise le confort en mettant plus de poids sur les mains. En revanche, la protection au vent offerte par la version carénée facilite les déplacements sur l'autoroute.

L'une des caractéristiques les plus impressionnantes de la GT250 est l'entrain démontré par son minuscule V-Twin. Timide, mais quand même parfaitement utilisable sous les 6 000 ou 7 000 tr/min, il s'éveille ensuite jusqu'à sa zone rouge. Étonnamment doux à tous les régimes, il ne demande qu'à tourner. On arrive à 100 km/h en milieu de troisième et maintenir une telle vitesse sur l'autoroute ne cause pas le moindre problème. Comme la transmission est excellente et que l'embrayage est léger et facile à doser, exploiter tout le potentiel du petit moulin n'a rien d'une corvée. On s'attend à ce qu'une standard de 250 cc soit légère et agile, ce qui est le cas de la petite coréenne. Mais on ne s'attend pas vraiment à ce qu'une moto de cette cylindrée soit aussi solide et stable. Le fait qu'elle soit construite autour d'un cadre qui semble être une proche copie de celui de la Suzuki GS500 n'est probablement pas étranger à cette qualité, tout comme la présence d'une fourche de type inversée à l'avant d'ailleurs. Le niveau de confort de la GT250 est bon puisque la position assise ne taxe aucune partie de l'anatomie, tandis que les suspensions sont plus souples que fermes.

Pour 600 $ de plus que la standard GT250, la R offre, en plus de son élégant carénage pleine grandeur, un second disque de frein avant, des poignées basses et une instrumentation moderne de type analogique/numérique. De pratiques repose-pieds ajustables font aussi partie de l'équipement de base.

RX125SM

Conçue d'abord pour le marché européen où l'on peut rouler une 125 avec un permis de conduire automobile, mais sans permis moto, et où les montures de type supermoto sont très à la mode, la RX125SM serait propulsée par un petit monocylindre refroidi par air et à double arbre à cames en tête. Une version double-usage, la RX125D existe aussi – ce qui explique la hauteur du garde-boue avant –, mais pour le moment seulement la SM serait être importée au Canada. Selon Hyosung, elle pourrait être en vente dès le début de l'été 2007.

Aquila 250

Comme la GT, l'Aquila 250 accomplit bien sa mission de petite moto d'initiation. Très basse, elle est aussi très légère, bien que ce ne soit pas au point de paraître frêle. La selle est un peu étrangement formée, tandis que la position de conduite n'est pas très naturelle et pourrait coincer les pilotes grands. La bonne de modulation de l'embrayage et les très honnêtes prestations du petit V-Twin à bas régime contribuent à la facilité de prise en main. Ce dernier permet de circuler en ville sans devoir constamment tourner très haut et atteint les 100 km/h avec aisance sur le troisième rapport et les maintient sans problème. À cette vitesse, le moteur tourne à 7 000 tr/min, bien en dessous de sa zone rouge de 12 000 tr/min. La sonorité qui s'échappe du silencieux double est sympathique et les vibrations ne sont jamais un problème.

VITESSE DE POINTE

143 km/h

ACCÉLÉRATION SUR 1/4 MILLE

15,3 sà **128** km/h

indice d'expertise ▸

◂ rapport valeur/prix

Voir légende page 7

Voir légende page 7

EXPERT **E**
INTERMÉDIAIRE **I**
NOVICE **N**

général

catégorie	Routière Sportive/standard/custom
prix	GT250R : 5 595 $ GT250 : 4 995 $ GV250 Aquilia : 4 895 $
garantie	2 ans/kilométrage illimité
couleur(s)	GT : rouge, noir, jaune GV : noir et gris, noir
concurrence	GT : Kawasaki ZZR250 GV : Honda Rebel 250, Suzuki Marauder 250, Yamaha Virago 250

moteur

type	bicylindre 4-temps en V à 75 degrés, DACT, 4 soupapes par cylindre, refroidissement par air et huile
Alimentation	2 carburateurs
Rapport volumétrique	11,2:1
cylindrée	249 cc
Alésage et course	57 mm x 48,8 mm
Puissance	27,5 ch @ 10 250 tr/min
couple	15,5 lb-pi @ 7 500 tr/min
Boîte de vitesses	5 rapports
Transmission finale	par chaîne
Révolution à 100 km/h	environ 7 000 tr/min
consommation moyenne	5,3 l/100 km
Autonomie moyenne	320 km

partie cycle

Type de cadre	périmétrique, en acier
suspension avant	fourche inversée de 41 mm non ajustable
suspension arrière	monoamortisseur non ajustable
freinage avant	1 (GT : 2) disque (s) de 300 mm de Ø avec étrier (s) à 2 pistons
freinage arrière	1 disque de 220 mm de Ø avec étrier à 1 piston
pneus avant/arrière	110/70-17 & 150/70-17
empattement	1 445 mm
Hauteur de selle	780 mm
poids à vide	155 kg
Réservoir de carburant	17 litres

conclusion

En arrivant à offrir une GT250R avec autant d'ajouts pour un montant à peine plus élevé que la somme déjà raisonnable demandée pour la GT250 dénudée, Hyosung confirme qu'il y a moyen pour le débutant de rouler avec style pour pas trop cher. Or, la horde d'adolescents qui se promènent aujourd'hui en scooters ne passe généralement pas à l'échelon suivant, une vraie moto, pour des raisons d'argent. Ce qu'ils veulent est trop cher, alors ils passent à autre chose et se désintéressent de la moto. À la lumière de cette information, une monture d'allure fière imitant le style agressif des sportives de pointe japonaises, mais offerte à prix accessible pour une telle clientèle n'aurait-elle pas de sens ? Dans le cas de la GT250R — et de la GT250 —, non seulement elle a beaucoup de sens, mais elle constitue aussi une très intelligente porte d'entrée dans l'univers sportif.

GT250

QUOI DE NEUF EN 2007 ?

Version R avec carénage intégral, poignées basses, second disque de frein avant, instrumentation analogique/numérique et repose-pieds ajustables offerte moyennant un supplément de 600 $

Aucune augmentation de prix pour la GT250 et l'Aquila 250

⌃ PAS MAL

Un rapport caractéristiques/prix qui semble inhabituellement généreux; on croirait revivre l'arrivée de Hyundai et de ses petites voitures remplies d'équipement qu'il fallait payer cher chez les marques établies

Une petite mécanique qui surprend autant par sa douceur à tous les régimes que par sa bonne volonté sur la première moitié de sa plage de régimes; on peut même presque parler de souplesse

Une partie cycle qui se comporte de manière propre et solide dans pratiquement toutes les circonstances

BOF

Un prix très intéressant pour la GT250R, mais on n'est qu'à 700 $ du prix d'une Kawasaki ZZR250 munie d'un petit Twin plus puissant et plus avancé

Un niveau de confort à la baisse sur la GT250R en raison de ses poignées plus basses; d'un autre côté, les jeunes se fichent généralement du confort

Une certaine hésitation face à la fiabilité de la marque nouvellement arrivée sur notre marché, ainsi que face au réseau de concessionnaires en développement; Hyosung répond en offrant 2 ans de garantie sur ses produits

CONCOURS 14

NOUVEAUTÉ 2008

passeport requis...

En présentant sa ZX-14 l'an dernier, Kawasaki avoua être très conscient du fait que malgré tout ce dont elle était capable, la nouvelle Ninja reine ne saurait satisfaire une certaine catégorie de « rouleux » pour lesquels la performance n'est qu'un bon début. Pour séduire ces derniers, une autre monture devrait être conçue, une monture basée sur la ZX-14, pourquoi pas, mais qui aurait aussi la capacité de couvrir confortablement de longues distances. Bref, une Sport-Tourisme. La toute nouvelle Concours 14 est cette moto. Il s'agit d'un modèle 2008 qui doit être lancé au courant de 2007 et que Kawasaki qualifie de Super Sportive Transcontinentale, rien de moins.

TECHNIQUE

Pour Kawasaki, l'importance de la Concours 14 surpasse celle d'une nouveauté « normale », et ce, pour plusieurs raisons. D'abord, aussi vieille et dépassée qu'elle ait pu être, l'ancienne Concours avait quand même réussi l'exploit de survivre sur le marché durant une vingtaine d'années, en plus de rester encore aujourd'hui appréciée d'un nombre étonnamment important de loyaux propriétaires. Un tel historique implique une grande responsabilité de la part d'un modèle remplaçant. Ensuite, il y a le fait que la Concours 14 vient rejoindre une classe composée de certaines des routières les plus réputées du motocyclisme. En combinant ces informations à la très ferme intention qu'a la firme d'Akashi de s'imposer de façon marquée dans chacun des créneaux du marché auxquels elle participe, on commence à comprendre pourquoi l'introduction d'une nouvelle Concours amène des attentes aussi élevées, et ce, tant de la part du public que de celle du constructeur.

La voix choisie par Kawasaki pour concevoir la Concours 14 n'a rien de vraiment nouveau puisqu'elle reprend de façon presque parfaite la manière avec laquelle la Concours originale fut construite. Exactement comme il l'a fait en 1986 en s'inspirant d'une des sportives les plus redoutables de l'époque comme base pour élaborer la Concours, la Ninja 1000R, le constructeur s'est aujourd'hui tourné vers la puissante ZX-14 pour servir de « point de départ » à la nouvelle génération du modèle.

> **COMME L'ÉTAIT À L'ÉPOQUE L'ORIGINALE, LA NOUVELLE CONCOURS 14 EST ÉTROITEMENT LIÉE À LA KAWASAKI LA PLUS RAPIDE DU MOMENT.**

Il faut savoir que le lien serré existant entre la ZX-14 et la Concours 14 n'a rien d'un hasard puisque les deux modèles ont été développés simultanément. Le très particulier cadre monocoque en aluminium, la suspension avant et tout le système de freinage de la ZX-14 sont ainsi retrouvés de manière presque intégrale sur la nouveauté, faisant de cette dernière le modèle affichant la partie cycle la plus sportive de sa classe par une bonne marge. La présence d'une telle quantité de pièces de performances, en plus de donner une crédibilité au thème sportif de la Concours 14, laisse croire qu'elle pourrait spécialement plaire au même type de motocycliste que la Yamaha FJR1300 puisque celle-ci se distingue justement en offrant le comportement le plus sportif de la classe, du moins pour le moment. Kawasaki annonce d'ailleurs avoir exigé de ses ingénieurs que l'angle d'inclinaison maximal de la nouveauté reste identique à celui de la ZX-14.

Si le choix d'un entraînement final par arbre ne fut pas difficile à faire, la réalisation de ce dernier fut plus complexe. En effet, pour qu'elle puisse livrer une qualité de tenue de route à la hauteur des attentes créées par sa longue liste de composantes sportives, la nouvelle Concours se devait d'être exempte des divers problèmes habituellement liés à un tel type d'entraînement. La solution est un système nommé Tetra-Lever rappelant le Paralever de BMW et qui, selon Kawasaki, offrirait une efficacité et une douceur équivalentes à celles démontrées par une chaîne en ce qui concerne le passage de la puissance à la roue arrière.

Une ZX-14 avec plus de confort, un pare-brise électrique et des valises de série. L'idée semble avoir du bon.

Parlant de puissance, Kawasaki annonce clairement ses intentions de dominer la classe à ce chapitre avec la Concours 14. Ainsi, le constructeur ne s'est pas contenté de reprendre la mécanique de la ZX-14, mais il lui a aussi ajouté un système de calage variable des soupapes afin de maximiser le couple à tous les régimes. Comme le VTEC de la Honda VFR800 n'est pas un vrai système de calage variable, il s'agirait d'une première sur une moto. Aucun chiffre de couple ou de puissance officiel n'est annoncé par Kawasaki au moment d'aller sous presse, mais le constructeur assure qu'à partir d'un arrêt, l'accélération serait équivalente à celle d'une ZX-14!

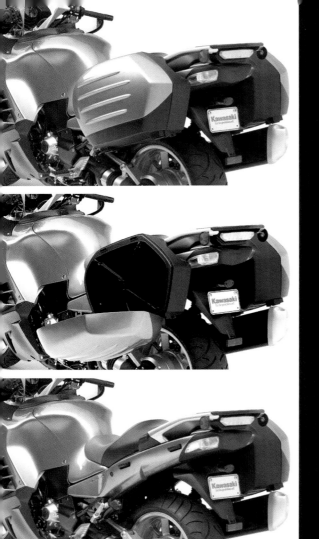

mi-touriste, mi-sportive

Sans son carénage, la nouvelle Concours 14 fait carrément penser à une ZX-14 qui aurait été modifiée afin de mieux servir les intérêts d'un amateur de sport-tourisme. Puis, en y regardant de plus près, on se rend compte que cette description colle de manière on ne peut plus exacte à la nature de la nouveauté.

— À part quelques variations dans la géométrie, un empattement plus long et l'adoption d'un entraînement final par arbre plutôt que par chaîne, la partie cycle de la Concours 14 et celle de la ZX-14 sont presque identiques. La fourche inversée, les étriers à montage radial, les disques à pétales, le cadre monocoque, les suspensions réglables; tout semble décrire la fiche d'une sportive. Il s'agit de la première fois qu'une monture de cette classe est basée d'aussi près sur une sportive de pointe.

— Le 4-cylindres en ligne est exactement le même que celui de la ZX-14, mais se voit équipé d'un système de calage variable des soupapes afin de maximiser la livrée de couple sur la plage de régimes. Une injection recalibrée, un pignon de sortie adapté à un entraînement par arbre et le passage d'un système d'échappement 4 en 2 à une configuration 4 en 1 résument les plus grandes différences. La boîte à 6 rapports reste, tout comme l'admission d'air forcé.

— Le système Tetra-Lever renvoie, au moyen de 4 leviers, les réactions néfastes du cardan dans le cadre, où elles sont absorbées et dissipées, un principe semblable au Paralever que BMW utilise depuis de nombreuses années.

— L'équipement de série comprend des valises — qui auraient été ramenées aussi près que possible du centre de la moto —, un dispositif de mesure électronique de la pression des pneus, un pare-brise à ajustement électrique — que Kawasaki affirme avoir étudié afin de minimiser les turbulences — et un système de freinage ABS. À ce stade, rien ne semble toutefois indiquer que des poignées ou des selles chauffantes font partie de l'ensemble. Comme il s'agit d'un modèle 2008, ces informations pourraient changer d'ici à ce que la production débute.

VITESSE DE POINTE
255 km/h
ACCÉLÉRATION SUR 1/4 MILLE
11.0 s à **200** km/h

indice d'expertise ►

◄ **rapport valeur/prix**

Voir légende page 7
Performances estimées ◄
EXPERT **E**
INTERMÉDIAIRE **I**
NOVICE **N**

Général

catégorie	Sport-Tourisme
prix	N/D
garantie	3 ans/kilométrage illimité
couleur(s)	argent
concurrence	BMW K1200GT, Honda ST1300, Yamaha FJR1300

partie cycle

type de cadre	monocoque, en aluminium
suspension avant	fourche inversée de 43 mm ajustable en précharge et détente
suspension arrière	monoamortisseur ajustable en précharge et détente
freinage avant	2 disques « à pétales » de 310 mm de Ø avec étriers radiaux à 4 pistons et système ABS
freinage arrière	1 disque « à pétales » de 250 mm de Ø avec étrier à 2 pistons et système ABS
pneus avant/arrière	120/70 ZR17 & 190/50 ZR17
empattement	environ 1 530 mm
hauteur de selle	environ 800 mm
poids à vide	environ 250 kg
réservoir de carburant	environ 25 litres

moteur

type	4-cylindres en ligne 4-temps, DACT, 4 soupapes par cylindre, refroidissement par liquide
alimentation	injection à 4 corps de 43 mm
rapport volumétrique	12:1
cylindrée	1 352 cc
alésage et course	84 mm x 61 mm
puissance sans ram air	160 ch @ 10 000 tr/min (estimation)
puissance avec ram air	170 ch @ 10 000 tr/min (estimation)
couple	110 lb-pi @ 7 000 tr/min (estimation)
boîte de vitesses	6 rapports
transmission finale	par arbre
révolution à 100 km/h	n/d
consommation moyenne	n/d
autonomie moyenne	n/d

conclusion

C'est une chose de dire à qui veut l'entendre qu'on compte dominer tous les segments du marché — et Dieu sait si on a entendu cette affirmation au fil des ans — et une tout autre de le faire. Kawasaki, à grands coups de nouveautés, est en train de le faire. Cette fois, c'est à l'élitiste créneau des touristes sportives qu'il s'attaque, donc à certains des plus gros noms du motocyclisme. La Concours 14 arrivera-t-elle à dominer une classe aussi relevée ? Peut-être, peut-être pas. Nous ne le saurons évidemment que lorsque nous aurons accumulé un bon paquet de kilomètres à ses commandes. Mais d'ici là, une chose reste sûre, c'est que jamais une Sport-Tourisme n'a été construite de cette façon. Il s'agit d'un pari osé de la part de la firme d'Akashi, mais aussi d'une proposition extrêmement intrigante. Décidément à suivre.

⊙ QUOI DE NEUF EN 2007 ?

Modèle 2008 qui arrivera sur le marché au printemps-été 2007

⌃ PAS MAL

Une proposition qui semble extrêmement intéressante pour un amateur de sportives qui souhaiterait plus de confort et un niveau pratique plus élevé, mais sans complètement abandonner un comportement de nature sportive; Kawasaki a, par exemple, évité d'ajouter un dispositif de couplage des freins avant et arrière au système de freinage

Une excellente ambassadrice pour la marque Kawasaki qui veut avant tout être définie par la performance; l'idée derrière le modèle et l'aura de la marque se complètent très bien

⌄ BOF

Un niveau d'équipements qui ne semble pas correspondre à un nouveau standard pour la classe, du moins à ce stade-ci d'information; on annonce à grands tambours un lien très serré avec une machine sportive, mais on ne fait aucune mention d'accessoires très appréciés en tourisme sportif comme des poignées et des selles chauffantes, des suspensions à réglage électronique, ou encore une ergonomie ajustable

Une certaine « faiblesse » à bas régime de la ZX-14 qui pousse à s'interroger sur les performances de la Concours 14 dans les situations quotidiennes, surtout compte tenu de l'absence d'un silencieux double qui favorise le couple; la première Concours avait une mécanique de sportive et tirait surtout à haut régime, espérons que Kawasaki ne soit pas tombé dans le même piège avec sa remplaçante

toute une *ride*...

Kawasaki aurait pu présenter sa ZX-14 sur une belle route champêtre et en vanter le confort, l'ergonomie et la douceur de roulement, mais il a plutôt choisi de réquisitionner la piste d'accélération et l'anneau de vitesse du *Las Vegas Motor Speedway*, et d'inviter quiconque y prendrait place à laisser de côté la gêne et mettre toute la gomme. Succédant à la fois à la ZX-12R et à la ZZR1200, la ZX-14 avait pour mission, lorsqu'elle fut lancée en 2006, de ramener le constructeur d'Akashi au tout premier plan de l'univers de la performance brute. Avec son profil de fusée et son 4-cylindres monstre de près de 190 chevaux, elle en avait tous les moyens.

On nous interdit d'habitude formellement, à l'occasion d'une présentation officielle, tout « spectacle de fumée », si vous voyez ce qu'on veut dire. Bien entendu, comme ces directives sont données vite et en anglais, il arrive que je comprenne mal... Le cas de la ZX-14 fut différent puisque le personnel de Kawasaki encouragea plutôt fréquemment « l'enfumage » du gros Bridgestone arrière, question de bien le réchauffer et d'obtenir le meilleur temps possible sur un quart de mille.

Si vous insistez.

À peine quelques instants suffirent — un peu moins que 10 secondes, pour être exact — à comprendre pourquoi le sacrifice de quelques pneus ne dérangeait pas le constructeur. En ligne droite, la ZX-14 est un véritable missile. Longue, profilée, relativement basse et affichant une répartition du poids axée vers l'avant, elle bénéficie en plus d'un embrayage léger, facilement modulable et absolument indestructible. En d'autres termes, la ZX-14 est intrinsèquement conçue pour accélérer de façon furieuse et, malgré son énorme puissance annoncée de 188 chevaux, le faire avec un contrôle absolu. Si le fait que la ZX-14 soit capable de temps aussi rapides — un bon pilote tombe assez facilement dans les 9 secondes — sur un quart de mille ne constitue pas une véritable surprise compte tenu de la fiche technique du modèle, la façon avec laquelle elle rend ce genre de chrono aussi accessible, elle, impressionne au plus haut point. Trouvez une longue ligne droite, mettez votre poids sur l'avant, faites un peu glisser l'embrayage en tordant l'accélérateur et

> **EN LIGNE DROITE, LA ZX-14 EST UN MISSILE. UN BON PILOTE TOMBE ASSEZ FACILEMENT DANS LES 9 SECONDES SUR LE QUART DE MILLE.**

accrochez-vous en enfilant les rapports de l'excellente boîte. Le genre de vitesses qu'elle génère et le peu de temps dont elle a besoin pour les atteindre sont simplement ahurissants. On a l'impression que la deuxième et la troisième tirent autant que la première, on croirait disposer d'une puissance infinie. Il est donc très ironique, compte tenu de ces fabuleuses performances, que la puissance disponible sous les 6 000 tr/min soit finalement ordinaire. La ZX-14 reste une grosse machine coupleuse, entendons-nous bien, mais elle ne produit pas le genre d'étirement de bras qu'on attend d'un tel monstre, à bas régime. À titre de comparaison, ça ressemble beaucoup au genre de couple livré par une Hayabusa, mais sans plus. Il s'agit d'une caractéristique voulue, Kawasaki ayant volontairement restreint la puissance jusqu'à ce régime afin d'éviter que la ZX-14 devienne violente en pleine accélération, à partir d'un arrêt.

La grosse Ninja constitue une nette amélioration sur les ZX-12R et ZZR1200 en ce qui concerne le confort. Ses suspensions sont réglées de manière plus réaliste pour une conduite sur route, sa selle n'est pas mauvaise du tout, sa protection au vent est excellente et sa position, bien que sportive et compacte, ne met pas de poids inutile sur les mains. De plus, le gros 4-cylindres étonne en se montrant admirablement doux.

Enfin, même si elle n'est pas particulièrement légère, la ZX-14 surprend par la belle agilité dont elle fait preuve ainsi que par sa grande légèreté de direction. Elle n'est pas faite pour cela, mais on pourrait l'amener en piste et s'amuser si on le désirait.

bons temps

« Réchauffe bien le pneu sinon il glissera, puis accrochera et le devant se soulèvera, ce qui tuera ton temps. Pour le moment, tiens les régimes à 4 000 tr/min et laisse le moteur faire le reste. » Tels furent les conseils de Rickey Gadson, pilote Kawasaki et champion d'accélération, à l'auteur, qui les exécuta au meilleur des ses aptitudes. On sait qu'on a une bonne « run » lorsque les premiers 60 pieds passent proprement, sans glissade de l'arrière ou soulèvement soudain, et que l'accélération garde la roue avant à quelques centimètres du sol en première et en deuxième. La ZX-14 avale un quart de mille avec une facilité et une rapidité stupéfiantes.

vitesse sur deux roues...

Afin d'éviter des excès de vitesse records sur les routes du Nevada, où s'est tenu le lancement de la ZX-14, Kawasaki a eu l'audace – une première à ce que je sache – de louer l'anneau de vitesse du Las Vegas International Speedway, là où roulent normalement les bolides de la série Nascar. Un journaliste à la fois, 5 tours, et on change les pneus. « Allez aussi vite que vous voulez, mais ne prenez pas de risques inutiles. » Oui m'dame. Alors, amusant, vous croyez ? Tout dépend de la façon dont vous interprétez la vision d'un mur de béton vers lequel vous foncez à tout près de 300 km/h. Le temps d'un petit freinage en panique et on négocie l'un des deux longs virages à 180 degrés. Le genou au sol, à 240 km/h, la force centrifuge vous colle au réservoir et à la selle alors que vous regardez encore un mur de ciment. Et encore, et encore, jusqu'à ce que la piste se redresse et s'ouvre devant vous laissant la chance de tordre l'accélérateur pour encore quelques secondes de vitesse folle. J'ai vu 298 km/h... en cinquième! Il s'agit évidemment d'une vitesse lue et non mesurée, donc optimiste. Avec plus d'espace, la ZX-14 passe allégrement les 300 km/h au compteur en sixième, mais comme la Hayabusa et la ZX-12R avant elle, elle respecte l'entente qu'ont les grands manufacturiers de limiter la vitesse de pointe à 299 km/h mesurés.

...et sans roues!

Une mécanique de ZX-14 avec 188 chevaux, un système Ram Air et 1 352 cc, c'est bien, mais pour une motomarine devant être la plus puissante et la plus rapide jamais produite, on ne s'approche même pas d'une puissance suffisante. Alors combien ? Un indice : Kawasaki n'appelle pas le dernier-né de sa famille Jet Ski Ultra 250X pour rien. Propulsée par le 4-cylindres d'une ZX-12R gonflé à 1 498 cc et gavé d'oxygène frais par un surcompresseur de type Roots et un énorme refroidisseur d'air, l'Ultra 250X produit pas moins de 250 chevaux! Vous avez bien lu. Bien que la vitesse de pointe soit limitée à 70 mph, soit environ 113 km/h, elle s'atteint littéralement en un clin d'œil. L'engin pourrait sûrement filer beaucoup plus vite, mais faites-vous éjecter d'une motomarine à plus de 100 km/h et, comme moi, vous comprendrez vite pourquoi cette limite a du sens. Sur le superbe lac Meed à Las Vegas, après avoir récité une prière et m'être demandé si le lac se viderait dès la première accélération, je fis l'étonnante constatation que, comme c'est le cas avec une monture ultrapuissante telle la ZX-14, l'Ultra 250X reste malgré tout agréablement stable et civilisée, ce qui permet d'exploiter toute la formidable puissance qu'elle produit de manière régulière. Je me suis même surpris à plusieurs reprises à « rouler » à fond, admirant le magnifique paysage qui s'offrait à mes yeux, en ne tenant le guidon que d'une main... Au fait, comme Suzuki travaille présentement d'arrache-pied sur une nouvelle Hayabusa, peut-être devrait-on envisager, chez Kawasaki, la possibilité d'une ZX-14 Supercharged ?

VITESSE DE POINTE

299 km/h

ACCÉLÉRATION SUR 1/4 MILLE

9,7 s à **236** km/h

indice d'expertise ▶

◀ rapport valeur/prix

Voir légende page 7

EXPERT	E
INTERMÉDIAIRE	I
NOVICE	N

général

catégorie	Sportive
prix	15 699 $
garantie	1 an/kilométrage illimité
couleur(s)	noir, bleu, argent
concurrence	BMW K1200S, Suzuki GSX1300R Hayabusa

partie cycle

type de cadre	monocoque, en aluminium
suspension avant	fourche inversée de 43 mm ajustable en précharge, compression et détente
suspension arrière	monoamortisseur ajustable en précharge, compression et détente
freinage avant	2 disques « à pétales » de 310 mm de Ø avec étriers radiaux à 4 pistons
freinage arrière	1 disque « à pétales » de 250 mm de Ø avec étrier à 2 pistons
pneus avant/arrière	120/70 ZR17 & 190/50 ZR17
empattement	1 460 mm
hauteur de selle	800 mm
poids à vide	215 kg
réservoir de carburant	22 litres

moteur

type	4-cylindres en ligne 4-temps, DACT, 4 soupapes par cylindre, refroidissement par liquide
alimentation	injection à 4 corps de 43 mm
rapport volumétrique	12,7:1
cylindrée	1 352 cc
alésage et course	84 mm x 61 mm
puissance sans ram air	188 ch @ 9 500 tr/min
puissance avec ram air	198 ch @ 9 500 tr/min
couple	114 lb-pi @ 7 500 tr/min
boîte de vitesses	6 rapports
transmission finale	par chaîne
révolution à 100 km/h	environ 3 500 tr/min
consommation moyenne	6,3 l/100 km
autonomie moyenne	349 km

conclusion

L'un des aspects les plus intéressants de la ZX-14 est qu'en plus d'offrir un niveau de performances tellement fabuleux qu'elle en devient, et ce, de façon aussi confortable qu'irréfutable, la reine actuelle de la puissance et de la vitesse, elle démontre aussi à quel point une sportive de cette classe peut se montrer plaisante, amicale et polie en utilisation quotidienne. D'un seul coup, la Hayabusa semble vieille, très vieille — elle l'est — tandis que l'ancienne ZX-12R paraît presque avoir manqué la cible. Elle rappelle un peu la CBR1100XX et ses belles manières, mais avec une gueule beaucoup plus macho et tous les chevaux nécessaires pour l'appuyer. Elle incarne l'expression la plus sophistiquée qui soit de la machine de vitesse et déclasse carrément tout ce qui lui ressemble aujourd'hui. L'exploit réalisé par Kawasaki n'a pas seulement été de réaliser une sportive hyper rapide, mais aussi de produire une monture dont le comportement est aussi doux et accessible.

 QUOI DE NEUF EN 2007 ?

Aucun changement

Aucune augmentation de prix

PAS MAL

Une mécanique incroyablement puissante qui, particulièrement après la marque des 6 000 tr/min, tire avec une force qui semble infinie

Une partie cycle qui encaisse toute la furie du gros 4-cylindres comme si de rien n'était et qui se montre aussi étonnamment agile et légère compte tenu du poids et des dimensions considérables du modèle

Une ligne réussie puisqu'elle ne laisse planer aucune confusion en ce qui concerne la nature et les intentions du modèle

 BOF

Une limite électronique volontaire de la puissance et du couple sous les 6 000 tr/min qui est probablement en partie responsable de la facilité avec laquelle les performances de la ZX-14 s'exploitent, mais qui laisse quand même un pilote expérimenté sur sa faim lorsqu'il ouvre les gaz à 100 km/h, en sixième, et que le résultat n'a rien de vraiment impressionnant

Une direction qui se montre très stable dans la majorité des situations, mais qui peut occasionnellement s'agiter, si un certain nombre de circonstances sont réunies; le montage en série d'un amortisseur de direction ne serait pas superflu sur la ZX-14

Un potentiel de vitesse tellement élevé et si facilement atteint qu'une conduite quotidienne « tranquille » devient un défi

Ninja ZX-10R Special Edition

KAWASAKI

NINJA ZX-10R

contrôleuse...

Entièrement repensée l'an dernier, la ZX-10R actuelle est un animal bien différent du modèle 2004-2005 de première génération. Un peu plus lourde, un peu moins nerveuse et terriblement efficace sur une piste, elle a confirmé une tendance, chez ces puissantes sportives, à favoriser le contrôle plutôt que la puissance « inutile ». Parce que c'est beau d'avoir 175 chevaux sous le capot, mais encore faut-il pouvoir les exploiter. À l'exception de l'arrivée d'une version Special Edition à peinture exclusive, le modèle ne change pas en 2007. Rappelons que Kawasaki a promis de mettre à jour ses sportives de pointe chaque 2 ans, et qu'il faut donc attendre une nouvelle ZX-10R en 2008.

En présentant sa ZX-10R de nouvelle génération l'an dernier, Kawasaki a fait l'éloquente démonstration du fait que plus de puissance n'équivaut pas nécessairement à plus de performances, mais que le meilleur contrôle d'un niveau de puissance déjà établi pouvait en revanche amener une augmentation notable de l'efficacité en piste. C'est d'ailleurs dans l'environnement d'un circuit que peut être mise en pratique cette démonstration, puisque c'est uniquement dans de telles conditions que la ZX-10R peut prouver à quel point elle permet d'ouvrir les gaz plus tôt et plus grand en sortant d'un virage. Notons qu'il s'agit aujourd'hui d'une des qualités les plus difficiles à obtenir d'une sportive très puissante.

L'une des plus belles facettes de la livrée de puissance de la ZX-10R est la générosité de son couple à bas régime, une qualité dont est d'ailleurs en partie responsable le silencieux double à grand volume. Très bien rempli sous les 5 000 tr/min, le 4-cylindres donne l'impression d'un monstre qui s'éveille entre ce régime et 7 000 tr/min, puis qui se déchaîne complètement de là à la zone rouge de 13 000 tr/min, tout en lâchant un hallucinant hurlement provenant de l'admission.

Si la façon dont cette puissance arrive est critique, la qualité des réactions du châssis l'est tout autant. Alors que les premières ZX-10R pouvaient s'agiter en pleine accélération si la chaussée n'était pas parfaite, la version courante est un exemple de stabilité. Bien que la géométrie de la partie cycle

> **PLUS DE PUISSANCE N'ÉQUIVAUT PAS TOUJOURS À PLUS DE PERFORMANCES, MAIS UN MEILLEUR CONTRÔLE DE CETTE PUISSANCE, OUI.**

soit la grande responsable de cette stabilité, la présence en équipement de série d'un excellent amortisseur de direction Öhlins y est aussi pour quelque chose. S'il y a un envers de médaille à cette belle stabilité, c'est que la direction de la ZX-10R n'est pas tout à fait immédiate lors de l'amorce d'un virage ou de la négociation d'un gauche-droite rapide. Cela dit, il s'agit d'un comportement de loin préférable à de l'instabilité.

On s'attend d'une monture du calibre de la ZX-10R qu'elle ne soit rien de moins qu'ultraprécise en courbe, et elle l'est. Pensez à la ligne désirée, visez là, poussez sur les guidons et vous y êtes au pouce près, virage après virage, tour après tour. En pleine inclinaison, la ZX-10R est parfaitement sereine. Le système de freinage est exceptionnellement puissant et demande juste assez de pression pour facilement moduler l'intensité des ralentissements.

La boîte de vitesses est absolument exquise puisque ses rapports se passent sans effort et sans faille. Un embrayage avec limiteur de contre-couple qui fonctionne parfaitement facilite quant à lui le pilotage en piste en prévenant le blocage de la roue arrière à l'approche d'une courbe en plein freinage.

Au chapitre des détails quotidiens, on doit bien entendu compter sur une position de conduite assez radicale et sur des suspensions plutôt fermes, mais la selle s'avère décente pour une telle sportive. Enfin, la mécanique n'est pas un exemple de douceur puisqu'elle génère une vibration à haute fréquence typique des 4-cylindres en ligne qu'on ressent surtout au niveau des poignées.

VITESSE DE POINTE
294 km/h
ACCÉLÉRATION SUR 1/4 MILLE
10,0 s à **234** km/h

indice d'expertise ▸

◂ rapport valeur/prix

Voir légende page 7

général

catégorie	Sportive
prix	15 199 $ (Special Edition : 15 499 $)
garantie	1 an/kilométrage illimité
couleur(s)	vert, noir, bleu (Special Edition : noir, flammes)
concurrence	Honda CBR1000RR, Suzuki GSX-R1000, Yamaha YZF-R1

partie cycle

type de cadre	périmétrique, en aluminium
suspension avant	fourche inversée de 43 mm ajustable en précharge, compression et détente
suspension arrière	monoamortisseur ajustable en précharge, compression, détente et pour l'assiette
freinage avant	2 disques « à pétales » de 300 mm de Ø avec étriers radiaux à 4 pistons
freinage arrière	1 disque à « pétales » de 220 mm de Ø avec étrier à 1 piston
pneus avant/arrière	120/70 ZR17 & 190/55 ZR17
empattement	1 390 mm
hauteur de selle	825 mm
poids à vide	175 kg
réservoir de carburant	17 litres

moteur

type	4-cylindres en ligne 4-temps, DACT, 4 soupapes par cylindre, refroidissement par liquide
alimentation	injection à 4 corps de 43 mm
rapport volumétrique	12,7:1
cylindrée	998 cc
alésage et course	76 mm x 55 mm
puissance sans ram air	174 ch @ 11 500 tr/min
puissance avec ram air	184 ch @ 11 500 tr/min
couple	85 lb-pi @ 9 500 tr/min
boîte de vitesses	6 rapports
transmission finale	par chaîne
révolution à 100 km/h	environ 4 000 tr/min
consommation moyenne	6,9 l/100 km
autonomie moyenne	246 km

conclusion

En s'imposant un rythme de renouvellement de 2 ans, les constructeurs se voient obligés de mettre sur le marché des sportives qui feront non seulement forte impression leur première année, mais qui réussiront aussi à demeurer suffisamment désirables l'année suivante, de manière à ce qu'elles ne soient pas considérées comme dépassées dès qu'elles seront confrontées à des rivales toutes fraîches. La ZX-10R semble tenir le coup, tant en ce qui concerne le style qu'au chapitre des performances, qui demeurent parmi les plus impressionnantes que nous ayons jamais expérimentées. La plus grande qualité de la 10R reste néanmoins cette capacité qu'elle a de rendre un tel degré de puissance aussi civilisé, une caractéristique qui n'équivaut peut-être pas à un avantage concret si on ne la roule que sur la route, mais qui fait toute la différence pour un pilote qui désire s'éclater en piste.

Ninja ZX-10R Special Edition

 QUOI DE NEUF EN 2007 ?

Édition spéciale affichant une peinture noire à motifs de flammes

Aucun changement

Aucune augmentation de prix

PAS MAL

Une livrée de puissance superbe qui se montre à la fois très généreuse à bas et moyen régimes et furieuse à l'approche de la zone rouge

Un châssis merveilleusement bien maniéré compte tenu du genre de puissance qu'il doit passer au sol; dans les mains d'un pilote expérimenté, la ZX-10R est l'une des 1000 les plus faciles et les plus gratifiantes à exploiter en piste

Une stabilité presque impossible à prendre en faute grâce, entre autres, à un amortisseur de direction de bonne qualité installé de série

BOF

Un poids à la hausse; la ZX-10R actuelle a pris 5 kg par rapport au modèle précédent; sans que cela n'affecte vraiment les performances en piste – et absolument pas sur la route –, il reste qu'on s'éloigne du concept de la 1000 dont le comportement sur circuit est celui d'une 600, surtout que ces dernières, elles, continuent de s'alléger

Un système d'échappement à double silencieux haut qui aide les mi-régimes, mais dont le poids est situé loin du centre de masse, ce qui va à l'encontre du reste de la conception

Une mécanique qui vibre toujours un peu au niveau des poignées

NINJA ZX-6R

À armes égales...

L'habitude qu'avait prise Kawasaki, depuis quelques années, de proposer à la fois une 600 « tricheuse » de 636 cc pour la route et une version RR de 599 cc pour la piste se termine cette année. Dorénavant, seule une ZX-6R de 599 cc sera produite. Kawasaki a profité de la refonte complète du modèle en 2007 pour réévaluer sa manière de construire et de vendre une 600. Le résultat de cette réflexion semble être une direction que presque tous les constructeurs japonais envisagent de plus en plus sérieusement lorsqu'il s'agit de cette classe, celle de la monture de piste pure et dure ne faisant aucune concession à l'usage routier. Et nous qui pensions qu'une 600 était déjà radicale...

TECHNIQUE

On a parfois l'impression, en observant l'évolution de la catégorie des sportives pures de 600 cc, non pas qu'on plafonne, mais plutôt qu'on avance seulement de façon théorique. Il est indéniable que les modèles progressent, mais concrètement, où se trouve la valeur ajoutée pour l'acheteur moyen ? L'image d'une monture encore plus sophistiquée et plus performante en piste flatte l'ego, bien sûr, mais encore ? Pour un coureur ou pour une équipe de course, la question ne se pose même pas puisque, moyennant un maigre supplément, une 600 de nouvelle génération amène généralement des améliorations qu'aucun montant n'aurait pu acheter. Or, un tout petit peu moins que cent pour cent des ventes sont faites à des utilisateurs sur route. En proposant une 600 de 636 cc, Kawasaki offrait au moins à ces derniers un avantage tangible sous la forme d'une livrée de couple plus large et plus généreuse. Alors pourquoi l'abandon de cette bonne idée en 2007 ?

La réponse pourrait être très complexe, mais la version courte est que les Japonais sont un peuple fier pour lequel l'honneur et le mérite représentent de très importantes valeurs. Combinez cette réalité au fait qu'il y a maintenant plusieurs années qu'on traite indirectement Kawasaki de tricheur à cause de sa 636 et vous obtenez un constructeur très motivé à clouer les becs qui se plaisent à répéter cette observation. Ajoutez en plus à cette situation la volonté de Kawasaki de clairement se démarquer de la concurrence

> VOILÀ MAINTENANT PLUSIEURS ANNÉES QU'ON TRAITE INDIRECTEMENT KAWASAKI DE TRICHEUR. LE CONSTRUCTEUR EN A EU ASSEZ.

dans tous les créneaux auxquels il participe et vous obtenez un manufacturier vraiment très motivé à mettre sur le marché une 600 extraordinairement avancée. C'est là qu'entre en jeu la version 2007 de la ZX-6R, une monture que la firme d'Akashi qualifie de la sportive la plus agile, la plus avancée et la plus aérodynamique qu'il ait jamais produite.

Le but avoué du modèle est de relever de façon marquée le niveau de performances actuel de la catégorie dans l'environnement du circuit, et ce, sans aucune concession et aucun compromis envers l'utilisation routière. Kawasaki explique avoir engagé un ex-champion du monde de Grand Prix 125 en guise d'essayeur en chef avec l'objectif de donner à la nouvelle ZX-6R une légèreté de pilotage encore jamais vue en piste. Si un allégement systématique de chaque composante fut entrepris, le constructeur poussa également le concept de la centralisation des masses. À titre d'exemple, une partie du silencieux se trouve maintenant sous le moteur afin de réduire le poids de la portion de l'échappement logée sous la selle, donc haut et loin du centre de masse. Le plus grand travail fut effectué sur le moteur qui, jusqu'en 2006, se voulait une énième évolution d'une mécanique introduite à la fin des années 90. En 2007, pour la première fois en 10 ans, le 4-cylindres animant la ZX-6R est un concept inédit. Utilisant une architecture superposée des axes de la transmission et affichant certains détails décidément peu habituels, comme un filtre à huile et son refroidisseur situés *derrière* les cylindres, il mesure 40 mm de moins en largeur

comme en longueur, ce qui est une réduction immense pour un moteur qui était déjà très compact. À 16 500 tr/min, la zone rouge est la plus élevée jamais vue sur une 600 (rappelons que la zone rouge de 17 500 tr/min annoncée par Yamaha l'an dernier, pour la YZF-R6, a dû être revue à la baisse après la mise en production du modèle) tandis que le taux de compression de 13,9:1 est, lui aussi, incroyablement élevé. Kawasaki parle par ailleurs d'un embrayage dont le limiteur de contre-couple serait réglable. Malheureusement, certaines des données critiques de la ZX-6R 2007, soit la puissance et le couple, étaient encore tenues confidentielles par Kawasaki au

moment de mettre *Le Guide de la Moto 2007* sous pr[...]

Même si pratiquement chaque pièce de la pa[...] est revue, les modifications sont prévisibles puisq[...] généralement d'un allégement ou d'un ajustement d[...] Les suspensions reçoivent de nouveaux réglages, la fe[...] désormais munie de ressorts qui reposent sur la par[...] basse des poteaux, et l'amortisseur arrière g[...] ajustement de la compression en haute et en basse[...]

Enfin, les disques à pétales gardent les mêmes dimens[...] les étriers à montage radial du frein avant affichent un[...] design.

HAUTES ATTENTES

Lorsque Kawasaki affirme vouloir relever de manière notable le degré d'efficacité des sportives pures de 600 cc sur circuit, on ne peut qu'éprouver un certain scepticisme. Non pas que le constructeur n'en soit pas capable, puisque s'il est une chose qu'il prouve encore et encore ces derniers temps, c'est qu'il a bel et bien la capacité de créer des machines dominantes, peu importe la catégorie. C'est juste que sur circuit, toutes les 600 sont déjà terriblement efficaces... Cela dit, le constructeur dit viser un niveau d'agilité qui n'est pas celui d'une 600, mais plutôt celui d'une monture de course de plus faible cylindrée, ce qui ne laisse qu'une 250 ou même une 125 de Grand Prix. Verra-t-on un jour une 600 avec une tenue de route de moto de Grand Prix ? Si on se fie à l'évolution phénoménale de la catégorie durant les vingt dernières années, la réponse est, selon toute vraisemblance, oui. Il ne reste qu'à savoir quand cela arrivera, et qui y arrivera le premier. Comme quoi l'évolution des 600 est loin de plafonner et qu'il y a encore beaucoup de place à l'amélioration de la performance, tant en ligne droite que sur un tour de piste.

général

catégorie	Sportive
prix	12 099 $
garantie	1 an/kilométrage illimité
couleur(s)	vert, noir, argent, rouge
concurrence	Honda CBR600RR, Suzuki GSX-R600, Yamaha YZF-R6, Triumph Daytona 675

Voir légende page 7
Performances 2006 ◀
EXPERT **E**
INTERMÉDIAIRE **I**
NOVICE **N**

partie cycle

type de cadre	périmétrique, en aluminium
suspension avant	fourche inversée de 41 mm ajustable en précharge, compression et détente
suspension arrière	monoamortisseur ajustable en précharge, en haute et en basse vitesse de compression, et détente
freinage avant	2 disques « à pétales » de 300 mm de Ø avec étriers radiaux à 4 pistons
freinage arrière	1 disque « à pétales » de 210 mm de Ø avec étrier à 1 piston
pneus avant/arrière	120/70 ZR17 & 180/55 ZR17
empattement	1 405 mm
hauteur de selle	820 mm
poids à vide	167 kg
réservoir de carburant	17 litres

moteur

type	4-cylindres en ligne 4-temps, DACT, 4 soupapes par cylindre, refroidissement par liquide
alimentation	injection à 4 corps de 38 mm
rapport volumétrique	13,9:1
cylindrée	599 cc
alésage et course	67 mm x 42,5 mm
puissance estimée	125 ch
couple estimé	50 lb-pi
boîte de vitesses	6 rapports
transmission finale	par chaîne
révolution à 100 km/h	n/d
consommation moyenne	n/d
autonomie moyenne	n/d

conclusion

Décidément, Kawasaki ne nous rend pas la tâche facile avec cette nouvelle ZX-6R. Le constructeur tiendra la présentation officielle du modèle sur la piste du Barber Motorsports Park, dans l'Alabama, exactement au même moment où *Le Guide de la Moto 2007* arrivera sur le marché. Nous y serons, afin de vérifier si la nouveauté soutient vraiment les affirmations de Kawasaki, mais d'ici là, ce dernier se montre extrêmement avare de renseignements, et se contente de nous prier de patienter encore un peu. On peut probablement s'attendre à un niveau de performances très élevé pour la catégorie; toutefois, de là à dire qu'il écrira un nouveau chapitre sur les 600, nous voulons bien croire, mais nous demandons à voir avant. Cela dit, tout reste possible.

QUOI DE NEUF EN 2007 ?

Nouvelle génération de la ZX-6R
Coûte 200 $ de plus qu'en 2006

PAS MAL

Un travail très poussé sur la mécanique, qui est allégée, tourne plus haut et est considérablement plus compacte; Kawasaki annonce des performances très élevées, mais n'avance aucun chiffre de puissance ou de couple pour le moment

Une partie cycle plus légère que jamais et que le constructeur annonce comme exceptionnellement agile

Une ligne dérivée de celle de la ZX-10R et qui est à la fois simple et agressive

BOF

Une guerre de technologie entre manufacturiers qui pousse ces derniers à garder secrets les renseignements vitaux des modèles jusqu'à la dernière seconde; ceux de la nouvelle ZX-6R ne seront dévoilés que lors du lancement officiel du modèle, juste après la date de tombée du Guide

Un niveau de confort qu'on peut presque certainement attendre à la baisse par rapport à celui de la version précédente puisque le constructeur avoue ouvertement que sur cette ZX-6R, toute concession à l'usage routier a été mise de côté afin de favoriser d'abord et avant tout la performance en piste

Une orientation extrême qui ressemble beaucoup à celle qu'a prise la YZF-R6 l'an dernier, avec pour conséquence que celle-ci s'est retrouvée avec considérablement moins de couple sur la route; espérons que ce ne sera pas le cas de la ZX-6R

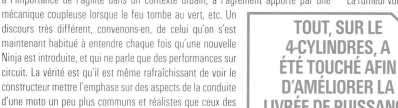

NOUVEAUTÉ 2007

sortie d'une BD...

Il faut le voir pour le croire, mais Kawasaki semble bel et bien avoir dessiné une Z1000 encore plus exubérante que la version originale de 2003. Donnant l'impression de sortir tout droit d'une bande dessinée japonaise, la nouveauté est annoncée par son constructeur comme l'une des standards les plus agressives du marché, avec à l'appui une longue liste de modifications à la mécanique et à la partie cycle. Techniquement, le point le plus intéressant de cette évolution concerne toutefois les nombreux efforts mis de l'avant afin d'améliorer la livrée de puissance et de couple aux régimes bas et moyen puisqu'il s'agissait d'un des principaux défauts de l'ancienne version.

TECHNIQUE

Kawasaki semble percevoir sa nouvelle Z1000 comme un genre d'anti-Ninja puisqu'en la décrivant, il ne cesse de faire référence à la conduite sur route, à l'importance de l'agilité dans un contexte urbain, à l'agrément apporté par une mécanique coupleuse lorsque le feu tombe au vert, etc. Un discours très différent, convenons-en, de celui qu'on s'est maintenant habitué à entendre chaque fois qu'une nouvelle Ninja est introduite, et qui ne parle que des performances sur circuit. La vérité est qu'il est même rafraîchissant de voir le constructeur mettre l'emphase sur des aspects de la conduite d'une moto un peu plus communs et réalistes que ceux des performances en piste. La route reste l'environnement de prédilection d'une moto bien avant le circuit, après tout.

L'un des problèmes de la Z1000 originale, que nous avons d'ailleurs régulièrement pointé depuis son introduction, était lié à sa plage de régimes à caractère sportif qui voyait la puissance augmenter graduellement, pour enfin exploser à l'approche de la zone rouge. Alors qu'une telle livrée de puissance colle très bien à un modèle comme une Ninja, elle devient un non-sens lorsqu'elle se retrouve apposée à un genre de monture, une standard, qui incarne probablement mieux que tout autre les déplacements urbains.

Sur une moto de cette classe, la haute vitesse étant pratiquement inaccessible en raison de la forte pression du vent qu'elle amène, l'importance de la livrée de puissance dans toutes les situations de la besogne quotidienne est capitale. Kawasaki semble enfin avoir réalisé ce point, ce qui se traduit, sur la nouvelle Z1000, par une vaste révision mécanique.

La nouveauté aurait pu emprunter le moteur de la ZX-10R, ou même celui de la ZX-14! La rumeur voulant qu'une Z1400 soit présentement en développement court d'ailleurs toujours. Mais le constructeur a plutôt choisi de conserver le même moteur et de le modifier. Tout a été touché, et toujours dans le but unique d'améliorer la puissance aux régimes bas et moyen. Un nouveau profil des arbres à cames; une réduction du diamètre des soupapes; une nouvelle injection avec corps de plus petit diamètre; une transmission revue avec rapports plus courts; un vilebrequin plus lourd et une soupape d'équilibrage dans le système d'échappement sont autant d'exemples de ces modifications.

La partie cycle reste similaire à celle de l'ancien modèle, mais un nouveau bras oscillant est installé en arrière et la géométrie de direction est légèrement modifiée. Un système de freinage littéralement piraté aux Ninja fait par ailleurs son apparition. Kawasaki explique avoir joué avec les supports du moteur afin, d'un côté, de mieux calibrer la rigidité du châssis, et de l'autre, de réduire la quantité de vibration produite par le 4-cylindres, un point qui constituait un autre défaut de la version originale.

Quant à ce spectaculaire système d'échappement, qui est, soit dit en passant, désormais un 4 en 2 et non plus un 4 en 4, en plus d'offrir un généreux volume aux gaz brûlés, il fait partie intégrante du design du modèle et est donc exploité comme tel.

> **TOUT, SUR LE 4-CYLINDRES, A ÉTÉ TOUCHÉ AFIN D'AMÉLIORER LA LIVRÉE DE PUISSANCE AUX RÉGIMES BAS ET MOYENS.**

Presque tout, sur la nouvelle Z1000, a été modifié par rapport à la version précédente. Si le style encore plus torturé et les extravagants silencieux sautent aux yeux les premiers, on note aussi, en y regardant de plus près, de très nombreux détails additionnels. On ne peut évidemment pas manquer les disques à pétales et leurs étriers à montage radial, des pièces littéralement volées aux Ninja du constructeur, mais des composantes étonnamment soignées abondent, comme le bras oscillant fait de feuilles d'aluminium pressé et l'amortisseur arrière à gaz avec réservoir séparé. Les formes données par Kawasaki à chacune des pièces visibles du moteur, des carters aux couvercles en passant par les supports latéraux, sont aussi particulièrement impressionnantes et fort intéressantes à examiner. Elles complètent très bien l'idée générale derrière le style du modèle.

VITESSE DE POINTE
244 km/h
ACCÉLÉRATION SUR 1/4 MILLE
11,1 s à **198** km/h

indice d'expertise ▸

◂ rapport valeur/prix

Voir légende page 7
Performances 2006 ◂
EXPERT **E**
INTERMÉDIAIRE **I**
NOVICE **N**

général

catégorie	Standard
prix	11 499 $
garantie	1 an/kilométrage illimité
couleur(s)	noir
concurrence	Benelli TnT, Triumph Speed Triple, Yamaha FZ1

partie cycle

type de cadre	épine dorsale, en acier
suspension avant	fourche inversée de 41 mm ajustable en précharge et détente
suspension arrière	monoamortisseur ajustable en précharge et détente
freinage avant	2 disques « à pétales » de 300 mm de Ø avec étriers radiaux à 4 pistons
freinage arrière	1 disque « à pétales » de 250 mm de Ø avec étrier à 1 piston
pneus avant/arrière	120/70 ZR17 & 190/50 ZR17
empattement	1 445 mm
hauteur de selle	n/d
poids à vide	n/d
réservoir de carburant	18,5 litres

moteur

type	4-cylindres en ligne 4-temps, DACT, 4 soupapes par cylindre, refroidissement par liquide
alimentation	injection à 4 corps de 36 mm
rapport volumétrique	11,2:1
cylindrée	953 cc
alésage et course	77,2 x 50,9 mm
puissance	125 ch @ 10 000 tr/min
couple	73 lb-pi @ 8 200 tr/min
boîte de vitesses	6 rapports
transmission finale	par chaîne
révolution à 100 km/h	n/d
consommation moyenne	n/d
autonomie moyenne	n/d

conclusion

La Z1000 a toujours été une standard unique autant en raison de l'agressivité de ses lignes que de celle de son comportement. Son pilotage n'a jamais vraiment été celui d'une simple routière dénudée, et se voulait plutôt marié à un degré omniprésent d'agressivité. Tout indique que cette nouvelle Z1000 compte continuer exactement dans la même direction, mais en corrigeant sa mauvaise habitude de tirer surtout à haut régime, et en promettant une livrée de puissance plus élevée et plus immédiate dans les situations vécues de manière quotidienne. Sur papier, tout cela ressemble à une évolution judicieuse et bien ciblée du modèle d'origine.

⊙ QUOI DE NEUF EN 2007 ?

Nouvelle génération de la Z1000

Coûte 200 $ de plus que le modèle 2006

⌃ PAS MAL

Une liste de modifications aussi longue que sérieuse et qui devrait se traduire par une augmentation notable des performances à bas et moyen régimes

Une partie cycle très sérieuse; Kawasaki semble tenir à saupoudrer chacun de ses modèles avec des pièces à connotation sportive, et pourquoi pas !

Une ligne qui, même s'il est difficile de le concevoir, est considérablement plus excentrique que par le passé; certains aimeront et d'autres pas, mais Kawasaki a au moins le mérite d'oser

⌄ BOF

Un moteur qui avait le défaut de tirer surtout en haut sur lequel l'effet des modifications reste à constater; Kawasaki aurait pu prendre une nouvelle mécanique, celle de la ZX-10R, par exemple

Une direction qui s'agitait occasionnellement sur l'ancienne génération; or, on voit qu'un amortisseur de direction manque toujours à l'appel

Un niveau confort qui était affecté par des vibrations trop présentes sur l'ancien modèle, et relativement peu de modifications effectuées sur la nouvelle version pour corriger ce problème; est-ce que ce sera assez ?

KAWASAKI Z750S

juste ordinaire...

Si l'on demandait au motocycliste moyen de décrire la moto de ses rêves, la réponse prendrait probablement la forme d'un énoncé rappelant celui d'un tout-petit sur les genoux du Père Noël... De retour à la réalité, lorsqu'on veut du neuf et du fonctionnel à prix raisonnable, la Z750S apparaît en haut d'une très courte liste. Propulsée par un 4-cylindres injecté produisant aisément plus de 100 chevaux, dotée d'une partie cycle moderne et affichant des dimensions pleines, elle est l'une des rares « vraies » motos à tout faire qui puissent paraître raisonnable à un portefeuille serré. Une nouvelle version sans carénage est offerte en Europe en 2007, mais la nôtre ne change pas.

Lorsqu'elle fut lancée en 2004, la version standard de la Z750 représentait plus qu'une version réduite à l'échelle 3/4 de l'exubérante Z1000, elle se voulait aussi l'une des rares propositions à la fois moderne, performante et abordable du marché. Affichant une cylindrée de 750 cc considérablement plus intéressante que les 600/650 qui la concurrençaient alors, elle incarnait la notion d'aubaine. Malgré tout, pour plusieurs, le manque de protection de son petit tête-de-fourche constitua une trop grande lacune au côté pratique pour qu'elle puisse être prise au sérieux. Kawasaki ne mit qu'un an à répliquer en présentant cette Z750S, une variante mécaniquement identique au modèle original – qui n'est d'ailleurs aujourd'hui plus importé au Canada –, mais plus pratique grâce à son demi-carénage et plus confortable grâce à sa selle en une pièce.

Si la ligne peut-être un peu trop européenne de la Z750S n'attire pas que des éloges, la mécanique qui la propulse, elle, se montre tellement plus intéressante que les cylindrées inférieures de la moyenne pour cette classe qu'on a tendance à vite accepter ses particularités. Surtout que la protection que génère le carénage et son pare-brise au niveau du torse s'avère très bonne, sans parler du calme avec lequel l'air s'écoule autour de la tête du pilote.

À lui seul, l'ajout du demi-carénage arrive à transformer en véritable routière la standard sympathique, mais relativement peu pratique qu'était la Z750.

Dans le but d'augmenter le niveau de confort autant que le niveau pratique, la selle en deux pièces de la Z750 originale fut remplacée

> ## CHÂSSIS SOLIDE, DIRECTION LÉGÈRE, POIDS FAIBLE ET BONS FREINS SE COMBINENT POUR DONNER À LA Z750S UNE EXCELLENTE TENUE DE ROUTE.

par une selle en une pièce sur la S. L'intention était bonne, mais la selle de la Z750S constitue toujours l'un des points faibles du modèle en raison de sa tendance à faire glisser le pilote vers l'avant, sur sa partie mince et dure. Heureusement, il s'agit du genre de problème pouvant être considéré comme étant mineur pour les motocyclistes faisant rarement de longues distances, et qui peut être réglé assez facilement par les autres avec une selle de remplacement. Le contraire est malheureusement vrai en ce qui concerne le problème des vibrations excessives provenant du 4-cylindres dès qu'il tourne à mi-régime ou plus puisque dans ce cas, on ne peut qu'apprendre à s'y faire. Cela dit, si elles sont agaçantes, ces vibrations restent toutefois tolérables dans la mesure où l'on prend en considération le très intéressant avantage de couple à bas et moyen régimes offert par la Z750S par rapport aux modèles concurrents de cylindrée inférieure. Le niveau de performances s'avère plus que satisfaisant puisqu'il suffit même à divertir un pilote expérimenté, tandis que l'ensemble embrayage-transmission est excellent. Par ailleurs, un châssis solide, une direction étonnamment légère et précise, un poids relativement faible et des freins aussi puissants que faciles à doser se combinent pour donner à la Z750S une tenue de route d'une qualité impressionnante. D'autres détails comme le système d'injection, l'instrumentation complète et le bon niveau de finition sont également dignes de mention puisqu'ils contribuent à la valeur élevée que représente le modèle.

Voir légende page 7

EXPERT E
INTERMÉDIAIRE I
NOVICE N

général

catégorie	Routière sportive
prix	9 499 $
garantie	1 an/kilométrage illimité
couleur(s)	noir
concurrence	BMW F800S, Suzuki Bandit 650S, Yamaha FZ6

moteur

Type	4-cylindres en ligne 4-temps, DACT, 4 soupapes par cylindre, refroidissement par liquide
Alimentation	injection à 4 corps de 34 mm
Rapport volumétrique	11,3:1
cylindrée	748 cc
Alésage et course	68,4 mm x 50,9 mm
Puissance	109 ch @ 11 000 tr/min
couple	55,4 lb-pi @ 8 200 tr/min
boîte de vitesses	6 rapports
Transmission finale	par chaîne
Révolution à 100 km/h	environ 4 800 tr/min
consommation moyenne	6,9 l/100 km
Autonomie moyenne	261 km

partie cycle

Type de cadre	épine dorsale, en acier
suspension avant	fourche conventionnelle de 41 mm non ajustable
suspension arrière	monoamortisseur ajustable en précharge et détente
Freinage avant	2 disques de 300 mm de Ø avec étriers à 2 pistons
Freinage arrière	1 disque de 220 mm de Ø avec étrier à 1 piston
Pneus avant/arrière	120/70 ZR17 & 180/55 ZR17
Empattement	1 425 mm
Hauteur de selle	805 mm
Poids à vide	199 kg
Réservoir de carburant	18 litres

conclusion

Le marché de la moto offre un large éventail de modèles qui, en raison d'un degré de technologie très avancé, d'un niveau de performances élevé ou d'une ligne exotique, deviennent hautement désirables aux yeux du motocycliste moyen. Le problème, c'est que pour des raisons économiques ou d'expérience, ce dernier ne peut souvent pas envisager l'acquisition d'un de ces modèles. Tout n'est néanmoins pas perdu puisqu'à qui sait bien regarder, s'offre des montures étonnamment généreuses. La Kawasaki Z750S se veut l'une de ces trouvailles puisqu'en dépit de sa facture raisonnable, il s'agit d'une routière accomplie qui offre à la fois performances et conception moderne. Elle a des lacunes qu'il faut accepter avant l'achat, mais celles-ci ne l'empêchent pas de représenter une valeur exceptionnelle pour le motocycliste aux moyens limités.

⊙ QUOI DE NEUF EN 2007 ?

Aucun changement

Aucune augmentation de prix

⌃ PAS MAL

Une excellente valeur; la Z750S est tout aussi moderne, mais plus puissante que la plupart de ses rivales directes et affiche un prix comparable

Un moteur bien plus coupleux que ceux des montures de cylindrée inférieure, ce qui se traduit directement en un plaisir de conduite supérieur

Un châssis très bien manié dont la stabilité, la précision et l'agilité rappellent celles d'une sportive

⌄ BOF

Un 4-cylindres qu'on sent constamment vibrer au niveau des poignées et des repose-pieds; c'est tolérable, mais quand même agaçant; il s'agit probablement du pire défaut du modèle

Une selle qui fait constamment glisser le pilote vers l'avant, juste sur la partie où elle est étroite et inconfortable

Une version standard dont la ligne, la mécanique et la partie cycle ont été considérablement rafraîchies — elle ressemble beaucoup à la nouvelle Z1000 — est offerte sur le marché européen, mais malheureusement pas chez nous

VERSYS

NOUVEAUTÉ 2007

tout faire, à peu de frais...

La nouvelle Versys — le nom représente une abréviation de *Versatile System*, ou système polyvalent — pourrait sembler au premier coup d'œil directement dirigée vers une autre monture au concept similaire, la Suzuki V-Strom 650. Or, si les deux se concurrencent effectivement, c'est surtout parce qu'il s'agit des seules « mini-aventurières » sur le marché. On réalise néanmoins en examinant la Kawasaki que la direction qu'elle emprunte diffère de celle prise par la Suzuki de la même manière qu'une Ducati Multistrada ou une Triumph Tiger n'est pas tout à fait le même genre de moto qu'une Suzuki V-Strom 1000. Notons que la Versys n'est pas vendue aux États-Unis.

TECHNIQUE

L'une des tendances émergentes des dernières années consiste à produire des motos facilement utilisables dans des situations réelles. Une position relevée, une mécanique plus coupleuse que puissante et des suspensions à long débattement représentent les bases techniques de ces montures dont le concept est fondamentalement opposé, par exemple, à celui d'une hypersportive de 1 000 cc que seule une fraction des motocyclistes peut exploiter, seulement dans des conditions très restreintes. Avec sa nouvelle Versys, Kawasaki applique en 2007 cette tendance à un type de cylindrée réduite qui semble de plus en plus pris au sérieux par les constructeurs. Bref, avec sa nouveauté, la firme d'Akashi applique la recette des Ducati Multistrada, des Triumph Tiger et des Suzuki V-Strom 1000 de ce monde à un format plus compact et plus économique. L'argument pourrait être fait que Kawasaki n'amène absolument rien de nouveau à la table puisqu'il y a déjà plusieurs années que Suzuki exploite ce filon avec son excellente V-Strom 650. Mais dans les faits, la Versys se distingue de la Suzuki par un choix de composantes décidément plus sportives. Si leur concept est donc similaire dans l'ensemble, lorsqu'on y regarde de plus près, il apparaît que la Kawasaki, avec ses roues de 17 pouces montées de pneus sportifs, rappelle davantage la direction prise par Triumph et sa nouvelle Tiger que celle des V-Strom et leur roue avant de 19 pouces montées de gommes double-usage.

> **IL Y A DÉJÀ PLUSIEURS ANNÉES QUE SUZUKI EXPLOITE LE FILON VISÉ PAR LA VERSYS AVEC SON EXCELLENTE V-STROM 650.**

Un bref coup d'œil à la Versys suffit pour saisir que la Ninja 650R lancée l'an dernier a servi de base au modèle. Kawasaki affirme que le compact bicylindre parallèle de la Ninja a été réajusté afin de favoriser la production de couple à bas et moyen régimes. La puissance annoncée de 64 chevaux est toutefois sensiblement inférieure aux 71 de la sportive. Le cadre en acier et sa géométrie sont pratiquement identiques, mais la portion arrière a été solidifiée afin d'arriver à supporter le poids de valises. À l'avant, une fourche inversée remplace l'unité conventionnelle de la Ninja, tandis que le bras oscillant en acier de cette dernière fait place à une pièce asymétrique en aluminium sur la Versys. Les débattements des suspensions sont considérablement augmentés, passant de 120 mm à 150 mm à l'avant et de 130 mm à 145 mm à l'arrière, une modification qui devrait permettre à la Versys de se montrer beaucoup plus amicale sur des routes en mauvais état. Les légères roues à 6 branches et les pneus sportifs de la Ninja, tout comme le système de freinage entier, d'ailleurs, sont intégralement repris sur la nouveauté.

La position de pilotage représente un facteur déterminant sur les montures de ce type. Dans le cas de la Versys, Kawasaki a opté pour une posture dictée par un guidon large et relevé et des repose-pieds ni trop hauts ni trop reculés. Le constructeur affirme par ailleurs que l'échappement logé sous le moteur épargne le passager de la chaleur d'un silencieux logé sous la selle et annonce que le petit pare-brise ajustable en trois positions aura un équivalent plus haut offert en équipement optionnel.

« Nous venons en paix. »
La tête de la nouvelle Versys semble arriver d'un autre monde. Ça plaira probablement aux très *fashion* d'Européens, mais ici, ça reste à voir.

« versatile system »

Le nom choisi par Kawasaki illustre très bien les intentions de la nouveauté puisqu'elle serait littéralement prête à tout faire, sous toutes les conditions. Le concept n'est pas sans rappeler des motos comme la Ducati Multistrada ou la nouvelle Triumph Tiger puisque comme ces dernières, la Versys applique une nuance sportive à l'idée de la moto de classe aventurière. Elle y arrive en gardant les suspensions à long débattement et la position de conduite relevée qui définit cette catégorie, mais en remplaçant les grandes roues et les pneus double-usage par des composantes d'origine sportive, tout comme les freins, d'ailleurs. La très belle qualité du comportement de la Ninja 650R, de laquelle la Versys est profondément inspirée, et les belles manières des machines munies de telles suspensions laissent croire que la nouveauté de Kawasaki pourrait se montrer extrêmement divertissante sur une route sinueuse, en plus d'offrir un intéressant côté pratique en utilisation quotidienne. Son prix est de 300 $ supérieur à celui d'une Ninja 650R.

VITESSE DE POINTE
190 km/h
ACCÉLÉRATION SUR 1/4 MILLE
12,7 sà 165 km/h
indice d'expertise ▸
◂ rapport valeur/prix

Voir légende page 7
Performances 2006 ◂

EXPERT	**E**
INTERMÉDIAIRE	**I**
NOVICE	**N**

Général

catégorie	Routière Aventurière
prix	8 999 $
Garantie	1 an/kilométrage illimité
couleur(s)	orange, noir
concurrence	Suzuki V-Strom 650

partie cycle

Type de cadre	treillis tubulaire, en acier
suspension avant	fourche inversée de 41 mm ajustable en précharge et détente
suspension arrière	monoamortisseur ajustable en précharge et détente
freinage avant	2 disques « à pétales » de 300 mm de Ø avec étriers à 2 pistons
freinage arrière	1 disque « à pétales » de 220 mm de Ø avec étrier à 1 piston
pneus avant/arrière	120/70 ZR17 & 160/60 ZR17
empattement	1 415 mm
hauteur de selle	840 mm
poids à vide	181 kg
réservoir de carburant	19 litres

moteur

Type	bicylindre parallèle 4-temps, DACT, 4 soupapes par cylindre, refroidissement par liquide
Alimentation	injection à 2 corps de 38 mm
rapport volumétrique	11,3:1
cylindrée	649 cc
Alésage et course	83 mm x 60 mm
puissance	64 ch @ 8 000 tr/min
couple	45 lb-pi @ 7 000 tr/min
boîte de vitesses	6 rapports
transmission finale	par chaîne
révolution à 100 km/h	n/d
consommation moyenne	n/d
autonomie moyenne	n/d

conclusion

Juste la regarder suffira à certains motocyclistes pour lever le nez sur la nouvelle Versys, tandis que d'autres s'en désintéresseront complètement en prenant connaissance de sa cylindrée relativement faible. Nous pourrions nous tromper, mais nous croyons, au contraire, que le concept a le potentiel d'offrir un plaisir de pilotage immense. Pas par intuition, mais parce qu'il semble très intéressant de combiner le format de la superbe V-Strom 650 à des roues et des freins plus sportifs et à une mécanique qui s'est avérée surprenante par sa souplesse sur la Ninja 650R. En fait, nous croyons que la Versys, si sa mécanique ne se trouve pas trop affaiblie par son « réajustement », pourrait venir défier la reine de petites machines à plaisir qu'est la V-Strom 650. Compte tenu de l'excellence de la Suzuki, ce ne serait rien de moins qu'un exploit.

QUOI DE NEUF EN 2007 ?

Nouveau modèle

PAS MAL

Une petite mécanique qui s'est montrée très coopérative sur la Ninja 650R et surtout étonnamment souple à bas régime pour ce genre de cylindrée; espérons retrouver le même type d'agrément sur la Versys

Une partie cycle qui semble fin prête à attaquer les routes sinueuses et défoncées du Québec; la précision et l'agilité de la Ninja 650 combinées à des suspensions à long débattement semble être une excellente idée

Un niveau de confort que le constructeur annonce élevé grâce à une position relevée, à des suspensions souples et à des selles soignées

BOF

Une ligne qui risque d'en faire grimacer plus d'un; ce n'est pas laid, loin de là, mais c'est très différent; en fait, la rumeur veut que le marché américain ait choisi de ne pas offrir la Versys en partie à cause de son style

Une mécanique qui déjà n'était pas très puissante, bien qu'assez souple, sur la Ninja 650R et qui se voit sous cette utilisation privée de quelques précieux chevaux. Deux questions : pourquoi croit-on bon d'enlever des chevaux à un moteur qui déjà n'en a pas une infinité, et pourquoi semble-t-on toujours choisir des cylindrées juste en dessous d'une limite qui pourrait commencer à devenir intéressante pour une clientèle expérimentée ? Les nouvelles BMW F800 sont d'excellents exemples du genre d'intérêt plus large qu'attire une moto simple, mais dotée d'une plus grosse cylindrée. Une Versys avec le même Twin, mais de 750 ou 800 cc, ça intéresserait quelqu'un ?

NINJA 650R

L'idéale petite sportive...

On reproche souvent aux constructeurs d'offrir des modèles sportifs qui tiennent davantage de la machine de course que de l'agile routière, si bien qu'un motocycliste, soit peu expérimenté, soit peu gourmand en chevaux, éprouve aujourd'hui une grande difficulté à trouver une sportive ne faisant ni plus ni moins que satisfaire ses attentes. Lancée l'an dernier, la Ninja 650R cherche à combler ce besoin en proposant un ensemble léger, précis et relativement à jour d'un point de vue technologique à un genre de clientèle qui n'a tout simplement pas sa place sur une nerveuse sportive de pointe. Son équivalent le plus proche est la Suzuki SV650S.

Parce qu'elles sont toutes deux des sportives entièrement carénées propulsées par des bicylindres de 650 cc, la Suzuki SV650S et la Kawasaki Ninja 650R sont souvent considérées comme des modèles directement concurrents, et avec raison. Cela dit, il serait faux de croire qu'il s'agit de montures exactement équivalentes puisque la Suzuki, plus puissante à plus haut régime et dotée d'une position de conduite plus sévère, se montre plus pointue comme sportive. La Ninja 650R, elle, semble plutôt n'avoir comme seul et unique but que d'accueillir son pilote dans l'univers sportif de la façon la plus amicale possible.

En prenant place aux commandes de la Ninja, on note immédiatement une position de conduite assise qui se distingue de celle de la plupart des sportives en ne mettant presque pas de poids sur les mains. Les jambes, là aussi, sont pliées de manière sportive mais modérée. Comme sa selle est assez basse pour permette à un pilote de taille moyenne de rejoindre le sol à l'arrêt et que son poids est très faible, la Ninja 650R apparaît très vite familière et facile à manier, et ce, même avec un motocycliste peu expérimenté en selle.

La mécanique qui anime la petite Ninja se montre tout aussi amicale en s'avérant capable de propulser la monture de façon très satisfaisante sans jamais avoir recours à des régimes élevés, ce qui étonne franchement compte tenu de la cylindrée. Le Twin parallèle de 650 cc accepte même volontiers de tourner aussi bas que 2 ou 3 000 tr/min sur les derniers rapports de l'excellente

> **LA NINJA 650R EST SIMPLEMENT L'UNE DES MOTOS LES PLUS AMICALES ET LES AGILES DU MARCHÉ DANS UNE ENFILADE DE VIRAGES.**

boîte à 6 vitesses et de tirer proprement lorsqu'on ouvre les gaz. Qu'une mécanique de ce type et de cette cylindrée soit si docile à bas et moyen régimes n'est certainement pas chose commune et constitue l'une des plus belles qualités de la Ninja 650R. Évidemment, les performances maximales demandent des tours plus élevés, mais le petit Twin collabore à merveille même dans ces circonstances en tirant très honnêtement et en ne vibrant jamais de manière gênante.

Si le niveau de performances offert par la 650R se situe juste en dessous de ce qui pourrait être considéré intéressant par un pilote expérimenté, il se montre plus que satisfaisant pour le motocycliste novice. Et contrairement à une monture comme la Ninja 500R dont on pourrait se lasser relativement vite, la 650R a le potentiel d'intéresser son propriétaire durant plusieurs années.

La Ninja 650R est tout simplement l'une des motos les plus agiles et les plus faciles du marché à lancer dans une enfilade de virages. Sans être très sophistiquées, les suspensions arrivent à encaisser un rythme étonnant en conduite sportive, tandis que le châssis semble parfaitement à l'aise dans ces circonstances en se montrant aussi stable et solide que précis. La direction est merveilleusement légère et ne demande qu'une pensée pour amorcer un virage, tandis que les très bons freins se montrent à la hauteur peu importe la situation.

Enfin, une selle tout de même assez confortable et un carénage offrant une belle protection au vent permettent de rouler longtemps et loin sans problème.

Voir légende page 7

EXPERT	E
INTERMÉDIAIRE	I
NOVICE	N

VITESSE DE POINTE
201 km/h
ACCÉLÉRATION SUR 1/4 MILLE
12,4 s à 168 km/h
indice d'expertise ▸
◂ rapport valeur/prix

général

catégorie	Routière Sportive
prix	8 599 $
garantie	1 an/kilométrage illimité
couleur(s)	argent, noir
concurrence	Hyosung GT650R, Suzuki SV650S

partie cycle

type de cadre	treillis tubulaire, en acier
suspension avant	fourche conventionnelle de 41 mm non ajustable
suspension arrière	monoamortisseur ajustable en précharge
freinage avant	2 disques « à pétales » de 300 mm de Ø avec étriers à 2 pistons
freinage arrière	1 disque « à pétales » de 220 mm de Ø avec étrier à 1 piston
pneus avant/arrière	120/70 ZR17 & 160/60 ZR17
empattement	1 405 mm
hauteur de selle	785 mm
poids à vide	174 kg
réservoir de carburant	15,5 litres

moteur

type	bicylindre parallèle 4-temps, DACT, 4 soupapes par cylindre, refroidissement par liquide
alimentation	injection à 2 corps de 38 mm
rapport volumétrique	11,3:1
cylindrée	649 cc
alésage et course	83 mm x 60 mm
puissance	71,1 ch @ 8 500 tr/min
couple	48,7 lb-pi @ 7 000 tr/min
boîte de vitesses	6 rapports
transmission finale	par chaîne
révolution à 100 km/h	environ 4 500 tr/min
consommation moyenne	5,4 l/100 km
autonomie moyenne	287 km

conclusion

Bonne nouvelle, mauvaise nouvelle. La mauvaise, d'abord, est qu'il y a trop peu de motos qui, comme la petite Ninja 650R, représentent une façon censée de s'initier ET de progresser dans l'univers des sportives. La bonne nouvelle, c'est qu'avec des choix aussi réussis et intéressants que la 650R – et que la Suzuki SV650S –, on n'a peut-être pas besoin de cinquante options. Pour relativement peu de frais, elle offre à une catégorie de motocyclistes qui sait très bien n'avoir besoin de rien de plus, un niveau de performances excitant mais raisonnable, une facilité de prise en main phénoménale et une ligne qui n'est pas du tout désagréable à l'œil. En fait de sportive abordable, et ce, dans tous les sens du terme, on trouve difficilement mieux.

 QUOI DE NEUF EN 2007 ?

Aucun changement

Coûte 100 $ de plus que le modèle 2006

⌃ PAS MAL

Une mécanique qui impressionne franchement par sa souplesse à bas et moyen régimes, par sa volonté de tourner haut si on le lui demande, par sa douceur et par sa façon de se montrer suffisante dans la plupart des situations

Un châssis dont l'agilité est exceptionnelle, et dont la précision et la stabilité constituent un authentique échantillonnage du genre de comportement que propose une sportive plus pointue

Une facilité de prise en main exceptionnelle; la Ninja 650R est plutôt basse, légère et propose une position de conduite qui met même les motocyclistes craintifs ou peu expérimentés immédiatement en confiance

 BOF

Un niveau de performances qui s'avère trop juste pour quiconque a déjà touché et aimé une quantité de chevaux plus importante; telle qu'elle est, la 650R satisfait les motocyclistes peu expérimentés ou relativement peu gourmands en termes de puissance, mais sans plus; une cylindrée de 750 ou 800 cc la garderait tout aussi accessible, mais aussi beaucoup plus désirable pour les motocyclistes plus expérimentés

Des suspensions qui travaillent correctement la majorité du temps, mais dont on sent le côté rudimentaire en conduite sportive sur une route abîmée

Un joli style et un carénage intégral qui plaisent en général, mais qui ne semblent pas arriver à exciter comme le font les « vraies » sportives et leur ligne racée

Vulcan 2000 Classic LT

point de retour ?

Si Kawasaki n'avait pas construit la Vulcan 2000, la magie du chiffre qui définit son immense cylindrée aurait tôt ou tard poussé un autre constructeur à le faire. Tel l'attrait hypnotique qu'a sur une certaine catégorie d'individus le plus haut sommet sur terre, celui du plus gros V-Twin semblait avoir ensorcelé le motocyclisme. C'était il y a trois ans, et depuis, rien. C'est-à-dire rien de plus gros, entendons-nous bien. Pourquoi ? Kawasaki aurait-il non seulement découvert l'euphorie d'une livrée de couple aussi colossale, mais aussi exposé l'inhérent désavantage d'une telle cylindrée, le poids, et du coup découragé ses rivaux de pousser l'exercice encore plus loin ?

D'un point de vue technique, rien n'empêche le service d'ingénierie d'un constructeur de mettre au point un V-Twin plus gros que celui de la Vulcan 2000. Pourquoi, alors, après s'être livré une véritable guerre de cubage, les grands manufacturiers semblent-ils faire pratiquement marche arrière à ce chapitre ? Selon Yamaha, la Roadliner visait au début 2 400 cc, mais la masse d'une telle mécanique et l'importante hauteur du centre de gravité amené par des cylindres aussi hauts aurait tout simplement fait avorter le projet. Suzuki aurait pu, lui aussi, viser plus haut que la Kawasaki, mais s'est plutôt « contenté » de 1 800 cc. La Vulcan 2000 serait-elle l'illogique résultat d'une expérimentation avec l'extrême ? À notre humble avis, non. La Vulcan 2000 est une monture très loudre, c'est un fait. Lourde à bouger à l'arrêt, lourde à manier dans les situations serrées, lourde à lever de sa béquille, bref, lourde. Mais pour un pilote expérimenté, le seul genre qui devrait d'ailleurs envisager une telle moto, la réalité est que gérer tout ce poids n'est qu'une question d'habitude, exactement comme c'est le cas pour une Gold Wing ou pour toute autre monture avoisinant les 350 kilos. À la limite, ce poids pourrait même être perçu de façon positive puisqu'arriver à le dominer constitue d'une certaine manière un prérequis pour l'acquisition d'une Vulcan 2000. Vous n'y arrivez pas, alors passez votre chemin jusqu'à quelque chose que vous arrivez à soulever. Mais si vous y parvenez, alors s'ouvre à vous un univers de sensations que seul un V-Twin animé par des pistons poussant *chacun* 1 000 cc a le pouvoir de livrer.

> **ARRIVER À GÉRER LE POIDS DE LA VULCAN 2000 CORRESPOND À UN PRÉREQUIS POUR SON ACQUISITION. VOUS N'Y PARVENEZ PAS ? PASSEZ VOTRE CHEMIN.**

Un univers auquel aucune autre mécanique sur terre ne vous donne accès. Ni celle de la VTX1800, ni celle de la M109R et ni même celle de la Roadliner qui fait presque 200 cc de moins! L'ouverture des gaz, sur une Vulcan 2000, n'amène pas une poussée, mais plutôt un coup de pied au derrière, une évasion aussi violente qu'immédiate du présent. Ajoutez un petit relâchement d'embrayage rapide à l'exercice et le 200 mm arrière s'enfumera en hurlant. Le gros V-Twin transforme même la besogne quotidienne en l'imprégnant de son caractère auditif et tactile lourd, profond et gras. On entend, on sent chacun des mouvements des ses massives pièces internes.

S'il est une caractéristique que la Vulcan 2000 partage avec les customs « normales », elle concerne la façon qu'ont ces dernières de s'alléger dès qu'elles se mettent en mouvement. Autant la 2000 demande muscle et attention à très basse vitesse, autant elle se montre impériale lorsqu'elle s'élance. Une stabilité de train, une direction ne demandant qu'un négligeable effort pour amorcer un virage et une partie cycle se montrant parfaitement sereine en pleine inclinaison sont autant de points qui font de ce mastodonte un agile géant sur la route.

Enfin, une selle décente sur toutes les distances sauf les plus longues, une position de conduite équilibrée et dégagée, et des suspensions qui, lorsque bien ajustées, travaillent exceptionnellement bien complètent un ensemble représentant l'une des rares customs qui méritent aussi d'être qualifiées de routières.

VITESSE DE POINTE
204 km/h
ACCÉLÉRATION SUR 1/4 MILLE
12,5.167 km/h

indice d'expertise ▶

◀ rapport valeur/prix

Voir légende page 7

EXPERT	E
INTERMÉDIAIRE	I
NOVICE	N

Général

catégorie	Custom
prix	18 999 $ (LT : 19 999 $)
garantie	1 an (LT : 2 ans)/kilométrage illimité
couleur(s)	noir et gris (LT : noir et rouge, blanc et titane)
concurrence	Honda VTX1800, Suzuki Boulevard M109R, Yamaha Roadliner et Stratoliner

moteur

type	bicylindre 4-temps en V à 52 degrés, culbuté, 4 soupapes par cylindre, refroidissement par liquide
alimentation	injection à 2 corps de 46 mm
rapport volumétrique	9,5:1
cylindrée	2 053 cc
alésage et course	103 mm x 123,2 mm
puissance	116 ch @ 5 000 tr/min
couple	141,3 lb-pi @ 3 000 tr/min
boîte de vitesses	5 rapports
transmission finale	par courroie
révolution à 100 km/h	n/d
consommation moyenne	6,5 l/100 km
autonomie moyenne	323 km

partie cycle

type de cadre	double berceau, en acier
suspension avant	fourche conventionnelle de 49 mm non ajustable
suspension arrière	monamortisseur ajustable en précharge et détente
freinage avant	2 disques de 300 mm de Ø avec étriers à 4 pistons
freinage arrière	1 disque de 320 mm de Ø avec étrier à 2 piston
pneus avant/arrière	150/80 R16 & 200/60 R16
empattement	1 735 mm
hauteur de selle	680 mm
poids à vide	340 kg (LT : 361 kg)
réservoir de carburant	21 litres

conclusion

Une Vulcan 2000 ne peut être bêtement décrite en faisant allusion à une moto lourde, à un modèle muni d'un drôle de phare avant, à une custom de performance ou même à une monture dispendieuse puisque ce genre de qualificatifs simplistes ne rejoint en rien la réalité et la signification du modèle. La Vulcan 2000 représente un privilège pour quiconque détient le genre de connaissances et d'expérience requises pour apprécier le joyau qui lui sert de mécanique. Avant quoi que ce soit d'autre, elle se veut une occasion unique de vivre au rythme d'une paire de cylindres d'un litre, avec les sacrifices correspondants.

Vulcan 2000

 QUOI DE NEUF EN 2007 ?

Disparition du modèle Ltd

Introduction d'une nouvelle variante, mais seulement aux États-Unis; il s'agit de la Vulcan 2000 Classic LT et son traditionnel phare avant rond, mais sans le pare-brise, le dossier et les sacoches; elle devient la Vulcan 2000 Classic, et le modèle original devient simplement la Vulcan 2000

Aucun changement

Aucune augmentation de prix

PAS MAL

Un moteur hypnotique qui vaut à lui seul le prix d'entrée; le V-Twin de 2 litres gronde et tremble comme un moteur de locomotive et tire comme un dragster

Une position de conduite relaxe et dégagée typique d'une custom classique et particulièrement réussie dans ce cas

Des suspensions d'une rare qualité chez les customs, car elles ne meurtrissent jamais le dos et sont même souples

 BOF

Une masse énorme qui complique considérablement les manœuvres à l'arrêt et demande des propriétaires qu'ils soient physiquement capables de manier une moto de ce gabarit

Des selles qui ne sont pas les meilleures qui soient; la partie du pilote est satisfaisante, mais la portion du passager est décidément peu invitante; notons qu'une selle arrière plus accueillante existe, et qu'elle est d'ailleurs utilisée sur la version LT de la Classic

Un pare-brise qui cause des turbulences à la hauteur du casque sur la LT à des vitesses d'autoroute; plus la vitesse augmente, et plus ces turbulences empirent

Vulcan 1600 Nomad

VULCAN 1600

Tourisme léger, et plaisant...

La Vulcan 1600 Classic et sa version de tourisme léger, la Nomad, forment un duo à la fois très similaire et très différent. Similaire parce que les deux variantes partagent la même base, et très différent parce que si la Classic ne représente qu'un choix moyen au sein de sa classe, la Nomad, elle, doit être perçue comme l'une des meilleures customs de tourisme léger du marché, et ce, simplement en raison de l'importance que Kawasaki a prêtée à l'accueil que le modèle réserve au passager. La présence en équipement de série d'une paire de valises rigides dont la couleur est agencée à celle de la moto joue aussi sa part dans cette réussite. Ni l'une ni l'autre ne change en 2007.

Bien qu'en théorie l'ajout d'un gros pare-brise, d'une paire de valises et d'un dossier suffise à transformer une custom traditionnelle en monture de tourisme léger, ces additions ne sont pas pour autant gages d'un bon comportement routier pour le résultat final. Cette transformation, la Vulcan 1600 Nomad la subit largement mieux que dans la moyenne des cas en se distinguant d'abord et avant tout par un environnement exceptionnellement généreux pour le passager. Bien entendu, le fait qu'elle soit basée sur une moto aussi équilibrée que la Vulcan 1600 Classic n'est pas étranger à la qualité du résultat.

L'attention particulière portée à l'accueil du passager de la Nomad depuis sa révision de 2005 s'avère incompréhensiblement rare chez ces motos dont le but est pourtant de parcourir de bonnes distances dans un niveau de confort raisonnable. Comme le tourisme à moto est très souvent une activité de couple, il semble illogique de la part des autres manufacturiers de ne réserver un niveau de confort intéressant qu'au pilote, sans s'attarder à celui du passager, qui demeure la plupart du temps une passagère. Car sans entrer dans les détails qu'amène à la dynamique de couple une passagère inconfortablement installée, disons simplement qu'une randonnée n'est vraiment plaisante que lorsque la madame elle est contente.

Grâce à une selle de bonnes dimensions, à des plateformes bien positionnées ainsi qu'à un généreux dossier et à des poignées de maintien, la Nomad ne tarde pas à ravir quiconque prend place

> LORSQU'ON ROULE EN DUO, UNE RANDONNÉE N'EST VRAIMENT PLAISANTE QUE SI LA MADAME ELLE EST CONTENTE.

derrière le pilote. Sans être inconfortable, loin de là, la Classic est plus traditionnelle et n'attire pas de tels commentaires du passager. Son pilote bénéficie toutefois du même environnement équilibré que la Nomad. Bien qu'elle ne soit pas totalement inexistante, la sécheresse de la suspension arrière, commune à tant de customs, est dans ce cas réduite à un niveau tolérable.

La première génération des modèles et ses 1 500 cc n'a jamais été reconnue pour ses performances élevées et ce ne sont pas les quelque 100 cc additionnels de la génération courante qui y changent quelque chose, un fait que la masse imposante des deux modèles n'aide d'ailleurs en rien. Le couple généré à bas régime est néanmoins nettement supérieur à celui de l'ancien moteur de 1 500 cc, ce qui permet des accélérations franches à partir d'un arrêt et des dépassements honnêtes. L'agrément de pilotage bénéficie lui aussi de la plus grosse cylindrée puisque le V-Twin de 1 600 cc s'avère particulièrement plaisant pour les sens grâce à sa façon franche et sans gêne de trembler et de gronder.

Le poids considérable des Vulcan 1600 Classic et Nomad n'est réellement gênant qu'à l'arrêt et à très basse vitesse, des situations lors desquelles toute l'attention du pilote est requise. Mais sitôt les roues en mouvement, les grosses customs semblent s'alléger de moitié et se montrent somme toute agréablement maniables. Leur stabilité est imperturbable autour des limites légales.

VITESSE DE POINTE
176 km/h
ACCÉLÉRATION SUR 1/4 MILLE
14,6 s à **151** km/h
indice d'expertise ▸
◂ rapport valeur/prix

Voir légende page 7

Voir légende page 7

EXPERT	E
INTERMÉDIAIRE	I
NOVICE	N

Général

catégorie	Custom/Tourisme Léger
prix	Vulcan 1600 Classic : 15 299 $ Vulcan 1600 Nomad : 17 299 $ Vulcan 1600 Nomad noire : 17 099 $
garantie	1 an (Nomad : 2 ans)/kilométrage illimité
couleur(s)	Classic : rouge et argent Nomad : noir, noir et titane, rouge et titane
concurrence	Classic : Harley-Davidson Softail Deluxe, Suzuki Boulevard C90, Yamaha Road Star Nomad : Harley-Davidson Road King, Suzuki Boulevard C90T, Yamaha Road Star Silverado

moteur

type	bicylindre 4-temps en V à 50 degrés, SACT, 4 soupapes par cylindre, refroidissement par liquide
alimentation	injection à 2 corps de 36 mm
rapport volumétrique	9:1
cylindrée	1 552 cc
alésage et course	102 mm x 95 mm
puissance	67 ch @ 4 700 tr/min
couple	94 lb-pi @ 2 700 tr/min
boîte de vitesses	5 rapports
transmission finale	par arbre
révolution à 100 km/h	2 700 tr/min
consommation moyenne	7,2 l/100 km
autonomie moyenne	277 km

partie cycle

type de cadre	double berceau, en acier
suspension avant	fourche conventionnelle de 43 mm non ajustable
suspension arrière	2 amortisseurs ajustables en précharge et détente
freinage avant	2 disques de 300 mm de Ø avec étriers à 2 pistons
freinage arrière	1 disque de 300 mm de Ø avec étrier à 2 pistons
pneus avant/arrière	130/90-16 (Nomad : 150/80-16) & 170/70-16
empattement	1 680 mm (Nomad : 1 685 mm)
hauteur de selle	680 mm (Nomad : 705 mm)
poids à vide	315 kg (Nomad : 350 kg)
réservoir de carburant	20 litres

conclusion

La Vulcan 1600 Nomad est l'exemple parfait de l'attrait d'un concept intelligemment et minutieusement réalisé. Quelqu'un, chez Kawasaki, semble avoir saisi l'importance du confort offert au passager, surtout lorsque le thème du « tourisme léger » est vraiment mis à exécution. Nous ne comprenons d'ailleurs toujours pas que la majorité des customs ainsi apprêtées le soient de façon si primitive. Une custom a besoin de plus qu'un petit dossier pour que le passager qui y prend place soit vraiment installé confortablement. N'est-ce pas l'évidence même ? Quant à la Classic, elle a l'avantage d'être l'un des rares modèles japonais de cette catégorie, la Suzuki C90 et la Yamaha Road Star étant les seuls autres. Elle n'impressionne pas, mais ne fait pas non plus de faux mouvements.

Vulcan 1600 Classic

 QUOI DE NEUF EN 2007 ?

Aucun changement

Version noire de la Nomad offerte à 200 $ de moins

Aucune augmentation pour la Nomad 2 tons et la Classic

 PAS MAL

Un niveau d'équipement de tourisme léger impressionnant pour la Nomad qui a un net avantage, à ce chapitre, face à sa concurrence directe; la passagère de service confirme d'ailleurs avec un sourire et aucune plainte

Une mécanique qui n'est pas une force de la nature, mais qui vrombit de manière agréable et qui produit une quantité suffisante de couple à très bas régime pour se montrer plaisante dans toutes les situations

Un comportement sain et sans surprises une fois en route; il s'agit de customs stables, légères de direction et bien maniérées en virage

 BOF

La 1600 Classic ne fait rien de mal, mais elle ne fait rien de très bien non plus, ce qui rend ses points d'intérêts difficiles à cerner pour l'acheteur moyen

Un caractère moteur plaisant, mais pas aussi envoûtant que celui de certaines rivales, particulièrement les Yamaha Road Star qui sont les concurrentes les plus directes de ces Vulcan

Un poids considérable qui demande de l'attention à l'arrêt et lors de manœuvres lentes et serrées, particulièrement sur la Nomad et ses 350 kg

VULCAN 1600 MEAN STREAK

transformation...

Même si elle est au boulon près identique au modèle de l'an dernier, la Mean Streak est plus changée en 2007 qu'elle ne l'a été depuis son lancement en 2002. En fait, il est très possible que son tout nouveau traitement graphique soit tellement fort qu'il attire une nouvelle clientèle et qu'il repousse une partie de l'ancienne. Avec son cadre et ses roues rouges, et avec le thème noir mat qui abonde sur la moto, sans parler des très présents décalques de flammes, la Mean Streak a tout simplement changé de tête au point d'en être méconnaissable. Derrière tout ce maquillage se cache néanmoins une custom relativement commune puisqu'elle est basée sur la Vulcan 1600 Classic.

L'une des plus grandes forces de la Mean Streak a toujours été son style épuré, long et bas. Pour 2007, Kawasaki a néanmoins cru bon de brasser un peu les choses en faisant vivre au modèle une véritable transformation esthétique qui pourrait plaire ou ne pas plaire, mais qui ne laissera décidément pas indifférent. L'effet reste quand même réussi et se fond étonnamment bien à la ligne originale du modèle.

Au-delà de sa jolie silhouette basse et élancée, la Mean Streak possède de nombreuses qualités. Le caractère fort de sa mécanique est l'une des plus intéressantes. Si le passage de 1 500 cc à 1 600 cc en 2004 n'a apporté que peu en termes de performances pures, il a en revanche considérablement fait gagner le V-Twin en agrément d'utilisation. La caractéristique prédominante de ce dernier est son aisance à très bas régime et sa forte présence dans ces tout premiers tours. Entre le ralenti et 2 500 tr/min, chaque allée et venue des pistons est clairement ressentie par le pilote. À ces régimes, chaque accélération est accompagnée d'un tremblement profond et de forte amplitude qui ne dérange jamais et qui, au contraire, rend plutôt l'expérience encore plus viscérale. Plutôt que de s'intensifier à mesure que les tours montent, ce tremblement s'adoucit considérablement à l'approche des 3 000 tr/min pour finalement ne devenir qu'un doux murmure à vitesse d'autoroute. Il ne sert absolument à rien d'étirer les régimes jusqu'à la zone rouge de 6 000 tr/min puisque l'intensité des accélérations diminue nettement une fois le cap des

> **ENTRE LE RALENTI ET 2 500 TR/MIN, CHACUN DES MOUVEMENTS DES PISTONS EST CLAIREMENT RESSENTI PAR LE PILOTE.**

4 000 tr/min franchi. En fait, sur la Mean Streak, tout ce qui est intéressant se passe à bas régime. La puissance du moteur n'est pas exceptionnelle et ne se traduit donc pas par des performances spectaculaires, mais le couple toujours présent en grande dose permet de garder les tours très bas – on accélère sans problème en cinquième dès 1 500 tr/min – et les changements de rapports au minimum.

L'excellente tenue de route de la Mean Streak fait également la réputation du modèle depuis son introduction. Le fait que la partie cycle soit parsemée de composantes sportives est sûrement au moins partiellement responsable de cette qualité. En gros, on a droit à une stabilité imperturbable, à une solidité et une précision étonnantes en courbe et à des freins superbes, qui ont d'ailleurs encore été améliorés l'an dernier. Elle est encore aujourd'hui l'une des rares customs qui permettent réellement de tirer plaisir d'une route sinueuse. Les suspensions n'ont pourtant rien de trop rigide et réussissent toujours à garder un degré de confort au moins acceptable, sauf sur les pires routes où l'arrière finit par devenir sec.

La position de conduite de la Mean Streak a la particularité de beaucoup rappeler celle de certaines Harley-Davidson. La relation entre la position de la selle, qui est basse et plutôt confortable, celle des repose-pieds avancés et celle du guidon étroit de style drag n'est en effet pas du tout commune chez les customs japonaises. Elle reste toutefois parfaitement équilibrée et très plaisante pour le motocycliste qui aime rouler ce genre de customs à thème sportif.

VITESSE DE POINTE
180 km/h
ACCÉLÉRATION SUR 1/4 MILLE
13,5 s à **155** km/h
indice d'expertise ▸
◂ rapport valeur/prix

Voir légende page 7

EXPERT **E**
INTERMÉDIAIRE **I**
NOVICE **N**

général

catégorie	Custom
prix	16 299 $
garantie	3 ans/kilométrage illimité
couleur(s)	noir et rouge
concurrence	Harley-Davidson Night Train, Victory Hammer, Yamaha Road Star Warrior

moteur

type	bicylindre 4-temps en V à 50 degrés, SACT, 4 soupapes par cylindre, refroidissement par liquide
alimentation	injection à 2 corps de 40 mm
rapport volumétrique	9:1
cylindrée	1 552 cc
alésage et course	102 mm x 95 mm
puissance	72 ch @ 5 300 tr/min
couple	94 lb-pi @ 2 500 tr/min
boîte de vitesses	5 rapports
transmission finale	par arbre
révolution à 100 km/h	environ 2 900 tr/min
consommation moyenne	7,5 l/100 km
autonomie moyenne	226 km

partie cycle

type de cadre	double berceau, en acier
suspension avant	fourche inversée de 43 mm non ajustable
suspension arrière	2 amortisseurs ajustables en précharge et détente
freinage avant	2 disques de 320 mm de Ø avec étriers radiaux à 4 pistons
freinage arrière	1 disque de 300 mm de Ø avec étrier à 2 pistons
pneus avant/arrière	130/70-17 & 170/60-17
empattement	1 705 mm
hauteur de selle	700 mm
poids à vide	290 kg
réservoir de carburant	17 litres

conclusion

La Mean Streak se distingue depuis sa mise en marché non seulement grâce à son style propre et à ses proportions équilibrées, mais aussi par le côté sain et plaisant de son comportement. Un guidon droit, une fourche inversée, des roues sport et des freins puissants font qu'elle est souvent perçue comme l'une de ces fameuses « customs de performance » mais dans les faits, en ligne droite, on a à peu près affaire au genre d'accélération proposé par une Vulcan 1600 Classic. En lui donnant seulement « l'air » d'être rapide, mais en ne poussant pas le thème jusqu'à développer une puissante mécanique, Kawasaki arrive à garder son prix considérablement plus bas que celui des customs vraiment rapides que sont les VTX1800 de Honda et autres Vulcan 2000 de Kawasaki. Pour plusieurs, il s'agit d'une proposition tout à fait raisonnable et suffisante.

 QUOI DE NEUF EN 2007 ?

Nouveau traitement esthétique : cadre rouge, peinture noir mat à flammes et plusieurs composantes noires plutôt que chromées

Aucune augmentation de prix

⌃ PAS MAL

Un V-Twin particulièrement généreux en couple et en sensations fortes à bas régime, et qui s'adoucit ensuite

Un châssis étonnamment solide et précis qui permet même de tirer plaisir d'une enfilade de virages

Un nouveau traitement graphique assez surprenant et une ligne qui continue de plaire beaucoup; la Mean Streak a l'air d'une custom qui aurait été apprêtée avec bon goût par un propriétaire connaisseur

 BOF

Une ligne qui incite à croire que les performances sont élevées, mais ces dernières demeurent en réalité relativement ordinaires

Des suspensions qui se débrouillent très bien la majeure partie du temps, mais l'arrière peut devenir rude sur une route très abîmée ou sur certaines bosses « sèches »

Une selle diminutive pour le passager; Kawasaki offre d'ailleurs une selle plus épaisse en option

Un style noir mat très distinct qui est le seul offert en 2007; une option plus classique aurait pu être appréciée de certains acheteurs

Vulcan 900 Custom

VULCAN 900

NOUVELLE VARIANTE

plus, c'est mieux...

En lançant sa Vulcan 900 Classic l'an dernier, Kawasaki s'attaquait à l'une des lacunes les plus évidentes des customs de cylindrée moyenne, celle de la vigueur, disons modeste des V-Twin qui animent les motos de la classe. Le modèle allait aussi plus loin en offrant des proportions et une qualité de finition digne d'une custom poids lourd 1500, le tout pour un prix à peine plus élevé que les 8 500 - 9 000 $ habituels de la catégorie. Cette année, le constructeur récidive en présentant une fort jolie variante Custom caractérisée par une ligne plus élancée et une grande et mince roue avant de 21 pouces. Une version de tourisme léger basée sur la Classic, la LT, est aussi offerte.

L a catégorie des customs de cylindrée moyenne offre certaines des valeurs les plus intéressantes du motocyclisme, mais les motos qui la composent restent affligées de plusieurs compromis. À plus ou moins la moitié du prix des désirables équivalents poids lourds de 1 600 ou 1 700 cc, le contraire aurait été trop beau. Ainsi, s'il est tout à fait possible d'acquérir une custom à la ligne flatteuse pour moins de 9 000 $, il faut aussi compter sur un niveau de performances au mieux modeste et sur des proportions qui pourraient paraître serrées à un individu de grande taille ou à un motocycliste ayant déjà pris place sur un modèle de plus grosse cylindrée. Cela dit, parce que les montures de cette classe sont souvent les motos les plus vendues au pays, il s'agit de toute évidence de compromis que bien des gens sont prêts à accepter. Pour les autres, Kawasaki propose la Vulcan 900 qui, moyennant un prix plus élevé de quelques centaines de dollars, s'attaque systématiquement à chacune des lacunes traditionnelles de la classe, en commençant par la mécanique.

Si les 903 cc du V-Twin des Vulcan 900 ne sont pas suffisants pour générer des accélérations vraiment excitantes, ils arrivent par contre à se montrer satisfaisants. Cela pourrait paraître peu intéressant, mais dans une classe où l'on se retrouve la plupart de temps à souhaiter pouvoir retirer plus de vie d'un tour d'accélérateur, le fait de pouvoir circuler de manière satisfaisante n'est certes pas banal. Le couple livré dès le relâchement du léger levier

> **DANS UNE CLASSE OÙ ON AIMERAIT TOUJOURS AVOIR PLUS, ARRIVER À ROULER DE MANIÈRE SATISFAISANTE N'EST CERTES PAS BANAL.**

d'embrayage n'est pas du même calibre que dans le cas d'une 1100, mais il amène quand même un genre d'accélération qui rendra jaloux un propriétaire de 750 ou de 800. Les Vulcan 900 confirment donc une fois de plus que chez les customs, tout est relatif à la cylindrée. Par rapport au reste de la classe, les Kawasaki se montrent plus puissantes à tous les régimes, à toutes les vitesses et dans toutes les situations. Les accélérations sont plus plaisantes, les dépassements plus francs et le maintien d'une vitesse sur l'autoroute plus aisé. À lui seul, le plus gros V-Twin dont bénéficient les Vulcan 900 justifie la différence de prix. La transmission n'attire aucune critique, pas plus que l'injection ou l'entraînement final par courroie.

La générosité de ces Vulcan ne s'arrête pas à leur mécanique puisqu'elles ont aussi l'avantage d'offrir des proportions de grosse cylindrée. Une Vulcan 900 Classic est même plus large et plus longue qu'une Fat Boy... Heureusement, comme leur masse est judicieusement répartie, la facilité de prise en main est telle que même une clientèle novice pourrait envisager les modèles. Malgré des poids considérables, elles s'allègent dès que les roues tournent (Classic et Classic LT; Custom non essayée au moment d'aller sous presse), se montrent agréablement légères en amorce de virage et demeurent solides en milieu de courbe.

Enfin, la position de conduite dégagée et équilibrée accueille le pilote de manière très naturelle, mais la selle ne reste confortable que sur des distances moyennes, et la suspension arrière peut se montrer sèche si l'état de la route est mauvais.

Différences à l'américaine

Depuis des dizaines et des dizaines d'années, Harley-Davidson utilise le partage des plateformes pour multiplier les modèles de sa gamme. Les Japonais y ont mis le temps, mais ils commencent aujourd'hui à appliquer ce principe tellement sensé pour un créneau où le style passe avant tout. En gros, on construit un ensemble châssis-moteur, et on apprête à autant de sauces que l'imagination des stylistes le permet. Ayant été conçue de cette façon, la nouvelle Vulcan 900 Custom reprend exactement la mécanique et la partie cycle de la variante Classic lancée l'an dernier, sauf pour le train avant qui est dans ce cas confié à une fourche écartée et à une grande et mince roue avant. L'angle d'ouverture de la colonne de direction semble plus grand, mais il est identique à celui de la Classic. Il s'agit en fait d'une illusion créée par la hauteur de la roue de 21 pouces (par rapport à 16 pouces sur la Classic) qui soulève l'avant de la moto. Le réservoir d'essence et l'instrumentation sont identiques sur les deux variantes, mais la Custom gagne des garde-boue avant et arrière, une selle, un guidon et un phare avant qui sont propres au modèle. Les plateformes et le sélecteur de vitesses à bascule de la Classic font par ailleurs place à des repose-pieds en position avancée et à un sélecteur de vitesses standard sur la Custom. Enfin, les roues à rayons du modèle lancé l'an dernier font place à un disque plein à l'arrière et à l'une des plus belles roues avant d'origine du marché sur la nouveauté. Le prix est identique pour les deux variantes.

avant, après...

Afin de bien imbiber les journalistes présents de l'ambiance custom, Kawasaki a choisi de lancer sa Vulcan 900 Classic durant le fameux Daytona Bike Week. S'il fut en effet intéressant de se balader en plein mois de mars dans une ville littéralement envahie de centaines de milliers de motos, comme le font d'ailleurs chaque année plusieurs Québécois, l'occasion de mettre non pas les deux pieds, mais bien les deux roues dans le sable fut celle que l'auteur apprécia le plus. Bien sûr, on ne parle pas de la beauté d'un décor alpin et du tracé torturé des routes qui le traversent, mais rouler durant des kilomètres sur une plage bordée de l'Atlantique, les narines gavées d'air salin et les oreilles chatouillées des gémissements de mouettes tombe aussi dans la catégorie des belles expériences à moto. Surtout en fin de journée, lorsque tout le monde s'apprête à aller « bouér », et qu'on a la plage à soi.

Prises sur la plage du compté de Daytona Beach en Floride, durant la présentation officielle de la Vulcan 900 Classic, les photos sont de l'excellent Tom Riles, de Riles et Nelson, qui n'avait pas peur pour les mouettes, mais plutôt des mouettes, puisque celle-ci semblaient insister pour passer juste au-dessus de lui, après s'être envolées...

VITESSE DE POINTE
168 km/h
ACCÉLÉRATION SUR 1/4 MILLE
14,7,141 km/h

‹ indice d'expertise ›

‹ rapport valeur/prix

Voir légende page 7

EXPERT **E**
INTERMÉDIAIRE **I**
NOVICE **N**

Général

catégorie	Custom/Tourisme léger
prix	Classic, Custom : 9 449 $ Classic LT : 10 999 $
garantie	1 an (LT : 2 ans)/kilométrage illimité
couleur(s)	Classic : rouge, noir, titane, bleu Custom : noir, bleu Classic LT : rouge et titane, noir et argent)
concurrence	Harley-Davidson Sportster 883, Honda Shadow 750, Suzuki Boulevard C50

partie cycle

TYPE de cadre	double berceau, en acier
suspension avant	fourche conventionnelle de 41 mm non ajustable
suspension arrière	monoamortisseur ajustable en précharge
freinage avant	1 disque de 300 mm de Ø avec étrier à 2 pistons
freinage arrière	1 disque de 270 mm de Ø avec étrier à 2 pistons
pneus avant/arrière	130/90-16 (Custom : 80/90-21) & 180/70-15
empattement	1 645 mm
hauteur de selle	680 mm (Custom : 685 mm)
poids à vide	Classic : 253 kg; Custom : 249 kg; Classic LT : 270 kg
réservoir de carburant	20 litres

moteur

TYPE	bicylindre 4-temps en V à 55 degrés, SACT, 4 soupapes par cylindre, refroidissement par liquide
alimentation	injection à 2 corps de 34 mm
rapport volumétrique	9,5:1
cylindrée	903 cc
alésage et course	88 mm x 74,2 mm
puissance	54 ch @ 6 000 tr/min
couple	60,6 lb-pi @ 3 500 tr/min
boîte de vitesses	5 rapports
transmission finale	par courroie
révolution à 100 km/h	n/d
consommation moyenne	5,8 l/100 km
autonomie moyenne	344 km

conclusion

Compte tenu des compromis parfois frustrants que dictent les obligatoires bas prix des montures qui composent cette classe, la proposition amenée par Kawasaki, avec ses Vulcan 900, prend la forme d'une rafraîchissante et fort plaisante dose de générosité. La finition de la mécanique, les lignes soignées, l'attention aux détails, les composantes prisées comme l'entraînement par courroie et l'injection, et surtout l'agrément de conduite amené par le cubage supérieur de la mécanique sont autant d'avantages qu'elles ont sur la concurrence. Il est vrai que, pour en faire l'acquisition, le constructeur exige un montant légèrement plus élevé que ce qui est aujourd'hui devenu la norme de la catégorie, mais il est tout aussi indéniable qu'il s'agit d'un de ces cas où un supplément achète un produit clairement supérieur à la moyenne.

Vulcan 900 Classic LT

 **QUOI DE NEUF EN 2007 ?**

Introduction d'une nouvelle variante, la Vulcan 900 Custom

Classic LT coûte 100 $ de plus qu'en 2006

Aucune augmentation pour la Classic

PAS MAL

Une mécanique douce et plus agréable que la moyenne de la classe dans toutes les situations allant des départs à la conduite sur autoroute en passant par les dépassements; à lui seul, le plus gros V-Twin justifie le supplément

Un châssis au comportement très sain et une facilité de prise en main qui impressionne pour une moto de telles proportions et d'un tel poids

Une valeur exceptionnelle non seulement en raison des avantages amenés par la mécanique de plus grosse cylindrée, mais aussi au niveau de la belle finition, de l'attention aux détails, de l'injection, de l'entraînement par courroie, etc.

 BOF

Une selle qui n'est pas mauvaise dans le cadre d'une utilisation sur de courtes ou moyennes distances, mais dont le confort n'est pas très impressionnant sur des trajets plus longs

Une suspension arrière qui se montre occasionnellement rude lorsque la qualité du revêtement est mauvaise

Un pare-brise sur la version LT qui, comme c'est d'ailleurs le cas pour la majorité des customs équipées de la sorte, génère d'agaçantes turbulences à la hauteur du casque à des vitesses d'autoroute

Kawasaki

La dernière 600 polyvalente...

La présence sur le marché de la ZZR600 amène un choix particulièrement intéressant pour l'amateur de sportives qui n'a ni l'intention de gagner des courses ni d'intérêt pour le comportement extrême des 600 qui pourraient lui permettre de le faire. Pour ceux qui ne l'auraient pas reconnue, il s'agit de la dernière des ZX-6R « à tout faire » qui fut construite, donc la génération de 2000 à 2002. Aucun changement n'est apporté en 2007.

Même s'il y a à peine 5 ans qu'elle a disparu de la gamme, on jurerait que le concept de la ZZR600 remonte à 15 ans tellement les progrès ont été fulgurants dans cette classe depuis 2002. Il ne s'agit ni de la génération lancée en 1995 ni de celle de 1998, mais plutôt de celle de 2000, la dernière évolution du modèle avant qu'il soit remplacé par une ZX-6R très pointue en 2003. Clairement plus corpulente que les 600 actuelles, elle force le pilote à faire le tour du large réservoir avec ses bras, ce dernier écartant aussi les jambes. La position est sportive, mais reste quand même dégagée, tandis que la protection au vent s'avère agréablement généreuse. La selle n'a jamais été un exemple de confort, surtout en raison des arêtes qui définissent sa forme. Malgré son thème moins extrême, la ZZR ne peut donc pas être considérée comme une véritable routière.

Bien que son niveau de performances soit clairement inférieur à celui des 600 courantes, même un pilote expérimenté trouvera amplement de puissance pour s'amuser. Les mi-régimes ne sont pas méchants du tout et les tours grimpent avec acharnement de 10 000 tr/min jusqu'à la zone rouge de 14 500 tr/min. En pleine accélération, le rugissement strident du 4-cylindres est particulièrement excitant.

En dépit de son retard technologique, la ZZR600 demeure parfaitement capable de boucler des tours de piste à un rythme relativement élevé, un fait qui illustre bien la qualité de sa tenue de route, qui reste d'un calibre impressionnant.

KAWASAKI
ZZR600

Général

catégorie	Sportive
prix	9 999 $
garantie	1 an/kilométrage illimité
couleur(s)	noir
concurrence	Yamaha YZF-R6S et YZF600R

Moteur

type	4-cylindres en ligne 4-temps, DACT, 4 soupapes par cylindre, refroidissement par liquide
alimentation	4 carburateurs à corps de 36 mm
rapport volumétrique	12:8
cylindrée	599 cc
alésage et course	66 mm x 43,8 mm
puissance	110 ch @ 12 500 tr/min
couple	48,5 lb-pi @ 10 000 tr/min
boîte de vitesses	6 rapports
transmission finale	par chaîne
révolution à 100 km/h	environ 4 800 tr/min
consommation moyenne	5,9 l/100 km
autonomie moyenne	305 km

Partie cycle

type de cadre	périmétrique, en aluminium
suspension avant	fourche conventionnelle de 46 mm ajustable en précharge, compression et détente
suspension arrière	monoamortisseur ajustable en précharge, compression et détente
freinage avant	2 disques de 300 mm de Ø avec étriers à 6 pistons
freinage arrière	1 disque de 220 mm de Ø avec étrier à 1 piston
pneus avant/arrière	120/65 ZR17 & 180/55 ZR17
empattement	1 400 mm
hauteur de selle	820 mm
poids à vide	171 kg
réservoir de carburant	18 litres

NINJA 500R

Général

catégorie	Routière Sportive
prix	6 899 $
garantie	1 an/kilométrage illimité
couleur(s)	titane, jaune
concurrence	Suzuki GS500F

moteur

type	bicylindre parallèle 4-temps, DACT, 4 soupapes par cylindre, refroidissement par liquide
Alimentation	2 carburateurs à corps de 34 mm
Rapport volumétrique	10,8:1
cylindrée	498 cc
Alésage et course	74 mm x 58 mm
Puissance	60 ch @ 10 000 tr/min
couple	34 lb-pi @ 8 500 tr/min
Boîte de vitesses	6 rapports
Transmission finale	par chaîne
Révolution à 100 km/h	environ 6 500 tr/min
consommation moyenne	5,0 l/100 km
Autonomie moyenne	360 km

Partie cycle

Type de cadre	périmétrique, en acier
suspension avant	fourche conventionnelle de 37 mm non ajustable
suspension arrière	monoamortisseur ajustable en précharge
freinage avant	1 disque de 280 mm de Ø avec étrier à 2 pistons
freinage arrière	1 disque de 230 mm de Ø avec étrier à 1 piston
pneus avant/arrière	110/70-17 & 130/70-17
empattement	1 435 mm
hauteur de selle	775 mm
poids à vide	176 kg
Réservoir de carburant	18 litres

Kawasaki

Bon départ...

La quête de la meilleure manière de s'initier à la moto constitue l'un des débats les plus vivants du motocyclisme moderne. Bien qu'on s'entende généralement pour dire que la vraie réponse passe par l'évaluation du futur pilote bien avant celle du modèle choisi, dans les faits, cela n'est jamais appliqué. La Ninja 500R est l'une des rares montures qui, grâce à son comportement sain et amical, puissent être envisagées par à peu près n'importe quel débutant.

Beaucoup de novices intéressés par les sportives préfèrent prendre le risque potentiellement plus élevé qu'amène une agressive 600 de pointe que d'être vus sur une moto de débutants. Malheureusement, les modèles projetant une image excitante, mais dont le comportement reste prévisible sont extrêmement rares. Bien qu'elle n'affiche pas la ligne la plus aguichante qui soit, la bonne vieille Ninja 500R demeure une excellente manière de s'initier de façon amusante et consciencieuse au pilotage d'une sportive. Le moteur de 60 chevaux assure des accélérations qui satisferont un pilote débutant, voire intermédiaire, sans jamais risquer de le surprendre. Une puissance utilisable arrive étonnamment tôt sur la plage de régimes et grimpe ensuite de façon constante jusqu'à un amusant punch à l'approche de la zone rouge. Les vibrations sont toujours présentes, mais leur nature n'affecte pas le confort.

La Ninja 500R dispose d'une hauteur de selle très faible et son poids est peu élevé, des caractéristiques qui mettent le pilote immédiatement en confiance. Elle demeure toujours stable et se montre extrêmement légère à lancer en virage, où elle fait preuve d'un comportement neutre, bien planté et précis même en forte inclinaison. Les freinages s'effectuent de manière nette et précise.

Même sur les longs trajets, le confort demeure élevé grâce à une très bonne selle, à une protection adéquate, au calibrage réaliste des suspensions et à la position de conduite relevée.

Kawasaki

ex-ninja...

Dans certains pays de l'Europe et au Japon, la législation oblige les manufacturiers à produire des motos de petite cylindrée dont certaines sont même extrêmement poussées. Le seul de ces modèles commercialisé chez nous est la ZZR250, autrefois la Ninja 250R. Propulsée par un petit bicylindre parallèle de 248 cc refroidi par liquide, elle revient sans aucun changement en 2007.

Contrairement à la grande majorité des motos destinées à une clientèle débutante, la petite ZZR250 a le mérite d'afficher une ligne sportive excitante et soignée. Bien qu'on constate facilement, de près, qu'il s'agit d'une moto de petite cylindrée dont les dimensions sont plus réduites que celles d'une sportive normale, en reculant de quelques mètres, on croirait carrément voir l'ancienne ZZR600. L'illusion s'éteint toutefois dès qu'on enfourche enfin la petite ZZR puisque sa selle est si basse et sa masse tellement faible qu'elle arrive même à faire paraître obèse une compacte 600 sportive. La qualifier de « scooter sportif » ne serait pas s'éloigner beaucoup de la réalité.

Avec un régime maximal fixé à 14 000 tr/min et près de 40 chevaux sous le capot, il reste qu'on est loin d'avoir affaire à une 250 ordinaire. Bien que l'obtention des meilleures performances implique l'utilisation de tous les régimes disponibles, on peut arriver à circuler normalement en ville et même sur l'autoroute sans avoir recours à des tours trop élevés. Si l'on ne peut décidément pas parler de souplesse, on bénéficie quand même de prestations beaucoup moins anémiques que celles d'autres 250 comme les Suzuki Marauder 250 et Honda Rebel 250.

Grâce à une bonne selle, à une position de conduite relevée, à une protection au vent correcte, à une mécanique dont les vibrations sont bien contrôlées et à des suspensions très souples – pour ne pas dire molles – la ZZR250 arrive à offrir un niveau de confort appréciable.

KAWASAKI
ZZR250

Général

catégorie	Routière Sportive
prix	6 299 S
garantie	1 an/kilométrage illimité
couleur(s)	bleu, noir
concurrence	aucune

moteur

type	bicylindre parallèle 4-temps, DACT, 4 soupapes par cylindre, refroidissement par liquide
alimentation	2 carburateurs à corps de 30 mm
rapport volumétrique	12,4:1
cylindrée	248 cc
alésage et course	62 mm x 41,2 mm
puissance	38 ch
couple	18 lb-pi
boîte de vitesses	6 rapports
transmission finale	par chaîne
révolution à 100 km/h	environ 7 500 tr/min
consommation moyenne	4,5 l/100 km
autonomie moyenne	400 km

partie cycle

type de cadre	périmétrique, en aluminium
suspension avant	fourche conventionnelle de 37 mm non ajustable
suspension arrière	monoamortisseur ajustable en précharge
freinage avant	1 disque de 300 mm de Ø avec étrier à 2 pistons
freinage arrière	1 disque de 220 mm de Ø avec étrier à 2 pistons
pneus avant/arrière	100/80-17 & 140/70-17
empattement	1 405 mm
hauteur de selle	760 mm
poids à vide	148 kg
réservoir de carburant	18 litres

VULCAN 1500

Général

catégorie	Custom
prix	12 699 $ (noir : 12 499 $)
garantie	1 an/kilométrage illimité
couleur(s)	noir et argent, noir
concurrence	Harley-Davidson Sportster 1200, Honda VTX1300, Yamaha V-Star 1300

moteur

type	bicylindre 4-temps en V à 50 degrés, SACT, 4 soupapes par cylindre, refroidissement par liquide
alimentation	injection à 2 corps de 36 mm
rapport volumétrique	9:1
cylindrée	1 470 cc
alésage et course	102 mm x 90 mm
puissance	64 ch @ 4 500 tr/min
couple	83,9 lb-pi @ 2 800 tr/min
boîte de vitesses	5 rapports
transmission finale	par arbre
révolution à 100 km/h	environ 2 700 tr/min
consommation moyenne	7,2 l/100 km
autonomie moyenne	263 km

partie cycle

type de cadre	double berceau, en acier
suspension avant	fourche conventionnelle de 41 mm non ajustable
suspension arrière	2 amortisseurs ajustables en détente
freinage avant	1 disque de 300 mm de Ø avec étrier à 2 pistons
freinage arrière	1 disque de 270 mm de Ø avec étrier à 2 pistons
pneus avant/arrière	130/90-16 & 150/80-16
empattement	1 665 mm
hauteur de selle	700 mm
poids à vide	299 kg
réservoir de carburant	19 litres

une très belle valeur...

L'expression qui qualifie un produit de beau, bon et pas cher est un cliché qui colle particulièrement bien à la Vulcan 1500 Classic. Visuellement, sans qu'il s'agisse d'une œuvre d'art, le modèle reste encore agréable à regarder, tandis que techniquement, il fait tout ce qu'il a à faire sans jamais rouspéter, surtout depuis l'arrivée de l'injection. Il s'agit du cas classique d'un produit périmé, mais encore très fonctionnel et offert à bon prix.

Plusieurs acheteurs potentiels mais prudents pourraient se montrer sceptiques face à une affaire qui semble trop belle pour être vraie, mais la réalité est que la Vulcan 1500 Classic représente une des rares occasions où il n'y a pas d'attrape et seulement un bon achat à faire. Kawasaki a tout simplement réduit de façon assez radicale le prix d'une moto qu'il produisait depuis longtemps, de manière à aider le modèle à conserver un certain intérêt dans un marché rempli de rivales plus jolies et plus modernes.

Malgré son âge et une cylindrée légèrement inférieure à celle des modèles plus récents, la Vulcan 1500 Classic n'accuse pas vraiment de déficit en performance pure face à ces dernières. Le V-Twin qui l'anime tire bien son épingle du jeu en grondant et en tremblant comme il se doit pour un moteur de cette configuration. Il se montre bien rempli dans la partie inférieure de sa plage de régimes, tandis que ses vibrations restent sous contrôle et sont toujours plaisantes.

La position de conduite de la 1500 Classic ne diffère que légèrement de celle d'une custom courante. Elle est détendue et ne peut être critiquée qu'au sujet du guidon qui se trouve un peu plus haut que ne le veut la tendance actuelle. Quant au comportement routier, s'il est en recul par rapport aux belles manières des dernières customs, ce n'est que très légèrement. D'une façon générale, la tenue de route est saine, tandis que le poids considérable à l'arrêt semble disparaître dès qu'on se met en mouvement.

pas traditionnelle...

Malgré le fait que la tradition insiste fortement pour que la configuration d'une mécanique de custom soit du type V-Twin, c'est un bicylindre parallèle aux origines sportives qui anime la petite Vulcan 500 LTD. Le modèle qui traîne depuis une dizaine d'années tout en bas de la gamme de customs de Kawasaki, revient une année de plus sans le moindre changement en 2007.

L a Vulcan 500 LTD est ce qu'on appelle une monture d'entrée de gamme. Une moto pas franchement excellente, pas franchement mauvaise, conçue pour attirer le motocycliste vers une marque ou un concept. Pour cela, les arguments sont simples et bien choisis : une puissance pas trop importante, mais assez pour se sentir sur une moto, un prix raisonnable, une esthétique légèrement aguichante mais pas aguicheuse, une facilité de prise en main, etc. Elle existe pour donner le goût... d'aller voir plus loin. Honda fait de même avec sa Shadow VLX600, et Yamaha avec sa plus petite V-Star. Contrairement à ces dernières, la Kawasaki commet toutefois une faute de style. C'est qu'une custom, idéalement, c'est un V-Twin, pas un Twin parallèle comme celui de la 500 LTD. Non pas que ce soit un mauvais moteur, au contraire. Ses origines sportives – il a littéralement été emprunté à la Ninja 500R, alias EX500 – lui valent une puissance et des performances plus qu'honnêtes pour une 500. Mais ces performances sont atteintes avec des tours relativement élevés, ce qui va à l'encontre de la philosophie custom de généreux couple à bas régime. Pour le reste, les qualités sont nombreuses : un poids faible et une selle basse qui permettent une excellente agilité et une grande facilité de prise en main, une bonne stabilité, un comportement sain en virage, une position relaxe sans tomber dans l'excès et un freinage décent. Bref, il s'agit d'une excellente manière de faire ses premiers tours de roue avec facilité et simplicité, mais le tout se fera sans la traditionnelle ambiance d'un V-Twin.

VULCAN 500 LTD

général

catégorie	Custom
prix	6 799 $
garantie	1 an/kilométrage illimité
couleur(s)	noir
concurrence	Honda Shadow VLX, Suzuki Boulevard S40, Yamaha V-Star 650

moteur

type	bicylindre parallèle 4-temps, DACT, 4 soupapes par cylindre, refroidissement par liquide
alimentation	2 carburateurs à corps de 32 mm
rapport volumétrique	10,2:1
cylindrée	498 cc
alésage et course	74 mm x 58 mm
puissance	46 ch @ 7 000 tr/min
couple	33 lb-pi @ 6 000 tr/min
boîte de vitesses	6 rapports
transmission finale	par chaîne
révolution à 100 km/h	environ 5 000 tr/min
consommation moyenne	5,0 l/100 km
autonomie moyenne	300 km

partie cycle

type de cadre	double berceau, en acier
suspension avant	fourche conventionnelle de 41 mm non ajustable
suspension arrière	2 amortisseurs ajustables en précharge
freinage avant	1 disque de 300 mm de Ø avec étrier à 1 piston
freinage arrière	tambour mécanique
pneus avant/arrière	100/90-19 & 140/90-15
empattement	1 595 mm
hauteur du siège	715 mm
poids à vide	199 kg
réservoir de carburant	15 litres

KAWASAKI
KLR650

Général

catégorie	Double-Usage
prix	n/d
Garantie	1 an/kilométrage illimité
couleur(s)	vert, bleu, orange
concurrence	BMW F650GS, Honda XR650L, Suzuki DR650S

moteur

Type	monocylindre 4-temps, DACT, 4 soupapes, refroidissement par liquide
Alimentation	1 carburateur à corps de 40 mm
Rapport volumétrique	n/d
cylindrée	651 cc
Alésage et course	100 mm x 83 mm
Puissance (2007)	45 ch @ 6 500 tr/min
couple (2007)	40,5 lb-pi @ 5 500 tr/min
Boîte de vitesses	5 rapports
Transmission finale	par chaîne
Révolution à 100 km/h	n/d
consommation moyenne	n/d
Autonomie moyenne	n/d

partie cycle

Type de cadre	berceau semi-double, en acier
suspension avant	fourche conventionnelle de 41 mm non ajustable
suspension arrière	monoamortisseur ajustable en précharge et détente
Freinage avant	1 disque « à pétales » de 280 mm de Ø avec étrier à 2 pistons
Freinage arrière	1 disque « à pétales » de 240 mm de Ø avec étrier à 1 piston
Pneus avant/arrière	90/90-21 & 130/80-17
empattement	n/d
Hauteur du siège	n/d
Poids à vide	n/d
Réservoir de carburant	23 litres

double-usage de tourisme...

Après 20 ans de fidèles et loyaux services, la KLR650 sera enfin renouvelée pour 2008. L'ancien modèle continuera d'être vendu jusqu'à l'arrivée de la nouvelle version, quelque part durant l'été 2007, puis disparaîtra ensuite. La nouvelle génération ne représente pas une révolution du concept original, mais plutôt la suite logique d'un modèle qui s'est bâti au fil des ans une enviable réputation de touriste passe-partout.

TECHNIQUE

La prochaine KLR650 représentera la première évolution du modèle depuis qu'il fut mis en marché en 1987. Au lieu d'entreprendre une complexe refonte, Kawasaki a plutôt opté pour une révision sérieuse, mais relativement simple qui lui permettra probablement de garder un prix comparable, bien que sûrement plus élevé, à celui du modèle courant. Le cadre en acier ne change presque pas, tandis que le vénérable monocylindre qui anime le modèle depuis si longtemps ne reçoit qu'une mise à niveau mineure (nouveaux arbres à cames, piston légèrement modifié, nouvel allumage avec capteur de position de l'accélérateur, etc.). La qualité du comportement serait améliorée grâce à l'adoption d'une fourche de 41 mm plutôt que 38 mm, par l'installation d'un bras oscillant plus rigide à section en D, par le raffermissement des suspensions dont les débattements passent de 230 à 200 mm à l'avant et de 205 à 185 mm à l'arrière, par la présence de roues à rayons de 4 mm plutôt que 3,5 mm et par l'augmentation du diamètre des disques de freins, qui sont désormais du type à pétales. Comme la KLR650 est souvent utilisée pour le tourisme ou les longs parcours, Kawasaki a considérablement agrandi la surface du carénage en plus de redessiner la selle, d'installer un plus grand porte-bagages et d'amincir la partie arrière afin de permettre plus facilement l'installation de sacoches souples. Enfin, la capacité de refroidissement du radiateur a été améliorée de 20 pour cent et l'instrumentation a été entièrement repensée.

990 SUPER DUKE

NOUVEAUTÉ 2007

sensationnelle...

Surtout connu pour ses machines hors-route, KTM est arrivé sur la route avec quelques double-usage, puis, dernièrement, avec des montures de type supermoto. Avec la 990 Super Duke, une standard agressive, le constructeur autrichien fait son entrée dans le monde des routières. Entrée remarquée et remarquable, convenons-en. Fidèle à son habitude, KTM a fait les choses à sa façon, sans tenter d'imiter qui que ce soit, et ce, autant du point de vue de la mécanique que de celui du design. Si elle fait son entrée sur notre marché cette année, il faut savoir que la Super Duke roule en Europe depuis deux ans et que la version 2007 évolue légèrement par rapport au modèle d'origine.

L'évolution rapide et agressive de KTM sur le marché de la moto de route est absolument fascinante à observer. On perçoit très bien dans la Super Duke un parallèle avec le côté délinquant de quelques autres KTM, et en raison de certaines similitudes visuelles (suspensions à grand débattement, cadre en treillis d'acier, V-Twin exposé, échappement haut, etc.) il n'est pas rare qu'on la prenne pour un modèle dérivé de la 950 Supermoto. Dans les faits, toutefois, il n'en est rien puisque la Super Duke dispose de son propre cadre, de ses propres suspensions et de son propre V-Twin injecté de plus grosse cylindrée. Bref, il s'agit d'une autre moto. L'une des grandes différences entre la Super Duke et les autres KTM de route est par ailleurs sa position de conduite puisqu'il s'agit du premier modèle de la gamme autrichienne qui s'éloigne d'une posture de type hors-route et qui reprend une position de routière de type standard. Les jambes sont pliées de manière sportive et le guidon large, plat et haut tombe bien sous les mains. Le siège est un peu plus haut que celui d'une sportive, ce qui pourrait gêner les pilotes courts, tandis qu'on remarque que l'angle de braquage maximal du guidon n'est pas très généreux, sans toutefois être trop limité.

Le V-Twin de 999 cc qui anime la Super Duke diffère sérieusement du 950 non seulement par sa cylindrée ou parce qu'il est injecté plutôt que carburé, mais aussi parce qu'il est beaucoup plus puissant et qu'il amène un niveau de performances d'un tout autre ordre. La première chose

> **LE V-TWIN INJECTÉ FINIT PAR S'EMBALLER JUSQU'À LA ZONE ROUGE ET DEVIENT UN DÉLICE DE SENSATIONS ET DE PERFORMANCES.**

qu'on apprend de ce moteur est qu'il n'aime pas du tout qu'on le tienne sous les 2 000 tr/min, où il tousse et rouspète, et préfère plutôt tourner au moins à 3 000 tr/min. Ce qui ne cause aucun problème jusqu'à ce qu'on se retrouve en plein trafic, une situation que le dur levier d'embrayage n'aide pas. Ce qui se passe au-delà de ces régimes compense toutefois amplement ces inconvénients. Car s'il faut attendre environ 6 000 tr/min pour vraiment sentir le V-Twin s'éveiller, de là jusqu'à la zone rouge de 9 500 tr/min, il s'emballe et se transforme en un véritable délice de sensations et de performances. Plutôt doux à gaz constant, ses vibrations vous traversent littéralement les entrailles en pleine accélération, sonorité endiablée de V-Twin en prime. La sensation est aussi unique qu'intense et confirme l'impressionnant talent de KTM en ce qui a trait aux mécaniques à caractère. Les 120 chevaux soulèvent doucement mais sûrement l'avant à l'accélération en première, et il n'est pas nécessaire d'insister beaucoup pour renvoyer l'avant en l'air en seconde. L'excellente transmission rend particulièrement plaisante l'enfilade rapide de quelques rapports en conduite sportive.

Le comportement routier s'apparente à celui d'une standard à saveur sportive comme une Triumph Speed Triple, avec la différence que les suspensions de la Super Duke possèdent une souplesse suffisante pour ne pas malmener le pilote sur des routes abîmées. L'effort requis pour amorcer un virage est très faible, tandis que la solidité et la précision en courbe sont presque équivalentes à celles d'une sportive pure, si bien qu'un propriétaire qui le désirerait pourrait aisément amener une Super Duke en piste.

En théorie, la 990 Super Duke est une
standard mais en pratique, elle confond
les lois de la classification et ne devient
qu'une seule chose, une moto à sensations.
Ce V-Twin, qui était déjà extrêmement présent
dans sa version 950 à carburateur, évolue et se
transforme en une bête de caractère. Sa sonorité
rauque et vive combinée à sa capacité à secouer
les entrailles du pilote en pleine accélération, comme
le ferait la résonnance d'une mitraillette emballée,
représente une proposition unique pour les amateurs de
mécanique à caractère fort. Il s'agit sans l'ombre d'un
doute d'un des moteurs les mieux réussis du motocyclisme.

Super Duke 990

chez nous, enfin

On a souvent l'impression que pour les constructeurs européens, il n'y a que les customs qui branchent les motocyclistes nord-américains. Parce que ce raisonnement, bien qu'injuste, n'est pas entièrement faux, nous sommes souvent privés de certaines des deux-roues les plus intéressantes du marché. La KTM Super Duke en est le parfait exemple puisqu'il a fallu attendre 2 ans après son lancement de 2005 pour enfin la voir arriver chez nous. Au moins, l'attente aura valu la peine, puisque nous avons découvert en elle l'une des motos les plus viscérales de la production actuelle.

rien que pour vos yeux

À moins que KTM Canada ne change d'avis, nous ne verrons pas cette version R de la Super Duke sur notre marché. Elle se distingue d'abord du modèle original par une ligne légèrement différente, surtout en ce qui a trait à la portion arrière qui est complètement nouvelle et qui ne comporte aucune façon d'accueillir un passager. D'un point de vue technique, c'est surtout au niveau des suspensions et de la géométrie du châssis que se trouvent les différences. À l'arrière, la présence d'un amortisseur de service intense dont le débattement est plus long hausse l'arrière de la moto afin de rendre celle-ci plus incisive en amorce de virage, tandis qu'à l'avant, la fourche reçoit un revêtement antifriction. Un amortisseur de direction fait aussi partie de l'équipement de série.

LC8 : emballé et emballant

Au-delà de ses très respectables 120 chevaux, le V-Twin LC8 qui anime la Super Duke se distingue par un caractère complètement fou. Entre ce que devaient éprouver Rambo ou Al Pacino en enfonçant la gâchette d'une mitraillette et la sensation qu'on éprouve au guidon de la 990, à pleins gaz, il n'y a probablement qu'une nuance. Incroyablement vif et présent dans ses montées en régime, le V-Twin autrichien est responsable d'une très grande partie de l'agrément de pilotage du modèle.

Super Duke 990 R

VITESSE DE POINTE
235 km/h
ACCÉLÉRATION SUR 1/4 MILLE
11,0..200 km/h

indice d'expertise ▶

◀ rapport valeur/prix

Voir légende page 7
Performances estimées ◀

EXPERT	E
INTERMÉDIAIRE	I
NOVICE	N

général

catégorie	Standard
prix	16 998 $
garantie	2 ans/40 000 km
couleur(s)	noir, orange
concurrence	Benelli TNT, Buell XB12S Lightning, Triumph Speed Triple

moteur

type	bicylindre 4-temps en V à 75 degrés, DACT, 4 soupapes par cylindre, refroidissement par liquide
Alimentation	injection à 2 corps de 48 mm
Rapport volumétrique	11,5:1
cylindrée	999 cc
Alésage et course	101 mm x 62,4 mm
Puissance	120 ch @ 9 000 tr/min
couple	74 lb-pi @ 7 000 tr/min
Boîte de vitesses	6 rapports
Transmission finale	par chaîne
Révolution à 100 km/h	environ 3 500 tr/mn
consommation moyenne	6,5 l/100 km
Autonomie moyenne	292 km

partie cycle

type de cadre	treillis, en acier
suspension avant	fourche inversée de 48 mm ajustable en précharge, compression et détente
suspension arrière	monoamortisseur ajustable en précharge, compression, et en haute et basse vitesse de détente
Freinage avant	2 disques de 320 mm de Ø avec étriers radiaux à 4 pistons
Freinage arrière	1 disque de 240 mm de Ø avec étrier à 1 piston
pneus avant/arrière	120/70 ZR17 & 180/55 ZR17
empattement	1 438 mm
Hauteur de selle	855 mm
poids à vide	184 kg
Réservoir de carburant	19 litres

conclusion

Il est difficile de ne pas être très impressionné par cette Super Duke puisqu'elle démontre certaines des qualités les plus rares et les plus prisées sur une routière à sensations. S'il est vrai qu'une partie cycle aussi stable et précise se retrouve sans problème ces jours-ci, il en est tout autrement pour la mécanique qui figure tout simplement parmi les plus communicatives, les plus caractérielles et les plus gratifiantes à solliciter du motocyclisme. Nous irions sans hésiter jusqu'à dire que ce V-Twin justifie à lui seul le choix du modèle et son prix d'entrée. Évidemment, il y a cette ligne torturée, cette gueule de maniaque que personne ne confondra avec quoi que ce soit d'autre. La réalité est que KTM a réussi un coup de maître avec la Super Duke en réalisant dès son premier essai ce qui doit dorénavant être considéré comme le standard chez les standards à sensations.

QUOI DE NEUF EN 2007 ?

Modèle introduit en Europe en 2005 et que nous recevons pour la première fois au pays cette année

Étriers de frein avant à montage radial; tête de fourche, garde-boue avant et réservoir d'essence redessinés; contenance du réservoir augmentée; instrumentation revue; feu arrière clair plutôt que rouge

Injection recalibrée afin de satisfaire la norme Euro III et d'améliorer la consommation d'essence

Géométrie de direction légèrement moins radicale afin d'améliorer la stabilité

⌃ PAS MAL

Un moteur fabuleux, moderne et puissant, mais aussi exceptionnellement caractériel autant par sa sonorité que par les sensations qu'il transmet

Un châssis extrêmement bien manié qui supporte sans broncher une conduite sportive, voire extrême, et des suspensions à grand débattement qui arrivent à digérer sans rudesse nos routes abîmées

Une ligne très inhabituelle et très osée qui est aussi très rafraîchissante; KTM n'a clairement pas froid aux yeux et les résultats sont beaux à voir

BOF

Un V-Twin qui déteste carrément traîner sous les 2 000 tr/min et un effort élevé au levier qui se combinent pour rendre peu invitants les moments prolongés dans la circulation dense

Une injection généralement sans reproche, mais qui manifeste quand même occasionnellement des hésitations et qui n'est pas particulièrement douce à la réouverture des gaz (du moins sur notre modèle d'essai 2006)

Une exposition au vent totale qui, compte tenu des performances élevées du V-Twin, se traduit par une pression d'air qui devient vite difficile à supporter quand la poignée droite reste ouverte un tant soit peu longtemps

950 SUPERMOTO

concentré de folie...

La 950 Supermoto est aux montures de type supermoto ce que la 950 Super Enduro R est aux machines hors-route, soit l'interprétation d'un concept basée sur l'exagération. Il s'agit d'une supermoto extrême, propulsée non pas par un petit monocylindre, mais plutôt par un V-Twin d'un litre tout en muscle. Si l'idée vous semble folle, vous avez tout compris, car cette KTM incarne possiblement l'incitation à la désobéissance routière la plus forte du motocyclisme. Enfin offerte chez nous en 2007 — il y a déjà deux ans qu'elle roule en Europe — la 950 Supermoto représente très bien le genre de monture avec lequel la compagnie autrichienne entend bâtir sa réputation sur la route.

Il existe un tout petit groupe de motos qui arrivent à transformer les plus vertueux des motocyclistes en véritables maniaques. Heureusement, on compte à peine ces modèles sur les doigts d'une main, ce qui permet de contenir l'étendue des méfaits routiers causés par leurs propriétaires. Au sein de cette bande qui compte parmi ses membres des délinquantes aussi bien connues des autorités que la Buell XB12S et la Triumph Speed Triple, la 950 Supermoto s'impose par son manque de respect particulièrement flagrant envers les règles de la route. En fait, si une compagnie, quelque part dans le monde – ça pourrait même être en Autriche – avait un jour décidé de construire l'équivalent à deux roues d'un voyou, elle aurait difficilement mieux réussi. Étrangement, la vitesse pure n'a rien à y voir. Si tout ce que vous voulez se résume à rouler vite, vous n'aurez pas à chercher loin pour trouver beaucoup plus rapide que la 950 et sa « maigre » centaine de chevaux. Mais si le genre d'indécences qui vous branche a un peu plus de variété et de profondeur, alors la grosse Supermoto devrait retenir votre attention puisqu'elle n'est pas que particulière, elle est unique.

Perché si haut que vous touchez à peine le sol du bout des pieds, vous avez l'impression d'être à cheval sur une planche de 2 par 4 tellement la 950 est étroite. La position droite et dégagée n'est pas celle d'une routière, mais plutôt celle d'une motocross. S'il est vrai que cette posture peut être attribuée au riche héritage hors-route de KTM, le fait est qu'elle a aussi été choisie en raison de la grande sensation de contrôle qu'elle donne au pilote. Rien de très

> ### SI UNE COMPAGNIE AVAIT UN JOUR DÉCIDÉ DE CONSTRUIRE L'ÉQUIVALENT À DEUX ROUES D'UN VOYOU, ELLE AURAIT DIFFICILEMENT MIEUX RÉUSSI.

spécial jusque-là, direz-vous. Rien qui n'est pas normal pour tout propriétaire de supermoto, croirez-vous. Vrai, mais vous n'avez pas encore démarré. Car une supermoto est une chose, mais une supermoto avec un V-Twin fou d'un litre en est une tout autre. Rien sur le marché n'affiche l'impolitesse et l'arrogance du bicylindre de KTM. Contrairement au tempérament lourd de la plupart des V-Twin sportifs, celui de la 950 se montre vif dans ses montées en régime et semble comme par magie avoir été libéré de toutes les contraintes physiques inhérentes à une telle configuration. En pleine accélération, le V-Twin autrichien devient une drogue qui corrompt complètement son pilote. L'espace d'une accélération, le confort limité de la selle mince et étroite ne compte plus, pas plus que l'exposition complète au vent. L'espace d'une accélération, vous réalisez l'euphorie que peut vous apporter le caractère enragé de la mécanique et la joie de voir l'avant s'envoler si naturellement non pas en première, mais en seconde. Rien que j'ai piloté à ce jour ne se soulève de la sorte en deuxième. Dément. Peu de temps s'écoule avant qu'on réalise que cette tendance au wheelie n'est pas exclusive aux lignes droites. Ce qui signifie qu'avant longtemps, on se retrouve à sortir d'une courbe ou d'une fourche sur une seule roue, encore penché...

Évidemment, ce genre de cascades ne pourrait être régulièrement mis en pratique si ce n'était de l'incroyable stabilité de la partie cycle qui semble n'avoir aucune limite aux idioties qu'elle pardonne. Légère, agile et dotée d'un système de freinage dont la puissance est ahurissante, la 950 Supermoto fait vraiment partie d'une classe à part.

VITESSE DE POINTE
214 km/h

ACCÉLÉRATION SUR 1/4 MILLE
11,4 . 188 s à km/h

◄ indice d'expertise ►

◄ rapport valeur/prix

Voir légende page 7

EXPERT	E
INTERMÉDIAIRE	I
NOVICE	N

général

catégorie	Supermoto
prix	15 299 $
garantie	2 ans/40 000 km
couleur(s)	noir, orange
concurrence	BMW HP2 Megamoto, Ducati Hypermoto

partie cycle

type de cadre	treillis, en acier
suspension avant	fourche inversée de 48 mm ajustable en compression et détente
suspension arrière	monoamortisseur ajustable en précharge, compression et détente
freinage avant	2 disques de 305 mm de Ø avec étriers radiaux à 4 pistons
freinage arrière	1 disque de 240 mm de Ø avec étrier à 2 pistons
pneus avant/arrière	120/70 ZR17 & 180/55 ZR17
empattement	1 510 mm
hauteur de selle	865 mm
poids à vide	191 kg
réservoir de carburant	16 litres

moteur

type	bicylindre 4-temps en V à 75 degrés, DACT, 4 soupapes par cylindre, refroidissement par liquide
alimentation	2 carburateurs à corps de 43 mm
rapport volumétrique	11,5:1
cylindrée	942 cc
alésage et course	100 mm x 60 mm
puissance	98 ch @ 8 000 tr/min
couple	69,4 lb-pi @ 6 500 tr/min
boîte de vitesses	6 rapports
transmission finale	par chaîne
révolution à 100 km/h	environ 3 800 tr/mn
consommation moyenne	6,6 l/100 km
autonomie moyenne	242 km

conclusion

J'ai vite réalisé qu'il me fallait m'éloigner de toute population afin de piloter la 950 comme elle le méritait et comme je voulais le faire. Nous avons donc fui la ville en direction de régions presque désertes, et nous nous sommes finalement réfugiés sur des routes de campagne isolées. Là, à l'abri des regards indiscrets, la 950 et moi avons enfin pu librement goûter aux plaisirs de la débauche routière la plus irresponsable. Une salade de wheelies, de stoppies, de glissades et d'inclinaisons a nourri ces délicieux moments. Rassasié de l'escapade, le retour à la réalité de la ville et à la tranquillité de la société ne fut pas trop pénible. Mais la 950 et moi savons très bien que ce calme et ce respect des règles ne tiennent qu'à un fil, puisqu'il ne faudrait qu'une accélération, qu'une montée en régime pour faire tout basculer de nouveau... Lorsque nous sommes seuls, la Supermoto 950 et moi nous nous entendons à merveille, mais la réalité est que la collectivité dans laquelle nous vivons tolère très mal le genre de comportement antisocial vers lequel nous semblons inconditionnellement attirés. C'est avec tristesse que je l'ai rendue à KTM, mais peut-être cette séparation représente-t-elle une fin meilleure que celle que les autorités nous auraient tôt ou tard imposée ?

QUOI DE NEUF EN 2007 ?

Modèle lancé en 2005 et importé au Canada durant l'été 2006

Coûte 2 199 $ de moins qu'en 2006

⌃ PAS MAL

Une moto qui définit la notion de caractère mécanique et de plaisir de pilotage, et qui le fait sans avoir recours à des vitesses impensables; bien sûr, la police ne tolère pas plus les wheelies à 80 km/h que ceux à 180 km/h

Une partie cycle extrêmement agile qui pardonne à peu près tout; le retour par terre de la roue avant après un wheelie, par exemple, n'occasionne jamais de guidonnage, même si la moto est encore inclinée ou que la roue n'est pas droite

Des suspensions à grand débattement dont la souplesse permet d'absorber sans tracas la majorité des nombreuses imperfections de notre réseau routier

BOF

Un moteur en fin de carrière encore alimenté par des carburateurs occasionnellement capricieux, lors du démarrage par temps frais, par exemple

Une hauteur de selle considérable qui gênera les pilotes courts à l'arrêt, mais qui est le prix à payer pour les suspensions à long débattement essentielles à une moto comme celle-là

Un niveau de confort limité par une selle étroite et une exposition totale au vent

Votre permis de conduire souffrira, c'est presque garanti; il est très, très difficile de se comporter normalement sur la route aux commandes de la 950 Supermoto

690 SUPERMOTO

trouble de comportement...

Il semble ne jamais se passer un an sans que KTM solidifie davantage sa réputation d'artisan de délinquance. À preuve, le voilà qui se pointe en 2007 avec une toute nouvelle Supermoto à monocylindre de 690 cc, une monture selon toute vraisemblance conçue pour semer terreur et consternation chez les bonnes familles banlieusardes. Propulsée par l'un des monocylindres les plus puissants et les plus avancés du motocyclisme, la Supermoto 690 s'annonce sans la moindre gêne comme l'arme de choix du routier voyou. Il s'agit également de la supermoto de série la plus sérieusement construite à ce jour.

TECHNIQUE

Drôle d'animal, ce KTM. On n'en entendait peu ou pas parler il y a à peine 5 ans, et le voilà aujourd'hui qui se pointe dans l'univers des routières en lâchant modèle après modèle semblant n'avoir comme seul et unique but que celui de satisfaire les pires perversions des pires indisciplinés de la voix publique. À une époque où la majorité des constructeurs tentent de projeter une image aussi politiquement correcte que possible, KTM fait penser à un turbulent adolescent n'ayant d'autre préoccupation que son propre amusement. En tant qu'observateur de l'évolution du motocyclisme, *Le Guide de la Moto* ne peut qu'avouer éprouver un certain malaise devant cette politique de liberté et les « moments KTM » qu'elle engendre, car ne jouons pas à l'autruche, en fait de vaurien routier, il est un certain individu dans l'entourage immédiat du Guide qui ne donne pas sa place. On n'a qu'à se référer au texte de la Supermoto 950 pour vite saisir que si cet individu arrive généralement à se contrôler, la force de sa discipline n'est pas sans limites. Une limite que le pouvoir de perversion de la grosse Supermoto a rapidement et complètement anéantie. Or, si l'on s'en remet à la philosophie de constructeur autrichien – philosophie décrite de façon aussi claire qu'ouverte par des photos de presse au bas mot osées et des vidéos promotionnelles absolument délinquantes, ce genre de comportement apparaît non seulement normal, mais presque suggéré. Tous ces interminables wheelies, toutes ces glissades et tous ces manques de

> **DESTRUCTION DE PELOUSE PUBLIQUE, DESCENTE D'ESCALIERS ET SLALOM EN PLEINE CIRCULATION SUGGÉRÉS.**

respect pour les limites de vitesse étaient donc, euh, acceptables ? Pourtant, le ton du policier...

En présentant sa toute nouvelle 690 Supermoto, KTM récidive. À l'occasion de l'inauguration du modèle, au Salon de Cologne 2006, une autre de ces fameuses vidéos promotionnelles fut présentée. Une courte recherche sur Internet devrait permettre aux intéressés de la visionner. Comme ce fut le cas avec la version 950 un an plus tôt, on y aperçoit, sur une musique de fond endiablée, un pilote s'adonner aux actions les plus répréhensibles qu'on puisse imaginer dans un milieu urbain. Destruction de pelouse publique, wheelie en pleine circulation, slalom avec voitures en guise de bornes, escapades dans un parc et descente d'escaliers ne sont que quelques exemples de la façon avec laquelle KTM annonça au monde l'arrivée de la 690. Le problème, avec ces vidéos, n'est pas de savoir si la moto est bien capable de tout ça. À la lumière de l'essai de la 950, nous n'en doutons pas le moins du monde. Le problème n'est pas non plus de savoir s'il est responsable ou non de la part de KTM de produire et présenter publiquement de telles séquences. Le problème avec KTM, ses vidéos et ses Supermoto, c'est l'intolérance totale et entière de notre société nord-américaine envers ce genre de comportements. Et dans la mesure où ils sont réalisés en pleine circulation, bon, elle a sans doute raison, la société. Mais merde, y a-t-il vraiment quelque chose de si mal à s'amuser un peu, en choisissant l'endroit et le moment, et tant qu'on a bien entendu le talent nécessaire pour le faire ?

survol d'une super mono

La nouvelle 690 Supermoto semble a priori difficile à catégoriser pour la simple et bonne raison que rien de tel qui soit légal sur route n'existe sur le marché. Il est vrai que la 625 SMC, discontinuée cette année, a précédé la 690, mais elle n'était en réalité qu'une 640 Adventure sous laquelle avaient été installées des roues larges de 17 pouces montées de gommes sportives. La nouveauté, elle, n'est dérivée d'aucune autre base. Voici ses principaux points d'intérêts.

Système d'échappement à silencieux double à grand volume afin de maximiser puissance et couple, minimiser le bruit et permettre le tout en respectant la sévère norme Euro III. L'angle inhabituel permet de garder la masse des silencieux plus proche du centre de gravité.

Position de type hors-route donnant au pilote une sensation de contrôle.

Style très angulaire qui est devenu la signature visuelle de KTM sur la route.

Fourche inversée WP de 48 mm ajustable dans tous les sens avec 210 mm de débattement.

Selle étroite et très avancée donnant un large éventail de positions possibles au pilote.

Bras oscillant unique en raison de son design évidé; lié à un mono-amortisseur WP entièrement réglable avec débattement de 210 mm.

Cadre léger en treillis d'acier exclusif à la Supermoto 690.

Monocylindre injecté de 690 cc extrêmement compact et léger affichant la puissance la plus élevée jamais annoncée pour une telle cylindrée avec ses 65 chevaux. Couplé à une transmission à 6 rapports avec embrayage à limiteur de contre-couple.

fin de parcours

Si KTM continue de faire évoluer sa gamme au même rythme et dans la même direction, les chances que la 640 Adventure en soit à ses derniers tours de roues en 2007 sont grandes. Toujours en utilisant la même logique, sa remplaçante sera vraisemblablement propulsée par le nouveau mono de 690 cc inauguré cette année sur la Supermoto, ce qui donnerait une 690 Adventure.

En dépit de son âge surtout apparent au niveau de sa mécanique et de la quantité importante de vibration qu'elle génère, la 640 Adventure représente toujours l'une des, sinon la plus sérieuse monture de ce genre et de cette cylindrée sur le marché. Elle est toujours offerte cette année, sans aucun changement autre qu'une réduction du prix de détail de l'ordre de 500 $.

640 Adventure

VITESSE DE POINTE
180 km/h

ACCÉLÉRATION SUR 1/4 MILLE
13,0..160 km/h

indice d'expertise ▶

◀ rapport valeur/prix

Voir légende page 7
Performances estimées ◀

EXPERT	E
INTERMÉDIAIRE	I
NOVICE	N

général

catégorie	Supermoto
prix	10 998 $
garantie	1 ans/20 000 km
couleur(s)	noir, orange
concurrence	Suzuki DR-Z400SM, BMW G650X Moto

partie cycle

type de cadre	treillis, en acier
suspension avant	fourche inversée de 48 mm ajustable en compression et détente
suspension arrière	monoamortisseur ajustable en précharge, compression et détente
freinage avant	1 disque de 320 mm de Ø avec étrier radial à 4 pistons
freinage arrière	1 disque de 240 mm de Ø avec étrier à 1 piston
pneus avant/arrière	120/70 ZR17 & 160/60 ZR17
empattement	1 460 mm
hauteur de selle	875 mm
poids à vide	152 kg
réservoir de carburant	16 litres

moteur

type	monocylindre 4-temps, SACT, 4 soupapes, refroidissement par liquide
alimentation	injection
rapport volumétrique	n/d
cylindrée	690 cc
alésage et course	102 mm x 80 mm
puissance	65 ch
couple	n/d
boîte de vitesses	6 rapports
transmission finale	par chaîne
révolution à 100 km/h	n/d
consommation moyenne	n/d
autonomie moyenne	n/d

conclusion

La raison pour laquelle KTM fait la promotion de certains de ses modèles routiers en prônant la désobéissance urbaine est évidemment de se faire un nom, une réputation, une couleur. Il a choisi, pour créer sa place dans l'univers de la moto de route, la voix de la passion viscérale et certainement pas celle de la raison. Si cela nous semble tellement choquant, c'est qu'aucun autre constructeur sur terre n'a jamais osé ni n'oserait jamais utiliser une telle stratégie. Nous ne pouvons bien sûr rien avancer sur la Supermoto 690 puisque ce n'est qu'à l'été 2007, longtemps après la publication du Guide, que son essai se fera. Et le concept d'un mono tellement poussé installé dans un châssis à la sauce supermoto nous est trop peu familier pour que nous risquions une quelconque prédiction. Cela dit, si l'expérience de la 950 est une indication de ce que réserve la 690, nous connaissons un certain individu qui devrait dès maintenant songer à garder quelques points de démérite en réserve.

⊙ QUOI DE NEUF EN 2007 ?

Nouveau modèle

⌃ PAS MAL

Un caractère moteur qu'on souhaite fort et plaisant, mais intelligemment dosé, donc, exempt de vibrations excessives; KTM a prouvé hors de tout doute être capable d'une telle qualité avec un V-Twin, il reste à voir ce qu'il arrivera à faire avec un mono

Un degré d'agilité qu'on attend exceptionnel et rien de moins; le poids raisonnable, la minceur de l'ensemble, la position de type hors-route et le large guidon pointent tous dans cette direction

Une expérience de pilotage qui pourrait, si les dires du constructeur s'avèrent justes, être presque unique au motocyclisme

⌄ BOF

Une hauteur de selle importante, comme c'est très souvent le cas sur les KTM; le constructeur ne semble tout simplement pas prêt à faire le moindre compromis technique qui diluerait le caractère de ses modèles

Un monocylindre très poussé qui génère des questions en ce qui concerne la fiabilité à long terme et le niveau de vibration; le constructeur, lui, annonce une mécanique éprouvée et douce; on verra

Une ligne angulaire, des traits très prononcés et un système d'échappement, disons, intéressant, qui engendrent une certaine controverse depuis la première photo du modèle

990 ADVENTURE

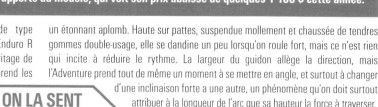

GS autrichienne...

La division actuellement en cours au sein de la classe des grosses aventurières met d'un côté les modèles qui s'avouent prioritairement routiers et, de l'autre, ceux comme la 990 Adventure qui continuent de prétendre offrir une nature double-usage. Avec le changement d'attitude de la Triumph Tiger qui enfile en 2007 des gommes sportives et change de camp, la KTM se retrouve soudainement seule face à la BMW R1200GS du côté des aventurières tout terrain. L'arrivée cette année d'un V-Twin 990 cc de nouvelle génération, une mécanique finalement injectée, constitue le plus important changement apporté au modèle, qui voit son prix abaissé de quelques 1 100 $ cette année.

Même si la 990 Adventure retient une conception de type prioritairement routière – par opposition à une 950 Super Enduro R qui est une moto hors-route surdimensionnée –, le riche héritage de compétition hors-route de KTM est instantanément ressenti lorsqu'on en prend les commandes. À la différence de la BMW R1200GS dont la position rappelle celle d'une routière, sur la 990, on jurerait être assis sur une grosse machine de sentiers en raison de la posture relevée et avancée. Un large guidon entre les mains, à cheval sur une selle longue, relativement étroite et assez haute pour faire pointer des pieds un grand pilote, l'impression de la grosse moto de sentier se maintient. Loin d'être dérangeante, cette position est au contraire dégagée et laisse une impression de contrôle très marquée. Ceux qui comptent sortir l'Adventure de la route découvriront une monture qu'on sent raisonnablement à l'aise tant que les conditions se limitent à des chemins de terre ou de roche, surtout s'ils sont ouverts, compactés et qu'ils permettent de maintenir des vitesses élevées, un genre de situation où les suspensions à grand débattement se montrent très bien maniérées. Il est possible d'amener l'Adventure dans des terrains beaucoup plus accidentés, voire carrément dans des sentiers, mais il s'agit dans ces conditions d'une moto haute et lourde qui demande une bonne expérience de la part du pilote. De retour sur l'asphalte, malgré ses airs de machine de rallye, l'Adventure se montre capable d'avaler une enfilade de virages avec un étonnant aplomb. Haute sur pattes, suspendue mollement et chaussée de tendres gommes double-usage, elle se dandine un peu lorsqu'on roule fort, mais ce n'est rien qui incite à réduire le rythme. La largeur du guidon allège la direction, mais l'Adventure prend tout de même un moment à se mettre en angle, et surtout à changer d'une inclinaison forte a une autre, un phénomène qu'on doit surtout attribuer à la longueur de l'arc que sa hauteur la force à traverser.

Le V-Twin de 990 cc de nouvelle génération qui anime l'Adventure offre un niveau de performances très semblable à celui de 950 cc, mais il constitue une nette amélioration du côté pratique puisqu'on n'a plus besoin de l'enrichisseur au démarrage et parce que d'une manière générale, le rendement est plus civilisé et régulier. Le caractère tellement fort qu'il en était presque impoli de l'ancienne mécanique à carburateurs est légèrement adouci sur la nouvelle, mais il reste très présent. Le Twin injecté est bel et bien une amélioration par rapport à son prédécesseur, mais il continue de représenter l'une des expériences mécaniques les plus excitantes du moment. La puissance est suffisante pour envoyer l'avant en l'air en pleine accélération, sur le premier rapport, ce qu'on prend vite plaisir à faire régulièrement. La souplesse n'est toutefois pas exceptionnelle puisque le V-Twin n'aime pas traîner à très bas régime sur un rapport élevé. Tant qu'on garde les tours un peu plus hauts, elle tire de manière très plaisante et toujours plus à mesure que l'aiguille approche le rouge. L'excellente boîte de vitesses ne fait qu'ajouter à l'agrément de conduite.

> **ON LA SENT RAISONNABLEMENT À L'AISE TANT QUE LES CONDITIONS SE LIMITENT À DES CHEMINS DE ROCHE OU DE TERRE TAPÉE.**

VITESSE DE POINTE

207 km/h

ACCÉLÉRATION SUR 1/4 MILLE

11,8 s à **179** km/h

indice d'expertise ▶

◀ rapport valeur/prix

E
I
N

Voir légende page 7

EXPERT	E
INTERMÉDIAIRE	I
NOVICE	N

général

catégorie	Routière Aventurière
prix	16 898 $
garantie	2 ans/40 000 km
couleur(s)	noir, orange
concurrence	BMW R1200GS et R1200GS Adventure

moteur

type	bicylindre 4-temps en V à 75 degrés, DACT, 4 soupapes par cylindre, refroidissement par liquide
alimentation	injection à 2 corps de 48 mm
rapport volumétrique	11,5:1
cylindrée	999 cc
alésage et course	101 mm x 62,4 mm
puissance	98 ch @ 8 500 tr/min
couple	70 lb-pi @ 6 500 tr/min
boîte de vitesses	6 rapports
transmission finale	par chaîne
révolution à 100 km/h	environ 3 500 tr/mn
consommation moyenne	6,5 l/100 km
autonomie moyenne	338 km

partie cycle

type de cadre	treillis, en acier
suspension avant	fourche inversée de 48 mm ajustable en précharge, compression et détente
suspension arrière	monoamortisseur ajustable en précharge, compression et détente
freinage avant	2 disques de 300 mm de Ø avec étriers à 2 pistons
freinage arrière	1 disque de 240 mm de Ø avec étrier à 2 pistons
pneus avant/arrière	90/90-21 & 150/70-18
empattement	1 570 mm
hauteur de selle	860 mm
poids à vide	199 kg
réservoir de carburant	22 litres

conclusion

Avec l'arrivée de la BMW HP2 et de la 950 Super Enduro R de KTM, on a cru un instant que les grosses aventurières comme cette 990 Adventure étaient devenues désuètes, puisque surpassées par des modèles plus légers, plus performants et plus spécialisés. Mais la réalité est que ces nouveautés sont tellement spécialisées qu'elles ne s'adressent qu'à un tout petit pourcentage des propriétaires d'aventurières. Pour les autres, la 990 représente non seulement une moto capable d'affronter les pires routes non pavées, mais elle se veut aussi une routière accomplie, équipée d'une excellente mécanique et dotée d'un comportement plaisant et équilibré sur la route. Essayez un peu de dire la même chose d'une HP2 ou d'une Super Enduro R.

 QUOI DE NEUF EN 2007 ?

Adoption du V-Twin injecté de 999 cc de nouvelle génération

Coûte 1 100 $ de moins qu'en 2006

 PAS MAL

Un V-Twin qui compte parmi les moteurs les plus caractériels du motocyclisme, et qui bénéficie maintenant des nombreux avantages d'un système d'injection

Des suspensions souples dont les longs débattements nivellent les pires défauts de la route et qui se débrouillent très bien sur les chemins non pavés

Un comportement routier étonnamment solide et précis qui permet un amusement réel en pilotage sportif

⌄ **BOF**

Une selle qui n'est pas mauvaise mais qui ne représente pas un standard en matière de confort

Une hauteur de selle considérable qui gênera les pilotes courts sur pattes

Une ligne très particulière, pour ne pas dire tourmentée, dont la nature angulaire et les proportions continuent de susciter des opinions très partagées

950 SUPER ENDURO R

Alerte dopage...

Dans l'univers des machines hors-route où plus ou moins 500 centimètres cubes représentent une cylindrée forte, KTM lance un monstre d'un litre tout juste légal sur la route et propulsé par l'un des V-Twin les plus rageurs de la production courante. Réponse à une question que personne n'a posée, ou réplique à un certain constructeur voisin basé à Munich et à la HP2 qu'il a lancée l'an dernier ? Un peu oui et oui. Ainsi naît donc ce qui doit être considéré comme un tout nouveau créneau chez les montures double-usage. Comme il faut les catégoriser, *Le Guide de la Moto* choisit le terme Super Aventurière pour les décrire. Cramponez-vous, c'est le cas de le dire...

J'ai posé mon derrière sur pas mal de motos au fil des ans, de tranquilles customs jusqu'aux furieuses sportives d'un litre actuelles en passant par tout ce qu'il y en entre. Parfois, il est vrai, un tout nouveau concept où un niveau de performance relevé exige une certaine période d'adaptation, mais elle ne dure jamais très longtemps. Là, toutefois, je n'y parviens pas. Humblement, je m'avoue dépassé. Moi qui perds déjà vite mes points de repère lorsqu'il s'agit de quitter le bitume pour quoi que ce soit de granuleux ou de boueux, me voilà perché sur ce qui doit probablement être l'engin le plus brutal de l'univers hors-route. Pour saisir la vraie nature de la bête, reculons quelques instants et revenons sur la route. Dans cet environnement, les rôles s'inversent puisque c'est plutôt la Super Enduro qui semble égarée et moi qui la maltraite un peu. J'ai l'impression aussi nette qu'étrange d'être au guidon d'une machine de motocross ou d'enduro en pleine rue. La position est exactement la même, la minceur extrême est la même, et l'esprit est certainement le même. Les bruyants pneus à gros crampons soi-disant légaux sur la route se mettent à glisser dès la première accélération forte et se dérobent à la première mise en angle agressive. Pas très rassurant, pour être franc. La Super Enduro reprend exactement la mécanique de la Supermoto 950, mais elle est plus haute, plus courte et son tirage est plus court. Résultat : une pleine ouverture des gaz en première vous enverra à la verticale assez violemment, tandis qu'en deuxième, garder l'avant au sol relève de l'impossible. Même en troisième,

un coup d'accélérateur au bon moment soulève aisément l'avant... Le tout dans le délicieux «braaaa» aussi déchaîné qu'unique du V-Twin autrichien. Continuez d'enfiler les rapports, ce que l'excellente boîte de vitesses fait avec fluidité et précision, accroupissez-vous et pour autant que vous osiez maintenir la pose quelques instants, les 200 km/h arriveront promptement. Sortez maintenant tout ça de la route et répétez...

Contrairement à la BMW HP2 dont l'héritage routier a pour conséquence un pilotage sur terrain meuble plus accessible et prévisible, le comportement de la Super Enduro s'avère plus pointu et clairement marqué du riche héritage hors-route du constructeur autrichien. Il s'agit d'une enduro d'un litre, ni plus ni moins, qui demande d'être pilotée comme tel. Sur un sentier serré, la Super Enduro semble autant à sa place qu'une sportive d'un litre sur une piste de go-kart. Elle commence toutefois à prendre son sens lorsque le tracé s'ouvre et que les vitesses grimpent, alors qu'on arrive enfin à tirer profit de son potentiel de performances. Mais même dans ces circonstances, il semble y avoir à la disposition de votre main droite une quantité de puissance immense, presque inépuisable. À moins d'être un extra-terrestre de ce genre de pilotage, il est tout bonnement difficile de concevoir comment on peut arriver à exploiter tous ces chevaux et à maîtriser un engin de ces proportions. Les intéressés doivent par ailleurs s'attendre à une selle longue et étroite, à une suspension qui plonge abondamment au freinage et à une hauteur de selle qui pourrait vous envoyer à la recherche d'une caisse de lait...

> **MÊME SUR UNE LONGUE ROUTE DE GRAVIER, LA PUISSANCE DISPONIBLE SEMBLE IMMENSE, PRESQUE INÉPUISABLE.**

VITESSE DE POINTE
203 km/h
ACCÉLÉRATION SUR 1/4 MILLE
121.173 km/h
indice d'expertise ▸
◂ rapport valeur/prix

Voir légende page 7

EXPERT E
INTERMÉDIAIRE I
NOVICE N

général

catégorie	Super Aventurière
prix	17 498 $
garantie	1 ans/20 000 km
couleur(s)	orange et noir
concurrence	BMW HP2

moteur

type	bicylindre 4-temps en V à 75 degrés, DACT, 4 soupapes par cylindre, refroidissement par liquide
alimentation	2 carburateurs à corps de 43 mm
rapport volumétrique	11,5:1
cylindrée	942 cc
alésage et course	100 mm x 60 mm
puissance	98 ch @ 8 000 tr/min
couple	69,4 lb-pi @ 6 500 tr/min
boîte de vitesses	6 rapports
transmission finale	par chaîne
révolution à 100 km/h	n/d
consommation moyenne	6,9 l/100 km
autonomie moyenne	188 km

partie cycle

type de cadre	treillis, en acier
suspension avant	fourche inversée de 48 mm ajustable en précharge, compression et détente
suspension arrière	monoamortisseur ajustable en précharge, compression et détente
freinage avant	1 disque de 300 mm de Ø avec étrier à 2 pistons
freinage arrière	1 disque de 240 mm de Ø avec étrier à 2 pistons
pneus avant/arrière	1,85 - 21 & 2,15 - 18
empattement	1 570 mm
hauteur de selle	920 mm
poids à vide	185 kg
réservoir de carburant	13 litres

conclusion

Les extra-terrestres du pilotage hors-route, s'ils ne courent pas les rues — excusez le jeu de mots —, existent quand même. Pour eux, et probablement seulement pour eux, la KTM Super Enduro 950 a un certain sens. Car avant l'arrivée de celle-ci, ces maniaques n'avaient guère d'autre choix pour assouvir leurs besoins d'aventures qu'abuser d'une double-usage de petite cylindrée ou se rabattre sur des modèles comme la BMW R1200GS ou l'Adventure 950 de KTM, des montures capables de traverser le globe en diagonale, certes, mais qui demeurent néanmoins des routières à la base. La nouvelle Super Enduro — et la BMW HP2 — donne à ces inconditionnels du voyage sans asphalte une occasion dont même eux n'auraient peut-être jamais cru pouvoir profiter. Celle de pouvoir acquérir dans une salle de montre un outil conçu sans compromis et sans détour pour servir leurs besoins d'évasion grand format.

⊙ QUOI DE NEUF EN 2007 ?

Nouveau modèle

⌃ PAS MAL

Une occasion rare pour les amateurs d'aventures extrêmes

Moteur rageur au caractère enivrant et aux performances inouïes dans un environnement hors-route; les quelques hurluberlus à qui la Super Enduro est destinée devraient enfin être rassasiés à ce sujet

Un comportement fidèle à une machine d'enduro en pilotage hors-route, et ce, pour le meilleur et pour le pire; contrairement à n'importe quoi d'autre de semblable sur le marché, la Super Enduro se distingue en ne renvoyant absolument pas l'impression d'être dérivée d'une routière

⌄ BOF

Un agrément de pilotage presque inexistant sur la route, une conséquence directe de la conception extrêmement biaisée en faveur d'une utilisation dans un environnement hors-route

Des performances qui semblent presque illogiquement élevées dans des situations serrées comme en sentier; peu de pilotes ont le talent pour exploiter une telle bête et peu de terrains se prêtent à une telle exploitation

Un niveau pratique fort limité en utilisation quotidienne dans un milieu urbain : selle peu confortable, exposition au vent totale, pneus à gros crampons mal adaptés à la route, plongée extrême de l'avant au freinage, hauteur de selle presque caricaturale, carburateurs occasionnellement capricieux, etc.

SUZUKI

GSX1300R HAYABUSA

dernier tour de piste...

La phénoménale, mais vieille Hayabusa entame en 2007 son dernier tour de piste puisqu'on attend en 2008 une nouvelle génération devant contrer les affronts de la ZX-14 de Kawasaki. Elle aura donc été produite sous cette forme durant 9 ans au cours desquels sa popularité s'est toujours maintenue, ce qui représente probablement un record pour une sportive. La qualifier de « moto culte » ne serait certainement pas exagéré puisque la GSX1300R en est venue à incarner LE modèle sportif de prédilection pour les « tuners » de haut niveau. À un tel point, d'ailleurs, que des lignes entières de pièces et d'accessoires peuvent aujourd'hui être trouvées sur le marché.

La rumeur veut qu'une Hayabusa rafraîchie, mais non entièrement revue, ait été prévue pour 2007. Sur cette supposée évolution, la mécanique et la partie cycle n'auraient subi qu'une mise à niveau mineure, tandis que la ligne aurait été considérablement rajeunie, en prenant soin de garder un lien de famille clair avec celle de l'ancien modèle. Un tel scénario aurait été tout à fait envisageable si Kawasaki s'était contenté de rafraîchir la ZX-12R de manière comparable, mais le manufacturier a plutôt élevé la classe à un tout autre niveau en présentant sa ZX-14 l'an dernier. Or, l'importance d'un modèle comme la Hayabusa est beaucoup trop grande pour l'image de Suzuki pour qu'une nouvelle génération se retrouve immédiatement dépassée. Ce dernier en sait d'ailleurs long à ce sujet, ayant lui-même initié la longue et douloureuse mort de la ZX-7R en introduisant en 1996 une nouvelle génération de la GSX-R750 qui déclassa complètement sa rivale de toujours. Évidemment, la décision prise par Kawasaki de ne pas répliquer fut, elle aussi, responsable de la fin de la 7R. La vérité est donc qu'il serait probablement moins dommageable pour l'image et la réputation de Suzuki de carrément cesser la production de la Hayabusa que de la renouveler à la légère et d'en faire une perdante à la naissance. Tout cela ne veut pas dire qu'on doit nécessairement s'attendre à une machine de 1 500 cc crachant 220 chevaux, bien que tout soit possible, mais plutôt à une monture de classe ouverte qui, comme la ZX-14, reflète toute l'évolution technologique dont bénéficie chaque sportive moderne.

> **IL SERAIT MOINS DOMMAGEABLE POUR L'IMAGE DE SUZUKI DE CESSER LA PRODUCTION DE LA HAYABUSA QUE DE PRÉSENTER UNE PERDANTE.**

Sur le marché actuel, c'est-à-dire face à la BMW K1200S et surtout par rapport à la Kawasaki ZX-14, la Hayabusa semble carrément vieille. La position de conduite est sévère et vous écarte les bras et les jambes, la mécanique est vibreuse, l'instrumentation fait vieux jeu et l'impression générale est celle d'une sportive d'une autre époque, ce qu'est d'ailleurs la vénérable Busa. Cela dit, entendons-nous bien. En ligne droite, la Suzuki rappelle très vite d'où vient sa réputation puisqu'elle se montre à peine, et nous disons bien à peine moins puissante qu'une ZX-14 qui ne produit qu'une dizaine de chevaux supplémentaires à la roue arrière. À bas régime, où la Kawasaki est électroniquement « censurée », la Suzuki a même un léger avantage, qui s'estompe à mesure que la vitesse passe, le temps de le dire, le double du rythme alloué sur l'autoroute. Si la Hayabusa affiche un recul aussi clair que très bien ressenti par son pilote, ce n'est donc pas au chapitre de la vitesse pure, mais plutôt à un niveau plus général. Il s'agit d'une sportive datant de 1999, après tout.

Malgré son âge, la GSX1300R offre un comportement qui demeure intéressant puisqu'il est véritablement sportif et permet d'attaquer une série de virages avec une étonnante agressivité. La stabilité est telle qu'elle permet d'atteindre l'effarante vitesse maximale dans un calme relatif. Tout ce qui manque est l'espace et les nerfs...

Quant au niveau de confort, il n'est pas mauvais dans l'ensemble, mais souffre surtout d'une position qui place un peu trop de poids sur les mains.

VITESSE DE POINTE
299 km/h

ACCÉLÉRATION SUR 1/4 MILLE
10,0 s à **229** km/h

indice d'expertise ►

◄ **rapport valeur/prix**

Voir légende page 7

EXPERT E
INTERMÉDIAIRE I
NOVICE N

Général

catégorie	Sportive
prix	15 099 $
Garantie	1 an/kilométrage illimité
couleur(s)	rouge, noir, bleu
concurrence	BMW K1200S, Kawasaki ZX-14

partie cycle

Type de cadre	périmétrique, en aluminium
suspension avant	fourche inversée de 43 mm ajustable en précharge, compression et détente
suspension arrière	monoamortisseur ajustable en précharge, compression et détente
freinage avant	2 disques de 320 mm de Ø avec étriers à 6 pistons
freinage arrière	1 disque de 240 mm de Ø avec étrier à 2 pistons
pneus avant/arrière	120/70 ZR17 & 190/50 ZR17
empattement	1 485 mm
hauteur de selle	805 mm
poids à vide	217 kg
réservoir de carburant	21 litres

moteur

Type	4-cylindres en ligne 4-temps, DACT, 4 soupapes par cylindre, refroidissement par liquide
Alimentation	injection à 4 corps de 46 mm
rapport volumétrique	11:1
cylindrée	1 298 cc
alésage et course	81 mm x 63 mm
puissance	175 ch @ 9 800 tr/min
couple	103 lb-pi @ 7 000 tr/min
boîte de vitesses	6 rapports
transmission finale	par chaîne
révolution à 100 km/h	environ 3 800 tr/min
consommation moyenne	7,5 l/100 km
autonomie moyenne	280 km

conclusion

Sachant qu'une remplaçante arrivera l'an prochain — à moins d'un changement de plan, ça s'est déjà vu —, et réalisant, grâce à la ZX-14, à quel point une grosse sportive de cette classe peu bénéficier d'une conception véritablement moderne, on doit conclure que quiconque fera l'acquisition d'une Hayabusa le fera par émotion, par amour pour le modèle et ses lignes, pour le culte qu'il est aujourd'hui devenu, et non par raison. Notre recommandation est évidemment d'attendre, mais seulement s'il s'agit d'un achat à long terme. Pour le fanatique du modèle qui compte de toute façon changer l'an prochain, pourquoi pas ? Après tout, après avoir roulé la vieille Busa un peu, la nouvelle ne sera que plus appréciée.

QUOI DE NEUF EN 2007 ?

Aucun changement

Aucune augmentation

PAS MAL

Des performances qui restent éblouissantes, que le modèle soit vieux ou pas; oui, la ZX-14 fait mieux en ligne droite, mais pas beaucoup mieux, et la Hayabusa se montre même un peu plus coupleuse à bas régime

Un comportement précis et solide en virage qui reflète bien l'esprit sportif du concept original; il s'agit bel et bien d'une cousine des GSX-R

Une ligne encore d'actualité après tout ce temps, ce qui est presque inimaginable pour une sportive, et une aura de performance extrême qui est pratiquement palpable

BOF

Une conception qui remonte à très longtemps, surtout pour une sportive, et dont la vieillesse se sent clairement une fois en selle, surtout si on compare l'ensemble à une monture de conception fraîche comme la ZX-14

Un niveau de confort qui est affecté par une mécanique quelque peu vibreuse et par une position de conduite allongée et basculée sur l'avant

Une valeur qui n'est plus aussi intéressante maintenant qu'il est presque du domaine connu que le modèle sera remplacé et 2008, sans parler du fait que le marché présent offre un modèle comparable beaucoup plus moderne

SUZUKI

GSX-R1000

NOUVEAUTÉ 2007

La religion du circuit...

Depuis son arrivée sur le marché en 2001, la GSX-R1000 a régulièrement progressé sans toutefois que le concept soit complètement réinventé. Comme en témoignent les très nombreux succès du modèle en tout type de compétition, la tactique semble être payante pour Suzuki. Pour 2007, le modèle continue cette évolution en bénéficiant d'un large nombre de modifications plus ou moins profondes. Toutes, cependant, n'ont qu'un seul et unique but, celui de lui permettre de boucler des tours de piste plus rapidement. La GSX-R d'un litre se voit aussi équipée d'un intrigant système de sélection de cartographie d'injection, une première.

TECHNIQUE

Il est un argument voulant que seule une minorité d'acheteurs profite des changements découlant d'une évolution comme celle dont bénéficie la GSX-R1000 cette année, et que la recherche et le développement nécessaires à mener cette évolution à terme équivalent donc à une perte d'énergie tant pour le constructeur que pour la moyenne des propriétaires. Bref, bien des observateurs, motocyclistes et non-motocyclistes, se demandent pourquoi il est nécessaire de déployer tous ces efforts afin qu'une sportive déjà puissante puisse retrancher quelques fractions de secondes à un tour de piste. Si la question est légitime, les probabilités sont en revanche fortes qu'elle soit posée par quelqu'un qui n'a jamais fait le geste de débourser de plus de 15 000 $ pour une hypersportive, sans parler de tous les autres coûts qu'une telle décision implique. En gros, qu'ils utilisent ou non le plein potentiel de leur engin – ils ne le font pas en grande majorité –, les acheteurs d'une machine de la trempe de la GSX-R1000 exigent d'avoir le meilleur. Le meilleur en matière de châssis, le meilleur en matière de suspensions, le meilleur en matière de mécanique, le meilleur en matière de freinage. Donnez-leur moins que ce niveau extrêmement élevé de matériel et ils fileront chez la concurrence en moins de deux. Comme les résultats en compétition constituent un excellent indicateur – mais pas une garantie – du niveau de performances atteint par un modèle d'origine, une évolution permettant de bien faire en course peut être très payante.

> **LES ACHETEURS D'UNE MONTURE DE LA TREMPE DE LA GSX-R1000 EXIGENT D'OBTENIR LE MEILLEUR, QU'ILS EN FASSENT USAGE OU PAS.**

Pour 2007, il s'agit exactement du genre de médecine que Suzuki sert au porte-drapeau de sa série GSX-R, à commencer par la mécanique. Le 4-cylindres conserve une architecture très proche, pour ne pas dire identique à celle du moteur 2006, mais certaines leçons apprises en Superbike lui ont été appliquées. À titre d'exemple, le système d'injection qui l'alimente produit désormais un jet de particules plus fines, tandis que les tubulures d'échappement sont agrandies de 10 pour cent. Une paire de boutons sur la poignée droite permet par ailleurs de choisir parmi trois programmes d'injection A, B ou C (indiqués sur l'instrumentation à côté de l'affichage du rapport engagé). Il ne s'agit pas d'un système antipatinage, mais plutôt d'une caractéristique permettant de choisir la façon dont la puissance arrive en fonction des conditions. D'autres modifications sont liées au respect de la sévère norme Euro III, comme l'ajout d'un second silencieux et d'un caisson secondaire au système d'échappement, des caractéristiques qui doublent presque le volume du système. Du côté du cadre, tout est nouveau. Cinq parties coulées seulement le composent, ce qui permet de réduire le nombre de soudures et d'assurer un assemblage plus constant. La suspension arrière pivote maintenant à même le bras oscillant, à la Honda Unit Pro-Link, tandis que le diamètre des poteaux supérieurs de la fourche augmente légèrement. Au chapitre du freinage, l'étrier arrière est positionné au-dessus du bras oscillant et les disques du frein avant sont nouveaux. Au total, ces modifications font gagner 6 kilos à la GSX-R1000.

Faire progresser une monture comme la GSX-R1000 implique une augmentation des performances en piste. Telle est l'implacable réalité de ces phénoménales montures. La GSX-R1000 2007 serait ainsi plus rapide en ligne droite, plus précise en virage et plus forte au freinage.

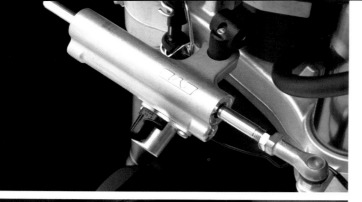

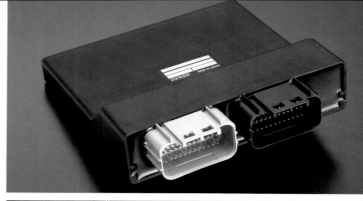

qualités cachées

La GSX-R1000 2007 comporte un nombre important de composantes que peu de pilotes verront, mais dont ils bénéficieront tous.

– Le « cerveau » de la version 2007 possède 3 cartographies d'injection différentes pouvant être choisies à la volée par le pilote en fonction des conditions météorologiques, de l'état des pneus, etc.

– L'amortisseur de direction à réglage électronique s'adapte de manière automatique aux conditions, son amortissement devenant plus ferme à haute vitesse et moins ferme à basse vitesse.

– La tringlerie de la suspension arrière a été inversée afin de libérer l'espace sous l'amortisseur; cet espace est maintenant occupé par une chambre ajoutée au système d'échappement, un genre de « présilencieux » permettant d'augmenter le volume du système.

– Après les GSX-R600 et 750 en 2006, c'est au tour de la 1000 en 2007 d'être équipée de repose-pieds ajustables. Ils peuvent être réglés horizontalement et verticalement sur une distance de 14 mm.

Le système d'échappement à silencieux double représente la modification la plus visible apportée à la version 2007 de la GSX-R1000. Pour le reste, il faut regarder de beaucoup plus près.

VITESSE DE POINTE
283 km/h
ACCÉLÉRATION SUR 1/4 MILLE
10,0, s à **232** km/h

indice d'expertise ▶

◀ rapport valeur/prix

Voir légende page 7
Performances 2006 ◀
EXPERT **E**
INTERMÉDIAIRE **I**
NOVICE **N**

partie cycle

TYPE DE CADRE	périmétrique, en aluminium
SUSPENSION AVANT	fourche inversée de 43 mm ajustable en précharge, en haute et en basse vitesses de compression, et détente
SUSPENSION ARRIÈRE	monoamortisseur ajustable en précharge, en haute et en basse vitesses de compression, et détente
FREINAGE AVANT	2 disques de 310 mm de Ø avec étriers radiaux à 4 pistons
FREINAGE ARRIÈRE	1 disque de 220 mm de Ø avec étrier à 1 piston
PNEUS AVANT/ARRIÈRE	120/70 ZR17 & 190/50 ZR17
EMPATTEMENT	1 415 mm
HAUTEUR DE SELLE	810 mm
POIDS À VIDE	172 kg
RÉSERVOIR DE CARBURANT	18 litres

général

CATÉGORIE	Sportive
PRIX	15 299 $
GARANTIE	1 an/kilométrage illimité
COULEUR(S)	bleu et blanc, noir et orange, jaune et argent
CONCURRENCE	Honda CBR1000RR, Kawasaki ZX-10R, Yamaha YZF-R1

moteur

TYPE	4-cylindres en ligne 4-temps, DACT, 4 soupapes par cylindre, refroidissement par liquide
ALIMENTATION	injection à 4 corps de 44 mm
RAPPORT VOLUMÉTRIQUE	12,5:1
CYLINDRÉE	999 cc
ALÉSAGE ET COURSE	73,4 mm x 59 mm
PUISSANCE	178 ch @ 11 000 tr/min (2006)
COUPLE	87 lb-pi @ 9 000 tr/min (2006)
BOÎTE DE VITESSES	6 rapports
TRANSMISSION FINALE	par chaîne
RÉVOLUTION À 100 KM/H	environ 4 000 tr/min (2006)
CONSOMMATION MOYENNE	n/d
AUTONOMIE MOYENNE	n/d

conclusion

Il serait assez facile et probablement naïf de discréditer cette évolution de la GSX-R1000 sous les seuls prétextes qu'il s'agit d'une moto plus lourde et probablement pas beaucoup plus puissante (Suzuki reste muet à ce sujet). Car s'il est une chose que le constructeur arrive à démontrer de façon très claire chaque fois qu'il fait évoluer sa sportive reine, c'est qu'au jeu qui consiste à marier puissance immense et contrôle parfait, il est très difficile à battre. Seule une sérieuse séance de piste déterminera à quel point cette évolution constitue une amélioration par rapport au modèle précédent, qui était par ailleurs déjà exceptionnel. Mais à la lumière des informations recueillies lors de chacune des évolutions précédentes de la GSX-R1000, nous serons les derniers à manifester une quelconque inquiétude à ce sujet.

⊙ QUOI DE NEUF EN 2007 ?

Évolution de la GSX-R1000

Coûte 300 $ de plus qu'en 2006

PAS MAL

Une autre de ces évolutions qui, sur papier, ne semblent pas terriblement importantes, mais qui, une fois en piste, se révèlent souvent très efficaces

Une base qui reste semblable à celles du modèle 2006, qui était non seulement une sportive de cette cylindrée exceptionnelle, mais aussi l'une des machines les plus exaltantes que nous n'ayons jamais pilotées

Un volume d'échappement qui double presque; il s'agit d'une modification qui correspond généralement à un accroissement du couple à mi-régime

BOF

Une évolution qui ne comporte pas énormément de caractéristiques bouleversantes; exception faite du silencieux double et de la possibilité de choisir un programme d'alimentation, les amateurs de statistiques n'auront pas grand-chose à se mettre sous la dent

Un poids à la hausse; l'ajout de catalyseurs supplémentaires et du second silencieux sont responsables de la majorité du surplus de 6 kg, et la sévère norme Euro III est responsable de ces modifications; toutes les sportives pures de 1 000 cc japonaises sauf la Honda ont maintenant un échappement double

Une ligne qui n'est certainement pas désagréable à contempler, mais qui semble peu évoluer avec le temps et surtout se perdre un peu dans les traits des GSX-R600 et 750; bref, la GSX-R1000 2007 est belle, mais on a l'impression d'avoir déjà vu cette ligne sur les 600/750

GSX-R750

GSX-R600/750

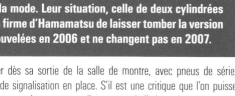

personnalité double...

Nous les avons traitées séparément durant des années. Puis, elles se sont mises à beaucoup se ressembler. Et finalement, elles ne sont devenues qu'une. Leur origine est bien entendu la légendaire GSX-R750 de 1985, mais ces jours-ci, avec tout l'accent mis sur la catégorie des 600 — et des 1000 —, c'est plutôt la petite sœur de la 750 qui se retrouve à la mode. Leur situation, celle de deux cylindrées pour une même monture, est unique dans ce créneau et ne tient qu'au refus catégorique de la firme d'Hamamatsu de laisser tomber la version de 750 cc, envers laquelle Suzuki a presque une obligation morale. Toutes deux ont été renouvelées en 2006 et ne changent pas en 2007.

Distinguer la fameuse GSX-R750 de sa petite sœur la GSX-R600 a, durant plusieurs années, été un jeu d'enfant, du moins pour l'amateur le moindrement connaisseur. L'une avait une fourche inversée, l'autre pas; l'une avait un bras oscillant renforcé, l'autre pas, etc. Essayez un peu aujourd'hui... Sans savoir laquelle des deux est offerte en quelles couleurs, ou que le tachymètre de la 600 affiche une zone rouge 1 000 tr/min plus élevée que celle de la 750, vous risquez d'y passer un moment. Mais faites démarrer, et tout se clarifie.

Précisons d'abord que la monture mère ici n'est pas la 750, mais bien la 600. En d'autres termes, la 750 n'est ni plus ni moins qu'une 600 avec 150 cc de plus.

Extraordinairement agile et précise sur une piste, la GSX-R600 doit être considérée comme l'une des 600 les plus réussies du moment. Contrairement à certaines de ses rivales qui se démarquent grâce à une qualité en particulier, la GSX-R600 se montre très compétente à presque tous les niveaux, sans toutefois qu'elle s'avère dominante à certains chapitres. Ce qui, concrètement, signifie d'abord que la tenue de route est superbe. Même sur le — très — bosselé circuit de Saint-Eustache, même à un rythme s'approchant à 3 ou 4 secondes au tour d'une cadence de course, la GSX-R600 s'est montrée irréprochable. Très légère en amorce de virage, parfaitement sereine en milieu de courbe et dotée d'une injection tellement douce et linéaire qu'elle encourage une remise des gaz toujours plus hâtive en sortie de virage, elle incarne l'extraordinaire degré de qualité qu'une

> ## ENTRE 10 ET 15 000 TR/MIN, LA 750 S'EMBALLE ET VOUS RÉCOMPENSE AVEC UNE POUSSÉE ASSEZ INTENSE POUR VOUS FAIRE SERRER LES DENTS.

600 courante peut livrer dès sa sortie de la salle de montre, avec pneus de série, rétroviseurs et système de signalisation en place. S'il est une critique que l'on puisse formuler à son égard, dans ces circonstances, elle concerne le limiteur de contre-couple qui, bien qu'il fasse son travail en empêchant la roue arrière de bloquer lors de freinages violents accompagnés de rétrogradages, ne le fait pas toujours avec douceur. Le frein moteur plus important de la 750 ne fait d'ailleurs que mettre davantage cette caractéristique en évidence. Quant au comportement sur route, il est surtout marqué par une position sévère et des suspensions fermes. La production de couple à mi-régime n'est toutefois pas trop maigre pour une 600, ce qui facilite un peu la conduite.

Après avoir piloté la 600, la 750 est comme un déssert. Bien qu'on ait physiquement affaire au même engin, un autre univers de performances s'ouvre dès que l'aiguille du tachymètre commence à grimper. Très utilisable sous les 5 000 tr/min et très intéressante de là jusqu'à 10 000 tr/min, la 750 s'emballe complètement entre ce régime et la zone rouge de 15 000 tr/min. Gradez les tours dans ces parages et la 750 vous récompensera d'une poussée qui, sans être celle d'une furieuse 1000, reste assez intense pour faire serrer les dents, entre autres...

C'est probablement à la sortie des courbes que réside l'aspect le plus exaltant du pilotage en piste de la GSX-R750, particulièrement celles se négociant en deuxième. Les gaz sont ouverts tôt, l'arrière mord et allège l'avant. Puis, encore incliné, l'accélération s'intensifie à mesure qu'on enroule, et que l'avant se met à flotter...

VITESSE DE POINTE
259 km/h (600)
273 km/h (750)
ACCÉLÉRATION SUR 1/4 MILLE
10,7 s à **209** km/h
10,4 s à **219** km/h
indice d'expertise ▸
◂ rapport valeur/prix

Voir légende page 7

EXPERT **E**
INTERMÉDIAIRE **I**
NOVICE **N**

Général

catégorie	Sportive
prix	GSX-R600 : 11 799 $ GSX-R750 : 12 999 $
garantie	1 an/kilométrage illimité
couleur(s)	GSX-R600 : bleu et blanc, rouge et blanc, bleu et noir GSX-R750 : bleu et blanc, gris et argent, bleu et noir
concurrence	GSX-R600 : Honda CBR600RR, Kawasaki ZX-6R, Triumph Daytona 675, Yamaha YZF-R6 GSX-R750 : aucune

partie cycle

Type de cadre	périmétrique, en aluminium
suspension avant	fourche inversée de 41 mm ajustable en précharge, compression et détente
suspension arrière	monoamortisseur ajustable en précharge, compression et détente
freinage avant	2 disques de 310 mm de Ø avec étriers radiaux à 4 pistons
freinage arrière	1 disque de 220 mm de Ø avec étrier à 1 piston
pneus avant/arrière	120/70 ZR17 & 180/55 ZR17
empattement	1 400 mm
hauteur de selle	810 mm
poids à vide	161 (163) kg
réservoir de carburant	16,5 litres

moteur

Type	4-cylindres en ligne 4-temps, DACT, 4 soupapes par cylindre, refroidissement par liquide
alimentation	injection à 4 corps de 40 (42) mm
rapport volumétrique	12,5:1
cylindrée	599 (749) cc
alésage et course	67 (70) mm x 42,5 (48.7) mm
puissance (sans ram air)	124 (150) ch @ 13 000 (12 800) tr/min
couple (sans ram air)	51,7 (65,4) lb-pi @ 10 800 (10 800) tr/min
boîte de vitesses	6 rapports
transmission finale	par chaîne
révolution à 100 km/h	environ 5 500 (4 600) tr/min
consommation moyenne	6,4 (6,7) l/100 km
autonomie moyenne	258 (246) km

conclusion

Une situation comme celle des GSX-R600 et 750 devrait logiquement se traduire par un compromis favorisant l'une des deux cylindrées, mais la réalité est plutôt que dans un cas comme dans l'autre, on a droit à des montures de premier plan, et rien de moins. Même dans cette compétitive arène qu'est la classe de sportives pures de 600 cc, la GSX-R600 fait extrêmement belle figure à tous les niveaux. Cela peut sembler « ordinaire » comme conclusion, jusqu'à ce qu'on réalise le genre de calibre qui doit être atteint pour mériter de tels mots. Quant à la 750, elle ressort clairement avantagée de ce dédoublement de personnalité puisqu'en coinçant un moteur aussi exaltant dans une partie cycle aussi remarquable, on obtient non seulement une monture exceptionnelle, mais aussi un modèle qui doit être considéré comme l'une des meilleures sportives qui soient. En fait, en ce qui concerne *Le Guide de la Moto*, la GSX-R750 *est* la meilleure sportive qui soit.

GSX-R600

 QUOI DE NEUF EN 2007 ?

Aucun changement

Aucune augmentation

 PAS MAL

Une partie cycle dont la précision et la sérénité au cœur de l'intensité qu'est un tour de piste sont simplement phénoménales

Une mécanique tout à fait dans le coup à haut régime et pas trop creuse à mi-régime pour la 600, qui se transforme en véritable bête lorsqu'elle gagne 150 centimètres cubes de plus

Un concept unique dans ce créneau qui permet à Suzuki de créer l'une des sportives les plus gratifiantes à piloter en piste; tant pis pour les constructeurs qui s'entêtent à ne produire que des 600 et des 1000

 BOF

Un limiteur de contre-couple qui fait sont travail correctement, mais pas parfaitement et qui pourrait se montrer plus transparent lors de rétrogradages intenses, et ce, tant sur la 600 que sur la 750

Un niveau de confort sur la route qui est tout à fait normal pour ce genre de sportives extrêmes, c'est-à-dire faible, et ce, surtout à cause de la position sévère et du poids qu'elle place constamment sur les mains

Une ligne identique qui vient du fait qu'il s'agit à la base d'une seule et unique moto, ce qui est compréhensible, mais qui prive autant l'une que l'autre des cylindrées de sa propre identité visuelle; une solution relativement simple serait de concevoir une partie avant légèrement différente, et laisser le reste intact

SV1000S

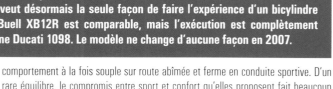

sportive d'exception...

La concurrence entre manufacturiers se montre tellement forte qu'il est rare de tomber sur une monture sans équivalents directs, surtout s'il s'agit d'un concept réussi. C'est pourtant le cas de la SV1000S puisqu'avec la disparition de toutes les sportives Honda à moteur V-Twin – du moins sur le marché canadien –, la Suzuki se veut désormais la seule façon de faire l'expérience d'un bicylindre en V moderne dans une partie cycle sportive. L'idée derrière une Buell XB12R est comparable, mais l'exécution est complètement différente, tandis que le même commentaire pourrait être appliqué à une Ducati 1098. Le modèle ne change d'aucune façon en 2007.

Nous aimons bien expliquer des situations comme celle de SV1000S – superbe concept, intérêt relativement faible des motocyclistes et des manufacturiers – en concluant qu'il s'agit d'un modèle s'adressant à de fins connaisseurs. Comme, par définition, ceux-ci sont une denrée rare et qu'ils n'ont pas les mêmes goûts que « la masse », il est normal que les modèles qu'ils affectionnent soient isolés et peu publicisés. Bref, au risque d'avoir l'air prétentieux, nous croyons que si la SV1000S a si peu de concurrence directe, pour ne pas dire qu'elle n'en a pas, c'est parce trop peu de motocyclistes ont assez de goût pour s'y intéresser.

Son V-Twin exposé, son demi-carénage et les pièces relativement communes de sa partie cycle pourraient facilement laisser croire que la SV1000S est une sorte de Bandit à moteur V-Twin, mais dans les faits, elle se rapproche beaucoup plus d'une GSX-R à moteur V-Twin. Les repose-pieds sont hauts, les poignées sont basses et la position est généralement compacte. Ce n'est rien d'intolérable, mais ce n'est certainement pas le genre de posture relevée que réserve une Bandit, par exemple. Cela dit, pour autant qu'on soit prêt à accepter cette caractéristique, on peut tirer un immense plaisir de la conduite de la SV1000S.

D'abord, à l'exception du poids superflu qu'ont à supporter les mains, le niveau de confort n'est pas mauvais du tout. La selle est très correcte et la protection au vent est honnête, mais c'est la souplesse des suspensions qui étonne le plus. Correctement ajustées, elles font preuve d'un comportement à la fois souple sur route abîmée et ferme en conduite sportive. D'un rare équilibre, le compromis entre sport et confort qu'elles proposent fait beaucoup penser au genre de réglage qu'offre une Honda VFR800. Comme cette dernière, la SV1000S est d'ailleurs parfaitement capable de boucler des tours de piste, même à un rythme assez élevé, ce qui en dit long sur la qualité du comportement qu'elle affiche sur une route sinueuse. Il ne s'agit toutefois pas du genre de sportive hyperactive qui ne semble qu'avoir besoin d'une pensée pour se mettre en angle. Les poignées rapprochées offrent un faible effet de levier qui se traduit par un effort notable si la SV1000S doit être lancée rapidement dans une courbe. Mais une fois penchée, la solidité du châssis et la précision de la direction rappellent nettement le comportement d'une sportive pure, tandis que la stabilité est difficile à prendre en faute.

S'il n'est pas difficile, ces jours-ci, de trouver une sportive plus agile ou précise que la SV1000S, on ne peut certainement pas en dire autant lorsque le critère de comparaison est le caractère provenant de la mécanique. Parfaitement injecté, pulsant et grondant de façon bien évidente, on ne peut qualifier le V-Twin qui anime le modèle d'extraordinairement puissant, mais ses performances restent quand même aussi respectables que plaisantes. Faisant preuve d'une belle souplesse sur toute sa plage de régimes, ce V-Twin compte indéniablement pour une partie importante de l'agrément de conduite du modèle et représente avant n'importe quel facteur la raison pour laquelle on devrait envisager l'achat d'une SV1000S.

> **PUISSANT ET CARACTÉRIEL, LE V-TWIN D'UN LITRE QUI ANIME LA SV1000S REPRÉSENTE L'INTÉRÊT PREMIER DU MODÈLE.**

VITESSE DE POINTE
245 km/h
ACCÉLÉRATION SUR 1/4 MILLE
11,0 s 200 km/h
indice d'expertise ▶
◀ rapport valeur/prix

Voir légende page 7

EXPERT **E**
INTERMÉDIAIRE **I**
NOVICE **N**

général

catégorie	Sportive
prix	11 899 $
garantie	1 an/kilométrage illimité
couleur(s)	noir, bleu
concurrence	Buell XB12R, Ducati Sport 1000 S

partie cycle

type de cadre	treillis périmétrique, en aluminium
suspension avant	fourche conventionnelle de 46 mm ajustable en précharge, compression et détente
suspension arrière	monoamortisseur ajustable en précharge, compression et détente
freinage avant	2 disques de 310 mm de Ø avec étriers à 4 pistons
freinage arrière	1 disque de 220 mm de Ø avec étrier à 2 pistons
pneus avant/arrière	120/70 ZR17 & 180/55 ZR17
empattement	1 430 mm
hauteur de selle	800 mm
poids à vide	187 kg
réservoir de carburant	17 litres

moteur

type	bicylindre 4-temps en V à 90 degrés, DACT, 4 soupapes par cylindre, refroidissement par liquide
alimentation	injection à 2 corps de 54 mm
rapport volumétrique	11,6:1
cylindrée	996 cc
alésage et course	98 mm x 66 mm
puissance	119 ch @ 9 000 tr/min
couple	75,4 lb-pi @ 7 200 tr/min
boîte de vitesses	6 rapports
transmission finale	par chaîne
révolution à 100 km/h	environ 3 900 tr/min
consommation moyenne	6,0 l/100 km
autonomie moyenne	283 km

conclusion

La SV1000S représente un ensemble tellement unique et tellement réussi qu'il est vraiment dommage que Suzuki ait choisi — et qu'il choisisse toujours — de lui donner une position de pilotage aussi sévère. Il s'agit de toute évidence d'une machine qui n'est pas destinée à la piste, mais plutôt d'une sportive de route dont la position n'a aucune raison d'être basculée vers l'avant de la sorte. Certains propriétaires s'y font, d'autres installent des kits pour relever les poignées, mais le fait demeure qu'une telle posture est inappropriée pour une telle moto. Cela dit, à cette exception près, la SV1000S est une proposition brillante, une sportive à la fois capable de boucler des tours de piste, assez rapide pour sérieusement divertir un pilote expérimenté et, surtout, propulsée par un moteur au charisme très attachant. Rare, caractérielle et offerte pour une somme tout à fait raisonnable, la plus grosse des SV continue de faire partie de la courte liste de montures que *Le Guide de la Moto* estime particulièrement. Mais Suzuki doit relever ces poignées.

 QUOI DE NEUF EN 2007 ?

Aucun changement

Aucune augmentation

 PAS MAL

Un V-Twin performant et parfaitement injecté qui s'exprime sans gêne par les pulsations et la sonorité profonde qui accompagnent chaque instant de pilotage

Une tenue de route de haut calibre grâce à un châssis solide; la SV1000S n'est pas du tout hors de son élément en piste puisqu'elle peut y être poussée à un rythme étonnant tout en demeurant naturelle et équilibrée

Une des très rares façons de faire l'expérience d'une sportive performante à moteur V-Twin pour un prix raisonnable, pour ne pas dire la seule

BOF

Une position rendue légèrement moins sévère par des modifications faites sur la version 2004, mais qui reste extrême pour une moto qui n'est pas une réplique de course; les jambes sont très pliées, mais c'est surtout le poids sur les mains qui gêne

Un moteur dont le couple à bas et moyen régimes, sans être faible, n'est pas extraordinaire, contrairement aux croyances sur les V-Twin

Des suspensions qui demandent d'être bien réglées avant d'offrir un bon niveau de confort, ce qui n'est pas toujours aussi facile à faire qu'à dire

À quand l'ABS sur la 1000 aussi ?

SV650S

SV650S

Bon départ...

La SV650S est un véritable petit phénomène. Propulsée par un charmant petit bicylindre en V, elle fut d'abord prise plus ou moins au sérieux, mais ne tarda pas à s'installer solidement comme l'une des sportives les plus populaires et les plus accessibles, et ce, dans tous les sens du terme. Servant de machine de piste à certains et de première monture à caractère sportif pour d'autres, elle représente l'une des rares propositions intelligentes du marché pour les pilotes détenant relativement peu d'expérience de conduite désirant autant s'amuser en apprenant que continuer de le faire après leur apprentissage.

Avant l'arrivée de la Kawasaki Ninja 650R l'an dernier, aucune monture de ce format n'avait la capacité de rejoindre les besoins et les attentes d'une base d'utilisateurs aussi large que la SV650S. Et encore, si la Kawasaki s'est avérée une rivale tout à fait valable de la SV, ce qui en soi est impressionnant, la réalité est qu'elle arrive à des résultats comparables par des moyens assez différents. En gros, on pourrait les distinguer l'une de l'autre en concluant que la Ninja représente la plus routière et la SV la plus sportive.

Cette dernière est souvent perçue comme une monture destinée à une clientèle débutante en raison de sa cylindrée relativement faible, mais la réalité est qu'elle a véritablement la capacité de séduire des pilotes de plusieurs niveaux d'expérience. Malgré des performances qui semblent modestes sur papier, le petit V-Twin s'avère être un véritable charme à solliciter, surtout depuis la légère amélioration de puissance et de couple qu'a engendrée l'adoption de l'injection en 2003. Compte tenu de sa limite de cylindrée, on s'étonne autant de la bonne volonté du petit moteur lorsqu'il tourne à bas régime que de sa fougue lorsqu'il file vers la zone rouge. L'agréable présence sonore du bicylindre en V encourage d'ailleurs à répéter l'exercice. Cette particularité qu'a la SV de permettre à son pilote un certain degré d'amusement sans obligatoirement le compromettre de manière fâcheuse face à la loi est l'une des facettes les plus plaisantes de sa conduite. La SV650S arrive également à procurer une dose aussi forte de plaisir

> **LA SV650S SE MONTRE SI FACILE À EXPLOITER SUR UN TRACÉ SINUEUX QU'À PILOTES ÉGAUX, ELLE RESTE COLLÉE À LA ROUE D'UNE VRAIE SPORTIVE.**

lorsque la route n'est plus droite, une qualité qu'on doit à l'excellent châssis autour duquel elle est construite. Ultralégère à inscrire en courbe, la SV est un délice absolu sur un tracé sinueux où elle se montre presque aussi précise, solide et imperturbable qu'une sportive spécialisée. Contrairement à ces dernières qui sont parfois intimidantes à pousser, la SV650S est extraordinairement facile à exploiter en pilotage sportif et possède une tenue de route assez relevée pour arriver à boucler des tours de pistes à un rythme qui pourrait en surprendre plus d'un. Le freinage est tout à fait satisfaisant et les suspensions s'acquittent très honnêtement de leur travail.

Le niveau de confort de la SV650S est l'un des rares aspects du modèle qui pourraient être améliorés, même si ni la selle, ni les suspensions, ni les vibrations de la mécanique n'attirent de critiques. Sa seule véritable lacune à ce chapitre concerne sa position de conduite à saveur sportive qui pourrait mettre un peu moins de poids sur les mains, ce que des poignées à peine plus relevées arriveraient à accomplir. La version SV650 sans carénage possède justement un guidon tubulaire plus haut qui rend la position de pilotage non seulement moins exigeante, mais aussi exceptionnellement compacte, si bien que les pilotes de grande taille s'y sentent coincés. Basse, légère et compacte, cette version est l'une des rares motos qui donnent l'impression d'être expressément dessinées pour une clientèle féminine. Les intéressées devront toutefois vivre avec l'absence de toute protection au vent, ce qui peut finir par devenir gênant sur l'autoroute.

VITESSE DE POINTE
204 km/h
ACCÉLÉRATION SUR 1/4 MILLE
12,0...173 km/h
indice d'expertise ▸
◂ rapport valeur/prix

Voir légende page 7

EXPERT	E
INTERMÉDIAIRE	I
NOVICE	N

Général

catégorie	Sportive (SV650 : Standard)
prix	SV650S : 8 799 $ (ABS : 9 299 $) SV650 : 8 499 $ (ABS : 8 999 $)
garantie	1 an/kilométrage illimité
couleur(s)	gris, rouge
concurrence	Ducati Monster 695, Hyosung GT650, Kawasaki Ninja 650R

moteur

type	bicylindre 4-temps en V à 90 degrés, DACT, 4 soupapes par cylindre, refroidissement par liquide
Alimentation	injection à 2 corps de 39 mm
Rapport volumétrique	11,5:1
cylindrée	645 cc
Alésage et course	81 mm x 62,6 mm
puissance	74 ch @ 9 000 tr/min
couple	45 lb-pi @ 7 400 tr/min
boîte de vitesses	6 rapports
transmission finale	par chaîne
Révolution à 100 km/h	environ 4 700 tr/min
consommation moyenne	6,0 l /100 km
Autonomie moyenne	283 km

partie cycle

type de cadre	treillis périmétrique, en aluminium
suspension avant	fourche conventionnelle de 41 mm ajustable en précharge
suspension arrière	monoamortisseur ajustable en précharge
freinage avant	2 disques de 290 mm de Ø avec étriers à 2 pistons
freinage arrière	1 disque de 220 mm de Ø avec étrier à 1 piston
pneus avant/arrière	120/60 ZR17 & 160/60 ZR17
empattement	1 430 mm
hauteur de selle	800 mm
poids à vide	169 kg (SV650 : 165 kg)
réservoir de carburant	17 litres

conclusion

La première chose qu'un pilote expérimenté note aux commandes de la SV650S, surtout s'il a l'habitude de montures plus puissantes, c'est à quel point il peut être rafraîchissant de pouvoir cravacher une sportive sans immédiatement se retrouver en situation de haute illégalité. Pour le novice, c'est plutôt à quel point la petite SV se montre amicale et prévisible comme premier contact avec le monde de la performance qui impressionne. S'il lui manque un peu de jus pour vraiment gagner l'intérêt des motocyclistes un peu plus matures dans leur cheminement de routiers, pour les nouveaux arrivants au monde des sportives, la SV650S ne représente ni plus ni moins que l'outil d'initiation et de progression idéal.

SV650

⊙ QUOI DE NEUF EN 2007 ?

Versions avec système ABS offertes pour un supplément de 500 $

Têtes du moteur modifiées afin de recevoir une deuxième bougie par cylindre pour une combustion plus propre

Aucune augmentation pour la SV650S et la SV650 sans ABS

⌃ PAS MAL

Un petit V-Twin qui charme immanquablement par son caractère débordant et par sa puissance juste assez élevée pour permettre à une bonne variété de pilotes de s'amuser

Une tenue de route presque digne de celle d'une sportive spécialisée en plus d'être très facile à exploiter; la petite SV est l'outil idéal pour s'initier à la conduite sur piste

Une excellente valeur puisque la somme demandée est raisonnable et que le produit est exceptionnel

⌄ BOF

Un niveau de performances qui n'est quand même pas très excitant; à quand une SV750 ou 800 qui aurait, comme les nouvelles F800 de BMW, la capacité d'intéresser aussi une clientèle plus expérimentée

Une position de conduite qui met un certain poids sur les poignets sans que cela soit nécessaire puisqu'il ne s'agit pas d'une sportive extrême (650S)

Une version non carénée dont le guidon plus haut et plus reculé rend la position considérablement plus compacte, ce qu'un grand pilote pourrait trouver inconfortable ou étroit

Instrumentation 2006. Zone rouge débute à 9 500 tr/min sur la 2007.

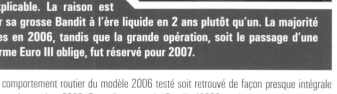

BANDIT 1250S

RÉVISION 2007

La grande opération...

Qu'une sportive pointue soit revue deux années consécutives, ça s'est déjà vu, mais que ce soit le cas de la Bandit 1200S à laquelle Suzuki n'avait apporté que des retouches esthétiques pendant 10 ans, ça semble frôler le phénomène inexplicable. La raison est pourtant toute simple puisque le constructeur a choisi de faire passer sa grosse Bandit à l'ère liquide en 2 ans plutôt qu'un. La majorité des modifications faites à la partie cycle et au style furent apportées en 2006, tandis que la grande opération, soit le passage d'une mécanique refroidie par air et huile à un moteur refroidi par liquide, norme Euro III oblige, fut réservé pour 2007.

La norme Euro III, qui entre en vigueur cette année et qui vise à réduire les émissions polluantes des deux-roues, aura marqué de façon assez importante le motocyclisme. Le côté sportif de l'industrie aura particulièrement été affecté, comme en témoignent les quelques kilos pris par la plupart des sportives pures. Du côté des modèles moins extrêmes comme la Bandit 1200S, l'impact est différent puisqu'il s'agit, du moins dans ce cas, d'une monture propulsée par une mécanique encore carburée et tellement vieille qu'il aurait été illogique de lui faire respecter cette norme. Ainsi donc se termine la longue et prolifique histoire du 4-cylindres refroidi par air et huile qui anima nombre de modèles allant des premières GSX-R aux Katana et enfin aux Bandit, sans parler de quelques autres modèles aujourd'hui disparus. Les Katana étant loin d'obtenir l'immense popularité des Bandit sur le marché européen, Suzuki n'a pas jugé rentable de les adapter au nouveau moteur, du moins pas pour le moment. Notons que s'il n'existe pas de version 2007 des Katana 600/750, le constructeur affirme qu'une quantité importante de versions 2006 fut produite et importée au pays afin de continuer à écouler le modèle après l'arrêt de la production. Rien ne dit qu'elles ne referont pas surface en 2008, mais pour le moment, telle est la situation.

La Bandit 1250S 2007 est presque en tout point identique au modèle 2006, exception faite, évidemment, du nouveau 4-cylindres. Comme ce dernier, que Suzuki annonce plus coupleux, mais pas plus puissant, ne fait qu'ajouter une dizaine de kilos à la moto, il est logique de s'attendre à ce que le

> **ON COMPREND AUJOURD'HUI QUE LES MODIFICATIONS FAITES EN 2006 AVAIENT POUR BUT DE PRÉPARER LA VENUE DE LA NOUVELLE MÉCANIQUE.**

comportement routier du modèle 2006 testé soit retrouvé de façon presque intégrale sur la version 2007. Rappellons que la Bandit 1200S avait été considérablement allongée l'an dernier, et que la position du pilote avait été déplacée vers l'avant. Sur la version 2006, ces modifications avaient eu comme effet de clouer le nez de la grosse Bandit au sol en pleine accélération et de la stabiliser à haute vitesse.

On comprend aujourd'hui que ces changements ont été apportés au modèle en prévision de la venue d'une mécanique plus coupleuse. La direction s'est avérée légère et intuitive au point d'inviter le pilotage sportif sur une route en lacet, une circonstance dans laquelle les suspensions se sont montrées étonnamment à l'aise. Le fait que ces dernières fassent également preuve d'une belle souplesse sur des routes abîmées représente une combinaison qu'on retrouve trop rarement chez une routière à caractère sportif. S'il y a donc bel et bien du sport dans la Bandit, l'ensemble a quand même des limites qui se manifestent sous la forme d'une légère tendance du châssis à se dandiner, surtout lorsqu'on pousse fort dans les courbes à très haute vitesse. La position de conduite est plus compacte et place le guidon plus près, tandis que la Bandit semble un peu plus mince entre les jambes, ce qui la fait aussi paraître plus agile. Le dos parfaitement droit, les mains n'ayant aucun poids à supporter, la bonne selle ainsi que l'excellente protection au vent rendent les longues distances faciles à envisager.

Bref, tout semble être en place pour accueillir une mécanique qui lâchera encore plus de couple et qui se montrera, espérons-le, plus douce que jamais.

En introduisant des Bandit 650 et 1250 refroidies par liquide et en retirant les Katana de sa gamme, Suzuki met fin en 2007 à la production du vénérable et respecté 4-cylindres refroidi par air et huile inauguré sur la première GSX-R750 en 1985.

Un moment de silence, s'il vous plaît.

nouveau cœur

Pour que la Bandit 1250S garde son identité et la bonne valeur qui est devenue sa carte d'affaires, Suzuki s'est lancé dans la conception d'un moteur tout nouveau, mais qui accepterait de loger dans – plus ou moins – le même cadre que l'ancien 4-cylindres. Plusieurs pratiques aujourd'hui courantes, comme le positionnement de l'alimentation au-dessus d'une rangée de cylindres inclinés et plaçant donc du poids sur la roue avant ont dû être mises de côté. Comme l'ancien moteur, le nouveau 1 255 cc est presque vertical et reçoit son mélange d'une rampe d'injection à double papillon située derrière. La nouvelle cylindrée a été obtenue en augmentant la course de 5 mm, une pratique reconnue pour améliorer le couple à bas régime. Comme le montre d'ailleurs la comparaison des courbes de puissance de la nouvelle et de l'ancienne mécanique, la version 2007 n'est pas plus puissante, mais elle produit considérablement plus de couple (environ 15 %) à partir d'un régime beaucoup plus bas que la 2006. La nouvelle zone rouge reflète cet accent mis sur l'utilisation des régimes bas et moyen puisqu'elle passe de 11 000 tr/min à 9 500 tr/min. Fait très intéressant, une nouvelle transmission à 6 rapports est conçue afin de réduire les régimes sur l'autoroute, tandis qu'un balancier est ajouté. Il s'agit de modifications qui devraient logiquement atténuer le degré relativement élevé de vibrations présentes sur l'ancienne Bandit 1200S depuis toujours.

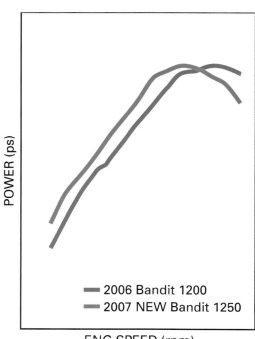

POWER (ps)

━━ 2006 Bandit 1200
━━ 2007 NEW Bandit 1250

ENG SPEED (rpm)

VITESSE DE POINTE
230 km/h
ACCÉLÉRATION SUR 1/4 MILLE
11,4,191 km/h, s à

indice d'expertise ▶

◀ rapport valeur/prix

général

catégorie	Routière Sportive
prix	10 799 $ (ABS : 11 299 $)
garantie	1 an/kilométrage illimité
couleur(s)	noir, gris (ABS : noir)
concurrence	Kawasaki Z1000, Yamaha FZ1

moteur

type	4-cylindres en ligne 4-temps, DACT, 4 soupapes par cylindre, refroidissement par liquide
Alimentation	injection à 4 corps de 36 mm
rapport volumétrique	10,5:1
cylindrée	1 255 cc
Alésage et course	79 mm x 64 mm
Puissance	98 ch @ 7 500 tr/min
couple estimé	79,6 lb-pi @ 3 700 tr/min
boîte de vitesses	6 rapports
transmission finale	par chaîne
révolution à 100 km/h	n/d
consommation moyenne	n/d
Autonomie moyenne	n/d

partie cycle

type de cadre	double berceau, en acier
suspension avant	fourche conventionnelle de 43 mm ajustable en précharge
suspension arrière	monoamortisseur ajustable en précharge et détente
freinage avant	2 disques de 310 mm de Ø avec étriers à 4 pistons
freinage arrière	1 disque de 240 mm de Ø avec étrier à 1 piston
pneus avant/arrière	120/70 ZR17 & 180/55 ZR17
empattement	1 480 mm
Hauteur de selle	790/810 mm
poids à vide	225 kg (ABS : 229 kg)
réservoir de carburant	19 litres

conclusion

Plusieurs points sont très intéressants sur cette évolution majeure du modèle. D'abord, on remarque que beaucoup d'efforts ont été déployés pour améliorer le couple à bas régime, ce qui devrait faire de la nouvelle Bandit 1250S une moto très différente de sa rivale la plus proche, la Yamaha FZ1. Autant le côté sportif de cette dernière a pris le dessus sur tout le reste l'an dernier, autant la Bandit semble cette année vouloir développer le rôle de routière agile qui la définit depuis toujours. Ensuite, on note que malgré la création d'un tout nouveau moteur, le prix de la Bandit 1250S n'explose pas, ce qui arrive parfois lorsqu'un vieux modèle passe à l'ère moderne. Enfin, Suzuki annonce que sa nouvelle mécanique est munie d'un balancier supplémentaire devant réduire les vibrations et que la boîte à 6 rapports abaissera les régimes sur l'autoroute. Dites-nous que vous n'avez pas acheté une 2006...

Modèle européen. Bandit 1250S ABS offerte en noir seulement au Canada.

 QUOI DE NEUF EN 2007 ?

Moteur passe de 1 157 cc refroidi par air et huile à 1 255 cc refroidi par liquide

Tubes inférieurs du cadre (berceau) de plus gros diamètre

Augmentation de 100 $ pour les deux versions

⌃ PAS MAL

Une évolution qui résiste à la tentation d'une direction trop sportive et qui a plutôt pour but terre à terre d'améliorer les capacités routières

Un châssis et des suspensions qui forment un ensemble très impressionnant, puisqu'il est aussi capable de procurer un degré d'amusement élevé en mode sport que de permettre un niveau de confort très raisonnable le reste du temps

Une mécanique qui a été conçue d'abord et avant tout pour la Bandit 1250S avec le but de corriger les défauts de l'ancienne, les constantes vibrations, et d'en améliorer les qualités, soit la livrée de couple à bas et moyen régimes

⌄ BOF

Un couple annoncé qui grimpe de façon marquée par rapport à celui de l'ancien moteur, mais une puissance qui reste la même; à moins d'une surprise, le punch à l'approche de la zone rouge que l'ancien modèle n'a jamais eu ne sera toujours pas de la partie sur celui-ci

Une situation gênante pour le motocycliste ayant fait l'acquisition d'un modèle 2006 en pensant que celui-ci resterait sans changement pour quelques années; qui aurait pu deviner que cela arriverait à la Bandit 1200S ?

BANDIT 650S

RÉVISION 2007

Jus bienvenu...

Comme c'est exactement le cas pour sa grande sœur, la Bandit 1250S, la 650S passe en 2007 une très importante étape de sa carrière puisqu'elle délaisse sa vénérable mais vieille mécanique refroidie par air et huile pour un tout nouveau — et plus puissant — moteur refroidi par liquide développé expressément par Suzuki pour ces modèles. Le constructeur a de plus profité de la présence de la petite Bandit « dans le garage » pour effectuer une mise à niveau du système de freinage avant, qui en avait d'ailleurs besoin. Un système ABS est offert moyennant un fort raisonnable supplément de 500 $, une caractéristique pratiquement unique pour des montures de ce prix.

TECHNIQUE

Petit pétage de bretelles avant de passer aux choses sérieuses. En 2007, Suzuki fait évoluer la Bandit 650S en corrigeant très exactement les points négatifs que *Le Guide de la Moto* faisait ressortir l'an dernier, soit un niveau de puissance trop faible pour rendre le modèle compétitif, l'absence de quelque punch que ce soit à haut régime et un système de freinage avant désuet. On ne le fera pas, mais on pourrait dire qu'on l'avait dit.

Depuis son arrivée, la petite Bandit a toujours bien collé à l'idée de l'excellente moto... normale. Sa ligne, qui a toujours pu être qualifiée de sympathique, mais pas vraiment excitante, était l'image de sa solide mais vieille mécanique refroidie par air et huile. Comme le prix demeurait raisonnable, tout le monde s'entendait pour dire que la valeur y était quand même. Puis arrivèrent les Yamaha FZ6, Honda 599 (en congé au Canada pour 2007) et autres V-Strom 650, pour ne nommer que celles-là, et l'univers de la valeur changea. Suzuki tenta de garder le modèle dans le coup en 2005 en rajeunissant la ligne et en faisant passer la cylindrée à 650 cc, mais même si améliorations il y avait, la petite Bandit continuait de mériter la même conclusion. Pour 2007, Suzuki devait faire mieux. D'abord parce que même si les ventes sont timides en Amérique, sur l'énorme marché européen, la petite Bandit représente un modèle important. Avant l'arrivée des montures mentionnées plus haut, il s'agissait d'une des motos les plus vendues. Et ensuite, parce que la norme Euro III signait pratiquement l'arrêt de mort de l'ancien moteur.

> **RESTE À VOIR SI LE NOUVEAU MOTEUR FERA RESSORTIR UN PEU DE CARACTÈRE DE CELLE QUI S'EST TOUJOURS BIEN COMPORTÉE, MAIS SANS JAMAIS EXCITER.**

La nouvelle Bandit 650S représente une évolution très intelligente du modèle 2006 puisqu'elle conserve intégralement le côté pratique qui a fait la réputation l'ancienne version, mais lui ajoute une touche de piquant avec une toute nouvelle mécanique refroidie par liquide. Bien que la puissance annoncée ne soit pas aussi élevée que chez certaines rivales comme la FZ6, Suzuki prétend que ce fut le prix à payer pour obtenir des mi-régimes rendant la conduite quotidienne plus intéressante, un argument d'ailleurs tout à fait valable. Reste maintenant à voir si tout ça sera suffisant pour faire ressortir un peu de caractère de cette moto s'étant toujours bien comportée, mais n'ayant jamais excité.

À part une augmentation de l'empattement de l'ordre de 30 mm — probablement due à un allongement du bras oscillant, Suzuki ne le mentionne pas —, un passage à des disques de 290 mm à 310 mm et des étriers de 2 à 4 pistons sur le frein avant, et le recours à des tubes de plus gros diamètre pour la portion inférieure du cadre, la partie cycle de la Bandit 650S reste inchangée. Le modèle s'était jusque-là démarqué par des manières extraordinairement amicales permettant aisément à un motocycliste peu expérimenté de l'envisager comme première monture, et aux autres de tout simplement profiter d'une petite moto facile à piloter et exempte de mauvaises manières en pleine accélération. Les meilleurs freins ne feront certainement pas de tort, tandis que la possibilité de l'équiper d'un système ABS pour à peine 500 $ (oui, ça vaut la peine) en fait un choix d'autant plus intéressant pour une clientèle à la recherche d'une moto sans surprise.

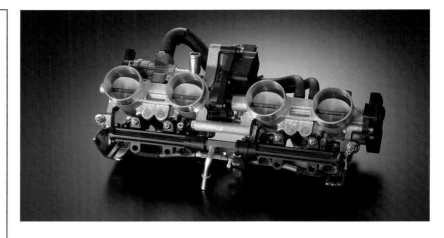

POWER (ps)

— 2006 Bandit 650
— 2007 NEW Bandit 650

ENG SPEED (rpm)

(un peu) plus de chevaux

Le tout nouveau 4-cylindres en ligne qui anime la Bandit 650S n'a pratiquement rien à voir avec les mécaniques qui propulsent les 600 de pointe actuelles. Il s'agit plutôt d'une réinterprétation moderne du moteur refroidi par air et huile qui traîne chez Suzuki depuis 1985. Cela dit, si l'architecture reste comparable, la plupart des technologies courantes sont quand même adoptées. L'injection à double papillon, la culasse étroite avec angle réduit entre les soupapes, la superposition des axes de la transmission, les convertisseurs catalytiques, etc. Un design plus agressif aurait pu générer plus de puissance, mais Suzuki offre déjà une GSR600 animée par le 4-cylindres de la GSX-R600 sur le marché européen, et il s'est donc concentré

sur l'aspect pratique et facile à vivre de la Bandit 650S en développant son moteur. La puissance passe de 78 à 85 chevaux tandis que la zone rouge de 12 500 tr/min grimpe de 500 tr/min.

journalière

Sur la Bandit 650S, on ne trouve pas de suspensions ajustables dans tous les sens ou de cadre en aluminium prêt à sauter en piste, mais on bénéficie en revanche d'une foule de détails visant à faciliter la vie à ses commandes au jour le jour. L'un des plus intéressants de ces aspects concerne l'ergonomie réglable au niveau de la hauteur de selle, qui peut jouer sur 20 mm, et sur celle du guidon qui peut varier sur 10 mm. Les selles sont recouvertes d'un matériau antidérapant, le passager peut facilement s'accrocher à une barre de maintien bien positionnée et de bonnes dimensions, et l'entretien est facilité par la présence d'une béquille centrale en équipement de série. L'ABS offert en option ne fait qu'étoffer davantage une liste déjà bien garnie de caractéristiques qui comptent vraiment dans l'utilisation journalière.

VITESSE DE POINTE
217 km/h
ACCÉLÉRATION SUR 1/4 MILLE
11,8 s à **184** km/h
indice d'expertise ▸

◂ rapport valeur/prix

Voir légende page 7
Performances 2006 ◂

EXPERT	E
INTERMÉDIAIRE	I
NOVICE	N

général

catégorie	Routière Sportive
prix	8 899 $ (ABS : 9 399 $)
garantie	1 an/kilométrage illimité
couleur(s)	rouge, bleu (ABS : bleu)
concurrence	BMW F800S, Kawasaki Z750S, Yamaha FZ6

moteur

type	4-cylindres en ligne 4-temps, DACT, 4 soupapes par cylindre, refroidissement par liquide
alimentation	injection à 4 corps de 36 mm
rapport volumétrique	11,5:1
cylindrée	656 cc
alésage et course	65,5 mm x 48,7 mm
puissance	85 ch @ 10 500 tr/min
couple	45,6 lb-pi @ 8 900 tr/min
boîte de vitesses	6 rapports
transmission finale	par chaîne
révolution à 100 km/h	n/d
consommation moyenne	n/d
autonomie moyenne	n/d

partie cycle

type de cadre	double berceau, en acier
suspension avant	fourche conventionnelle de 41 mm ajustable en précharge
suspension arrière	monoamortisseur ajustable en précharge et détente
freinage avant	2 disques de 310 mm de Ø avec étriers à 4 pistons
freinage arrière	1 disque de 240 mm de Ø avec étrier à 2 pistons
pneus avant/arrière	120/70 ZR17 & 160/60 ZR17
empattement	1 470 mm
hauteur de selle	770/790 mm
poids à vide	218 kg (ABS : 222 kg)
réservoir de carburant	19 litres

conclusion

La Bandit 650S progresse de manière aussi intelligente qu'intéressante en 2007. Plutôt que d'en faire une autre FZ6 en lui greffant la mécanique d'une GSX-R600, Suzuki s'est plutôt attardé aux critères qui comptent le plus pour la clientèle typique du modèle, soit la facilité d'utilisation au jour le jour, le confort et la sécurité. S'il reste à voir à quel point la nouvelle mécanique réussira à éveiller le caractère dormant de l'ancien modèle, on sait déjà qu'en matière d'accessibilité, on trouve difficilement plus amical, chez ce genre de cylindrée, que la petite Bandit. C'est d'ailleurs là que semble se situer le positionnement idéal du modèle puisqu'il y a déjà plus gros, plus puissant et plus agressif dans ce créneau de montures abordables. Mais une moto pleine grandeur, agile, confortable et tout simplement à l'aise dans la besogne quotidienne, avec l'ABS et pour 1 100 $ de moins qu'une Z750S, ça, ça risque d'en intéresser quelques-uns.

⊙ QUOI DE NEUF EN 2007 ?

Moteur plus puissant refroidi par liquide plutôt que par air et huile

Tubes inférieurs du cadre (berceau) de plus gros diamètre

Disques du frein avant plus grands de 310 mm pincés d'étriers à 4 pistons

Empattement allongé de 30 mm

Augmentation de 100 $ pour les deux versions

⌃ PAS MAL

Une mécanique enfin plus puissante qui, on l'espère, éveillera un peu le caractère dormant de l'ancienne version refroidie par air et huile

Un niveau de confort très intéressant amené par une position idéale, puisque droite et dégagée, par une bonne protection au vent et par une selle correcte

Un comportement solide et sain, une exceptionnelle facilité de prise en main et un niveau de sécurité rehaussé par la possibilité d'opter pour une version avec ABS pour un montant très raisonnable

⌄ BOF

Des chiffres de puissance — du moins ceux que nous avons pu obtenir avant d'aller sous presse — relativement peu élevés qui poussent à se questionner sur la véritable augmentation de performance, surtout que le couple serait même légèrement inférieur à celui de la version 2006; cela dit, nous avons déjà été très impressionnés par des mécaniques qui sur papier n'étaient qu'ordinaires, un bel exemple étant la nouvelle BMW F800S et ses 85 chevaux; seul un essai du nouveau moteur conclura ce point

Un système ABS qu'il n'est possible de commander que sur une seule des couleurs offertes et qui devrait l'être sur toutes

SUZUKI

V-STROM 1000

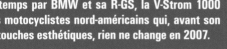

moto de toutes occasions...

Construite autour de l'excellent V-Twin d'un litre qui a propulsé dès 1997 les sportives TL, puis la SV1000S à partir de 2003, la V-Strom 1000 fut lancée en 2002 et n'a depuis reçu que de légères améliorations en 2004, notamment au niveau du pare-brise. Si le concept derrière le modèle n'a rien de nouveau puisqu'il reprend l'essentiel de l'idée lancée il y a bien longtemps par BMW et sa R-GS, la V-Strom 1000 peut en revanche prétendre au mérite d'avoir popularisé cette façon de rouler auprès des motocyclistes nord-américains qui, avant son arrivée, ne comprenaient pas vraiment l'intérêt de la haute allemande. À part de légères retouches esthétiques, rien ne change en 2007.

Grâce à l'arrivée sur le marché de modèles comme la Ducati Multistrada et au renouvellement de la Triumph Tiger, sans évidemment parler de l'omniprésence de la mère de cette catégorie, la BMW R1200GS, la V-Strom 1000 devient chaque année non seulement mieux comprise, mais aussi appréciée par un nombre toujours grandissant de motocyclistes qui, il y a quelques années à peine, ne soupçonnaient pas l'intérêt du modèle.

L'un des principaux attraits de la V-Strom d'un litre concerne cette rare capacité qu'elle a d'arriver à coller un sourire au visage de son pilote chaque fois qu'il l'enfourche, et ce, qu'il soit en route pour une courte course ou qu'il amorce une longue balade. Malgré le fait que la selle soit un peu haute, tout semble être en place pour mettre immédiatement le pilote à l'aise, une caractéristique dont est grandement responsable l'agréable équilibre de la position de conduite. Le guidon large rend la direction très légère alors que la partie cycle exhibe des qualités presque sportives et renvoie une impression décidément surprenante de solidité et de précision pour une moto de ce genre. La V-Strom 1000 se laisse d'ailleurs facilement convaincre d'adopter un rythme intense sur une route sinueuse. L'impressionnante capacité d'absorption des suspensions à long débattement permet non seulement d'accéder à un niveau de pilotage relativement intense, mais aussi de le faire en se concentrant sur la route plutôt que sur l'état dans lequel elle se trouve. Il s'agit d'un avantage que n'importe quel motocycliste ayant déjà

tenté d'exploiter une sportive sur une route en mauvais état appréciera particulièrement.

L'autre caractéristique largement responsable de l'agrément de pilotage proposé par la V-Strom se veut le V-Twin d'un litre qui l'anime. Pourvu d'une injection parfaitement calibrée, annoncé à près d'une centaine de chevaux et secondé par une excellente boîte à 6 rapports, il distille un charme incontestable par le genre de grondement et de vibrations que seule une mécanique de ce type peut produire. Le niveau de performances n'est pas renversant, le V-Twin charmant beaucoup plus par l'abondance du couple qu'il génère à tous les régimes que par la force de ses accélérations, mais ces dernières restent tout de même suffisamment intenses pour envoyer l'avant en l'air en première, ce qui devrait distraire sans problème un motocycliste expérimenté. Le seul petit défaut de ce moteur est un certain jeu dans le rouage d'entraînement qui, combiné avec le couple élevé et le frein moteur important du V-Twin d'un litre, provoque occasionnellement une conduite saccadée, à basse vitesse sur les rapports inférieurs, par exemple.

Tout de même très à l'aise sur de longues distances, la V-Strom n'est handicapée dans ces circonstances que par une selle correcte, mais qui mériterait d'être plus confortable. Le pare-brise ajustable en deux positions offre par ailleurs une impressionnante protection du torse, mais il crée une turbulence constante au niveau de la tête, et ce, peu importe la hauteur à laquelle on le règle.

> ## SANS ÊTRE RENVERSANTES, LES ACCÉLÉRATIONS DEVRAIENT DISTRAIRE SANS PROBLÈME UN PILOTE EXPÉRIMENTÉ.

VITESSE DE POINTE
203 km/h
ACCÉLÉRATION SUR 1/4 MILLE
12,0 s à **177** km/h
indice d'expertise ▸
◂ rapport valeur/prix

Voir légende page 7

EXPERT	E
INTERMÉDIAIRE	I
NOVICE	N

général

catégorie	Routière Aventurière
prix	11 999 $
garantie	1 an/kilométrage illimité
couleur(s)	noir et gris, bleu et gris
concurrence	Buell Ulysses XB12X, Ducati Multistrada 1100, Triumph Tiger

moteur

type	bicylindre 4-temps en V à 90 degrés, DACT, 4 soupapes par cylindre, refroidissement par liquide
alimentation	injection à 2 corps de 45 mm
rapport volumétrique	11,3:1
cylindrée	996 cc
alésage et course	98 mm x 66 mm
puissance	98 ch @ 8 200 tr/min
couple	65 lb-pi @ 7 000 tr/min
boîte de vitesses	6 rapports
transmission finale	par chaîne
révolution à 100 km/h	environ 3 700 tr/min
consommation moyenne	7,0 l/100 km
autonomie moyenne	314 km

partie cycle

type de cadre	périmétrique, en aluminium
suspension avant	fourche conventionnelle de 43 mm ajustable en détente
suspension arrière	monoamortisseur ajustable en précharge et détente
freinage avant	2 disques de 310 mm de Ø avec étriers à 2 pistons
freinage arrière	1 disque de 260 mm de Ø avec étrier à 1 piston
pneus avant/arrière	110/80 R19 & 150/70 R17
empattement	1 535 mm
hauteur de selle	840 mm
poids à vide	208 kg
réservoir de carburant	22 litres

conclusion

Plus la catégorie des routières aventurières évolue et se diversifie, plus le rôle de la V-Strom 1000 se clarifie. Positionnée quelque part entre la BMW R1200GS aux ambitions « hors-routières » et les Triumph Tiger et Ducati Multistrada aux parties cycles plus sportives — et moins cher que toutes ces montures — la grosse V-Strom prend la forme de l'aventurière sans prétention, mais terriblement efficace. Assez confortable pour abattre de longues distances de manière plaisante, aussi amicale qu'à l'aise dans la besogne quotidienne, capable de jouer les sportives sur demande, suspendue de manière réaliste compte tenu de l'état de nos belles routes et propulsée par un charmeur de V-Twin, elle fait partie des modèles fétiches du Guide depuis nos tout premiers tours de roues à ses commandes.

⊙ QUOI DE NEUF EN 2007 ?

Lentilles de clignotants claires

Ajout d'un couvercle cachant le pivot du bras oscillant

Aucune augmentation

⌃ PAS MAL

Un V-Twin d'un litre dont le caractère est charmant et dont le niveau de performances est très plaisant

Une tenue de route non seulement étonnamment solide et précise, mais aussi très facilement exploitable

Un niveau de confort très élevé amené par une position de conduite parfaitement équilibrée et des suspensions dont la souplesse arrive à aplanir les pires routes

⌄ BOF

Une hauteur de selle dont la nécessité n'est pas claire puisqu'il ne s'agit pas d'une moto destinée à rouler en sentier

Un pare-brise dont l'ajustement est appréciable, mais qui, peu importe sa position, crée une une agaçante turbulence à la hauteur du casque

Une selle qu'on peut qualifier de bonne, mais qu'on aimerait encore meilleure compte tenu de l'aisance avec laquelle la V-Strom s'attaque à de longues distances

Un système ABS qui tarde à faire son apparition sur la V-Strom 1000 bien qu'il soit maintenant offert sur plusieurs autres Suzuki, dont la V-Strom 650

V-STROM 650

chouchoutte...

L'idée d'une routière aventurière propulsée par un petit V-Twin n'est pas réellement nouvelle puisqu'il y a des années que Honda l'exploite avec sa Transalp réservée au marché européen. Ce n'est toutefois qu'à partir de 2004, lorsque la V-Strom 650 fut introduite, que sa popularité s'installa en Amérique du Nord, une réalité non seulement attribuable à la politique de bas prix de Suzuki, mais aussi au lien direct avec le modèle de 1000 cc lancé 2 ans plus tôt. Depuis, *Le Guide de la Moto* n'a — presque — que des éloges pour le modèle qui, malgré sa puissance limitée, fonctionne tellement bien qu'on ne pense plus qu'à rouler. Une intéressante version ABS est offerte en 2007.

Pour le motocycliste n'ayant jamais eu de contact avec une monture de type routière aventurière, il peut s'avérer difficile de deviner l'attrait d'un modèle comme la V-Strom 650. Une cylindrée relativement faible, une ligne plus ou moins inspirante et des suspensions dont le débattement paraît anormalement grand représentent autant d'aspects qui ne font qu'augmenter la confusion. La vérité est que peu importe les efforts déployés par les stylistes ou les ingénieurs de Suzuki, il serait probablement impossible de faire saisir au premier coup d'œil ce qu'est une V-Strom 650. Contrairement à la vitesse ou le tourisme qui sont des messages faciles à passer clairement, celui de la petite V-Strom tient plutôt du plaisir de pilotage et de la simplicité d'utilisation. Bref, il faut l'essayer avant de comprendre pourquoi on devrait l'adopter.

La mission du modèle consiste à arriver à jouer une multitude de rôles, et de le faire à bon compte. Pour y parvenir, Suzuki a combiné le V-Twin injecté de 645 cc de la sportive SV650S à la partie cycle de la V-Strom 1000. Le résultat est une monture au comportement absolument charmant qui, grâce à son faible poids et au caractère docile de sa mécanique, se montre extrêmement facile d'accès, peu importe le niveau d'expérience du pilote.

Malgré la puissance limitée permise par sa cylindrée moyenne, le petit V-Twin se montre étonnamment coupleux dans les tours inférieurs, ce qui rend son utilisation considérablement plus aisée que dans le cas des pointus 4-cylindres en ligne de cylindrée comparable. À l'exception d'un léger

> **VISUELLEMENT, LE MESSAGE DE LA VITESSE OU DU TOURISME EST BEAUCOUP PLUS FACILE À PASSER QUE CELUI DU PLAISIR DE PILOTAGE ET DE L'EFFICACITÉ.**

à-coup à la remise des gaz, l'injection fonctionne parfaitement, tout comme la transmission et l'embrayage. Il s'agit d'une mécanique dont le côté le plus impressionnant se veut une capacité à satisfaire autant les exigeants pilotes de longue date que les motocyclistes peu expérimentés. Ses vibrations sont très bien contrôlées, ce qui rend possible l'utilisation fréquente des hauts régimes sans le moindre inconfort.

Avec sa position de conduite relevée, une bonne selle autant pour le pilote que pour le passager, une très honnête protection au vent et des suspensions qui semblent embellir comme par magie les routes les plus délabrées, la V-Strom se prête sans le moindre problème au jeu des longues distances en duo. L'agaçante turbulence au niveau du casque créée par le pare-brise à haute vitesse constitue l'un des seuls bémols dans ces conditions.

L'une des facettes de la conduite de la V-Strom 650 qui surprennent presque autant que son rapport qualité-prix est sa tenue de route. L'appétit avec lequel elle dévore une route tortueuse est simplement insoupçonnable tant qu'on ne l'a pas soi-même expérimenté. La combinaison de suspensions judicieusement calibrées pour faire face à la réalité des routes imparfaites, d'une direction aussi légère que neutre et précise, et d'un châssis solide et toujours stable en fait une monture sur laquelle un rythme carrément sportif peut très facilement être maintenu sur un tracé sinueux. Sur une route en lacet au revêtement abîmé, un bon pilote aux commandes de la V-Strom 650 pourrait même s'échapper d'une récente sportive.

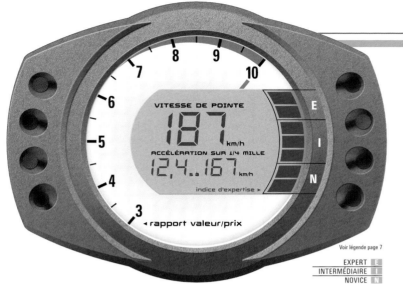

VITESSE DE POINTE
187 km/h
ACCÉLÉRATION SUR 1/4 MILLE
12,4 s à **167** km/h

◂ indice d'expertise ▸

◂ rapport valeur/prix

Voir légende page 7

EXPERT **E**
INTERMÉDIAIRE **I**
NOVICE **N**

général

catégorie	Routière Aventurière
prix	8 999 $ (9 499 $)
garantie	1 an/kilométrage illimité
couleur(s)	bleu, rouge, gris (ABS : gris)
concurrence	BMW F650GS, Kawasaki Versys

moteur

type	bicylindre 4-temps en V à 90 degrés, DACT, 4 soupapes par cylindre, refroidissement par liquide
alimentation	injection à 2 corps de 39 mm
rapport volumétrique	11,5:1
cylindrée	645 cc
alésage et course	81 mm x 62,6 mm
puissance (SV650S)	67 ch @ 8 800 tr/min
couple (SV650S)	44,3 lb-pi @ 6 400 tr/min
boîte de vitesses	6 rapports
transmission finale	par chaîne
révolution à 100 km/h	environ 4 600 tr/min
consommation moyenne	5,8 l/100 km
autonomie moyenne	380 km

partie cycle

type de cadre	treillis périmétrique, en aluminium
suspension avant	fourche conventionnelle de 43 mm ajustable en précharge
suspension arrière	monoamortisseur ajustable en précharge et détente
freinage avant	2 disques de 310 mm de Ø avec étriers à 2 pistons
freinage arrière	1 disque de 260 mm de Ø avec étrier à 1 piston
pneus avant/arrière	110/80 R19 & 150/70 R17
empattement	1 540 mm
hauteur de selle	820 mm
poids à vide	189 kg
réservoir de carburant	22 litres

conclusion

Nous nous sommes profondément épris de la V-Strom 650. La combinaison de plaisir de pilotage, de simplicité et d'aptitudes routières qu'elle offre reste à ce jour unique au motocyclisme, à ce prix. La venue d'une version équipée de l'ABS — celle que vous devriez acheter parce qu'elle vous sauvera la peau tôt ou tard — ne fait qu'ajouter à l'attrait du modèle, surtout compte tenu du déboursé plus que raisonnable de 500 $ demandé par Suzuki. Il s'agit d'une petite moto à tout faire exceptionnellement efficace qui compense sans problème en caractère mécanique ce qui lui manque en chevaux. Les acheteurs se demandent souvent si les 3 000 $ qui la séparent de la V-Strom 1000 valent le coup, et la réponse ne viendra certainement pas de nous. Oui si vous êtes gourmand en chevaux et que vous en avez les moyens, non sinon. La bonne nouvelle est que la 650 est l'une des rares motos dont la petite version se montre tout aussi plaisante que la grosse.

⊙ QUOI DE NEUF EN 2007 ?

Version avec système ABS offerte pour un supplément de 500 $

Têtes du moteur modifiées afin de recevoir une deuxième bougie par cylindre pour une combustion plus propre

Ajout d'un couvercle cachant le pivot du bras oscillant

Aucune augmentation pour la version sans ABS

⌃ PAS MAL

Une véritable petite merveille de mécanique; le V-Twin injecté qui anime la petite V-Strom compense amplement en caractère ce qu'il n'a pas en chevaux

Une tenue de route impressionnante, surtout sur pavé imparfait où les suspensions magiques semblent tout effacer

Un niveau de confort appréciable amené par une position relevée très agréable et par d'excellentes suspensions

Un système ABS efficace et bon marché est maintenant offert, une occasion aussi rare qu'intéressante sur une moto de cette cylindrée et de ce prix

⌄ BOF

Une selle qui n'est pas mauvaise du tout, mais qui n'est pas du genre sur laquelle on peut passer plusieurs centaines de kilomètres sans inconfort

Une hauteur de selle légèrement réduite par rapport à celle de la 1000, mais qui reste considérable

Un pare-brise qui, malgré ses deux réglages possibles en hauteur, génère toujours de la turbulence au niveau du casque

Un système ABS qui n'est offert que sur la V-Strom 650 grise et qui devrait l'être sur toutes

Boulevard M109R Limited

SUZUKI

BOULEVARD M109R

V-Rod nippone...

La dernière fois qu'une custom japonaise a captivé l'attention du marché de la manière dont l'a fait l'an dernier la Boulevard M109R, c'était... il y a très, très longtemps. Même que nous n'hésiterions pas trop à retourner quelques décennies en arrière jusqu'à une certaine V-Max. Surtout attribuable au style audacieux du modèle, cet émoi n'est pas sans rappeler celui que la V-Rod causa lors de sa propre présentation, à la différence qu'il fut dans le cas de la M109R davantage verbalisé sur la rue, par les motocyclistes, que par la presse. Le constructeur d'Hamamatsu exploite d'ailleurs encore mieux ce thème en 2007 avec une très réussie version Limited de la grosse Boulevard.

La M109R compte assurément parmi les customs les plus imposantes sur le marché du point de vue physique. Il faut vraiment se tenir à proximité d'elle ou la voir avec un pilote à ses commandes pour vraiment apprécier à quel point ses dimensions sont immenses. Si le poids est proportionnellement élevé, la masse a l'avantage d'être habilement répartie, ce qui ne rend pas la M109R trop délicate à manœuvrer à basse vitesse, du moins dès qu'on s'habitue à la légère résistance amenée par l'énorme pneu arrière lorsqu'on tente d'incliner la moto. Ces larges proportions se ressentent une fois en selle puisqu'on a l'impression d'être aux commandes d'une custom longue et surtout large, impression qui n'a, soit dit en passant, rien de désagréable. Du moins tant qu'il ne s'agit pas d'un pilote de petite taille qui pourrait trouver les repose-pieds plutôt éloignés. La position de conduite en C se montre très typée puisqu'elle place les pieds et les mains loin devant. Le niveau de confort n'est malgré cela pas mauvais du tout, en partie grâce à la selle large et bien rembourrée et en partie grâce à la surprenante protection apportée par l'avant de la moto. Si l'on n'a évidemment pas affaire à un pare-brise de Gold Wing, cette protection demeure tout de même suffisante pour maintenir de façon très tolérable des vitesses d'autoroute qui seraient vraiment inconfortables sur une custom classique. La suspension avant n'attire aucune critique, mais l'amortisseur arrière se montre sec sur tout ce qui est plus que moyennement abîmé, une réalité qui est aussi celle de bien d'autres customs.

Bien que tous ces détails soient utiles, ils ne sont pas la raison pour laquelle on envisage l'achat d'une M109R. Le look et le moteur, par contre, comptent plus que tout. Comme tous les goûts sont dans la nature et comme la ligne de la grosse Boulevard est très singulière, il est normal qu'elle ne fasse pas l'unanimité. Cela dit, la réalité est qu'elle a fait tourner plus de têtes et a attiré plus de commentaires de tout genre que la moyenne des nouveautés que nous testons.

C'est toutefois au niveau de la mécanique que l'intérêt réel du modèle se trouve puisque le V-Twin qui anime la M109R est, à sa façon bien particulière, un autre de ces bijoux que les constructeurs japonais arrivent parfois à concevoir. Au ralenti, telle une bête, on l'entend littéralement inspirer, puis expirer. L'accélération initiale est impressionnante, on s'y attend, mais c'est par sa manière de tirer toujours plus fort sur les bras de son pilote à mesure que les régimes grimpent que le gros bicylindre de la M109R se distingue. L'attrait de l'expérience ne tient pas qu'à la force de l'accélération, mais aussi aux intenses tremblements du V-Twin et aux sons profonds qui s'en échappent à tous les régimes. La M109R est l'une de ces customs qui se montrent tellement communicatives et généreuses en sensations, dans leur livrée d'origine qu'elles rendent très peu désirable l'idée d'un silencieux plus bruyant.

Enfin, le comportement routier est caractérisé par une stabilité de tous les instants, par un bon freinage et par une direction qui demande un effort légèrement supérieur à la moyenne en amorce et en milieu de virage à cause du large pneu arrière.

> **LA M109R EST L'UNE DE CES CUSTOMS QUI SE MONTRENT, DÈS LEUR LIVRÉE D'ORIGINE, TRÈS COMMUNICATIVES ET TRÈS GÉNÉREUSES EN SENSATIONS.**

VITESSE DE POINTE
208 km/h

ACCÉLÉRATION SUR 1/4 MILLE
12,1,sà 178 km/h

indice d'expertise ►

◄ rapport valeur/prix

Voir légende page 7

Général

catégorie	Custom
prix	17 999 $ (Limited : 18 299 $)
garantie	1 an/kilométrage illimité
couleur(s)	noir, rouge, blanc (Limited : bleu)
concurrence	Harley-Davidson Night Rod Special, Victory Hammer, Yamaha Road Star Warrior

moteur

type	bicylindre 4-temps en V à 54 degrés, DACT, 4 soupapes par cylindre, refroidissement par liquide
Alimentation	injection à 2 corps de 56 mm
Rapport volumétrique	10,5:1
cylindrée	1 783 cc
Alésage et course	112 mm x 90,5 mm
Puissance	127 ch @ 6 200 tr/min
couple	118,6 lb-pi @ 3 200 tr/min
Boîte de vitesses	5 rapports
Transmission finale	par arbre
Révolution à 100 km/h	environ 2 900 tr/min
consommation moyenne	7,8 l/100 km
Autonomie moyenne	250 km

partie cycle

type de cadre	double berceau, en acier
suspension avant	fourche inversée de 46 mm non ajustable
suspension arrière	monoamortisseur ajustable en précharge
freinage avant	2 disques de 310 mm de Ø avec étriers radiaux à 4 pistons
freinage arrière	1 disque de 275 mm de Ø avec étrier à 2 pistons
pneus avant/arrière	130/70 R18 & 240/40 R18
empattement	1 710 mm
Hauteur de selle	705 mm
poids à vide	319 kg
Réservoir de carburant	19,5 litres

conclusion

Le moins que l'on puisse dire est que la M109R contribue sérieusement à améliorer la moyenne au bâton de Suzuki dans l'univers custom. Propulsée par une mécanique emballante, capable de performances vraiment grisantes et arborant l'une des lignes les plus audacieuses du motocyclisme, elle commence enfin à démontrer que le constructeur d'Hamamatsu a d'autres cordes à son arc et qu'il a bel et bien la capacité de mettre en marché d'autres produits compétitifs que ses GSX-R. Elle n'est ni la plus raffinée ni la mieux finie chez les puissantes customs haut de gamme, mais le côté viscéral de l'expérience de pilotage qu'elle propose et le style unique qu'elle affiche sont suffisamment forts pour faire presque oublier ces lacunes.

Boulevard M109R Limited

QUOI DE NEUF EN 2007 ?

Version Limited à peinture bleue et bande centrale blanche, feu arrière clair à lumières de type LED, lentilles de clignotants claires et fond d'instrumentation à motifs en damier; offerte à 300 $ de plus que la version de base

Plusieurs couvercles du moteur maintenant en métal plutôt qu'en plastique

Nouvelles variantes devant arriver au courant de 2007 : M109RN (pour naked) identique à la M109R, mais sans le petit carénage avant; et C109 propulsée par le même moteur, mais dont le style classique et le châssis sont différents

Aucune augmentation pour la version de base

⌃ PAS MAL

Un moteur dont la manière d'inspirer et d'expirer au ralenti est presque bestiale et dont le niveau de performances est vraiment impressionnant

Une partie cycle qui encaisse sans broncher toute la fougue du gros V-Twin et dont le large pneu arrière ne sabote pas trop les bonnes manières

Une ligne qui, même si elle ne fait pas l'unanimité, représente probablement le plus audacieux design custom depuis l'arrivée de la V-Rod

BOF

Une injection qui se montre abrupte à la réouverture des gaz et un frein moteur inhabituellement fort qui se combinent pour rendre la conduite saccadée sur les rapports inférieurs, à basse vitesse

Un rouage d'entraînement dont on perçoit le sifflement presque chaque instant en selle et qui compte parmi les raisons pour lesquelles nous disons qu'il ne s'agit pas de la grosse custom la plus raffinée qui soit

Une suspension arrière qui digère mal les routes très abîmées et dont la capacité d'absorption semble se limiter à aux revêtements peu endommagés

Une deuxième vitesse qui se désengageait parfois en pleine accélération si elle était enclenchée à la volée sur notre moto d'essai; Suzuki Canada a mis une seconde moto, disons moins abusée à notre disposition, mais l'occasion ne s'est pas présentée d'en faire l'essai

Boulevard C90

SUZUKI

BOULEVARD C90

note de passage...

Les constructeurs nippons commençaient à peine à vraiment saisir les caractéristiques de base — un gros V-Twin et de flatteuses lignes classiques — que les amateurs de customs désiraient retrouver lorsque la Boulevard C90 fut introduite en 1998. Alors qu'une partie de la clientèle custom est devenue plus exigeante avec le passage des années, l'autre reste relativement satisfaite par l'équation de départ, surtout si un prix intéressant y est rattaché. La C90 est exactement ce que ces motocyclistes recherchent, puisqu'elle n'a que très peu évolué depuis. Deux versions de tourisme léger, les C90 SE et C90T sont offertes.

Les amateurs de customs ont cela de particulier qu'ils acceptent volontiers de voir un modèle vieillir tranquillement sans trop changer. C'est d'ailleurs grâce à cette réalité qu'un modèle comme la C90 dont l'origine remonte à 1998 — elle s'appelait à l'époque l'Intruder 1500 LC — réussit encore aujourd'hui à trouver preneur sans trop de difficultés. L'une des grandes raisons de cette longévité est liée à son style et à ses proportions tellement pleines qu'elles paraissaient presque exagérées à l'époque. Celles-ci semblent toujours bien plaire à une certaine catégorie d'acheteurs, et ce, même si les 1 500 cc du modèle représentent aujourd'hui une cylindrée relativement faible chez les customs poids lourd. Rebaptisée Boulevard depuis 2005, la C90 bénéficie également depuis de l'injection de carburant, une technologie qui régularise le rendement et réduit les émissions polluantes sans toutefois apporter de gains notables au chapitre des performances.

Même si sa masse semble s'alléger dès qu'elle commence à rouler, la C90 demeure une moto imposante. La sensation ressentie est agréable, surtout que la générosité des dimensions se retrouve aussi au niveau des selles qui sont particulièrement larges pour le pilote comme pour le passager. La version canadienne C90SE et la version d'usine C90T sont équipées de la même façon, même si les accessoires ne sont pas tout à fait identiques. Ces versions de tourisme léger se montrent bien plus à l'aise lors de longs trajets sur l'autoroute grâce à la protection accrue apportée par leur gros pare-brise qui a la belle

qualité de ne pas provoquer de turbulences. Par ailleurs, le confort sur toutes les versions de la C90 est bon puisque la position de conduite est naturelle et généreusement dégagée et que les suspensions accomplissent un travail généralement honnête.

L'une des caractéristiques prédominantes du V-Twin de 1 500 cc de Suzuki est son manque de charisme et sa sonorité quelque peu industrielle. Ce n'est rien qui rende la moto désagréable, surtout que le niveau de performances reste correct. Les bas régimes sont musclés et les accélérations se situent dans la moyenne de la classe. Les vibrations ne sont jamais un problème. L'ensemble embrayage/transmission, à l'image du reste, fonctionne correctement sans toutefois avoir quoi que ce soit d'exceptionnel.

Dans l'ensemble, la tenue de route peut être qualifiée de saine puisqu'elle n'attire pas de critique particulière en conduite normale, du moins à l'exception d'une garde au sol typiquement limitée qu'il faut respecter. Le freinage s'avère par ailleurs correct, tandis que la stabilité est irréprochable dans toutes les circonstances. Grâce au large guidon, l'effort à la direction est faible en entrée de courbe et le comportement reste solide et neutre en virage. De la même manière qu'à peu près toutes les customs de ce gabarit, la C90 est lourde et demande une attention particulière de la part du pilote durant les manipulations à l'arrêt comme lors des manœuvres lentes et serrées, et ce, même si la hauteur de selle est faible.

> ### LES IMPOSANTES PROPORTIONS DE LA BOULEVARD C90 SE RETROUVENT AUSSI AU NIVEAU DES SELLES.

Voir légende page 7

EXPERT **E**
INTERMÉDIAIRE **I**
NOVICE **N**

VITESSE DE POINTE
180 km/h
ACCÉLÉRATION SUR 1/4 MILLE
14,1 s à **153** km/h
indice d'expertise ▶
◀ rapport valeur/prix

général

catégorie	Custom (SE et T : Tourisme léger)
prix	C90 : 14 599 $; C90 noire : 14 299 $ C90 SE : 16 699 $; C90 SE noire : 16 399 $ C90T : 16 999 $
garantie	1 an/kilométrage illimité
couleur(s)	noir, rouge et noir, argent et blanc (T : noir, gris)
concurrence	Harley-Davidson Fat Boy, Kawasaki Vulcan 1600 Classic, Yamaha Road Star

moteur

type	bicylindre 4-temps en V à 45 degrés, SACT, 3 soupapes par cylindre, refroidissement par air et huile
alimentation	injection
rapport volumétrique	8,5:1
cylindrée	1 462 cc
alésage et course	96 mm x 101 mm
puissance	67 ch @ 4 800 tr/min
couple	84 lb-pi @ 2 300 tr/min
boîte de vitesses	5 rapports
transmission finale	par arbre
révolution à 100 km/h	environ 2 700 tr/min
consommation moyenne	6,6 l/100 km
autonomie moyenne	227 km

partie cycle

type de cadre	double berceau, en acier
suspension avant	fourche conventionnelle de 41 mm non ajustable
suspension arrière	monoamortisseur ajustable en précharge
freinage avant	2 disques de 300 mm de Ø avec étriers à 2 pistons
freinage arrière	1 disque de 275 mm de Ø avec étrier à 4 pistons
pneus avant/arrière	150/80-16 & 180/70-15
empattement	1 700 mm
hauteur de selle	700 mm
poids à vide	299 kg (SE : 319 kg, T : 316 kg)
réservoir de carburant	15 litres

conclusion

C'est surtout en maintenant le prix de sa grosse Intruder 1500 LC, aujourd'hui devenue Boulevard C90, à un niveau considérablement plus faible que celui des modèles concurrents que Suzuki est arrivé à conserver un certain intérêt des amateurs. La proposition semble faire l'affaire de tout le monde puisque le manufacturier ne cache pas l'âge de son modèle et que le consommateur semble, de son côté, accepter le genre de compromis qu'on lui propose. C'est d'ailleurs la seule bonne manière d'aborder la C90, peu importe la version envisagée. Il s'agit d'une custom n'ayant rien de très particulier à offrir au niveau des sensations de conduite, sans toutefois que cela la prive d'un certain agrément de pilotage. La C90 est un produit de calibre moyen offert à un prix moyen, rien de plus, rien de moins.

(●) **QUOI DE NEUF EN 2007 ?**

Style du maître cylindre du frein avant et des leviers de frein et d'embrayage plus soigné

Aucune augmentation

(⌃) **PAS MAL**

Un excellent pare-brise pour les versions SE et T puisqu'il a la rare qualité de ne pas générer de turbulences; il s'agit probablement d'un accident, mais cela n'enlève rien à l'agréable efficacité de l'équipement

Un bon niveau de confort rendu par des selles généreuses, des suspensions correctes et une position dégagée

Un comportement routier qui reste solide et sain même s'il n'a pas de qualités exceptionnelles

(⌄) **BOF**

Un poids élevé qui demande du muscle pour bouger la moto à l'arrêt et une attention particulière lors de manœuvres lentes et serrées

Des sacoches en cuir dont l'accès n'est pas toujours aisé et dont la position avancée gêne les pieds du passager

Un V-Twin qui joue son rôle de façon un peu fade et qui manque un peu de caractère; on est loin de la cadence profonde et finement ajustée de certaines concurrentes

Boulevard C90T

Boulevard C50

BOULEVARD C50

Bonne moyenne...

La C50 constitue peut-être le modèle custom le plus important de la gamme Suzuki puisqu'il est celui qui représente le constructeur dans la catégorie aussi compétitive que populaire qu'est celle des customs de cylindrée moyenne. Elle fut lancée en 2001 sous le nom d'Intruder Volusia puis rebaptisée Boulevard C50 en 2005, moment où elle reçut aussi une alimentation par injection. Trois modèles sont offerts : la C50 de base, et non pas une, mais bien deux versions de tourisme léger, une situation unique à Suzuki. Toutes les variantes reçoivent en 2007 des commandes plus esthétiques ainsi que l'ajout d'une fonction de jauge d'essence à l'instrumentation.

Les propriétaires de customs poids lourd, tout comme certains motocyclistes amateurs d'autres styles, d'ailleurs, ont parfois tendance à ne pas trop prendre au sérieux ces customs de cylindrée moyenne dont la puissance est modeste et dont le style est prévisible. Mais le fait est qu'elles représentent à la fois certaines des meilleures valeurs du marché et un défi de taille pour les constructeur qui les conçoivent. En effet, les acheteurs de ces modèles, et ils sont très nombreux, veulent littéralement retrouver toutes les caractéristiques des convoités modèles poids lourds, mais à une fraction du prix. Le constructeur le plus généreux multipliera ses ventes et celui qui résiste à proposer au moins l'équivalent de ce nouveau niveau de caractéristiques verra la popularité de ses modèles chuter. La C50 se débrouille de manière fort honorable dans cette dynamique en offrant pratiquement tous les critères recherchés des consommateurs avertis. Une alimentation par injection, une ligne à jour et réussie, des proportions généreuses, une finition soignée et un entraînement final propre par arbre sont autant de critères qui sont aujourd'hui exigés par les acheteurs de customs de cette cylindrée. La C50 ne se montre avare qu'au niveau du frein arrière qui est toujours du type à tambour, mais offre tout le reste. Quant à la fameuse version de tourisme désormais jumelée à presque chaque modèle sur le marché, la C50 n'en offre pas une, mais bien deux! La SE est accessoirisée par Suzuki Canada et la T arrive de l'usine avec à peu près les mêmes équipements.

> **LA C50 EST UN CHOIX INTERMÉDIAIRE ENTRE LA 900 DE KAWASAKI ET LA 750 DE HONDA TANT AU NIVEAU DU PRIX QU'À CELUI DE LA PUISSANCE.**

Au sein de sa catégorie, la C50 se présente comme le choix moyen en se situant entre la 900 de Kawasaki et la 750 de Honda, et ce, tant au niveau du prix qu'à celui de la performance. Le V-Twin de 805 cc qui anime la C50 fait correctement son travail, mais sans toutefois montrer un caractère réellement excitant. Il est doux, tremble et gronde gentiment, et procure des accélérations et des reprises satisfaisantes pour la classe. L'injection ne fait que régulariser le rendement sans vraiment accroître les performances qui, sans s'avérer excitantes, peuvent être qualifiées d'honnêtes et de tout à fait suffisantes lorsque l'esprit est à la balade. Un effort léger au levier d'embrayage et une transmission plutôt douce et précise sont d'autres points qui rendent la C50 amicale durant la besogne quotidienne. En raison du poids modéré, de la selle basse et de la position de conduite naturelle et décontractée, la prise en main se montre très aisée, même pour un pilote peu expérimenté. Les manœuvres lentes et serrées souvent délicates sur les customs de plus grosse cylindrée s'accomplissent ici sans complication, tandis qu'une fois en mouvement, la C50 se montre facile à mettre en angle tout en demeurant neutre et saine le long des virages. Les plateformes finissent par frotter, mais pas trop prématurément pour la classe. Si la stabilité reste généralement bonne quand la vitesse grimpe, la mollesse du levier et la puissance limitée du frein avant sont responsables d'un freinage qui n'est que moyen. De meilleures composantes et un frein à disque à l'arrière seraient des améliorations logiques.

VITESSE DE POINTE
160 km/h
ACCÉLÉRATION SUR 1/4 MILLE
14,9,136 km/h
s à
indice d'expertise ▶

◀ rapport valeur/prix

Voir légende page 7

EXPERT E
INTERMÉDIAIRE I
NOVICE N

Général

catégorie	Custom (SE, T : Tourisme léger)
prix	C50 : 8 999 $; C50 noire : 8 699 $ C50 SE : 10 399 $; C50 SE noire : 10 099 $ C50T : 10 599 $
garantie	1 an/kilométrage illimité
couleur(s)	noir, rouge et noir, argent et blanc (T: noir)
concurrence	Harley-Davidson Sportster 883, Honda Shadow Aero, Kawasaki Vulcan 900 Classic

moteur

type	bicylindre 4-temps en V à 45 degrés, SACT, 4 soupapes par cylindre, refroidissement par liquide
Alimentation	injection à 2 corps de 34 mm
rapport volumétrique	9,4:1
cylindrée	805 cc
Alésage et course	83 mm x 74,4 mm
puissance	51 ch @ 6 000 tr/min
couple	51 lb-pi @ 3 500 tr/min
boîte de vitesses	5 rapports
transmission finale	par arbre
révolution à 100 km/h	environ 3 800 tr/min
consommation moyenne	5,2 l/100 km
Autonomie moyenne	298 km

partie cycle

type de cadre	double berceau, en acier
suspension avant	fourche conventionnelle de 41 mm non ajustable
suspension arrière	monoamortisseur ajustable en précharge
freinage avant	1 disque de 300 mm de Ø avec étrier à 2 pistons
freinage arrière	tambour mécanique de 180 mm de Ø
pneus avant/arrière	130/90 H16 & 170/80 H15
empattement	1 655 mm
Hauteur de selle	700 mm
poids à vide	246 kg (SE, T : 257 kg)
réservoir de carburant	15,5 litres

conclusion

Si la mission d'un modèle comme la C50 est d'offrir à une clientèle très exigeante une foule de caractéristiques ainsi qu'un comportement et des performances honnêtes pour un prix compétitif, alors cette mission est réussie. Rien sur le modèle ne se montre vraiment exceptionnel, mais l'ensemble en reste un de qualité, si bien qu'elle représente un choix envers lequel on n'a aucune raison de s'opposer. Les versions de tourisme léger offrent l'avantage d'inclure des équipements qui coûteraient plus cher à acheter séparément, sans parler de leur installation, et se veulent donc des options intéressantes pour les acheteurs qui comptent de toute façon accessoiriser leur monture de la sorte.

Boulevard C50T

⊙ QUOI DE NEUF EN 2007 ?

Style du maître-cylindre du frein avant et des leviers de frein et d'embrayage plus soigné

Instrumentation inclut maintenant une jauge d'essence

C50T coûte 100 $ de moins qu'en 2006, aucune augmentation de prix pour la C50 et la C50 SE

⌃ PAS MAL

Des valeurs sûres : la finition est bonne, les lignes sont à jour, la mécanique fait le travail, et le prix est correct

Une tenue de route relativement solide et équilibrée et un comportement général facile d'accès

Un V-Twin qui fonctionne en douceur et dont les performances sont dans la moyenne pour la catégorie

⌄ BOF

Un moteur qui n'est pas très caractériel sans toutefois que cela en fasse une mécanique désagréable

Une suspension arrière qui ne digère pas toujours avec élégance les routes abîmées

Un freinage qui n'impressionne pas, surtout à cause du frein avant peu puissant et spongieux

Boulevard M50 Limited

BOULEVARD M50

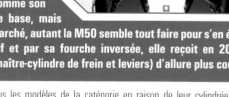

pendant décoincé...

Si la Boulevard C50 représente le modèle de la gamme Suzuki le plus respectueux du style classique aujourd'hui très populaire chez les customs, la M50 doit être perçue comme son équivalent anticonformiste. Les deux modèles partagent exactement la même base, mais autant la C50 tente de se mêler à la foule de modèles comparables offerts sur le marché, autant la M50 semble tout faire pour s'en éloigner. Caractérisée par son garde-boue arrière fuyant, par ses roues au style sportif et par sa fourche inversée, elle reçoit en 2007 une instrumentation avec indicateur du niveau d'essence ainsi que quelques pièces (maître-cylindre de frein et leviers) d'allure plus courante.

vec cette M50, Suzuki joue le jeu du style audacieux et anticonformiste qui semble faire un pied de nez aux courbes élégantes mais prévisibles de la grande majorité des customs sur le marché. Un jeu qui fait d'ailleurs bien l'affaire d'une certaine catégorie d'acheteurs justement attirés par ce genre de ligne. Bien qu'il s'agisse toujours d'un groupe marginal, de plus en plus de constructeurs tentent désormais, comme Suzuki, de le séduire en offrant au moins un modèle du genre. Harley le fait depuis longtemps avec, entre autres, sa Night Train, Hyosung et son Aquila 650 emprunte aussi cette direction, tout comme le font Honda avec sa Shadow Spirit C2 et Kawasaki avec sa Vulcan 900 Custom.

Si la M50 s'éloigne des sentiers battus d'un point de vue visuel, elle s'avère en revanche bien plus conservatrice en termes de partie cycle et de mécanique. La réalité est que la M50 n'est pas beaucoup plus qu'une C50 redessinée. Le moteur qui l'anime est exactement le même, soit le bon vieux V-Twin de 805 cc que Suzuki a commencé à utiliser sur l'Intruder 800, puis sur la Marauder 800 et la Volusia 800 alias C50, et enfin sur la M50. Il s'agit d'une mécanique raisonnablement performante compte tenu de la cylindrée, ce qui revient à dire que ses accélérations sont satisfaisantes et surtout caractérisées par une bonne livrée de couple à partir des régimes bas, mais surtout moyens. Bien qu'il soit audible, le grondement du V-Twin reste plutôt timide, si bien qu'on n'a pas affaire au plus communicatif des moteurs du genre. Comme c'est aussi pratiquement

le cas de tous les modèles de la catégorie en raison de leur cylindrée relativement faible, on ne peut trop critiquer la M50 à ce sujet. L'important est toutefois de retenir que malgré l'apparence musclée du modèle, on doit s'attendre à des performances ni plus ni moins que typiques pour une custom de cylindrée moyenne. Comme il s'agit d'un moteur dont les vibrations sont toujours bien contrôlées et dont les tours restent relativement bas sur l'autoroute, la M50 se révèle être une compagne plutôt agréable lors de longues balades. Dans cet environnement, une suspension arrière sèche sur mauvais revêtement et une selle très correcte, mais dont le confort n'est pas sans limites sont les seules sources d'inconfort.

Malgré sa ligne agressive, la M50 propose une position de conduite classique rappelant celle de la C50. Les repose-pieds sont juste assez avancés et le guidon juste assez reculé pour permettre au pilote de garder le dos droit et d'avoir les jambes confortablement dégagées.

Comme la plupart de customs de conception moderne, la M50 dispose d'un châssis solide dont l'une des caractéristiques prépondérantes est la facilité de prise en main. En raison d'un centre de gravité bas et d'un poids raisonnable, la M50 se manie avec assez relativement d'aisance à l'arrêt ou dans les situations serrées, tandis que son comportement s'allège dès qu'on se met à rouler. On la sent stable dans toutes les circonstances, légère à lancer en courbe et solide en pleine inclinaison. Le frein arrière à tambour travaille décemment, mais un disque double à l'avant permettrait de donner au freinage le genre de mordant suggéré par la ligne du modèle.

> **L'IMPORTANT EST DE RETENIR QUE MALGRÉ L'APPARENCE MUSCLÉE, ON DOIT S'ATTENDRE À DES PERFORMANCES TYPIQUES POUR LA CLASSE.**

VITESSE DE POINTE
160 km/h

ACCÉLÉRATION SUR 1/4 MILLE
14,9..136 km/h

indice d'expertise ▸

◂ rapport valeur/prix

Voir légende page 7

EXPERT	E
INTERMÉDIAIRE	I
NOVICE	N

Général

catégorie	Custom
prix	8 799 $ (Limited : 8 899 $)
garantie	1 an/kilométrage illimité
couleur(s)	noir, bleu (Limited : gris)
concurrence	Honda Shadow Spirit 750, Hyosung Aquila 650, Kawasaki Vulcan 900 Custom, Triumph Speedmaster

moteur

type	bicylindre 4-temps en V à 45 degrés, SACT, 4 soupapes par cylindre, refroidissement par liquide
alimentation	injection à 2 corps de 34 mm
rapport volumétrique	9,4:1
cylindrée	805 cc
alésage et course	83 mm x 74,4 mm
puissance	51 ch @ 6 000 tr/min
couple	51 lb-pi @ 3 500 tr/min
boîte de vitesses	5 rapports
transmission finale	par arbre
révolution à 100 km/h	environ 3 800 tr/min
consommation moyenne	5,2 l/100 km
autonomie moyenne	298 km

partie cycle

type de cadre	double berceau, en acier
suspension avant	fourche inversée de 41 mm non ajustable
suspension arrière	monoamortisseur ajustable en précharge
freinage avant	1 disque de 300 mm de Ø avec étrier à 2 pistons
freinage arrière	tambour mécanique de 180 mm de Ø
pneus avant/arrière	130/90 H16 & 170/80 H15
empattement	1 655 mm
hauteur de selle	700 mm
poids à vide	245 kg
réservoir de carburant	15,5 litres

conclusion

Le thème musclé émanant des traits de la M50 et de l'adoption de certaines pièces comme sa fourche inversée et ses roues sportives pourrait laisser croire qu'on a affaire à une légitime petite sœur de la puissante M109R, ce qu'elle est d'ailleurs techniquement. Mais la réalité est que cette allure doit être prise avec un grain de sel puisque le modèle n'offre au bout du compte rien de plus sportif que la classique C50. Ce qui n'est pas nécessairement une mauvaise chose puisque les manières de cette dernière sont tout à fait correctes, mais il serait futile de s'attendre à des performances d'un autre niveau que celui d'une commune custom de cylindrée moyenne. Cela dit, le modèle a le mérite de s'éloigner des lignes parfois trop prévisibles de l'univers, ce qui le rend désirable pour un certain type d'acheteurs.

Boulevard M50

⊙ QUOI DE NEUF EN 2007 ?

Style du maître-cylindre du frein avant et des leviers de frein et d'embrayage plus soigné

Instrumentation inclut maintenant une jauge d'essence

Version Limited à peinture spéciale offerte pour 100 $ de plus

Version de base coûte 100 $ de moins qu'en 2006

⌃ PAS MAL

Une ligne originale qu'on peut trouver belle ou pas, mais qui a au moins le mérite de proposer un autre choix de style que le genre classique arboré par la majorité des customs sur le marché

Un V-Twin doux et suffisamment coupleux à bas et moyen régimes pour rendre la conduite plaisante, à défaut de la rendre excitante

Une partie cycle aux réactions saines et solides qui rend le pilotage accessible et amical même aux moins expérimentés

⌄ BOF

Une suspension arrière qui se débrouille honnêtement la plupart du temps, mais qui se montre sèche sur mauvais revêtement

Une mécanique qu'on souhaiterait un peu plus communicative dans ses sensations, comme c'est souvent le cas avec ce genre de cylindrée

Une image musclée qui ne se traduit en aucun genre de performances particulières, qu'on parle de mécanique ou de tenue de route

Apprendre avec style...

Tous les motocyclistes d'expérience préféreraient voir les nouveaux arrivants au sport gravir patiemment les échelons des cylindrées, et le faire en commençant tout en bas. Le raisonnement est souvent vite rejeté, mais lorsqu'il ne l'est pas, la GS500F s'inscrit inévitablement sur la liste des candidates possibles. Utilisée depuis toujours par les écoles de conduite, elle est aussi proposée en version non carénée. Rien ne change en 2007.

La GS500F n'est rien de plus ou de moins que le modèle bien connu qui n'a pratiquement pas changé depuis la fin des années 90, la GS500E, auquel on a greffé un carénage dont la ligne a un lien de famille avec celle des sportives GSX-R. Grâce à ce carénage, la GS500 est passée d'une standard à l'allure timide dont la fonctionnalité et le confort étaient limités par l'absence de toute protection à une vraie petite moto d'allure fière qui ne craint désormais plus les journées venteuses ou les distances prolongées sur l'autoroute. L'aspect confort du modèle est d'autant plus intéressant que la position relevée dictée par le guidon haut soulage les mains de tout poids, que de la selle est bonne et que les suspensions sont calibrées de façon souple.

L'une des facettes du pilotage de la GS500 qui a toujours été exceptionnelle est l'agilité du modèle. Le poids faible, la hauteur de selle modérée, la minceur de la moto et l'effet de levier considérable du large guidon se combinent pour en faire une monture qui se montre à la fois facile à manœuvrer dans les situations serrées, et légère et précise dans les situations plus rapides, comme une route sinueuse parcourue à un bon rythme. La cinquantaine de chevaux du petit Twin permet aux débutants de se divertir sans problème, et même d'atteindre et de maintenir des vitesses plutôt élevées. Le bicylindre parallèle n'est pas un exemple de souplesse, mais la manière linéaire avec laquelle il livre ses chevaux, le bon contrôle des vibrations qu'il génère, et la légèreté de l'embrayage et de la transmission le rendent plaisant à solliciter.

GS500F

Général

catégorie	Routière Sportive
prix	GS500F : 6 799 $; GS500 : 6 099 $
garantie	1 an/kilométrage illimité
couleur(s)	GS500F : bleu et blanc, noir et argent GS500 : bleu et blanc
concurrence	Kawasaki Ninja 500R

moteur

type	bicylindre parallèle 4-temps, DACT, 4 soupapes par cylindre, refroidissement par air
alimentation	2 carburateurs à corps de 34 mm
rapport volumétrique	9:1
cylindrée	487 cc
alésage et course	74 mm x 56.6 mm
puissance	52 ch @ 9 200 tr/min
couple	30,4 lb-pi @ 7 500 tr/min
boîte de vitesses	6 rapports
transmission finale	par chaîne
révolution à 100 km/h	environ 6 700 tr/min
consommation moyenne	5,5 l/100 km
autonomie moyenne	363 km

partie cycle

type de cadre	périmétrique, en acier
suspension avant	fourche conventionnelle de 37 mm non ajustable
suspension arrière	monoamortisseur ajustable en précharge
freinage avant	1 disque de 310 mm de Ø avec étrier à 4 pistons
freinage arrière	1 disque de 250 mm de Ø avec étrier à 2 pistons
pneus avant/arrière	110/70-17 & 130/70-17
empattement	1 405 mm
hauteur de selle	790 mm
poids à vide	180 kg
réservoir de carburant	20 litres

304

DR-Z400SM

Général

catégorie	Supermoto
prix	8 199 $
garantie	1 an/kilométrage illimité
couleur(s)	jaune, bleu, noir
concurrence	BMW G650X Moto, KTM 690 Supermoto

moteur

type	monocylindre 4-temps, DACT, 4 soupapes, refroidissement par liquide
alimentation	1 carburateur à corps de 36 mm
rapport volumétrique	11,3:1
cylindrée	398 cc
alésage et course	90 mm x 62.6 mm
puissance	39 ch @ 7 500 tr/min
couple	29 lb-pi @ 6 500 tr/min
boîte de vitesses	5 rapports
transmission finale	par chaîne
révolution à 100 km/h	n/d
consommation moyenne	5,6 l/100 km
autonomie moyenne	178 km

partie cycle

type de cadre	berceau semi-double, en acier
suspension avant	fourche inversée de 49 mm ajustable en précharge et compression
suspension arrière	monoamortisseur ajustable en précharge, compression et détente
freinage avant	1 disque de 310 mm de Ø avec étrier à 2 pistons
freinage arrière	1 disque de 240 mm de Ø avec étrier à 2 pistons
pneus avant/arrière	120/70 R17 & 140/70 R17
empattement	1 460 mm
hauteur de selle	890 mm
poids à vide	134 kg
réservoir de carburant	10 litres

explosion...

On ne trouvait, il y a tout juste 2 ans, qu'une poignée de supermotos sur le marché. Puis, soudain, comme si elles étaient devenues une mode, tout le monde semble vouloir en vendre, surtout du côté des constructeurs européens. Inaugurée en 2005, cette DR-Z400SM fut conçue en adaptant la double-usage DR-Z400S aux besoins de ce type de classe, c'est-à-dire en remplaçant les grandes roues de hors-route pour de larges roues de 17 pouces.

On a beau s'être habitué à des sportives ultralégères, une monture comme la DR-Z400SM est simplement dans une autre classe au chapitre du poids. Peu importe s'il s'agit de la sortir du garage ou de la faufiler dans un centre-ville congestionné, la minceur, la hauteur et la légèreté de la moto sont telles qu'on croirait avoir affaire à un vélo, si bien qu'elle semble presque disparaître d'entre les jambes. La position de conduite avancée et le guidon ultralarge rappellent de manière convaincante une monture hors-route. À la différence d'une double-usage, la DR-Z400SM ne plonge que de façon modérée au freinage. Tous ces facteurs contribuent à une prise de confiance immédiate.

En termes d'équilibre pur, rien n'approche le talent dont doit faire preuve un pilote de Supermotard sur la partie asphaltée d'un tracé mi-bitume, mi-terre. Avec un châssis rigide aux réactions prévisibles, des suspensions ni trop molles ni trop dures au comportement sans surprise, une direction hyperlégère qui ne demande pratiquement aucun effort et des freins surdimensionnés aussi puissants que faciles à moduler, la DR-Z400SM se prête volontiers au genre de pilotage qui définit la discipline. Tout ce qui manque est un pilote avec assez de talent... Les intéressés doivent néanmoins réaliser que le petit monocylindre de 400 cc, quoi que généreux en couple à bas régime et pas trop vibreux, demeure une mécanique dont la puissance est modeste et qui s'essouffle rapidement au-dessus des vitesses communes d'autoroute.

BOULEVARD S83

D'une autre ère...

Même si elle a eu droit il y a 2 ans à une nouvelle selle et à un nouveau guidon, la Boulevard S83 demeure l'un des plus anciens vestiges du genre custom puisqu'il s'agit de l'Intruder 1400, un modèle dont l'arrivée sur le marché remonte à 1987 et qui n'a jamais vraiment évolué durant sa vingtaine d'années de production. La situation du modèle ne change d'aucune façon en 2007 puisqu'à part une différence dans le choix de couleurs, rien ne change.

S i Suzuki a profité de l'adoption en 2005 d'une nouvelle appellation pour sa gamme entière de customs afin d'effectuer quelques changements sur sa vieillarde d'Intruder 1400, ces derniers demeurent d'ordre mineur. Lancée il y a maintenant 20 ans, l'Intruder 1400 n'a en réalité jamais évolué.

À l'époque, le concept d'origine était l'un des plus sérieux en matière de style et de mécanique pour une custom japonaise. On notait parmi les caractéristiques prépondérantes du modèle une apparence particulièrement soignée. L'attention qui fut portée à l'épuration de l'aspect visuel de la mécanique est digne de mention puisqu'un travail impressionnant fut réalisé afin de faire disparaître tout câblage, tandis que le choix de refroidissement par air élimina la nécessité d'un gros radiateur et de sa plomberie. Un cadre de couleur agencée à celle de la moto et d'élégantes roues à rayons sont encore aujourd'hui des touches appréciées. Le V-Twin qui anime la vieille S83 est son meilleur atout. Il n'a pas une sonorité ou un rythme qui sortent vraiment de l'ordinaire, mais il génère des performances quand même intéressantes pour la catégorie et fait preuve d'une agréable souplesse à bas régime. À l'inverse de la mécanique, la partie cycle de la S83 n'offre pas un comportement impressionnant. La direction est plutôt lourde en entrée de courbe et demande une pression constante au guidon pour maintenir un arc régulier, ce qui reflète bien le genre de caractéristiques typiques des motos d'une autre époque, ce qu'est en fin de compte la S83.

Général

catégorie	Custom
prix	10 799 $
garantie	1 an/kilométrage illimité
couleur(s)	noir, rouge
concurrence	Harley-Davidson Sportster 1200, Honda Shadow 1100, Yamaha V-Star 1100

moteur

type	bicylindre 4-temps en V à 45 degrés, SACT, 3 soupapes par cylindre, refroidissement par air et huile
alimentation	2 carburateurs à corps de 36 mm
rapport volumétrique	9,3:1
cylindrée	1 360 cc
alésage et course	94 mm x 98 mm
puissance	71 ch @ 4 800 tr/min
couple	88 lb-pi @ 3 000 tr/min
boîte de vitesses	5 rapports
transmission finale	par arbre
révolution à 100 km/h	environ 3 100 tr/min
consommation moyenne	5,7 l/100 km
autonomie moyenne	228 km

partie cycle

type de cadre	double berceau, en acier
suspension avant	fourche conventionnelle de 39 mm non ajustable
suspension arrière	2 amortisseurs ajutables en précharge
freinage avant	1 disque de 292 mm de Ø
freinage arrière	1 disque
pneus avant/arrière	100/90-19 & 170/80-15
empattement	1 620 mm
hauteur de selle	740 mm
poids à vide	243 kg
réservoir de carburant	13 litres

BOULEVARD S50

Général

catégorie	Custom
prix	8 299 $
garantie	1 an/kilométrage illimité
couleur(s)	noir, argent
concurrence	Harley-Davidson Sportster 883, Honda Shadow 750, Kawasaki Vulcan 900, Suzuki C50 et M50

moteur

type	bicylindre 4-temps en V à 45 degrés, SACT, 4 soupapes par cylindre, refroidissement par liquide
alimentation	2 carburateurs à corps de 36 mm
rapport volumétrique	10:1
cylindrée	805 cc
alésage et course	83 mm x 74.4 mm
puissance	60 ch @ 7 500 tr/min
couple	50,6 lb-pi @ 5 500 tr/min
boîte de vitesses	5 rapports
transmission finale	par arbre
révolution à 100 km/h	environ 3 800 tr/min
consommation moyenne	5,2 l/100 km
autonomie moyenne	230 km

partie cycle

type de cadre	double berceau, en acier
suspension avant	fourche conventionnelle de 39 mm non ajustable
suspension arrière	2 amortisseurs ajutables en précharge
freinage avant	1 disque de 292 mm de Ø
freinage arrière	tambour mécanique
pneus avant/arrière	100/90-19 & 140/90-15
empattement	1 560 mm
hauteur de selle	700 mm
poids à vide	201 kg
réservoir de carburant	12 litres

tenace...

Voilà maintenant plus de 20 ans que Suzuki propose cette custom qui a débuté sa carrière avec une cylindrée de 750 cc en 1985 et qui passa à 800 cc en 1992. Si elle doit aujourd'hui être appelée Boulevard S50 plutôt qu'Intruder 800, dans les faits, on a encore affaire en 2007 à une moto très similaire au modèle original, pour ne pas dire identique.

Au moment où l'Intruder 750 fut introduite, en 1985, les constructeurs japonais commençaient à peine à prendre le genre custom au sérieux. Personne ne sait exactement ce qui pousse Suzuki à continuer de l'inclure dans son catalogue, mais le constructeur affirme qu'il continue d'en vendre quelques-unes chaque année, ce qui serait surtout grâce à son style que certains motocyclistes semblent toujours apprécier. Gonflé à 800 cc en 1992 et rebaptisé Boulevard S83 en 2005, le modèle a également reçu un nouveau guidon et une selle revue pour cette occasion. La S50 dicte une position de conduite inhabituelle qui ne reflète pas la posture plus dégagée et naturelle des customs récentes. L'une des seules véritables qualités du modèle, outre ce fameux style mince et effilé, est son niveau de performances. Le modèle vient d'une époque à laquelle les ingénieurs japonais concentraient encore toute leur énergie à rendre un moteur performant et n'accordaient qu'une importance minime aux sensations renvoyées au pilote par la mécanique. Le résultat est une moto dont les accélérations sont relativement bonnes, mais dont la présence mécanique n'a rien de très agréable. L'âge du concept de la S50 se ressent aussi clairement dans son comportement routier puisque ce dernier n'exhibe pas la facilité de prise en main et le plaisant équilibre qui caractérise la conduite de la plupart des customs récentes. Malgré toutes ses années de production, la S50 reste aussi chère que ses rivales modernes, ce qui en fait l'un des aspects les plus difficiles à accepter du modèle.

BOULEVARD S40

petit boulevard...

L'aspect le plus particulier de cette petite custom d'initiation est qu'elle soit construite autour d'un monocylindre de 650 cc au lieu d'un traditionnel V-Twin, une caractéristique qu'elle possède surtout par souci d'économie. La S40, qui était connue depuis 1986 sous le nom de Savage, bénéficie depuis 2005 d'un guidon de style drag reflétant mieux le goût du jour. Pratiquement identique au modèle original, la version 2007 voit son prix abaissé de 100 $.

a principale raison pour laquelle la S40, alias Savage 650, n'a jamais vraiment évolué durant sa carrière qui s'étend maintenant sur deux décennies est qu'elle n'est ni plus ni moins qu'un outil d'initiation. Son rôle n'est donc pas d'exciter les sens, d'être performante ou de faire tourner les têtes, mais plutôt de permettre à une catégorie bien précise de motocyclistes d'entreprendre l'aventure du pilotage d'une moto dans les conditions les plus simples et les plus amicales possible. Ces derniers la trouvent en général immédiatement basse et légère, ce qui augmente leur niveau de confiance. Bien qu'elles n'aient rien de très excitant, même pour un novice, les performances que propose la S40 sont quand même beaucoup plus intéressantes que celles des petites 250 d'initiation. La sonorité agricole du monocylindre n'a rien de vraiment agréable non plus. Il n'y a pas de problème à suivre la circulation automobile, mais cela devient toutefois plus ardu avec un passager ou s'il faut dépasser rapidement. Comme la mécanique se débrouille bien à bas régime, on peut généralement éviter les tours élevés et leurs vibrations. Le prix peut sembler bas pour une moto neuve, mais on doit réaliser que ce qu'il permet d'obtenir est un véhicule techniquement vétuste. La S40 est en fin de compte une moto qui ne devrait être envisagée que si et seulement si le seul but de l'exercice est d'acquérir une monture qui permettra une période d'apprentissage aussi amicale que possible.

Général

catégorie	Custom
prix	6 199 $
garantie	1 an/kilométrage illimité
couleur(s)	noir, bleu, blanc
concurrence	Honda Shadow VLX, Kawasaki Vulcan 500 LTD

moteur

type	monocylindre 4-temps, SACT, 4 soupapes, refroidissement par air
alimentation	1 carburateur à corps de 40 mm
rapport volumétrique	8,5:1
cylindrée	652 cc
alésage et course	94 mm x 94 mm
puissance	31 ch @ 5 400 tr/min
couple	37 lb-pi @ 3 000 tr/min
boîte de vitesses	5 rapports
transmission finale	par courroie
révolution à 100 km/h	n/d
consommation moyenne	5,1 l/100 km
autonomie moyenne	206 km

partie cycle

type de cadre	berceau semi-double, en acier
suspension avant	fourche conventionnelle de 36 mm non ajustable
suspension arrière	2 amortisseurs ajustables en précharge
freinage avant	1 disque de 260 mm de Ø avec étrier à 2 pistons
freinage arrière	tambour mécanique
pneus avant/arrière	110/90-19 & 140/80-15
empattement	1 480 mm
hauteur de selle	700 mm
poids à vide	160 kg
réservoir de carburant	10,5 litres

MARAUDER 250

Général

catégorie	Custom
prix	4 699 $
garantie	1 an/kilométrage illimité
couleur(s)	noir, bleu
concurrence	Honda Rebel 250, Hyosung Aquila 250, Yamaha Virago 250

moteur

type	monocylindre 4-temps, SACT, 4 soupapes, refroidissement par air
Alimentation	1 carburateur à corps de 32 mm
Rapport volumétrique	9:1
cylindrée	249 cc
Alésage et course	72 mm x 61.2 mm
Puissance	20 ch @ 8 000 tr/min
couple	15,3 lb-pi @ 6 000 tr/min
Boîte de vitesses	5 rapports
Transmission finale	par chaîne
Révolution à 100 km/h	n/d
consommation moyenne	4,8 l/100 km
Autonomie moyenne	291 km

partie cycle

Type de cadre	berceau semi-double, en acier
suspension avant	fourche conventionnelle non ajustable
suspension arrière	2 amortisseurs ajustables en précharge
Freinage avant	1 disque de 275 mm de Ø avec étrier à 2 pistons
Freinage arrière	tambour mécanique de 130 mm
Pneus avant/arrière	110/90-16 & 130/90-15
empattement	1 450 mm
Hauteur de selle	680 mm
Poids à vide	137 kg
Réservoir de carburant	14 litres

matériel de classe...

La Marauder 250 est la seule custom de la gamme Suzuki qui n'a pas adopté l'appellation Boulevard en 2005. Il s'agit d'une minuscule machine d'apprentissage qui est bien plus fréquemment utilisée dans l'environnement des écoles de conduite que dans celui de la route. Elle est animée par un petit monocylindre 4-temps de 249 cc et marié à une boîte à 5 rapports.

À défaut de grimper sur un petit scooter, on trouvera difficilement une moto plus basse et plus légère que la Marauder 250. Ces caractéristiques sont d'ailleurs ce qui lui permet de bien jouer son rôle de monture d'apprentissage. Elle se montre extrêmement maniable autant dans les situations lentes et serrées qu'à plus haute vitesse. Le petit monocylindre de 250 cc atteint les 100 km/h assez facilement, du moins tant qu'on ne gravit pas une côte ou qu'il ne vente pas trop. Il perd rapidement son souffle par la suite, plafonnant vers les 130 km/h si on est très patient. En ville, pour autant qu'on fasse tourner sans gêne le petit moulin et qu'on soit rapide sur le sélecteur de vitesses, il n'y a aucun problème à suivre la circulation automobile. À l'exception d'une selle correctement rembourrée, mais qui tend à faire glisser le pilote vers l'avant, le niveau de confort est satisfaisant. La position assise est compacte et équilibrée, l'exposition au vent n'est que rarement un problème puisqu'on ne roule pas assez vite, et les suspensions calibrées de manière souple travaillent plutôt bien. Pour un prix raisonnable, la Marauder 250 se laisse apprivoiser presque instantanément, même par les débutants les plus craintifs. Si cela en fait une candidate idéale pour une école de conduite, il est toutefois important de saisir qu'il est irréaliste de compter garder une telle moto pendant plusieurs années en raison de son niveau de performances extrêmement modeste.

SPRINT ST

RÉVISION 2007

Divin équilibre...

Il n'existe pas d'équilibre aussi fragile que celui des routières sportives. Mettez trop l'accent sur le confort et les sportifs se plaignent, donnez-leur ce qu'ils veulent et ce sont les routiers qui pleurnichent. Parfois, la meilleure solution reste simplement de prendre parti et favoriser l'un ou l'autre des côtés de l'équation. Avec sa Sprint ST, Triumph joue plutôt le tout pour le tout et part à la recherche de ce mythique équilibre et de cette ligne fine comme une lame de rasoir qui le définit. Inaugurée en 2005, la Sprint ST reçoit en 2007 une série de changements qui, sans la transformer, arrive tout de même à solidifier de manière très impressionnante le positionnement du modèle.

Cela ne se produit pas souvent, pour ne pas dire très rarement, mais il arrive que l'évaluation d'une moto se complique lorsque vient le temps d'énumérer ses points négatifs. Pas par peur des réactions du manufacturier, pas par crainte de se faire pourchasser par un vendeur mécontent et pas non plus pour éviter d'offusquer les propriétaires sensibles, mais plutôt parce que sous la colonne des points faibles, le carnet de notes est vide, ou presque. Ce « problème », la Sprint ST nous l'a fait vivre. Et maintenant, voilà que Triumph l'améliore encore pour 2007 en se basant sur les demandes des propriétaires. Misère. Mieux équipée avec ses valises de série et son système ABS, plus confortable avec son pare-brise haut et ses guidons relevés, plus verte avec son injection revue et moins chère de quelques 1 600 $ par-dessus le marché, la Sprint ST nous fait la vie dure cette année. Allons-y donc avec les qualités, ce sera plus facile.

La Sprint ST excelle à tous les niveaux en ce qui concerne la mécanique. L'embrayage et la transmission sont doux, fluides et précis, l'injection est parfaite et le tricylindre chante de manière si captivante que la mélodie qu'il émet en pleine accélération doit être considérée comme un délice auditif et rien d'autre.

L'impressionnante puissance générée par la mécanique semble étrangement perdre son importance une fois en selle puisque tout ce qu'on sait à ce moment, c'est que ça tire amplement pour se faire plaisir et que la façon dont les chevaux sont répartis sur la plage de régimes est exquise. La puissance est

> ## LA SPRINT ST NOUS COMPLIQUE L'EXISTENCE. SOUS LA COLONNE DES POINTS NÉGATIFS, LE CARNET DE NOTES EST VIDE. MISÈRE.

livrée de façon exceptionnellement linéaire, chaque graduation du tachymètre amenant un niveau plus intense d'accélération. Le couple disponible dès les tout premiers tours est si généreux qu'on n'a qu'à enrouler les gaz pour s'élancer avec autorité d'un arrêt. Après un moment, on réalise même qu'on touche moins à l'embrayage, qu'on utilise moins la boîte de vitesses qu'on en a l'habitude et qu'on a plutôt choisi de laisser la souplesse du tricylindre anglais travailler pour soi.

La Sprint ST excelle de manière tout aussi admirable en ce qui a trait au comportement routier. On comprend vite qu'on n'a pas affaire à une sportive pure dotée d'un confort supérieur à la moyenne, mais plutôt à une routière mature tout à fait capable de soutenir un rythme élevé sur une route en lacet. L'effort qu'elle demande pour s'inscrire en virage tient de la formalité, tandis que le reste de la manœuvre se fait de façon instinctive et rassurante. Des suspensions aussi finement qu'habilement calibrées entre sport et confort, ainsi que des freins toujours à la hauteur de la tâche complètent une des parties cycles les plus équilibrées qu'il soit.

Malgré sa saveur sportive, la position de conduite de la Sprint ST 2006 restait parfaitement raisonnable. Juste pour être certain, Triumph a relevé les poignées cette année, soulageant désormais les mains de tout poids. La posture garde un côté sportif, mais ne taxe aucune partie de l'anatomie. Enfin, une selle aussi bien formée que rembourrée, une douceur mécanique remarquable et une excellente protection au vent font de cette Sprint ST une exceptionnelle compagne de longue route.

VITESSE DE POINTE
254 km/h
ACCÉLÉRATION SUR 1/4 MILLE
11,2 s. **199** km/h
indice d'expertise ▸

rapport valeur/prix

Voir légende page 7

EXPERT **E**
INTERMÉDIAIRE **I**
NOVICE **N**

Général

catégorie	Routière Sportive
prix	14 999 $
garantie	2 ans/kilométrage illimité
couleur(s)	bleu, noir, rouge
concurrence	BMW R1200S, Ducati ST3s, Honda VFR800

moteur

type	3-cylindres en ligne 4-temps, DACT, 4 soupapes par cylindre, refroidissement par liquide
alimentation	injection à 3 corps
rapport volumétrique	12:1
cylindrée	1 050 cc
alésage et course	79 mm x 71,4 mm
puissance	125 ch @ 9 250 tr/min
couple	77 lb-pi @ 7 500 tr/min
boîte de vitesses	6 rapports
transmission finale	par chaîne
révolution à 100 km/h	environ 3 600 tr/min
consommation moyenne	7,2 l/100 km
autonomie moyenne	277 km

partie cycle

type de cadre	périmétrique, en aluminium
suspension avant	fourche conventionnelle de 43 mm ajustable en précharge
suspension arrière	monoamortisseur ajustable en précharge et détente
freinage avant	2 disques de 320 mm de Ø avec étriers à 4 pistons avec ABS
freinage arrière	1 disque de 255 mm de Ø avec étrier à 2 pistons avec ABS
pneus avant/arrière	120/70 ZR17 & 180/55 ZR17
empattement	1 457 mm
hauteur de selle	805 mm
poids à vide	213 kg (sans valises)
réservoir de carburant	20 litres

conclusion

La Sprint ST est ce qu'une VFR800 aurait pu être si Honda n'avait pas tant fait pencher l'équilibre du modèle vers le côté sportif de l'équation et s'il avait simplement augmenté la cylindrée à 1 litre au lieu lui coller un VTEC semi-fonctionnel pour en améliorer la souplesse. Cela dit, malgré ses défauts, la VFR800 reste indéniablement l'une des meilleures routières du marché. Ce qui en dit très long à quiconque s'intéresse à la Triumph. Rapide, coupleuse, confortable, agile, stable, caractérielle, bien équipée et raisonnablement facturée, elle est tout simplement, à ce jour, la meilleure routière sportive que nous ayons testée. Un fort et chaleureux Bravo! au petit constructeur de Hinckley pour celle-là.

QUOI DE NEUF EN 2007 ?

Système d'injection de seconde génération qui accélère le démarrage, optimise la consommation d'essence et la puissance, et rend le modèle conforme à la norme Euro III

Guidons relevés pour plus de confort; panneaux latéraux revus pour mieux isoler le pilote de la chaleur du moteur; selle revue afin de permettre plus facilement la pose des pieds au sol à l'arrêt; pare-brise haut accessoire maintenant installé de série; valises latérales installées de série

Sprint ST avec ABS coûte 1 600 $ de moins qu'en 2006; Sprint ST sans ABS n'est plus importée au pays

⌃ PAS MAL

L'un des moteurs les plus réussis du motocyclisme, non seulement en raison de la véritable musique qu'il émet, mais aussi parce que sa livrée de puissance est large et généreuse

L'une des routières sportives les plus réussies du marché; le niveau de confort est excellent, le comportement sportif de l'ensemble est admirablement bien équilibré et le côté pratique de la moto est encore rehaussé cette année avec un pare-brise haut, des valises de série et des guidons relevés

Une valeur qui devient très intéressante; on est très près du prix d'une VFR800 avec plus d'équipement, plus de caractère et plus de puissance

BOF

Un équilibre très intéressant entre sport et confort, mais qui favorise quand même le côté confort de l'équation; on peut s'amuser sans retenue sur des routes sinueuses, mais rouler fort en piste commencerait à être exagéré

Un pare-brise haut dont nous n'avons pu constater l'efficacité aérodynamique avant d'aller sous presse; généralement, plus les pare-brise sont hauts, plus le risque qu'ils provoquent de la turbulence augmente

Malgré le fait que la marque soit bien établie ailleurs dans le monde, chez nous, le niveau de confiance des motocyclistes envers elle ne grimpe que lentement, et ce, sans que cette réticence ne soit justifiée

TIGER

TRIUMPH

franche, enfin...

La toute nouvelle Tiger illustre les conséquences qu'a parfois une remise en question honnête et profonde d'un concept. Après s'être questionnée sur la véritable nature de l'ancienne Tiger, sur sa mission et sur ses performances face à la concurrence, et n'avoir pu que constater la faiblesse de certaines réponses, la firme de Hinckley dut se rendre à l'évidence. Malgré ses qualités, le modèle flânait entre deux catégories, sans se commettre. Plus routière que « hors-routière », la Tiger continuait en effet de se prétendre — à tort — équivalente à des montures comme la BMW R1200GS. Un simple coup d'œil à la version 2007 suffit pour saisir que cette confusion n'est plus.

TECHNIQUE

Les Suzuki V-Strom et Ducati Multistrada furent parmi les premiers modèles qui poussèrent la classe des grosses aventurières vers une utilisation presque exclusivement routière. Chez Ducati, on expliquait que le nom Multistrada, ou « toutes routes » en français, avait été choisi pour illustrer la capacité du modèle à affronter tout genre de route et toute qualité de revêtement. Chez Suzuki, en dépit de ce que la présence de pneus à traits prononcés sur la V-Strom aurait pu laisser supposer, le manufacturier annonçait clairement que le modèle n'avait aucune prétention hors-route. Ainsi donc, après les BMW R-GS et les Triumph Tiger, des aventurières prétendant sans aucune gêne offrir à leur pilote la possibilité de s'engager autant sur des routes pavées que non pavées, voilà que se pointaient des montures conçues de manière semblable, mais qu'on destinait uniquement au bitume. Et plus on y pensait, plus l'idée avait du sens. Primo, car c'est un fait bien documenté que le pourcentage des propriétaires d'aventurières n'ayant jamais posé une roue sur un chemin non asphalté est extrêmement élevé et, secondo, parce qu'une monture conçue pour sortir des routes pavées devient forcément compromise sur l'asphalte.

Or pénaliser une monture dans un environnement qui représente 99 pour cent de son utilisation a en effet peu de sens. La situation n'est certainement pas sans rappeler celle de ces fameux 4x4 ou VUS, appelez ça comme vous voulez, que personne n'ose jamais même approcher d'un sentier.

> **EN 2007, TRIUMPH A CHOISI NON PAS DE LIMITER SA TIGER À LA ROUTE, MAIS BIEN DE LA DÉDIER AU BITUME.**

Ce qui nous amène à la nouvelle génération de la Tiger. Plutôt que de continuer la production d'une aventurière à cheval entre deux types de conduites, Triumph a choisi non pas de limiter sa Tiger 2007 à la route, mais bien de la dédier au bitume. La conséquence est qu'on ne trouve plus sur elle la moindre allusion à une quelconque aptitude hors-route. Un style qui fait plus urbain qu'aventurière, une roue avant de 17 au lieu de 19 pouces; des pneus cent pour cent route de dimensions sportives; un nouveau cadre qui rappelle celui des routières Speed Triple et Sprint ST; un bras oscillant, une instrumentation et des phares avant imitant ceux de la sportive Daytona 675; une baisse de poids considérable de 17 kilos et l'élimination de la plaque de protection du moteur sont autant de points illustrant la nouvelle orientation du modèle.

L'ancienne génération du tricylindre anglais, celle de 955 cc, a finalement disparu avec la Tiger 2006 et se voit remplacée par l'excellente mécanique qui anime la Speed Triple et la Sprint. Un peu moins puissante que sur les routières en raison du volume réduit du système d'échappement à silencieux simple plutôt que double, la version de la Tiger produit quand même une dizaine de chevaux de plus que sur l'ancien modèle et serait, selon Triumph, réglée pour se montrer particulièrement coupleuse à bas et moyen régime. Son caractère fort peut quant à lui être tenu pour acquis.

Notons que le constructeur de Hinckley offrira dès la sortie du modèle une panoplie d'accessoires dont feront partie pare-brise haut, kits de valises et top case, entre autres, afin de rendre la Tiger plus pratique sur de longues distances.

en route...

Pas besoin d'examiner la nouvelle Tiger durant des heures pour se rendre compte que Triumph en a complètement changé l'orientation. Le constructeur britannique continue de la qualifier d'aventurière, mais explique qu'elle est uniquement destinée à la route. Dites, ça ne fait pas une routière, ça ? La seule différence notable entre la nouvelle Tiger et une moto qu'on pourrait qualifier de routière pure semblent être les débattements généreux des suspensions et la position de conduite de type assise. L'idée nous semble toute neuve chez nous, mais il ne faudrait pas oublier que Yamaha vend depuis toujours en Europe une TDM dont le concept est pratiquement identique.

où ça, une aventurière ?

Certaines classes de motos sont de plus en plus difficiles à distinguer, surtout si on écoute tout ce que les constructeurs racontent à propos de leurs nouveautés. La nouvelle Tiger est à la limite de ce que nous acceptons de qualifier d'aventurière puisqu'elle empiète de façon très marquée sur le territoire des routières sportives. En fait, si on ne faisait que lire sa fiche technique, avec ses roues coulées de 17 pouces, sa fourche inversée, ses étriers à montage radial, son performant tricylindre, son bras oscillant renforcé en aluminium coulé, son cadre périmétrique et sa géométrie de direction agressive, pour ne nommer que les points les plus évidents, on pourrait difficilement conclure avoir affaire à autre chose qu'à une sportive, ou à tout le moins à une routière sportive. Mais il ne faut parfois qu'une position relevée et des suspensions à long débattement pour complètement transformer le comportement d'une moto, et ces éléments font aussi partie du concept de cette nouvelle Tiger.

VITESSE DE POINTE

220 km/h

ACCÉLÉRATION SUR 1/4 MILLE

11,5 s à **190** km/h

indice d'expertise ▸

rapport valeur/prix

Voir légende page 7
Performances estimées ◂
EXPERT **E**
INTERMÉDIAIRE **I**
NOVICE **N**

Général

catégorie	Routière Aventurière
prix	13 999 $ (version ABS : 14 999 $)
garantie	2 ans/kilométrage illimité
couleur(s)	noir, bleu, blanc, jaune
concurrence	Buell Ulysses XB12X, Ducati Multistrada 1100, Suzuki V-Strom 1000

partie cycle

type de cadre	périmétrique, en aluminium
suspension avant	fourche inversée de 43 mm ajustable en précharge, compression et étente
suspension arrière	monoamortisseur ajustable en précharge et détente
freinage avant	2 disques de 320 mm de Ø avec étriers radiaux à 4 pistons
freinage arrière	1 disque de 255 mm de Ø avec étrier à 2 pistons
pneus avant/arrière	120/70 ZR17 & 180/55 ZR17
empattement	1 510 mm
hauteur de selle	835 mm
poids à vide	198 kg (version ABS : 201 kg)
réservoir de carburant	20 litres

moteur

type	3-cylindres en ligne 4-temps, DACT, 4 soupapes par cylindre, refroidissement par liquide
alimentation	injection à 3 corps
rapport volumétrique	12:1
cylindrée	1 050 cc
alésage et course	79 mm x 71,4 mm
puissance	114 ch @ 9 400 tr/min
couple	74 lb-pi @ 6 250 tr/min
boîte de vitesses	6 rapports
transmission finale	par chaîne
révolution à 100 km/h	n/d
consommation moyenne	n/d
autonomie moyenne	n/d

conclusion

À la lumière des réussites complètes que sont les Daytona 675, Sprint ST et Speed Triple, nous serons les derniers à parier contre la nouvelle Tiger. La direction prise par Triumph semble tout à fait logique dans la mesure où le constructeur ne compte pas aller jouer sur les plates-bandes des BMW GS et KTM Adventure avec une « vraie » aventurière. On oublie donc toute possibilité d'escapade hors-route, mais on se donne toutes les chances de bien, très bien même, se sortir d'affaire sur la route. La nouvelle Tiger serait donc une aventurière à la V-Strom propulsée par l'un des moteurs les plus charismatiques de l'industrie... L'idée n'a pas que du mauvais.

 QUOI DE NEUF EN 2007 ?

Nouvelle génération de la Tiger

Version avec système de freinage ABS est désormais offerte

Version de base coûte 1 300 $ de moins qu'en 2006

PAS MAL

Un concept plein de bon sens dans la mesure où les propriétaires n'utilisent presque jamais les capacités hors-route déjà limitées des aventurières

Une fiche technique qui laisse envisager un plaisir de pilotage hors du commun; si la combinaison de ce genre de position de conduite, d'une partie cycle aussi avancée et d'une mécanique d'aussi bonne réputation ne donne pas une monture exceptionnelle, la nouvelle Tiger sera une déception

Une valeur qui, compte tenu de la baisse de prix et de ce que ce nouveau modèle semble avoir à offrir, commence à devenir assez intéressante; la Tiger est maintenant l'un des modèles les plus abordables de cette classe

 BOF

Un concept routier qui a beau avoir beaucoup de sens compte tenu du peu de temps que les propriétaires d'aventurières passent hors-route, mais qui prive la Tiger d'un look double-usage qui est bien souvent la raison de l'achat; on achète beaucoup plus souvent un 4x4 pour *avoir l'air* de pouvoir partir à l'aventure que pour vraiment le faire

Une hauteur de selle qui reste importante et presque identique à celle de l'ancien modèle; il semble qu'avec une orientation aussi axée sur la route Triumph aurait pu faire plus bas

DAYTONA 675

La meilleure « 600 » ?

Voilà quelques années, Triumph a pris l'excellente décision de ne plus produire de 4-cylindres et de plutôt mettre l'accent sur les configurations mécaniques qui collaient mieux à l'héritage de la compagnie, notamment les Twin parallèles et les tricylindres en ligne.
Que faire, alors, avec la plus sportive des Triumph, la Daytona 600/650 et son 4-cylindres ? Le résultat de cette réflexion, la Daytona 675 lancée l'an dernier, s'est non seulement avéré brillant d'un point de vue marketing, mais aussi en ce qui concerne tout l'éventail des sensations de pilotage. Dire que le « petit » manufacturier de Hinckley a réinventé la catégorie des 600 ne serait même pas exagéré.

Quelle ironie. Autant les sportives pures de 600 cc en sont aujourd'hui arrivées à représenter le summum absolu en termes de tenue de route et d'avancées technologiques, autant il semble difficile de justifier leur achat si l'on n'entend pas les inscrire en compétition. La triste réalité des 600 actuelles est en effet que derrière toutes les prouesses dont elles sont capables en piste, une fois sur la route, elles se retrouvent complètement hors de leur élément. Presque toujours inconfortables; incroyablement puissantes à très haut régime, mais cruellement vides dans les tours « utiles » et généralement aussi caractérielles qu'un rasoir électrique, on croirait décidément que les 600 n'arrivent à se vendre que grâce à l'image qu'elles projettent.

En présentant sa Daytona 675 l'an dernier, Triumph a complètement bouleversé la classe. On peut évidemment argumenter autour du fait qu'il ne s'agit plus d'une 600, mais en ce qui concerne *Le Guide de la Moto*, la Daytona 675 fait non seulement bel et bien partie de la même race que les GSX-R600, CBR600RR, YZF-R6 et autres ZX-6R, mais elle se permet aussi de donner plusieurs leçons à ces dernières. Au chapitre de la mécanique, par exemple, la Triumph est – littéralement – dans une classe à part. Installé à la manière typiquement sévère et très compacte d'une 600 sur une monture exceptionnellement mince et légère, on arrive difficilement à croire à la présence d'un couple tout à fait utilisable dès 3 000 ou 4 000 tr/min, voire intéressant dès les 6 000 tr/min. Sur la route, cette qualité change complètement le

> **CONTRAIREMENT À UNE 600 JAPONAISE, IL Y A DÉJÀ UN BON MOMENT QUE LA 675 TIRE LORSQU'ELLE ARRIVE À 10 000 TR/MIN.**

pilotage, qui se montre étonnamment plaisant sans qu'on doive se rendre au-delà de 10 000 tr/min. Essayez ça avec une 600... Comme dans le cas d'une 600 traditionnelle, c'est aussi entre 10 000 tr/min et sa zone rouge de 14 000 tr/min que la 675 livre ses meilleures performances, mais la grosse différence sur cette dernière est qu'il y a déjà un moment qu'elle tire lorsqu'elle arrive à ces régimes. En ce qui concerne la force maximale des accélérations, si la 675 et son tricylindre n'est pas exactement équivalente aux 4-cylindres de 600 cc, elle en reste très, très proche.

Et puis, il y a ce son.

Cette unique, inimitable et envoûtante musique du triple anglais, jouée dans ce cas avec une tonalité plus aiguë que sur les gros moteurs de la marque, mais certainement pas moins séduisante. Il s'agit d'une rare situation où, malgré une plus faible cylindrée, une mécanique conserve toute sa force de caractère. Toujours doux à souhait, le moteur de la 675 est un véritable joyau qui ne fait que mettre en évidence à quel point les 4-cylindres, malgré leur magique puissance à très haut régime, manquent de façon flagrante de charisme.

L'une des facettes du pilotage où la 675 ne donne de leçons aux japonaises ni n'en tire est le comportement en piste. Ce qui, compte tenu des extraordinaires performances des modèles asiatiques dans cet environnement, constitue un immense compliment envers Triumph et sa 675. Légère à incliner, extrêmement précise en courbe et parfaitement à l'aise en pleine inclinaison, la 675 prendra sans broncher tout ce que même un pilote de haut niveau trouvera à lui lancer, et en redemandera.

VITESSE DE POINTE
257 km/h
ACCÉLÉRATION SUR 1/4 MILLE
10,8 s à **207** km/h
indice d'expertise ▸
rapport valeur/prix

Voir légende page 7

EXPERT **E**
INTERMÉDIAIRE **I**
NOVICE **N**

Général

catégorie	Sportive
prix	11 999 $
Garantie	2 ans/kilométrage illimité
couleur(s)	rouge, jaune, graphite
concurrence	Honda CBR600RR, Kawasaki ZX-6R, Suzuki GSX-R600, Yamaha YZF-R6

Partie cycle

Type de cadre	périmétrique, en aluminium
suspension avant	fourche inversée de 41 mm ajustable en précharge, compression et détente
suspension arrière	monoamortisseur ajustable en précharge, compression et détente
freinage avant	2 disques de 308 mm de Ø avec étriers radiaux à 4 pistons
freinage arrière	1 disque de 220 mm de Ø avec étrier à 1 piston
pneus avant/arrière	120/70 ZR17 & 180/55 ZR17
empattement	1 392 mm
hauteur de selle	825 mm
poids à vide	165 kg
réservoir de carburant	17,4 litres

Moteur

Type	3-cylindres en ligne 4-temps, DACT, 4 soupapes par cylindre, refroidissement par liquide
alimentation	injection à 3 corps 44 mm
rapport volumétrique	12,65:1
cylindrée	675 cc
alésage et course	74 mm x 52,3 mm
puissance	123 ch @ 12 500 tr/min
couple	53 lb-pi @ 11 750 tr/min
boîte de vitesses	6 rapports
transmission finale	par chaîne
révolution à 100 km/h	environ 5 100 tr/min
consommation moyenne	6,4 l/100 km
autonomie moyenne	272 km

conclusion

Au moins aussi précise et agile en piste qu'une 600 japonaise de génération actuelle, ce qui n'est certainement pas peu dire, la Daytona 675 se trouve complètement dans une classe à part en ce qui concerne la souplesse à bas et moyen régimes. Grâce à la présence du brillant tricylindre de 675 cc, chaque instant en selle est en plus accompagné, sur la Daytona, de la fascinante mélodie de la mécanique anglaise. Le tout dans un emballage qui, de l'avis de la majorité des observateurs, devrait presque porter l'étiquette « exotique ». La Daytona 675 pourrait afficher une facture semblable à celle de la Ducati 749 et la justifier. Au prix d'une « commune » japonaise de 600 cc, il s'agit d'une aubaine.

 QUOI DE NEUF EN 2007 ?

Aucun changement

Aucune augmentation de prix

 PAS MAL

Un moteur absolument brillant qui se montre non seulement plus coupleux en bas et au milieu que celui d'une 600 traditionnelle ne le sera jamais, mais aussi beaucoup plus agréable à l'oreille

Un niveau de performances maximal qui semble très proche de celui des 600 à quatre cylindres actuelles, ce qui veut dire très élevé, et une tenue de route qui peu être considérée au moins aussi bonne que celle des 600 japonaises

Une ligne réussie et très distincte qui fait presque du modèle une moto exotique, et un prix qui reste en ligne avec celui de la concurrence asiatique

BOF

Une position de conduite très agressive qui met beaucoup de poids sur les mains et un niveau de confort général qui n'est pas très impressionnant

Une hauteur de selle considérable qui ne fera pas l'affaire des pilotes un peu courts sur pattes

Une certaine méfiance de la part du marché canadien envers ce qui est pourtant une excellente moto, avec une bonne garantie, qui provient d'un constructeur bien établi en Europe

TRIUMPH

SPEED TRIPLE

incorrigible tannante...

La réputation que s'est bâtie la Speed Triple en est une de crapule de première classe ayant un irrésistible pouvoir de perversion sur le comportement du pilote qui la chevauche. Bien qu'elle soit tout à fait méritée, cette renommée prend parfois toute la place, si bien qu'on a tendance à oublier que sous sa gueule de taquine, la Speed Triple figure aussi parmi les standards les plus agréables du marché. La génération actuelle a été introduite en 2005 et profite non seulement de la plus récente version du très caractériel tricylindre britannique de 1 050 cc, mais aussi de la plus puissante avec ses 131 chevaux. Seuls quelques changements mineurs lui sont apportés en 2007.

On compte les montures comme la Speed Triple sur les doigts d'une main, et encore. Même si, techniquement, il s'agit d'une sportive dénudée, donc d'une standard comme tant d'autres, dans les faits, il y a plus à cette anglaise. Sa silhouette trapue, son arrière tronqué et ses yeux globuleux forment un ensemble aussi unique que reconnaissable, mais là encore, la même observation serait valable pour plusieurs autres modèles. Ce qui fait plutôt de la Speed Triple une moto d'une classe à part, c'est le tricylindre qu'étreint son cadre en aluminium tubulaire. Il fut un temps où, malgré sa configuration peu orthodoxe, le 3-cylindres en ligne de Triumph renvoyait des sensations très similaires à celles d'un 4-cylindres en ligne, mais plusieurs années d'évolution l'ont aujourd'hui transformé en l'une des mécaniques les plus caractérielles du motocyclisme, en une expérience qu'on ne peut vraiment vivre que chez Triumph.

Parfaitement injecté, aussi puissant que coupleux et suffisamment doux pour que tous les régimes, jusqu'aux plus élevés, soient confortablement utilisables, le tricylindre anglais se distingue par-dessus tout par une sonorité qu'il est difficile de qualifier autrement que d'ensorcelante. Très peu de motos détiennent le pouvoir de pousser leur pilote à jouer sans cesse avec la poignée des gaz dans le seul et unique but d'écouter la mécanique, et la Speed Triple en est décidément une. Les qualités du tricylindre ne s'arrêtent pas là puisqu'il s'agit aussi d'un moteur dont les chevaux sont exceptionnellement bien

répartis sur la plage de régimes. Un couple gras vous accueille dès les tout premiers tours, suivi d'une livrée de puissance fort généreuse aux mi-régimes et enfin d'une très excitante poussée s'étirant jusqu'à la zone rouge de 10 000 tr/min. Le tout se produit sans creux ni pics, mais plutôt de manière parfaitement linéaire et, encore une fois, dans une ambiance envahie par une véritable musique mécanique.

On oublie parfois, en raison de l'accent qu'on met sur son caractère moteur, sur son style ou sur les perversions routières qu'elle pousse son pilote à faire, de rappeler que la Speed Triple est aussi une standard joliment équilibrée. Joueuse et étonnamment facile d'accès, l'anglaise s'avère tout à fait à l'aise dans l'environnement de la besogne quotidienne. Construite autour une plateforme de sportive, la Speed Triple positionne son pilote de façon compacte, surtout au niveau des jambes et de la manière dont les repose-pieds élevés les plient. À la différence d'une sportive pure, le guidon tubulaire est plus large et positionné beaucoup plus haut. Le résultat est une posture serrée, mais tout à fait tolérable en raison du très faible poids que les poignets ont à supporter. Par-dessus tout, il s'agit d'une position de conduite qui met instantanément en confiance en donnant au pilote un sentiment de plein contrôle.

Cette belle position n'est toutefois pas suffisante pour qu'on puisse qualifier la Speed Triple de particulièrement confortable. En effet, des suspensions fermes, voire rudes sur route abîmée, une selle minimaliste et une absence totale de protection au vent réduisent le niveau de confort, surtout sur long trajet.

> **DES ANNÉES D'ÉVOLUTION ONT TRANSFORMÉ LE TRICYLINDRE ANGLAIS EN L'UN DES MOTEURS LES PLUS CARACTÉRIELS DU MOTOCYCLISME.**

VITESSE DE POINTE
242 km/h
ACCÉLÉRATION SUR 1/4 MILLE
10,9,, 203 km/h

indice d'expertise ▶

rapport valeur/prix

Voir légende page 7

EXPERT	E
INTERMÉDIAIRE	I
NOVICE	N

général

catégorie	Standard
prix	13 999 $
garantie	2 ans/kilométrage illimité
couleur(s)	blanc, vert, noir
concurrence	Buell XB12S, Benelli TNT, KTM Super Duke

partie cycle

type de cadre	périmétrique, en aluminium tubulaire
suspension avant	fourche inversée de 43 mm ajustable en précharge, compression et détente
suspension arrière	monoamortisseur ajustable en précharge, compression et détente
freinage avant	2 disques de 320 mm de Ø avec étriers radiaux à 4 pistons
freinage arrière	1 disque de 220 mm de Ø avec étrier à 2 pistons
pneus avant/arrière	120/70 ZR17 & 180/55 ZR17
empattement	1 425 mm
hauteur de selle	815 mm
poids à vide	189 kg
réservoir de carburant	18 litres

moteur

type	3-cylindres en ligne 4-temps, DACT, 4 soupapes par cylindre, refroidissement par liquide
alimentation	injection à 3 corps
rapport volumétrique	12:1
cylindrée	1 050 cc
alésage et course	79 mm x 71,4 mm
puissance	131 ch @ 9 250 tr/min
couple	77 lb-pi @ 7 550 tr/min
boîte de vitesses	6 rapports
transmission finale	par chaîne
révolution à 100 km/h	environ 3 600 tr/min
consommation moyenne	7,3 l/100 km
autonomie moyenne	246 km

conclusion

Les apparences sont parfois trompeuses, mais pas dans le cas de la Speed Triple. Ce regard défiant, cette silhouette trapue et ce moteur prédominant annoncent une expérience intense et hors du commun qui se révèle tout à fait réelle une fois en selle. Au-delà de son comportement routier relevé et de la sélection vraisemblablement illimitée d'idioties qu'elle pousse à faire, son plus bel atout et l'une des principales raisons pour lesquelles on devrait envisager son acquisition est toutefois la mécanique qui l'anime. Triumph a mis quelques années pour y arriver, mais dans sa version actuelle, le très caractériel tricylindre anglais est un véritable joyau.

 ### QUOI DE NEUF EN 2007 ?

Système d'injection de seconde génération qui accélère le démarrage, optimise la consommation d'essence et la puissance, et rend le modèle conforme à la norme Euro III

Pare-chaleur du système d'échappement revu

Aucune augmentation de prix

PAS MAL

Un tricylindre au caractère absolument unique qui représente une signature mécanique dont Triumph a de quoi être fier et qui, à lui seul, compte pour une très grande partie de l'agrément de pilotage du modèle

Une quantité de chevaux produite qui est non seulement fort appréciable, mais qui est aussi étonnamment accessible en raison de sa judicieuse répartition sur la totalité de la plage de régimes

Une partie cycle dont on oublie parfois les origines sportives; la Speed Triple offre à son pilote la capacité très réelle de tourner en piste si le cœur lui en dit

 ### BOF

Un concept pour lequel l'absence de protection au vent est traditionnelle, avec la conséquence qu'on arrive rarement à profiter de toutes les performances puisque la pression de l'air devient vite trop forte avec la vitesse

Un réglage des suspensions assez ferme pour que la conduite devienne inconfortable sur une route en mauvais état

Une légèreté de direction extrême qui a le potentiel de se transformer en instabilité, surtout si le pilote ne fait pas attention aux mouvements qu'il induit lui-même au guidon, lorsque la pression du vent à haute vitesse le bouscule, par exemple

ROCKET III CLASSIC TOURING

NOUVELLE VARIANTE

valkyrie britannique...

La Rocket III est née en 2004 de la volonté du constructeur de Hinckley de faire sa marque dans l'arène de customs poids lourd. Disons-le tout de suite : mission accomplie. Forte des ses 2 300 cc, la Rocket III demeure encore aujourd'hui non seulement la custom, mais la moto affichant la plus grosse cylindrée de l'industrie. Facilement, d'ailleurs. Après avoir introduit une variante Classic l'an passé, pour 2007, Triumph ajoute à cette dernière le prévisible ensemble du gros pare-brise, des sacoches de cuir latérales et du dossier de passager pour en faire la Rocket III Classic Touring. Il s'agit cette année de la seule version de la Rocket III qui sera importée au Canada.

Même trois ans après son lancement, on ne s'est toujours pas habitué à l'étrange silhouette de la Rocket III. Personne ne sait trop si la direction esthétique prise par les stylistes de Hinckley était vraiment volontaire, ou si elle a plutôt été dictée par l'immensité de cette mécanique de 2,3 litres. Car tout sans exception, sur cette Rocket III, semble être positionné ou conçu afin d'accommoder le tricylindre longitudinal géant. Un peu comme la regrettée Valkyrie de Honda, il s'agit donc, tout simplement, d'une moto construite autour d'un moteur.

Si les lignes maladroites de l'anglaise font généralement lever le nez des fins connaisseurs de proportions et de perspective, les amateurs de mécanique, eux, salivent dès que prend vie le plus gros moteur du motocyclisme et frissonnent carrément dès que la première est enclenchée. La Rocket III et les gros chiffres de puissance et de couple qui l'accompagnent sont tout sauf de la frime. On se doute bien qu'une moto de 2,3 litres ait la capacité de s'élancer de façon grandiose lors d'une pleine accélération sur le premier rapport, mais rien ne permet de prévoir que cette intensité demeure pratiquement la même lorsqu'on passe en seconde, en troisième... et même en quatrième! On s'étonne par ailleurs du fait que la sonorité que dégage la Rocket III en pleine action n'est finalement pas très gracieuse puisqu'elle rappelle celle d'une banale petite voiture. Mais bon, elle tire tellement fort et tellement bien, la Rocket, qu'on lui pardonne assez facilement cet écart de conduite.

Malgré tout ce dont elle est capable à pleins gaz, la Rocket III

> **TOUT SUR CETTE ROCKET III SEMBLE ÊTRE UNE CONSÉQUENCE DU CHOIX DE CE GÉANT TRICYLINDRE EN GUISE DE MÉCANIQUE.**

se montre étonnamment civilisée dès le moment où l'on ramène l'intensité du pilotage à un rythme de balade. En dépit de sa cylindrée hors-normes, le gros tricylindre travaille toujours en douceur et sans jamais montrer de manières déplacées. La vérité à propos de la Rocket III est que tant qu'on ne l'utilise pas comme un missile ou comme une machine à brûler des pneus, on découvre en elle une moto qui s'avère tout aussi à l'aise dans la besogne quotidienne que sur de longues distances. Mécanique douce et ultrasouple, transmission très convenable, embrayage léger, sonorité feutrée, et position classique et dégagée typique d'une grosse custom sont autant de facteurs qui laissent conclure que la décision prise par Triumph d'en faire cette année une monture de tourisme léger semble justifiée, bien qu'on aurait aimé pouvoir continuer d'acheter la version standard.

La docilité dont fait preuve la Rocket III en conduite normale ne s'arrête pas qu'à la mécanique, mais s'étend aussi au comportement. Malgré ses immenses proportions, on s'étonne qu'un effort minimal suffise à la soulever de sa béquille, tandis qu'une fois en route, on découvre une moto agréablement équilibrée. Une des rares critiques envers le comportement concerne l'impression que donne la Rocket III de résister à la poussée du guidon en entrée de courbe, une conséquence directe de la largeur extrême du pneu arrière.

Grâce à une bonne selle, à des suspensions qui travaillent correctement et à une position plaisante, le niveau de confort s'avère très acceptable. Par ailleurs, malgré de la turbulence au niveau du casque, la protection au vent se montre généreuse.

VITESSE DE POINTE
227 km/h

ACCÉLÉRATION SUR 1/4 MILLE
11,6 s à **191** km/h

indice d'expertise ▸

rapport valeur/prix

Voir légende page 7

EXPERT **E**
INTERMÉDIAIRE **I**
NOVICE **N**

Général

catégorie	Tourisme léger
prix	20 999 $
garantie	2 ans/kilométrage illimité
couleur(s)	noir et bourgogne, noir et rouge, bleu et blanc
concurrence	Kawasaki Vulcan 2000 Classic LT

moteur

type	3-cylindres en ligne 4-temps, DACT, 4 soupapes par cylindre, refroidissement par liquide
alimentation	injection à 3 corps de 56 mm
rapport volumétrique	8,7:1
cylindrée	2 294 cc
alésage et course	101,6 mm x 94,3 mm
puissance	140 ch @ 6 000 tr/min
couple	147 lb-pi @ 2 500 tr/min
boîte de vitesses	5 rapports
transmission finale	par arbre
révolution à 100 km/h	n/d
consommation moyenne	7,1 l/100 km
autonomie moyenne	352 km

partie cycle

type de cadre	double épine dorsale, en acier
suspension avant	fourche inversée de 43 mm non ajustable
suspension arrière	2 amortisseurs ajustables en précharge
freinage avant	2 disques de 320 mm de Ø avec étriers à 4 pistons
freinage arrière	1 disque de 316 mm de Ø avec étrier à 2 pistons
pneus avant/arrière	150/80 R17 & 240/50 R16
empattement	1 695 mm
hauteur de selle	740 mm
poids à vide	330 kg
réservoir de carburant	24 litres

conclusion

Avec sa Rocket III, Triumph a de manière indiscutable atteint son but, celui de montrer au monde entier qu'il détient les ressources créatives et techniques pour mettre sur le marché des montures révolutionnaires. Maintenant, il ne lui reste qu'à les vendre. Et même si nous croyons fermement qu'en raison de son concept aussi osé qu'unique la Rocket III représente une valeur intéressante malgré ce genre de prix, le comportement des motocyclistes, lui, continue de prouver qu'à moins de s'appeler BMW ou Harley, écouler des motos de plus de 20 000 $ reste une proposition difficile. Ce qui fait finalement de la Rocket III une moto de connaisseurs, d'aficionados des deux roues, de routiers qui favorisent les plaisirs mécaniques à la pratique du m'as-tu-vu.

QUOI DE NEUF EN 2007 ?

Version Classic Touring basée sur la variante Classic introduite en 2006 et équipée d'un gros pare-brise, de sacoches latérales et d'un dossier de passager

Versions originale et Classic ne sont pas importées au pays en 2007

Version Classic Touring coûte 1 000 $ de moins que la Rocket III 2006 et 2 000 $ de moins que la Rocket III Classic 2006

PAS MAL

Un tricylindre unique autant par son concept que par les sensations qu'il fait vivre à chaque ouverture des gaz; il s'agit d'une des rares configurations mécaniques qu'on ne peut vivre qu'à une et une seule adresse

Un niveau de confort intéressant puisqu'il est au bout du compte identique à celui d'une custom poids lourd haut de gamme

Une accessibilité de pilotage qui étonne compte tenu de la cylindrée monstre; la Rocket III est plus agile et facile à manier que ses proportions ne le laissent croire

BOF

Une ligne qui continue d'alimenter des discussions animées; elle a le mérite d'être différente et originale, mais le fait est que si la Rocket III n'avait pas « l'excuse » d'être la moto affichant la plus grosse cylindrée au monde, on la qualifierait sûrement de grosse pas très belle

Un concept tellement osé qu'il engendre obligatoirement un niveau de prix que peu d'amateurs de customs sont prêts à envisager si le nom d'une certaine marque de Milwaukee n'est pas inscrit sur le réservoir

Un gros pare-brise qui, comme c'est le cas sur 99 pour cent des customs qui en sont équipées, provoque une agaçante turbulence au niveau du casque

Speedmaster

TRIUMPH

AMERICA ET SPEEDMASTER

RÉVISION 2007

Anglaises à l'américaine...

Si les customs ne représentaient pas, comme c'est le cas, plus de la moitié des ventes de routières en Amérique du Nord, il y a fort à parier que l'America et la Speedmaster n'auraient jamais été dessinées. Ainsi, elles existent uniquement dans le but de s'accaparer une portion, aussi petite soit-elle, de ces ventes, mission d'ailleurs partagée par la défunte BMW R1200C. Comme les Allemands, les Anglais ne sont jamais allés jusqu'à produire une custom à moteur V-Twin, préférant plutôt garder leur mécanique traditionnelle, même si ça fait faux... Pour 2007, plusieurs changements sont annoncés, dont les plus importants sont l'abandon de la cylindrée de 790 cc et des baisses de prix.

Autant la famille de modèles dérivés de la plateforme de la Bonneville a ses joyaux, autant elle a ses moutons noirs. Car si elle comporte des designs rétro admirablement bien réussis comme la Scrambler, la Thruxton ou encore, justement, la Bonneville – des designs dont l'origine est profondément ancrée dans la longue et riche histoire du constructeur de Hinckley –, elle a aussi ses deux rejetons que sont l'America et la Speedmaster, des modèles qui n'existent qu'en raison de la popularité du genre custom. Comme ce fut le cas avec la R1200C chez BMW, le fait d'associer le traditionnel bicylindre parallèle de Triumph à un tel style n'a pas fait que des heureux chez les puristes de la marque. Par ailleurs, du côté des sérieux amateurs de customs, on n'est jamais vraiment arrivé à accepter le mélange de la marque anglaise, du style cruiser et d'une mécanique autre qu'un V-Twin. Malrgé tout, et purement en raison de l'immensité du marché de la custom, l'America et la Speedmaster arrivent à trouver preneur. Tant que ça durera, elles figureront au catalogue, et, comme la BMW, disparaîtront dès que l'intérêt s'estompera. Pour le moment, toutefois, Triumph semble vouloir mettre tous les efforts nécessaires pour que cet intérêt demeure au moins stable.

On note par exemple cette année d'intéressantes baisses de prix jumelées à la première véritable évolution des modèles. Alors que les modifications sont surtout d'ordre esthétique sur la Speedmaster, l'America se voit enfin propulsée par la version de 865 cc du Twin britannique dont

> **BASSE ET PLUTÔT LÉGÈRE, L'UNE OU L'AUTRE DES VARIANTES PEUT ÊTRE ENVISAGÉE PAR UNE GRANDE VARIÉTÉ DE PILOTES.**

bénéficie la Speedmaster depuis 2005. Comme l'un des défauts majeurs de l'America depuis sa mise en marché de 2002 concernait le caractère timide et les accélérations faibles de la version de 790 cc de cette mécanique, les améliorations amenées par cette mise à niveau sont bienvenues. Les performances maximales demeurent toutefois relativement modestes et, comme les selles sont basses et que les poids ne sont pas trop élevés, l'une ou l'autre des variantes peut être envisagée par une très large variété de pilotes. Leur position de conduite à saveur custom allonge généreusement les jambes vers l'avant et laisse tomber les mains de façon naturelle sur un guidon de type large et bas sur l'America, et de type droit et avancé sur la Speedmaster. Cette dernière affiche un comportement routier légèrement plus intéressant que celui de l'America en raison de ses pneus de meilleure qualité et de son frein avant à disque double plutôt que simple. Les deux versions s'inscrivent sans effort en courbe et se montrent assez précises et neutres une fois inclinées. À moins qu'on exagère, la stabilité n'attire aucune critique en courbe comme en ligne droite.

Le niveau de confort n'est pas mauvais, car les positions dégagées sont agréables, du moins pour des périodes limitées, et parce que la selle est bien formée et bien rembourrée. Sans être rude, la suspension arrière reste ferme. Or, comme sur plusieurs customs, la position concentre une bonne partie du poids du pilote sur le bas de son dos, si bien qu'on finit assez rapidement par adapter sa conduite en tentant autant que possible de contourner les trous plutôt que de sauter dedans.

Voir légende page 7

EXPERT **E**
INTERMÉDIAIRE **I**
NOVICE **N**

général

catégorie	Custom
prix	America 2 tons : 10 799 $; noir : 10 599 $ Speedmaster 2 tons : 11 199 $; noir : 10 999 $
garantie	2 ans/kilométrage illimité
couleur(s)	America : noir, noir et rouge, noir et bourgogne, bleu et blanc Speedmaster : noir, marron, noir et rouge, noir et bourgogne
concurrence	Harley-Davidson Sportster 883, Honda Shadow Aero 750 et Spirit 750, Kawasaki Vulcan 900 Classic, Suzuki Boulevard C50 et M50

partie cycle

type de cadre	double berceau, en acier
suspension avant	fourche conventionnelle de 41 mm non ajustable
suspension arrière	2 amortisseurs ajustables en précharge
freinage avant	1 (Speedmaster : 2) disque(s) de 310 mm de Ø avec (Speedmaster : 2) étrier(s) à 2 pistons
freinage arrière	1 disque de 285 mm de Ø avec étrier à 2 pistons
pneus avant/arrière	110/90 R18 (Speedmaster : 110/80 R18) & 170/80 R15
empattement	1 655 mm
hauteur de selle	720 mm
poids à vide	226 kg (Speedmaster : 229 kg)
réservoir de carburant	16,6 litres

moteur

type	bicylindre parallèle 4-temps, DACT, 4 soupapes par cylindre, refroidissement par air
alimentation	2 carburateurs à corps de 36 mm
rapport volumétrique	9,2:1
cylindrée	865 cc
alésage et course	90 mm x 68 mm
puissance	54 ch @ 6 750 tr/min
couple	51 lb-pi @ 4 800 tr/min
boîte de vitesses	5 rapports
transmission finale	par chaîne
révolution à 100 km/h	n/d
consommation moyenne	5,0 l/100 km
autonomie moyenne	332 km

conclusion

On ne peut se détacher du fait qu'une certaine impression d'imposture suit ces modèles depuis leur introduction. Il s'agit de customs, mais sans un moteur de custom... Quoi qu'il en soit, il reste que leur comportement est aussi amical, sinon plus que celui des autres customs de cylindrées similaires. Mieux finies et plus abordables que jamais cette année, la Speedmaster ou l'America ne sont pas pour autant plus authentiques, mais comme elles affichent toutes deux un comportement tout à fait respectable par rapport à la moyenne de la catégorie, aucune contre-indication ne peut vraiment être formulée à leur égard. Elles évitent donc le tordeur du Guide de manière technique, en marquant suffisamment de points à gauche et à droite, mais elles n'y parviennent certainement pas grâce à un quelconque mérite.

 QUOI DE NEUF EN 2007 ?

America : cylindrée passe de 790 cc à 865 cc; style des silencieux revu; roues coulées plutôt qu'à rayons; leviers de frein et d'embrayage ajustables; moteur peint en noir; caches de fourche, couvercle du pignon de chaîne et supports des repose-pieds arrière revus; selle de passager plus confortable

Speedmaster : nouvelles roues coulées; style des silencieux revu; leviers de frein et d'embrayage ajustables; caches de fourche, couvercle du pignon de chaîne et supports des repose-pieds arrière revus

America 2 tons coûte 900 $ (noir 1 100 $) et Speedmaster 2 tons 1 100 $ (noir 1 300 $) de moins qu'en 2006

∧ **PAS MAL**

Une ligne qui semble plaire à une certaine catégorie d'acheteurs à la fois liée de manière émotionnelle à la marque anglaise et fortement intéressée à se joindre au phénomène custom

Un comportement routier qui fait preuve de belles manières à presque tous les niveaux, de la stabilité en ligne droite à la solidité en virage en passant par la légèreté de direction

Une facilité de prise en main indéniable; basses et pas trop lourdes, l'America comme la Speedmaster peuvent facilement être envisagées par des novices

 BOF

Un style qui triche un peu; il s'agit indéniablement de customs, mais le Twin parallèle ne semble tout simplement pas être à sa place dans un tel ensemble

Un niveau de performances qui n'est pas mauvais, surtout maintenant que la mécanique de 790 cc a enfin disparu, mais qui n'arrivera à satisfaire que les pilotes peu gourmands en chevaux; remarquez, on peut dire la même chose de la plupart des customs de 750 ou 800 cc

Une mécanique dont le caractère est encore et toujours très timide, en partie en raison de la grande douceur de fonctionnement du moteur, et en partie à cause de la sonorité bien trop étouffée du système d'échappement

America

SCRAMBLER

Retour à l'essentiel...

Chez Triumph, on accorde beaucoup de valeur à l'histoire... ou, devrait-on plutôt dire, au pouvoir qu'exerce la nostalgie sur les décisions d'achat! Qu'une Triumph TR6C ait permis à Steve McQueen de s'évader de prison de façon spectaculaire dans le classique long métrage de 1963 *The Great Escape*, et que cette même moto ait été pilotée un an plus tard par le légendaire acteur dans le cadre l'*International Six-Days Trials*, une prestigieuse compétition, était plus que suffisant pour convaincre le constructeur anglais, l'an dernier, de ramener cette fameuse moto à la vie sous la forme de la Scrambler. Si rien de technique ne change en 2007, le prix, lui, se voit rajusté à la baisse.

Souriante, l'élégante dame s'avance dans ma direction plutôt que vers sa luxueuse voiture. « Belle moto! » me lance-t-elle. Étonné que le commentaire ne vienne pas plutôt d'un homme dans la soixantaine, je la remercie tout en continuant de faire le plein. Elle continue de sourire, fait une pose.

— Qu'est-ce que c'est ? Mon père avait quelque chose de semblable. Il nous amenait partout là-dessus. Ça doit faire des années que je n'ai rien vu de tel.

— C'est une Triumph Scrambler, un nouveau modèle.

— Pas possible, lance-t-elle avec stupéfaction, j'aurais juré que c'était une vieille moto que vous avez restaurée!

Je n'aurais pas été moins surpris si la réaction avait été celle de son propre père. Car s'il est une chose pour laquelle Triumph se distingue ces dernières années c'est bien la production de répliques de vieux classiques exécutées à la perfection. Des modèles comme la Thruxton et la célèbre Bonneville ont d'ailleurs précédé la Scrambler à ce chapitre. Sous ses très convaincantes lignes d'antan, la nouveauté demeure toutefois tout ce qu'il y a de moderne. L'alimentation demeure l'affaire d'une paire de carburateurs plutôt que celle d'un système d'injection, mais à cette exception près, toutes les composantes utilisées sont à jour et parfaitement fonctionnelles. Voilà d'ailleurs là l'une des caractéristiques clés derrière les belles manières dont fait preuve la Scrambler sur la route. Car au-delà du rôle qu'elle joue avec brio, l'anglaise s'avère avant tout une monture d'une surprenante facilité de prise en main. Dotée d'une

selle un peu haute, affichant un poids plutôt faible, agréablement étroite et très légère de direction, elle est propulsée par un Twin parallèle dont les performances sont livrées de manière on ne peut plus amicale. Absolument rien, à ses commandes, n'intimide. Si l'on pouvait ainsi la recommander sans le moindre problème à un novice, il reste que la Scrambler a quand même ce qu'il faut pour satisfaire un pilote plus expérimenté qui découvrira en elle une monture qui brille d'abord et avant tout lorsque l'esprit est à la balade. Peu importe que l'intention soit de faire une banale course quotidienne ou simplement de flâner quelques heures sans destination particulière un dimanche matin, la Scrambler est un rafraîchissant retour à l'essentiel. En ces temps de spécialisation aiguë, la position de conduite qu'elle dicte est tellement simple et logique qu'elle semble avoir été oubliée. On est tout bonnement assis sur une selle plate avec un large guidon entre les mains. La posture n'a pas été étudiée des années par des ingénieurs, elle est seulement celle que le corps demande. Toutes les commandes fonctionnent de manière fluide et transparente. La puissance n'est pas énorme, mais le bicylindre est suffisamment coupleux pour qu'on ne manque jamais vraiment de rien en conduite urbaine comme sur l'autoroute. Il n'y a pas de protection au vent ou de suspensions très sophistiquées. Pas d'ordinateur de bord, pas d'instrumentation numérique et certainement pas le moindre gadget non plus. Aux commandes de la Scrambler, on se contente simplement de rouler.

> **LA POSITION DE CONDUITE N'A PAS ÉTÉ ÉTUDIÉE PENDANT DES ANNÉES; ELLE EST SEULEMENT CELLE QUE LE CORPS DEMANDE.**

VITESSE DE POINTE
166 km/h
ACCÉLÉRATION SUR 1/4 MILLE
13,6 s à **157** km/h

indice d'expertise ▶

rapport valeur/prix

Voir légende page 7

EXPERT **E**
INTERMÉDIAIRE **I**
NOVICE **N**

général

catégorie	Standard
prix	10 299 $
garantie	2 ans/kilométrage illimité
couleur(s)	bleu et blanc, rouge et blanc, vert et argent
concurrence	aucune

moteur

type	bicylindre parallèle 4-temps, DACT, 4 soupapes par cylindre, refroidissement par air
alimentation	2 carburateurs à corps de 36 mm
rapport volumétrique	9,2:1
cylindrée	865 cc
alésage et course	90 mm x 68 mm
puissance	56 ch @ 7 000 tr/min
couple	51 lb-pi @ 4 500 tr/min
boîte de vitesses	5 rapports
transmission finale	par chaîne
révolution à 100 km/h	n/d
consommation moyenne	5,7 l/100 km
autonomie moyenne	280 km

partie cycle

type de cadre	double berceau, en acier
suspension avant	fourche conventionnelle de 41 mm non ajustable
suspension arrière	2 amortisseurs ajustables en précharge
freinage avant	1 disque de 310 mm de Ø avec étrier à 2 pistons
freinage arrière	1 disque de 255 mm de Ø avec étrier à 2 pistons
pneus avant/arrière	100/90 R19 & 130/80 R17
empattement	1 500 mm
hauteur de selle	825 mm
poids à vide	205 kg
réservoir de carburant	16,6 litres

conclusion

La Scrambler est en quelque sorte un retour à la case départ, une moto qu'on enfourche simplement pour rouler sur deux roues, dans le vent. Grâce à la magie de la technologie moderne, son attachante ligne classique ne l'empêche pas de se comporter avec solidité et précision en courbe, de freiner avec assurance ou même, une fois n'est pas coutume, de s'aventurer dans un sentier pas trop abîmé. Comme chacune de ces Triumph dont la raison d'être est de rappeler un certain thème, elle n'est pas pour tout le monde. La majorité, la masse, ne s'y intéressera pas, ne la comprendra pas. Mais pour une minorité, pour une poignée de nostalgiques jeunes et moins jeunes, la seule vue de la Triumph Scrambler générera un sourire qui ne s'effacera assurément pas une fois sur la route.

 **QUOI DE NEUF EN 2007 ?**

Moteur peint en noir

Coûte 1 300 $ de moins qu'en 2006

⌃ **PAS MAL**

Une autre « moto à thème » de Triumph dont le style est magnifiquement réussi, et ce, même si le modèle ne demeure qu'un dérivé de la Bonneville; comme quoi Harley n'est plus le seul à s'adonner à la démultiplication des modèles basés sur une plateforme commune

Une facilité de pilotage carrément rafraîchissante qui est autant due à solidité de la partie cycle qu'à la position de conduite naturelle et à la livrée de puissance très amicale du bicylindre parallèle anglais

Une baisse de prix qui ne suffit pas à faire de la Scrambler une aubaine, mais qui demeure néanmoins fort intéressante

⌄ **BOF**

Une capacité hors-route pratiquement aussi limitée que pour n'importe quelle autre moto de route, bien que s'aventurer à l'occasion sur une route de gravier demeure tout à fait possible

Une selle plate qui est parfaite pour la besogne quotidienne, mais qui n'est pas vraiment dessinée pour être confortable sur de longues distances

Une mécanique dont le niveau de performances a le mérite d'être utilisable lorsque l'esprit est à la balade, mais qui n'a rien de très excitant, surtout que, comme sur tous les modèles dérivés de la Bonneville, le caractère du doux et silencieux bicylindre s'avère plutôt timide

THRUXTON

Authentique café racer...

À une certaine époque, oh, voilà disons 40 ou 50 ans, on trouvait difficilement plus rapide ou sportif qu'une anglaise de plus ou moins 800 cc. La Thruxton actuelle a comme mission de rappeler cette ère lointaine du motocyclisme durant laquelle Triumph figurait parmi les constructeurs les plus en vue du globe. Basée sur la même plateforme que celle de la Bonneville, elle se distingue autant par son style d'époque très soigné que par sa position de conduite basculée vers l'avant. Si le modèle qui fut lancé en 2004 ne change que dans les détails en 2007, il subit en revanche une importante baisse de prix, comme c'est le cas pour plusieurs autres Triumph d'ailleurs.

La Thruxton est ce que nous aimons qualifier de « moto à thème » puisqu'elle n'a vraiment aucune autre mission ou utilité que d'évoquer un lointain passé et l'ambiance qui y régnait. Elle s'adresse avant tout à ceux qui seraient familiers avec cette époque et chez qui sa ligne étonnamment authentique éveillera très probablement un fort sentiment de nostalgie.

La Thruxton a cela de particulier qu'elle est l'une des répliques de motos d'antan les plus finement reproduites sur le marché. En suivant de manière aussi méticuleuse le thème de la sportive d'hier, Triumph a littéralement créé une monture unique, un fait qu'on remarque d'ailleurs dès l'instant où on y prend place. L'étonnante fidélité avec laquelle la Thruxton respecte les proportions qui étaient courantes il y a un demi-siècle — mais qu'on considère aujourd'hui minuscules — attire avant tout l'attention. Une selle basse, étroite et mince vous accueille, tandis que la moto tout entière ne vous semble pas plus large que le pneu avant. Une impression qui n'est d'ailleurs pas très loin de la réalité puisqu'à l'exception du réservoir, des silencieux de style mégaphone et des couvercles latéraux du Twin parallèle, rien n'est plus large que la fourche. La position de conduite est presque aussi inhabituelle que les proportions puisqu'elle vous penche beaucoup vers l'avant, plie vos jambes à la façon d'une sportive pure et place vos mains sur des poignées rapprochées dont l'orientation vers l'arrière et vers le bas semble au début étrange. On s'y fait, mais ça reste décidément peu commun comme posture.

> **LA THRUXTON N'EST PAS LENTE, MAIS ELLE DEMANDE DU PILOTE QU'IL NE SOIT PAS TROP GOURMAND EN CHEVAUX.**

En dépit de ses 865 cc, le bicylindre anglais se montre timide autant dans ses performances qu'au niveau de son caractère. Livrant sa puissance de façon très linéaire, il génère des accélérations modestes à bas régime, décentes au milieu, puis qui s'intensifient à mesure que montent ensuite les tours. Doux jusqu'à 5 000 tr/min, il s'agite par la suite jusqu'à devenir considérablement vibreux à l'approche de la zone rouge de 7 500 tr/min, si bien qu'on préfère garder des tours plus bas et n'avoir recours aux régimes élevés qu'à l'occasion. La Thruxton n'est pas lente, mais elle demande des propriétaires qu'ils ne soient pas trop gourmands en chevaux pour en apprécier le pilotage.

L'effet de levier réduit généré par ses poignées rapprochées rend la Thruxton assez lourde à lancer dans une courbe ou à faire basculer rapidement d'un angle à l'autre, et ce, malgré son poids relativement faible. Il s'agit d'un comportement qui n'est pas désagréable puisqu'il donne l'impression d'avoir à travailler un peu pour manier la moto, ce qui semble presque rafraîchissant de nos jours. La Thruxton se montre solide et neutre en courbe, tandis que sa stabilité est sans reproche, même à vitesse élevée.

Bien qu'elle ait une ligne sympathique et qu'elle offre une expérience de pilotage vraiment inhabituelle, la Thruxton n'est en revanche pas un exemple de confort. La suspension arrière est simpliste et se montre rude sur une route en mauvais état, un fait que la dureté de la selle n'améliore pas. Sans que le niveau de confort soit inférieur à celui d'une sportive pure, il n'a rien d'invitant lors de longues sorties.

VITESSE DE POINTE
168 km/h
ACCÉLÉRATION SUR 1/4 MILLE
13,6 s à **157** km/h
indice d'expertise ▶

rapport valeur/prix

Voir légende page 7

EXPERT	E
INTERMÉDIAIRE	I
NOVICE	N

général

catégorie	Standard
prix	10 299 $
garantie	2 ans/kilométrage illimité
couleur(s)	noir, rouge
concurrence	Ducati Sport Classic Sport 1000

moteur

type	bicylindre parallèle 4-temps, DACT, 4 soupapes par cylindre, refroidissement par air
Alimentation	2 carburateurs à corps de 36 mm
Rapport volumétrique	9,2:1
cylindrée	865 cc
Alésage et course	90 mm x 68 mm
Puissance	69 ch @ 7 200 tr/min
couple	53 lb-pi @ 6 400 tr/min
boîte de vitesses	5 rapports
transmission finale	par chaîne
Révolution à 100 km/h	environ 3 900 tr/min
consommation moyenne	5,7 l/100 km
Autonomie moyenne	280 km

partie cycle

type de cadre	double berceau, en acier
suspension avant	fourche conventionnelle de 41 mm ajustable en précharge
suspension arrière	2 amortisseurs ajustables en précharge
freinage avant	1 disque de 320 mm de Ø avec étrier à 2 pistons
freinage arrière	1 disque de 255 mm de Ø avec étrier à 2 pistons
pneus avant/arrière	100/90 R18 & 130/80 R17
empattement	1 490 mm
Hauteur de selle	790 mm
poids à vide	205 kg
Réservoir de carburant	16,6 litres

conclusion

La Thruxton fait partie d'une catégorie de motos vers laquelle certains individus sont attirés pour des raisons principalement émotives. Car s'il est indéniable qu'elle affiche de fort jolies proportions, le fait est que la Thruxton s'avère aussi plutôt lente, vibreuse, lourde de direction et assez inconfortable. On pourrait facilement aller jusqu'à dire qu'elle n'a rien pour intéresser le motocycliste moyen. Ce qui ne pose aucun problème puisqu'elle ne s'adresse pas à ce dernier, mais plutôt à l'irréductible nostalgique, celui qui n'a que faire des faramineux niveaux de performances aujourd'hui communs chez les sportives, et pour lequel rouler comme on le faisait il y a un demi-siècle représente une expérience bien plus intéressante.

⊙ QUOI DE NEUF EN 2007 ?

Moteur peint en noir

Garde-boue de même couleur que la moto

Style du décalque central

Coûte 1 700 $ de moins qu'en 2006

⌃ PAS MAL

Un thème d'époque admirablement bien rendu, que ce soit en ce qui concerne les proportions de l'ensemble ou la ligne nostalgique

Une tenue de route qui bénéficie de façon évidente d'une technologie moderne puisque ni la stabilité en ligne droite ni le comportement en courbe n'attirent de critiques, du moins tant qu'on ne se met pas à jouer aux « vraies » sportives

Un prix à la baisse et une valeur à la hausse; bien que les clients habituels de ce genre de motos ne mettent qu'une importance limitée sur le prix, la révison faite à la facture en 2007 sera certainement appréciée

⌄ BOF

Un niveau de confort qui reflète aussi bien que la ligne l'époque d'origine du modèle puisqu'il est faible; les poignées basses mettent du poids sur les mains, la selle étroite ne tarde pas à devenir douloureuse, la mécanique vibre à haut régime et les suspensions ne sont pas particulièrement souples, surtout à l'arrière

Des performances qui n'ont rien d'électrisant; la Thruxton n'arrive à satisfaire que les pilotes qui la comprennent et qui ne s'attendent pas à une avalanche de chevaux, ce que le Twin anglais est loin de générer

Une mécanique qui manque de caractère surtout en raison du système d'échappement étouffé qui semble être commun à tous les modèles dérivés de la Bonneville

Bonneville T100

BONNEVILLE

TRIUMPH

NOUVELLE VARIANTE

À s'y méprendre...

Aucun constructeur ne déploie autant d'efforts que Triumph afin de faire revivre le passé. La vénérable Bonneville illustre ce fait d'une manière fort éloquente puisqu'il faut décidément un œil averti pour arriver à distinguer un modèle des années 60 d'une Bonnie courante. Propulsée par un Twin parallèle un peu poussif de 790 cc lorsqu'elle fut ramenée à la vie en 2001, la Bonneville est aujourd'hui mue par une version légèrement vitaminée de la même mécanique. Introduit sur le modèle T100 célébrant le centième anniversaire du constructeur en 2002, ce moteur est désormais installé sur la version noire de base, qui fait un retour chez nous après une année sabbatique.

L'attrait premier d'une moto comme la Bonneville n'a rien à voir avec les performances ou la technologie, mais tout avec l'amour du passé. Certains constructeurs, notamment Ducati et sa famille de Sport Classic, jouent aussi la carte de la nostalgie, sans parler de Harley-Davidson, bien entendu. Mais Triumph reste à ce jour le seul manufacturier ayant choisi de ramener de façon aussi fidèle que possible des modèles d'antan. Si le résultat est aussi convaincant dans le cas de la Bonneville, c'est tout simplement parce qu'elle semble avoir été littéralement moulée sur la version originale. Non seulement les proportions sont identiques, mais une foule de détails allant de la forme des couvercles du moteur à celle des silencieux en passant par le respect des emblèmes d'époque se combinent pour donner à l'ensemble un air véritablement authentique. Les curieux se trouvent d'ailleurs souvent ébahis d'apprendre que la monture qu'ils observent est neuve et non restaurée. Heureusement, qui dit vieux style ne dit pas nécessairement vieille technologie et sous ses airs antiques, la Bonneville est en réalité plutôt moderne. Le bicylindre parallèle qui propulse celle-ci en est un bel exemple. Bien qu'il s'agisse d'un moteur relativement peu puissant, avec ses quelque 66 chevaux, sa vocation n'est pas d'exciter, mais plutôt de satisfaire, ce qu'il accomplit quand même décemment. Il est très silencieux et étonnamment doux, au point que ses vibrations sont presque imperceptibles une fois en route. Certains motocyclistes apprécieront une telle tranquillité, mais d'autres

> **LA BONNEVILLE ACTUELLE SEMBLE LITTÉRALEMENT AVOIR ÉTÉ MOULÉE SUR LE MODÈLE ORIGINAL.**

pourraient souhaiter pouvoir vivre un contact plus intime avec la mécanique. Ceux-ci devraient s'estimer heureux puisque la version de 865 cc du bicylindre qui propulse aujourd'hui la T100 et la Bonneville de base représente une amélioration notable sur la version de 790 cc tant au chapitre des performances qu'à celui des sensations.

Comme c'est le cas pour la mécanique, le cadre à double berceau de la Bonneville, même s'il a été dessiné de façon à ne pas entrer en conflit avec le style d'époque recherché par Triumph, est moderne et solide. Même si les éléments de suspension sont plutôt rudimentaires, l'ensemble reste assez rigide pour permettre un comportement routier solide et relativement précis. La Bonneville ne louvoie en virage que si l'on exagère, et reste autrement assez facile à lancer en courbe et très saine lorsqu'elle est inclinée. Basse, mince et légère, il s'agit d'une petite moto très facile d'accès qui démontre une bonne maniabilité dans les situations serrées de la conduite urbaine. On ne jouera évidemment pas aux sportives sur une route sinueuse, mais tous les ingrédients sont là pour quand même arriver à s'amuser.

La position de pilotage assise de la Bonneville est typique d'une machine de style standard puisqu'elle offre amplement de dégagement pour les jambes et laisse le dos droit. Comme la selle n'est pas mauvaise et que les suspensions accomplissent décemment leur travail, le confort est acceptable. Il ne s'agit pas d'une moto vraiment conçue pour les longues distances — bien qu'elle en soit capable —, mais plutôt d'une sympathique et nostalgique petite moto de balade.

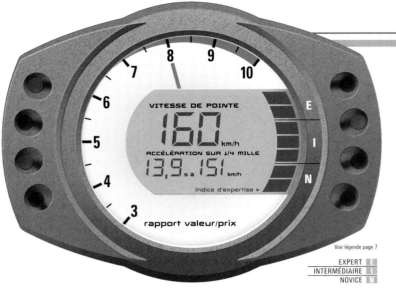

VITESSE DE POINTE
160 km/h
ACCÉLÉRATION SUR 1/4 MILLE
13,9 s à 151 km/h
indice d'expertise ▸
rapport valeur/prix

Voir légende page 7

EXPERT **E**
INTERMÉDIAIRE **I**
NOVICE **N**

général

catégorie	Standard
prix	T100 : 10 599 $; de base : 8 999 $
garantie	2 ans/kilométrage illimité
couleur(s)	T100 : noir et blanc, noir et rouge de base : noir
concurrence	Harley-Davidson Sportster 883

moteur

type	bicylindre parallèle 4-temps, DACT, 4 soupapes par cylindre, refroidissement par air
alimentation	2 carburateurs à corps de 36 mm
rapport volumétrique	9,2:1
cylindrée	865 cc
alésage et course	90 mm x 68 mm
puissance	66 ch @ 7 200 tr/min
couple	52 lb-pi @ 6 000 tr/min
boîte de vitesses	5 rapports
transmission finale	par chaîne
révolution à 100 km/h	environ 3 700 tr/min
consommation moyenne	5,0 l/100 km
autonomie moyenne	332 km

partie cycle

type de cadre	double berceau, en acier
suspension avant	fourche conventionnelle de 41 mm non ajustable
suspension arrière	2 amortisseurs ajustables en précharge
freinage avant	1 disque de 310 mm de Ø avec étrier à 2 pistons
freinage arrière	1 disque de 255 mm de Ø avec étrier à 2 pistons
pneus avant/arrière	100/90 R19 & 130/80 R17
empattement	1 500 mm
hauteur de selle	775 mm
poids à vide	205 kg
réservoir de carburant	16,6 litres

conclusion

Jolie, mais plutôt chère et décidément timide en ligne droite, la Bonneville n'était, il y a quelques années, qu'une une moto assez exclusive destinée à des gens d'un certain âge que le modèle a marqué à une certaine époque. Si les versions actuelles continuent d'attirer cette même clientèle, elles ont au moins le mérite d'être propulsées par une mécanique un peu moins léthargique et un peu plus présente. Les baisses de prix substantielles que les deux versions subissent cette année sont par ailleurs une agréable surprise qui devrait non seulement permettre à Triumph d'aller chercher quelques ventes supplémentaires, mais aussi laisser à une clientèle différente de celle décrite plus tôt la possibilité d'envisager une Bonneville, dont la version de base noire coûte maintenant plus ou moins la même chose qu'une custom japonaise de 750 ou 800 cc.

Bonneville Black

⊙ QUOI DE NEUF EN 2007 ?

Retour de la version de base noire absente en 2006, dont le moteur est maintenant lui aussi gonflé à 865 cc, comme sur la T100

Moteur peint en noir avec ailettes polies sur la Bonneville de base

Levier d'embrayage ajustable

Bonneville de base noire coûte 1 000 $ de moins qu'en 2005, et Bonneville T100 coûte 700 $ de moins qu'en 2006

⌃ PAS MAL

Un style tellement fidèle à celui des Bonneville d'antan que même les connaisseurs semblent étonnés d'apprendre qu'il s'agit d'une moto neuve

Un comportement tout à fait fonctionnel au jour le jour et un niveau de confort très acceptable qui font du modèle plus qu'une réplique capricieuse et compromise; la Bonneville est aussi une bonne petite moto

Des prix ajustés à la baisse; une Bonneville de base offerte à moins de 9 000 $, et ce, même avec le moteur de 865 cc, ça n'est certainement pas une mauvaise affaire

⌄ BOF

Un niveau de performances qui est décidément moins léthargique que sur les premiers modèles de 790 cc, mais qui manque toujours de piquant; on se satisfait des accélérations de la Bonneville, mais elles n'excitent pas

Une mécanique dont le caractère a toujours été très timide; les pulsations du Twin parallèle sont presque inexistantes et sa sonorité disparaît presque une fois qu'on roule; Triumph offre bien des silencieux de remplacement, mais ils sont plus bruyants que plaisants

Un thème tellement bien respecté que, comme c'est le cas avec quelques autres Triumph, il faut presque obligatoirement être amoureux de la Bonneville pour que le modèle suscite un certain intérêt

KINGPIN TOUR

Général

catégorie	Custom
prix	20 679 $
garantie	1 an/kilométrage illimité
couleur(s)	noir (autres couleurs optionnelles)
concurrence	Harley-Davidson Electra Glide Standard, Kawasaki Vulcan 1600 Nomad, Suzuki Boulevard C90T, Yamaha Road Star Silverado

moteur

type	bicylindre 4-temps en V à 50 degrés (Freedom 100/6), SACT, 4 soupapes par cylindre, refroidissement par air et huile
alimentation	injection à 2 corps de 44 mm
rapport volumétrique	9,8:1
cylindrée	1 634 cc
alésage et course	101 mm x 102 mm
puissance	89 ch @ 5 500 tr/min
couple	112 lb-pi @ 3 300 tr/min
boîte de vitesses	6 rapports
transmission finale	par courroie

partie cycle

type de cadre	double berceau, en acier
suspension avant	fourche inversée de 43 mm non ajustable
suspension arrière	monoamortisseur ajustable en précharge
freinage avant	1 disque de 300 mm de Ø avec étrier à 4 pistons
freinage arrière	1 disque de 300 mm de Ø avec étrier à 2 pistons
pneus avant/arrière	130/70-18 & 180/55 B18
empattement	1 690 mm
hauteur de selle	673 mm
poids à vide	290 kg
réservoir de carburant	17 litres

en attendant mieux...

Victory dit à veut bien l'écouter, ces temps-ci, qu'il est sur le point de révolutionner le monde du « tourisme à moto à l'américaine » avec une conception révolutionnaire. D'ici là, le modèle le plus apte au tourisme de « l'autre » gamme américaine se veut beaucoup plus commun puisqu'il s'agit d'une version Tour de la Kingpin, qui n'est en fait rien de plus ou de moins qu'une Kingpin Deluxe à laquelle on a boulonné un top case. Elle remplace la Deluxe.

TECHNIQUE

La mission de la Kingpin Tour, la seule « nouveauté » annoncée par Victory en 2007, est double. D'abord, elle consiste à permettre au constructeur d'enfin mettre à la retraite sa vieille et dépassée Touring Cruiser, le seul modèle basé sur la première génération de Victory qui traînait encore dans « l'autre catalogue » américain. Et ensuite, comme cette dernière se voulait la seule offre de Victory dans le créneau des customs de tourisme, la Kingpin Tour, bien que certainement pas révolutionnaire comme concept, permet au manufacturier d'assurer une présence dans la classe en attendant quelque chose de plus sérieusement adapté aux exigences du tourisme à moto. Un quelque chose qui devrait, si on croit les dires de la compagnie du Minnesota, se manifester dans un avenir relativement proche, soit probablement 2008. Un tour sur le site Internet de Victory vous donnera d'ailleurs une idée de ce qui se prépare.

D'un point de vue technique, la Kingpin Tour n'est rien de plus ou de moins qu'une Kingpin Deluxe à sur laquelle a été installé un top case avec dossier. Pratique sûrement, mais esthétique, pas vraiment. Disons seulement que par rapport à certaines fort plaisantes lignes, dont celles de la Hammer et des différentes Vegas, présentées dernièrement par le constructeur, l'ajout de cet équipement à la Kingpin Deluxe ne devrait pas remporter de prix de design. Le modèle est offert pour environ 2 500 $ de plus qu'une Kingpin.

KINGPIN

Général

catégorie	Custom
prix	19 679 $
garantie	1 an/kilométrage illimité
couleur(s)	noir (autres couleurs optionnelles)
concurrence	Harley-Davidson Fat-Boy, Kawasaki Vulcan 1600 Suzuki Boulevard C90, Yamaha Road Star

moteur

type	bicylindre 4-temps en V à 50 degrés (Freedom 100/6), SACT, 4 soupapes par cylindre, refroidissement par air et huile
Alimentation	injection à 2 corps de 44 mm
rapport volumétrique	9,8:1
cylindrée	1 634 cc
Alésage et course	101 mm x 102 mm
puissance	89 ch @ 5 500 tr/min
couple	112 lb-pi @ 3 300 tr/min
boîte de vitesses	6 rapports
transmission finale	par courroie

partie cycle

type de cadre	double berceau, en acier
suspension avant	fourche inversée de 43 mm non ajustable
suspension arrière	monoamortisseur ajustable en précharge
freinage avant	1 disque de 300 mm de Ø avec étrier à 4 pistons
freinage arrière	1 disque de 300 mm de Ø avec étrier à 2 pistons
pneus avant/arrière	130/70-18 & 180/55 B18
empattement	1 690 mm
hauteur de selle	673 mm
poids à vide	290 kg
réservoir de carburant	17 litres

Loi de la moyenne...

Au sein de la petite gamme de Victory, la Kingpin prend le rôle du modèle de style classique moyen, donc de celui qui rejoint généralement la majorité des amateurs. Basse, longue et arborant un style dominé par des garde-boue aux formes évasées, elle est propulsée par un V-Twin d'un peu plus de 1 600 cc refroidi par air et huile. Dans le but d'améliorer un peu la valeur du produit, son prix est abaissé d'un millier de dollars en 2007.

La très grande majorité des amateurs de customs sont d'abord et avant tout attirés par une ligne, et bien après par l'aspect technique d'une monture. Si tel était la nature de l'état d'âme d'un motocycliste envers la Kingpin, dont nous avons brièvement roulé un exemplaire l'an dernier, celui-ci devrait s'en déclarer satisfait puisqu'en plus d'être élégamment dessiné, le modèle accomplit de façon correcte tout ce qu'on attend d'une custom du point de vue du comportement routier. Un centre de gravité bas, un guidon large qui allège la direction au point de presque réduire à néant l'effort nécessaire pour amorcer une courbe, une garde au sol relativement limitée et une stabilité qui n'attire pas de critique dans des conditions de promenade sont autant de points que la Kingpin partage avec le reste de l'univers custom. La position est relaxe et dégagée, la selle s'avère décente et la suspension arrière se montre plutôt ferme sur une route en mauvais état. Encore une fois, rien qui ne surprenne pour un modèle de cette classe.

Le V-Twin de la Kingpin se distingue du thème moyen de l'ensemble dans la mesure où il propose des accélérations intéressantes puisque clairement supérieures à la norme pour une custom de cette cylindrée. Ce qu'il offre en performances, il perd toutefois en termes de caractère mécanique puisque celui-ci n'est qu'ordinaire. Le V-Twin vrombit et tremble, mais pas d'une façon qui allume les sens. Bref, la Kingpin semble surtout avoir du sens pour le motocycliste recherchant une monture peu commune sur la route.

Vegas Jackpot

VICTORY
VEGAS

attirante, mais...

Construite autour d'un V-Twin de 1 634 cc refroidi par air et huile, la Vegas est proposée sous quatre formes : version de base, l'économique 8-Ball à finition noire, la Jackpot équipée d'un pneu arrière de 250 mm et l'édition Ness Signature Series profondément personnalisée. Toutes voient leur prix abaissé de plus ou moins 1 000 $, selon le cas, dans le but de mieux se positionner face aux « autres » produits américains.

L a Vegas représente probablement la plus belle réussite de Victory à ce jour, du moins du point de vue du stylisme. Non pas parce que nous la trouvons jolie, mais plutôt parce qu'elle arrive à se distinguer de belle façon des tendances actuelles en matière de lignes customs. Le mariage de l'avant diminutif et élancé à l'arrière bas et massif – surtout sur la Jackpot équipée d'un massif pneu arrière de 250 mm surmonté d'un garde-boue tout aussi impressionnant – en est un que peu de stylistes ont aussi bien réussi. Le problème, c'est qu'il s'agit ici d'un des cas les plus flagrants de forme prenant le dessus sur la fonction, du moins dans le cas de la Jackpot, la seule variante que nous ayons brièvement roulée. Aussi bref qu'il ait pu être, ce temps en selle fut suffisant pour découvrir l'une des tenues de route les plus troublantes du marché actuel de la custom, un fait directement lié à la combinaison de pneus très large à l'arrière et très mince à l'avant. S'il est indéniable que cette combinaison apporte beaucoup au style de la Jackpot, elle a la conséquence de rendre le comportement flou, voire difficile à cerner, et ce, autant à basse vitesse en ville que sur l'autoroute. On parle surtout d'une direction qui semble vouloir suivre chaque ondulation et chaque angle du pavé. Ce n'est pas invivable et ça va en ligne droite sur une belle route, mais les intéressés doivent s'attendre à un tel comportement, et avoir l'expérience pour l'assumer. Du côté de la mécanique, comme sur la Kingpin, on a droit à de très bonnes accélérations et à une souplesse honnête, mais pas vraiment à un caractère hors du commun.

général

catégorie	Custom
prix	Vegas : 19 433 $; 8-Ball : 16 481 $; Jackpot : 21 525 $
garantie	1 an/kilométrage illimité
couleur(s)	noir (Vegas et Jackpot : autres couleurs optionnelles)
concurrence	Harley-Davidson Night Train, Kawasaki Vulcan 1600 Mean Streak

moteur

type	bicylindre 4-temps en V à 50 degrés (Freedom 100/6), SACT, 4 soupapes par cylindre, refroidissement par air et huile
alimentation	injection à 2 corps de 44 mm
rapport volumétrique	9,8:1
cylindrée	1 634 cc
alésage et course	101 mm x 102 mm
puissance	89 ch @ 5 500 tr/min
couple	112 lb-pi @ 3 300 tr/min
boîte de vitesses	6 rapports
transmission finale	par courroie

partie cycle

type de cadre	double berceau, en acier
suspension avant	fourche conventionnelle de 43 mm non ajustable
suspension arrière	monoamortisseur ajustable en précharge
freinage avant	1 disque de 300 mm de Ø avec étrier à 4 pistons
freinage arrière	1 disque de 300 mm de Ø avec étrier à 2 pistons
pneus avant/arrière	80/90-21 & 180/55 B18 (Jackpot : 250/40 R18)
empattement	1 690 (Jackpot : 1 684) mm
hauteur de selle	673 (Jackpot : 663) mm
poids à vide	292 kg
réservoir de carburant	17 litres

Hammer S

général

catégorie	Custom
prix	Hammer : 20 786 $; Hammer S : 24 291 $
garantie	1 an/kilométrage illimité
couleur(s)	noir (autres couleurs optionnelles)
concurrence	Harley-Davidson V-Rod, Yamaha Road Star Warrior

moteur

type	bicylindre 4-temps en V à 50 degrés (Freedom 100/6), SACT, 4 soupapes par cylindre, refroidissement par air et huile
Alimentation	injection à 2 corps de 44 mm
rapport volumétrique	9,8:1
cylindrée	1 634 cc
Alésage et course	101 mm x 102 mm
puissance	89 ch @ 5 500 tr/min
couple	112 lb-pi @ 3 300 tr/min
boîte de vitesses	6 rapports
transmission finale	par courroie

partie cycle

type de cadre	double berceau, en acier
suspension avant	fourche inversée de 43 mm non ajustable
suspension arrière	monoamortisseur ajustable en précharge
freinage avant	2 disques de 300 mm de Ø avec étriers à 4 pistons
freinage arrière	1 disque de 300 mm de Ø avec étrier à 2 pistons
pneus avant/arrière	130/70 R18 & 250/40 R18
empattement	1 669 mm
hauteur de selle	669 mm
poids à vide	299 kg
Réservoir de carburant	17 litres

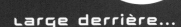

large derrière...

La Hammer représente l'un des modèles les plus innovateurs du constructeur du Minessota, et ce, tant au niveau du stylisme qu'à celui de la partie cycle. Dessinée avec goût et distinction, elle fut l'une des toutes premières montures de production équipée d'un immense pneu arrière de 250 mm lorsqu'elle fut lancée en 2005. Pour 2007, son prix est abaissé d'un peu plus de 1 300 $ et une variante S est proposée. Celle-ci se distingue surtout par ses roues et sa finition différentes.

TECHNIQUE

Techniquement, la Hammer se veut une proche parente d'une Vegas et d'une Kingpin. La mécanique qui la propulse est un V-Twin que Victory a baptisé Freedom 100/6 en raison de sa cylindrée de 100 pouces cubes, ou 1 634 cc, et de sa transmission à 6 rapports, une rareté chez les customs. Introduites en 2005 sur la Hammer, cette mécanique et cette transmission ont rapidement été installées sur la Vegas et sur la Kingpin dans le but de rendre les modèles aussi attrayants que possible compte tenu de leur prix relativement élevé. La même philosophie fut d'ailleurs responsable de l'adoption d'un large pneu de 250 mm sur la Vegas Jackpot l'an dernier. Au niveau de la partie cycle, la Hammer reprend la fourche inversée de la Kingpin, mais se distingue par son frein avant à disque double. L'attrait principal du modèle demeure toutefois la massive roue arrière de 8,5 pouces sur laquelle est monté un immense pneu de 250 mm. Il faut voir une Hammer en chair et en os pour réaliser à quel point l'effet est impressionnant et réussi, surtout lorsqu'on observe le contraste de l'arrière large et de l'avant étroit. La Hammer n'est certainement pas bon marché, mais pour les motocyclistes qui doivent absolument posséder une moto avec un tel train arrière et qui investissent souvent de lourdes sommes dans la modification d'une Harley, ce genre de montant a un certain sens. Il s'agit d'ailleurs de la principale caractéristique du modèle qui soit en mesure de justifier le prix demandé par Victory.

ROYAL STAR VENTURE

unique façon de voyager...

La Royal Star Venture fait partie des quelques modèles d'allure custom lancés par Yamaha à la fin des années 90 et qui, grâce à une bonne conception et un bon prix, sont arrivés à demeurer désirables tout ce temps. Comme la V-Star 1100, la Venture se veut donc une option un peu vieillotte au sein de sa classe, mais quand même intéressante. Beaucoup plus équipée qu'une Royal Star Tour Deluxe et moins coûteuse qu'une Gold Wing, elle affiche une combinaison pratiquement unique de ligne custom, de confort et de performances. Comme c'est le cas depuis plusieurs années, une version Midnight à thème noir est offerte et une excellente garantie de 5 ans est comprise.

Même si la Venture fait partie d'une catégorie de montures de tourisme comptant plusieurs modèles, il reste qu'en raison des caractéristiques bien particulières qui la définissent, elle représente une option pratiquement unique. Construite autour de la plateforme des défuntes customs Royal Star du milieu des années 90, mais suffisamment équipée pour qu'on puisse l'inclure dans la classe des touristes de luxe, elle se distingue surtout par la mécanique qui l'anime, un rare 4-cylindre en V. Les modèles qui lui ressemblent le plus sur le marché – ou auxquels *elle* ressemble le plus – sont ceux de la série Electra Glide de Harley Davidson, des motos toutefois propulsées par un V-Twin moins puissant. Fait cocasse : à force de voir leur prix baisser encore et encore, les américaines affichent maintenant des factures à peine plus élevées que celle de la Yamaha.

Depuis leur arrivée sur le marché, les Royal Star ont régulièrement fait preuve d'une tenue de route dans la bonne moyenne. Ayant été rigidifié avant son utilisation sur la Venture, le châssis arrive à gérer sans problème l'excès de poids qu'elle affiche par rapport aux customs dont elle est dérivée. Que ce soit dans les courbes prises à grande vitesse ou en ligne droite, la stabilité est irréprochable alors que la direction s'avère agréablement légère et précise. À très basse vitesse ou lors de manœuvres à l'arrêt, le poids élevé demande une attention particulière. En conduite urbaine, le centre de gravité bas et la hauteur de la selle relativement faible facilitent les déplacements et les manœuvres,

même s'il faut une certaine expérience pour être à l'aise avec tout ce poids. En virage, le comportement est solide tandis que la direction se montre neutre et que la plupart des imperfections de la route ne l'incommodent pas outre mesure. Le freinage est puissant et précis. Il serait néanmoins grand temps que Yamaha la munisse d'un système de freinage ABS.

Sur de longues distances, le pilote et son passager enfilent les kilomètres en tout confort et profitent d'accessoires habituellement associés aux machines de tourisme. L'équipement fonctionnel est complet, la position de conduite est détendue et dégagée, la selle reste confortable pendant des heures, les suspensions s'en tirent avec une surprenante efficacité et la protection demeure excellente. La hauteur du pare-brise risque néanmoins d'entraver la visibilité par temps pluvieux puisqu'on doit regarder au travers plutôt qu'au-dessus. La finition est irréprochable et la garantie de 5 ans est la meilleure de l'industrie.

Le gros V4 de 1,3 litre qui anime la plus grosse des Royal Star est une mécanique relativement puissante qui libère tout près d'une centaine de chevaux. Ses performances sont intéressantes, surtout si on prend en considération celles des modèles rivaux à moteur V-Twin. Nerveuse dès les régimes bas et moyens, la Venture accélère franchement jusqu'à sa zone rouge. Sa sonorité rauque et veloutée est digne de mention puisqu'elle détient une bonne part de responsabilité dans l'agrément de conduite offert par le modèle.

> **AVEC SA CENTAINE DE CHEVAUX, LE GROS V4 NE PEINE PAS DU TOUT À DÉPLACER L'IMPOSANTE MASSE DE LA VENTURE AVEC AUTORITÉ.**

VITESSE DE POINTE

190 km/h

ACCÉLÉRATION SUR 1/4 MILLE

13,5 s à **160** km/h

indice d'expertise ►

◄ rapport valeur/prix

E
I
N

Voir légende page 7

EXPERT **E**
INTERMÉDIAIRE **I**
NOVICE **N**

Général

catégorie	Tourisme de luxe
prix	21 899 $ (Midnight : 22 499 $)
garantie	5 ans/kilométrage illimité
couleur(s)	bleu foncé (Midnight : noir)
concurrence	Harley-Davidson Electra Glide

moteur

type	4-cylindres 4-temps en V à 70 degrés, DACT, 4 soupapes par cylindre, refroidissement par liquide
alimentation	4 carburateurs à corps de 32 mm
rapport volumétrique	10:1
cylindrée	1 294 cc
alésage et course	79 mm x 66 mm
puissance	98 ch @ 6 000 tr/min
couple	89 lb-pi @ 4 750 tr/min
boîte de vitesses	5 rapports
transmission finale	par arbre
révolution à 100 km/h	environ 3 000 tr/min
consommation moyenne	7,5 l/100 km
autonomie moyenne	300 km

partie cycle

type de cadre	double berceau, en acier
suspension avant	fourche conventionnelle de 43 mm avec ajustement pneumatique
suspension arrière	monoamortisseur avec ajustement pneumatique
freinage avant	2 disques de 298 mm de Ø avec étriers à 4 pistons
freinage arrière	1 disque de 320 mm de Ø avec étrier à 4 pistons
pneus avant/arrière	150/80-16 & 150/90-15
empattement	1 705 mm
hauteur de selle	750 mm
poids à vide	366 kg
réservoir de carburant	22,5 litres

conclusion

Les modèles qui, comme la Venture, approchent leur dixième anniversaire sans jamais avoir évolué et qui parviennent à demeurer désirables ne sont certainement pas chose commune. Le fait que la grosse Royal Star ait été bien conçue dès le départ aide beaucoup, mais son positionnement bien particulier au sein de sa catégorie s'avère aussi responsable de cette situation puisque rien ne la concurrence directement. Ainsi, le motocycliste à la recherche d'une monture d'allure custom, capable de tourisme, dont le prix reste relativement abordable et dont le niveau de performances est intéressant n'a tout bonnement aucun autre choix.

QUOI DE NEUF EN 2007 ?

Aucun changement
Coûte 100 $ de plus qu'en 2006

⌃ PAS MAL

Un V4 unique dans cette classe qui gronde de façon plaisante et qui se montre également doux et souple

Un comportement sain dont sont responsables les suspensions judicieusement calibrées et la solide partie cycle

Une bonne variété d'équipements, un très bon niveau de confort, une finition sans reproche et la meilleure garantie de l'industrie

⌄ BOF

Des proportions imposantes et un poids élevé qui compliquent les manœuvres lentes et demandent un bon niveau d'expérience pour être correctement gérés

Un pare-brise dont la hauteur fait qu'on doit regarder au travers plutôt qu'au-dessus, ce qui devient dérangeant par temps pluvieux ou lorsqu'il est couvert d'insectes, une situation qui empire la nuit

Un concept encore tout à fait intéressant, mais qui montre un certain âge, comme au niveau de l'équipement qui n'est pas du dernier cri; par exemple, il n'y a aucun élément chauffant, aucun système ABS n'est offert, l'alimentation est toujours confiée à des carburateurs et le système audio accepte encore des cassettes...

Royal Star Midnight Tour Deluxe

YAMAHA

ROYAL STAR TOUR DELUXE

venture en tenue légère...

Du fait qu'elle est la seule de sa classe propulsée par un V4, la Royal Star Tour Deluxe représente un concept aussi unique, chez les customs de tourisme léger, que la Venture ne l'est chez les touristes de luxe. Elle s'adresse donc aux motocyclistes qui caressent l'idée de parcourir de longues distances sur une custom, mais qui préfèrent le tempérament, la douceur et la puissance d'un 4-cylindres en V au rythme plus traditionnel d'un bicylindre en V. Lancée en 2005, la Royal Star Tour Deluxe bénéficie d'un ingénieux système de dépose rapide du pare-brise et du dossier qui permet de varier l'allure et la fonction de la moto en quelques secondes.

Avec sa Tour Deluxe, Yamaha s'est donné la mission de créer une moto qui dominerait un segment du marché actuellement constitué de machines définies par un compromis, celui des customs de tourisme léger. En effet, ces dernières sont typiquement des customs de grosse cylindrée munies d'accessoires censés les rendre plus aptes au tourisme, soit un pare-brise et une paire de sacoches de cuir. Or, bien que quand même pratiques, ces équipements s'avèrent généralement mal adaptés aux réalités du tourisme. Sauf exception, les pare-brise de ces nombreux modèles provoquent toujours une turbulence plus ou moins importante au niveau du casque, tandis que les sacoches sont souvent minuscules et presque jamais étanches. Quant aux traditionnels V-Twin qui les propulsent, à moins qu'il ne s'agisse de cylindrées énormes, ils proposent d'habitude un niveau de performances assez juste, pour ne pas dire faible, le temps venu de pousser moto, passagers et bagages avec un peu de cœur. Avec son pare-brise et son dossier en place, avec sa paire de généreuses sacoches rigides et la centaine de chevaux de son grondant V4 de 1 294 cc, la Tour Deluxe avale les kilomètres avec un appétit qui rappelle véritablement celui des machines de tourisme spécialisées. À l'exception du fait que le moteur est encore alimenté par carburateurs et qu'il demande un « petit coup d'enrichisseur » avant de partir, on trouve très peu à reprocher à cette mécanique. Souple, douce, rapide et très agréable à l'oreille, elle propulse l'importante masse de la Tour Deluxe avec facilité et agrément, en plus de se montrer

> ### ELLE SE COMPORTE DE FAÇON TELLEMENT STABLE ET PRÉCISE QU'ON CROIRAIT AVOIR AFFAIRE À UNE ROUTIÈRE ACCOMPLIE EN TENUE CUSTOM.

parfaitement à l'aise sur de longues distances, et ce, qu'on choisisse de respecter les limites de vitesse ou non.

Des selles confortables pour le pilote comme pour le passager – qui apprécie toujours le confort et la sécurité du large dossier –, des suspensions qui, sans être équivalentes à celles d'une Gold Wing, arrivent à se montrer souples la majorité du temps, et des positions aussi dégagées qu'équilibrées font de la Tour Deluxe l'un des rares modèles de cette classe qui soient vraiment capable de prendre le rôle d'une moto de tourisme.

Qui n'a pas un jour souhaité, par une température torride, sur une moto équipée d'un gros pare-brise, pouvoir recevoir un peu plus d'air frais. Grâce à ses accessoires à dépose rapide, la Tour Deluxe peut être transformée en quelques secondes à peine. Installer un pare-brise court pour avoir plus de vent, un pare-brise haut pour plus de protection, ou même tout retirer afin de changer l'aspect de la moto est littéralement l'affaire de quelques instants. En fait, le système utilisé par Yamaha est tellement efficace et intelligent qu'il est difficile de comprendre pourquoi d'autres constructeurs n'ont toujours pas repris l'idée sur leurs propres customs.

La Tour Deluxe se comporte de manière tellement solide et précise qu'on croit par moment avoir affaire à une routière accomplie en tenue custom. La stabilité est impériale, la direction est légère en amorce de virage et neutre en pleine inclinaison, et les freins sont toujours à la hauteur de la tâche.

VITESSE DE POINTE
190 km/h
ACCÉLÉRATION SUR 1/4 MILLE
13,5 s à **160** km/h

indice d'expertise ▶

◀ rapport valeur/prix

Voir légende page 7

EXPERT **E**
INTERMÉDIAIRE **I**
NOVICE **N**

Général

catégorie	Tourisme léger
prix	18 599 $ (Midnight : 18 999 $)
garantie	5 ans/kilométrage illimité
couleur(s)	rouge (Midnight : noir)
concurrence	Harley-Davidson Road King, Kawasaki Vulcan 2000 Classic LT, Triumph Rocket III Classic Touring

partie cycle

type de cadre	double berceau, en acier
suspension avant	fourche conventionnelle de 43 mm avec ajustement pneumatique
suspension arrière	monoamortisseur avec ajustement pneumatique
freinage avant	2 disques de 298 mm de Ø avec étriers à 4 pistons
freinage arrière	1 disque de 320 mm de Ø avec étrier à 4 pistons
pneus avant/arrière	150/80-16 & 150/90-15
empattement	1 715 mm
hauteur de selle	740 mm
poids à vide	357 kg
réservoir de carburant	20 litres

moteur

type	4-cylindres 4-temps en V à 70 degrés, DACT, 4 soupapes par cylindre, refroidissement par liquide
alimentation	4 carburateurs à corps de 32 mm
rapport volumétrique	10:1
cylindrée	1 294 cc
alésage et course	79 mm x 66 mm
puissance	98 ch @ 6 000 tr/min
couple	89 lb-pi @ 4 750 tr/min
boîte de vitesses	5 rapports
transmission finale	par arbre
révolution à 100 km/h	environ 3 000 tr/min
consommation moyenne	7,5 l/100 km
autonomie moyenne	266 km

conclusion

Exactement comme c'est le cas pour la Venture, mais bien que ce ne soit pas pour les mêmes raisons, la Tour Deluxe se veut une proposition unique dans sa classe. En effet, au sein d'une catégorie généralement composée de montures propulsées par des V-Twin et accessoirisées de façon plus ou moins fonctionnelle, la Tour Deluxe se distingue par une mécanique et des équipements qui la font davantage paraître comme une routière en tenue custom que comme une custom jouant aux routières. Par ailleurs, impossible de ne pas mentionner que, même si le prix n'est pas exactement bas, on parle d'une moto impeccablement finie, intelligemment équipée et protégée par la meilleure garantie de l'industrie.

Royal Star Tour Deluxe

⊙ QUOI DE NEUF EN 2007 ?

Aucun changement

Aucune augmentation

⌃ PAS MAL

Un système de détache rapide du pare-brise et du dossier de passager qui permet littéralement de transformer la moto en quelques secondes à peine

Une mécanique douce, coupleuse, agréable à l'oreille et considérablement plus puissante que pour la majorité des customs de tourisme léger à moteur V-Twin

Une des rares customs de tourisme léger vraiment à l'aise sur de longues distances grâce à une belle position de conduite, à des suspensions honnêtement souples et à de bonnes selles

⌄ BOF

Des dimensions imposantes et un poids considérable qui compliquent les déplacements à l'arrêt et demandent une certaine expérience lors des manœuvres lentes et serrées

Un pare-brise très haut qui demande de regarder au travers plutôt qu'au-dessus, ce qui devient gênant lorsqu'il est tapissé d'insectes ou par temps pluvieux, une situation qui empire la nuit

Une alimentation par carburateur qui fonctionne correctement, mais qui ne reflète ni le prix relativement élevé ni le statut haut de gamme du modèle

FJR1300A

YAMAHA

FJR1300

Fignolée...

Depuis son lancement au début de la décennie, la Yamaha FJR1300 s'est solidement installée comme une incontournable option dans l'élitiste créneau des machines de sport-tourisme. L'an dernier, le constructeur la faisait évoluer en améliorant une foule de détails, certains sérieux, d'autres moins, notés au fil des ans et des kilomètres par les propriétaires. Le résultat, s'il ne transforme pas le modèle, en fait quand même une version clairement raffinée. À la surprise générale, Yamaha introduisait aussi l'an dernier une version E équipée d'un complexe système d'embrayage robotisé et d'une transmission à changement de rapports électrique. Rien ne change en 2007.

La réputation que s'est bâtie la FJR1300 avec les années en a fait l'une des motos les plus intimement liées à la notion de tourisme sportif du motocyclisme. Avec un châssis solide, un poids sous contrôle et un gros 4-cylindres de 145 chevaux poussant le tout, elle représentait aussi le choix de prédilection pour le propriétaire de sportive qui vieillissait. En plus d'un comportement routier au caractère sportif, la FJR offrait à ces ex-rouleurs de bombes plus de confort grâce à une position relevée et à une excellente protection au vent, et un niveau pratique impressionnant grâce à des valises rigides de série et à suffisamment de caractéristiques pour rendre un passager heureux. Si tout ce qui précède continue de décrire de manière très exacte l'évolution de la FJR1300, il reste qu'on n'en parle pas comme d'une évolution pour rien. Le modèle a bel et bien progressé. En ce qui concerne le comportement routier, on a toujours affaire à une moto qui fait mentir la balance et le ruban à mesurer dès qu'on se retrouve à ses commandes. Confortablement installé sur une selle dont la hauteur est réglable, assis bien droit et sans poids sur les mains, la possibilité d'attaquer franchement une route en lacet sans que la moto ne semble s'y opposer est tout à fait réelle. La FJR frotte relativement tôt en pilotage agressif, mais c'est plus parce qu'elle rend de fortes inclinaisons étonnamment faciles à atteindre que par manque de garde au sol. Les freins, qui sont complètement nouveaux depuis 2006, sont désormais livrés de série avec l'ABS et comportent aussi un système de combinaison complètement transparent du frein arrière avec l'avant. Afin de garder la tenue de route aussi pure que possible, le frein avant n'actionne en aucune manière l'arrière. Quant à la stabilité, elle s'avère comme toujours irréprochable. Bien caché en arrière de la bulle électrique – qui provoque seulement *moins* de turbulence, soit dit en passant –, emporté par la puissance et la souplesse de la mécanique, on se surprend à violer les limites légales avec une facilité dérisoire. Si les autoroutes étaient vides et que nos amis les policiers étaient tous en vacances en même temps, la FJR pourrait aisément remplacer un train à grande vitesse pour traverser le pays. Dans nos rêves...

SI LES AUTOROUTES ÉTAIENT VIDES ET LES POLICIERS EN VACANCES, LA FJR REMPLACERAIT AISÉMENT UN TRAIN À GRANDE VITESSE.

L'un des objectifs principaux de la marque aux trois diapasons, lorsque vint le temps de faire évoluer la FJR1300, fut de s'attaquer aux plaintes plus ou moins graves, mais quand même nombreuses des propriétaires visant le confort. En tête de cette liste se trouvait le fameux problème de chaleur qui faisait cuire le pilote par temps chaud. Si la FJR continue de dégager une certaine chaleur dans la circulation, elle le fait désormais de façon normale plutôt qu'extrême, ce qui porte à dire qu'il s'agit d'un cas réglé.

La volonté d'améliorer l'écoulement de l'air amena plusieurs modifications qui ont toutes eu un effet bénéfique. Le pare-brise et son efficacité ne sont toujours pas une référence puisqu'il continue de créer, surtout lorsqu'il se trouve en position haute, un niveau de turbulence moins important que dans le passé, mais quand même présent; le retour d'air poussant le pilote dans le dos a quant à lui été beaucoup

Dictée par les commentaires des propriétaires, donc de façon intelligente, l'évolution que la vénérable FJR1300 subissait l'an dernier a poli l'ensemble, mais sans le transformer. Elle reste toujours aussi satisfaisante en pilotage sportif, mais traite mieux que jamais son pilote lorsque les kilomètres s'accumulent.

affaibli. L'idée des ouïes latérales qui s'ouvrent pour dévier l'air des jambes du pilote est excellente puisqu'elle fonctionne bien et qu'elle est finalement peu complexe.

Le fait que la FJR1300 a toujours tourné un peu haut sur l'autoroute a régulièrement été amené par les propriétaires. À cela, Yamaha a répondu, mais non pas en ajoutant une sixième vitesse à la transmission, ce qui aurait été très complexe et coûteux, mais plutôt en allongeant légèrement le tirage final, un compromis qui ne s'avère pas idéal, mais plutôt acceptable.

Enfin, on remarque dès les premiers instants en selle sur cette évolution de la FJR1300 une nouvelle instrumentation claire, bien disposée et dont l'écran à cristaux liquides comprend une foule d'informations utiles.

La photo, prise dans la région de San Diego en Californie durant la présentation officielle des FJR1300A et FJR1300AE, est de Tom Riles, de Riles et Nelson.

robot clutch

Le système YCC-S de la FJR1300AE, pour *Yamaha Chip Controlled Shifting*, est d'une complexité inouïe. Il ne s'agit absolument pas d'une boîte automatique, comme on le croit parfois, la transmission séquentielle de la version E restant même identique à celle de la FJR1300A. La différence, qui ajoute tout près de 2 000 $ au prix une FJR de base, se situe plutôt au niveau de l'embrayage et du système de passage électrique des vitesses.

Imaginez avoir un quelconque handicap vous empêchant d'activer normalement l'embrayage de votre main gauche. Comme vous êtes brillant, vous concevez un robot pour le faire à votre place. Techniquement, ce robot demeure assez simple puisqu'il n'est qu'un dispositif hydraulique dont la seule fonction consiste à imiter le geste de tirer ou celui de relâcher le levier d'embrayage habituellement réalisé par le pilote. L'exercice devient toutefois beaucoup plus complexe lorsqu'il s'agit de concevoir le cerveau qui décidera *comment* cet embrayage doit être activé.

imiter l'humain

Les ingénieurs de Yamaha auraient passé de très longs moments souvent accompagnés de discussions animées dans le but de déterminer les paramètres du programme qui gère le système Electric Shift. Cela s'explique facilement lorsqu'on prend conscience du fait que l'activation d'un embrayage est un processus étroitement lié à la décision humaine, comme c'est d'ailleurs le cas avec un accélérateur ou un levier de frein. Un motocycliste choisit, souvent de façon instinctive, de laisser glisser plus ou moins longtemps l'embrayage lorsqu'il sort d'un stationnement en tournant, de tirer le levier soudainement pour freiner jusqu'à un feu de circulation, de le relâcher progressivement lorsqu'il veut accélérer rapidement à partir d'un arrêt, etc. Chacune de ces situations a dû être prise en considération et être intégrée dans le logiciel de contrôle du système. Le résultat est franchement surprenant puisqu'on a littéralement l'impression, aux commandes de la FJR1300AE, que quelqu'un active l'embrayage à notre place. On l'entend et on le sent très clairement glisser, tandis qu'il s'avère très intéressant d'essayer de le prendre en défaut en le confrontant à tout genre de situation. Étonnamment, on n'y arrive que dans de très rares cas.

et ça marche

Le YCC-S gère sans le moindre problème la circulation dense du genre pare-chocs à pare-chocs. Les accélérations rapides, à partir d'un arrêt, sont tout à fait possibles puisqu'on n'a qu'à ouvrir grand les gaz et à laisser le système faire le reste. Le YCC-S s'est même bien sorti d'affaire durant des manœuvres très lentes et serrées dans un stationnement, ce qui n'est pas peu dire. En fait, il n'y a que deux situations où il pourrait être plus efficace. La première se situe au niveau de la vitesse de passage des rapports qui sont changés soit traditionnellement au pied, soit par un petit levier qu'on pousse ou qu'on tire sur la poignée gauche. Sur la FJR1300AE, les vitesses se changent électriquement grâce à un système hydraulique secondaire. Or l'enclenchement de chaque rapport, que ce soit au pied ou à la main, ne vient qu'après un léger délai. Si ce dernier n'est presque pas notable en conduite normale, on le remarque facilement en pleine accélération. L'autre situation montrant une faiblesse du système est le moment où l'embrayage se désengage lorsqu'on a presque atteint un arrêt complet, ce qui amène la moto en roues libres. Tout va bien si on s'arrête, mais si on a seulement ralenti pour effectuer un virage en U ou une autre manœuvre du genre, et qu'on doit immédiatement accélérer de nouveau, la conduite devient saccadée au point de demander toute l'attention du pilote. À force d'expérimenter, on finit par découvrir des trucs pour contourner le problème, mais il existe. Selon Yamaha, le TCC-S étant un système contrôlé par un logiciel, la possibilité de le reprogrammer est tout aussi réelle que dans le cas d'un système d'injection, ce qui permettrait aux propriétaires de le « mettre à jour » si une version plus avancée était un jour conçue.

VITESSE DE POINTE
235 km/h
ACCÉLÉRATION SUR 1/4 MILLE
11,2 s à **195** km/h
indice d'expertise ►
◄ rapport valeur/prix

Voir légende page 7

EXPERT E
INTERMÉDIAIRE I
NOVICE N

Général

catégorie	Sport-Tourisme
prix	19 099 $ (FJR1300AE : 20 999 $)
garantie	1 an/kilométrage illimité
couleur(s)	rouge (FJR1300AE : argent)
concurrence	BMW K1200GT, Honda ST1300, Kawasaki Concours 14

partie cycle

type de cadre	périmétrique, en aluminium
suspension avant	fourche conventionnelle de 48 mm ajustable en précharge, compression et détente
suspension arrière	monoamortisseur ajustable en précharge et détente
freinage avant	2 disques de 320 mm de Ø avec étriers à 4 pistons et système ABS
freinage arrière	1 disque de 282 mm de Ø avec étrier à 2 pistons et systèmes ABS et de combinaison avec le frein avant
pneus avant/arrière	120/70 ZR17 & 180/55 ZR17
empattement	1 545 mm
hauteur de selle	800/820 mm
poids à vide	264 kg (FJR1300AE : 268 kg)
réservoir de carburant	25 litres

moteur

type	4-cylindres en ligne 4-temps, DACT, 4 soupapes par cylindre, refroidissement par liquide
alimentation	injection à 4 corps de 42 mm
rapport volumétrique	10,8:1
cylindrée	1 298 cc
alésage et course	79 mm x 66,2 mm
puissance	145 ch @ 8 000 tr/min
couple	99,1 lb-pi @ 7 000 tr/min
boîte de vitesses	5 rapports
transmission finale	par arbre
révolution à 100 km/h	environ 3 200 tr/min
consommation moyenne	7,4 l/100 km
autonomie moyenne	337 km

conclusion

Si une chose devient très vite claire aux commandes de cette première évolution de la vénérable FJR1300, c'est qu'il s'agit encore d'une FJR1300. Elle s'est améliorée, pas vraiment sous un aspect en particulier, mais plutôt un peu, ça et là. Ainsi, toutes les qualités du modèle original restent, mais elles sont désormais appuyées par une foule de raffinements qui font de l'ensemble une moto plus mûre, plus complète, plus réussie. Elle s'adresse donc toujours au même type de motocycliste, celui qui exige de retrouver sport, confort et niveau pratique sous le même toit. Quant à la version E et son étonnant système d'embrayage robotisé, nous ne savons trop quoi en penser puisque rien ne nous porte à croire que l'arrivée de ce genre de système provienne d'un véritable besoin. Nous dirions le contraire s'il s'agissait d'une moto automatique, mais ce n'est pas le cas. Quoi qu'il en soit, la technologie fonctionne vraiment. Alors avis aux intéressés.

QUOI DE NEUF EN 2007 ?

Aucun changement

Aucune augmentation pour la FJR1300AE

FJR1300A coûte 100 $ de plus qu'en 2006

⌃ PAS MAL

Un mélange de sport et de confort extrêmement bien réussi et équilibré qui permet aux ex-propriétaires de sportives de continuer de se faire plaisir sur une route sinueuse, mais avec un niveau pratique élevé et un confort supérieur

Un 4-cylindres qui pousse fort tout de suite et qui continue de se montrer très divertissant jusqu'à sa zone rouge; il n'y a pas qu'au niveau de la partie cycle que la FJR1300 se montre sportive, elle le fait en ligne droite aussi

Une évolution tout en détail du modèle original, mais dont les améliorations se combinent pour en faire une superbe sport-tourisme

BOF

Une mécanique qui tourne un peu moins haut sur l'autoroute, mais à laquelle une sixième vitesse surmultipliée manque toujours

Un pare-brise qui, en position haute, crée un retour d'air poussant le pilote vers l'avant beaucoup plus faible que dans le passé, mais qui génère toujours d'agaçantes turbulences — bien que moins que le précédent — au niveau du casque, surtout à haute vitesse et en position haute

Un système robotisé de l'embrayage sur la version E qui fait considérablement augmenter la facture sans toutefois amener de bénéfices clairs pour la majorité des motocyclistes; pour un amateur de nouvelle technologie ou pour un motocycliste faisant régulièrement face à une circulation congestionnée qui taxe la main de l'embrayage, cette option pourrait toutefois avoir du sens

zone grise...

Avec son carénage diminutif, sa ligne pas trop agressive et un nom exempt de dangereuses séries de lettres comme ZX, CBR ou GSX, la FZ1 arrive encore à passer sous le radar des méchants assureurs et des savants actuaires de la SAAQ. La réalité, toutefois, est que sous cette mine plus ou moins sage ne se cache rien de moins qu'une R1 en tenue légère, soit exactement ce qu'avait promis la première génération de la FZ1 en 2001, mais sans jamais vraiment livrer la marchandise. Si la situation s'avère différente dans ce cas, c'est qu'à bien des niveaux, la FZ1 s'approche beaucoup de la génération précédente de la R1.

À la place de ce haut guidon plat, ce sont des poignées basses qui devraient être attachées à cette fourche. Il devrait y avoir un carénage plein autour de ce massif châssis en aluminium au lieu de ce nez diminutif. Il devrait y avoir une variante du nom R1 sur ces autocollants... Ce qu'est cette nouvelle génération de la FZ1 ne peut être décrit autrement : il s'agit d'une R1 pour la route, d'une sportive pure en tenue de routière. Cette réalité contraste pourtant de manière importante avec ce que le modèle original en était venu à représenter; nous l'avons d'ailleurs souvent qualifié de Bandit 1200S moderne, mais jamais de R1 dénudée.

Mais tout cela appartient aujourd'hui au passé puisque la FZ1 entretient désormais un étroit lien avec l'univers des sportives extrêmes. Avec 150 chevaux sous le capot et un poids sous les 200 kg, elle vous catapulte jusqu'à 140 km/h en première et jusqu'à 170 km/h en deuxième, tandis que vous avez déjà doublé la limite sur l'autoroute en troisième. Tout ça à peine une dizaine de secondes après avoir ouvert les gaz et avec trois autres vitesses en réserve... Bien que la force des accélérations de la FZ1 ne soit pas vraiment du même calibre que celle d'une R1 ou d'un modèle équivalent, elle suffit amplement à divertir un pilote habitué à des chiffres de puissance très élevés. Comme la mécanique utilisée sur cette génération est une version recalibrée de celle de la YZF-R1 2004-2006, le caractère axé sur les hauts régimes de la sportive est aussi retrouvé sur la FZ1. On ne peut dire que c'est creux à bas ou mi-régime, mais

> **À PEINE 10 SECONDES APRÈS AVOIR OUVERT LES GAZ, VOUS AVEZ DÉJÀ DOUBLÉ LA LIMITE, SUR LA TROISIÈME DES 6 VITESSES...**

plutôt que c'est un peu mou. Cela dit, ce qui se passe entre 8 000 tr/min et la zone rouge de 12 000 tr/min arrive généralement à faire oublier tout ce qu'il y a avant, tandis qu'en pleine accélération, le nez de la FZ1 résiste étonnamment bien au soulèvement, comme si Yamaha avait voulu cette résistance.

Les similitudes avec la mécanique de la R1 ne s'arrêtent pas là puisqu'on retrouve aussi une transmission fluide très précise dont les rapports sont rapprochés et des suspensions fermes, mais pas rudes. Le système d'injection n'a qu'un défaut, celui de se montrer abrupte à la réouverture des gaz, ayant pour résultat que la conduite se trouve désagréablement parsemée d'à-coups.

Avec une selle qui ne se montre confortable que sur des distances courtes ou moyennes et une protection au vent qui se trouve à mi-chemin entre celle d'une sportive pure et celle d'une standard munie d'un saute-vent, le niveau de confort est en recul par rapport au modèle original. Heureusement, la position de conduite reste relevée et plaisante. Elle est compacte et semble presque être celle d'une R1 sur laquelle on aurait installé un guidon plat et haut.

Étant munie d'autant de composantes provenant directement d'un modèle comme la R1, on s'attend à ce que la tenue de route de la FZ1 soit impressionnante, et elle l'est. Contrairement à l'ancienne génération qu'on pouvait amener occasionnellement en piste, celle-là fait plutôt penser à une moto de piste qu'on a adaptée aux réalités d'une utilisation quotidienne.

VITESSE DE POINTE
248 km/h
ACCÉLÉRATION SUR 1/4 MILLE
10,7 s à **209** km/h
indice d'expertise ▶
◀ rapport valeur/prix

Voir légende page 7

EXPERT **E**
INTERMÉDIAIRE **I**
NOVICE **N**

général

catégorie	Routière Sportive
prix	12 499 $
garantie	1 an/kilométrage illimité
couleur(s)	noir, bleu
concurrence	Kawasaki Z1000, Suzuki Bandit 1250S

partie cycle

type de cadre	périmétrique, en aluminium
suspension avant	fourche inversée de 43 mm ajustable en précharge, compression et détente
suspension arrière	monoamortisseur ajustable en précharge et détente
freinage avant	2 disques de 320 mm de Ø avec étriers à 4 pistons
freinage arrière	1 disque de 245 mm de Ø avec étrier à 1 piston
pneus avant/arrière	120/70 ZR17 & 190/50 ZR17
empattement	1 460 mm
hauteur de selle	815 mm
poids à vide	194 kg
réservoir de carburant	18 litres

moteur

type	4-cylindres en ligne 4-temps, DACT, 5 soupapes par cylindre, refroidissement par liquide
alimentation	injection à 4 corps de 45 mm
rapport volumétrique	11,5:1
cylindrée	998 cc
alésage et course	77 mm x 53,6 mm
puissance	150 ch @ 11 000 tr/min
couple	78,5 lb-pi @ 8 000 tr/min
boîte de vitesses	6 rapports
transmission finale	par chaîne
révolution à 100 km/h	environ 4 000 tr/min
consommation moyenne	6,8 l/100 km
autonomie moyenne	264 km

conclusion

La nouvelle génération de la FZ1 représente un important changement de direction pour le modèle puisqu'elle ne peut plus être considérée comme une polyvalente et relativement performante moto à tout faire, une description qui collait très bien à la version originale. Il s'agit désormais d'une monture beaucoup plus sportive, considérablement plus performante et à certains égards moins confortable. En fait, elle est devenue l'une des très rares options qui s'offrent à l'amateur de puissantes sportives qui chercherait plus de confort — ou devrait-on dire moins d'inconfort — sans pour autant être prêt à tomber dans le créneau d'une FJR1300. C'était faux pour la première génération, mais cette fois, l'image de la R1 adaptée à une utilisation routière lui colle à la perfection.

⊙ QUOI DE NEUF EN 2007 ?

Aucun changement

Aucune augmentation

⌃ PAS MAL

Un niveau de performances assez élevé pour satisfaire sans problème un ancien propriétaire de sportive pure de grosse cylindrée

Un comportement qui reflète de manière très franche la provenance sportive de la majorité des pièces qui la composent; la FZ1 peut tourner en piste toute la journée sans jamais sembler hors de son élément

Une rare occasion de mélanger performances et tenue de route de très haut niveau avec polyvalence et confort décent

⌄ BOF

Une injection qui se montre abrupte à la réouverture de gaz, ce qui provoque une conduite désagréablement saccadée, un problème qui ne devient que plus évident avec un passager à bord alors qu'on tente justement de piloter de manière coulée et douce

Un niveau de confort en recul par rapport à l'ancien modèle puisque la selle est ferme et pas vraiment adaptée aux longues distances et que les suspensions ont presque une fermeté de sportive pure

Une des seules motos qui ne sont pas encore régulièrement ciblées par les autorités et leurs critères sans fondement, mais cela risque de ne pas durer éternellement, surtout si elles lisent ce compte rendu

YZF-R1

Foire technologique...

Aux yeux de Yamaha, aucun modèle n'établit mieux le savoir-faire technologique de la marque que la YZF-R1. En 2007, afin d'illustrer ce point de manière claire, le constructeur présente une nouvelle génération de la monture qui a redéfini l'univers des grosses cylindrées sportives en 1998. Proche de l'ancien modèle dans ses proportions et affichant un air de famille aussi évident que volontaire, la nouvelle R1 reçoit les plus récentes avancées de la marque en matière de contrôles électroniques et d'aides au pilotage. Cette génération marque par ailleurs l'abandon de la traditionnelle culasse à 5 soupapes pour un design plus courant à 4 soupapes.

TECHNIQUE

La YZF-R1 a cela de particulier que lorsqu'elle évolue, le monde entier semble s'attendre à ce qu'elle le fasse en restant une R1. Au niveau de ses formes angulaires et surtout en ce qui concerne les traits hautement identifiables de son « visage », on demande carrément au constructeur de protéger son identité. Ce que les designers ont d'ailleurs encore une fois réussi à merveille en 2007 en donnant à la nouveauté des airs d'avion de chasse tout en gardant un lien évident avec le style traditionnel du modèle.

Même si l'architecture et les diverses proportions de cette YZF-R1 de nouvelle génération sont tout compte fait identiques à celles du modèle 2006, presque tout a été repensé. Le cadre en aluminium, par exemple affiche des degrés de rigidité plus élevés à certains endroits et moins à d'autres afin de non plus simplement augmenter sa rigidité, mais plutôt la maximiser. La même observation est valable pour le nouveau bras oscillant dont la rigidité torsionnelle a été augmentée de 30 pour cent, mais dont la rigidité latérale a été légèrement diminuée. De même, bien que la fourche soit munie de « tés » plus costauds, on note que les poteaux dont le diamètre de 43 mm reste identique à ceux du modèle 2006 voient l'épaisseur de leur paroi réduite. Tous les constructeurs essaient aujourd'hui d'améliorer le comportement de leurs sportives en tentant, au moyen de différentes techniques, de calibrer la rigidité de chacune des composantes de la partie cycle de celles-ci.

Le plus grand point d'intérêt de la nouvelle génération de la YZF-R1 se veut néanmoins les nouvelles technologies que Yamaha a incorporées au modèle, en commençant par ce que le constructeur appelle le YCC-I, ou Yamaha Chip Controled Intake. Une première sur une moto de production. Il s'agit d'un système de variation de la longueur des tubulures d'admission contrôlé par ordinateur. Réalisé de manière étonnamment simple pour une idée si complexe, il permet à la longueur des tubulures de passer de 65 mm à 140 mm en à peine 0,3 seconde, une opération effectuée en fonction d'une multitude de facteurs incluant la vitesse, le rapport utilisé, l'ouverture des gaz, etc. Le but du YCC-I se veut, d'une part, l'élimination du compromis qu'a toujours été le choix d'une dimension fixe de cette longueur, et de l'autre, l'optimisation du rendement du moteur à tous les régimes. Comme l'une des faiblesses du modèle précédent était justement une certaine paresse aux régimes bas et moyen, le YCC-I pourrait être très bénéfique à la R1. Dans le même ordre d'idées, le choix fut fait de passer de la traditionnelle culasse Yamaha à 5 soupapes à une configuration plus conventionnelle, mais aussi plus efficace à 4 soupapes. Le résultat serait non seulement une augmentation notable de la puissance et du couple maximaux, mais aussi, et c'est ce qui est surtout intéressant dans ce cas, une amélioration de ces valeurs sur toute la plage de régimes.

Enfin, l'excellent système YCC-T introduit sur la YFZ-R6 2006 et contrôlant électroniquement l'accélérateur est repris sur la nouvelle YZF-R1.

> **LE SYSTÈME YCC-I PERMET DE VARIER ÉLECTRONIQUEMENT LA LONGUEUR DES TUBULURES D'ADMISSION. UNE PREMIÈRE.**

Avec toute la technologie que Yamaha lui a greffée cette année, la nouvelle YZF-R1 devient l'une des, sinon la moto la plus avancée de l'industrie, du moins d'un point de vue des systèmes électroniques.

— Le YCC-I représente une première sur une moto de production. Si la MV Agusta F4 1000 Tamburini est déjà équipée d'un dispositif de variation de la longueur des tubulures d'admission, il s'agit dans son cas d'un système activé par pression négative. Celui de la YZF-R1 est confié à un complexe logiciel tenant compte de facteurs comme la force des accélérations, le régime, l'ouverture des gaz, le rapport, la vitesse, etc. Derrière sa complexité se trouve toutefois un mécanisme tout simple qui ne fait qu'allonger ou raccourcir les tubulures d'admission à l'aide d'un petit moteur électrique. Le constructeur annonce des bénéfices très notables au niveau de la répartition de la puissance sur la plage de régimes.

— L'embrayage équipé d'un limiteur de contre-couple inauguré l'an dernier sur la version SP de la YZF-R1 est installé en équipement de série sur la nouvelle génération du modèle. Il s'agit d'un mécanisme réduisant presque complètement le sautillement de la roue arrière durant les rétrogradages intensifs en freinage sur circuit. Il faut avoir été témoin des bénéfices d'un tel système dans l'environnement de la piste pour vraiment saisir à quel point sa présence est précieuse.

— Le frein avant de la nouvelle R1 voit le diamètre de ses disques passer de 320 mm à 310 mm afin de réduire l'inertie gyroscopique de ces derniers. La puissance de freinage reste la même grâce à l'ajout d'une paire de pistons par étrier.

— Après deux décennies de culasses à 5 soupapes, la sportive reine de Yamaha revient à un design plus courant à 4 soupapes. Selon le constructeur, la nouvelle chambre de combustion à haut taux de compression, les normes environnementales plus sévères, l'arrivée de matériaux comme le titane dont sont fabriquées les nouvelles valves et la recherche d'une puissance supérieure à bas régime sont tous des facteurs responsables de la décision.

VITESSE DE POINTE
291 km/h

ACCÉLÉRATION SUR 1/4 MILLE
10,1 s à **226** km/h

◄ indice d'expertise ►

◄ rapport valeur/prix

Voir légende page 7
Performances 2006 ◄

EXPERT	**E**
INTERMÉDIAIRE	**I**
NOVICE	**N**

général

catégorie	Sportive
prix	15 599 $
garantie	1 an/kilométrage illimité
couleur(s)	noir, bleu, rouge
concurrence	Honda CBR1000RR, Kawasaki ZX-10R, Suzuki GSX-R1000

moteur

type	4-cylindres en ligne 4-temps, DACT, 4 soupapes par cylindre, refroidissement par liquide
Alimentation	injection à 4 corps de 45 mm
rapport volumétrique	12,7:1
cylindrée	998 cc
Alésage et course	77 mm x 53,6 mm
puissance sans Ram Air	180 ch @ 12 500 tr/min
puissance avec Ram Air	189 ch @ 12 500 tr/min
couple sans Ram Air	83,4 lb-pi @ 10 000 tr/min
couple avec Ram Air	87,7 lb-pi @ 10 000 tr/min
boîte de vitesses	6 rapports
transmission finale	par chaîne
révolution à 100 km/h	n/d
consommation moyenne	n/d
autonomie moyenne	n/d

partie cycle

type de cadre	périmétrique « Deltabox V », en aluminium
suspension avant	fourche inversée de 43 mm ajustable en précharge, compression et détente
suspension arrière	monoamortisseur ajustable en précharge, en haute et en basse vitesses de compression, et en détente
freinage avant	2 disques de 310 mm de Ø avec étriers radiaux à 6 pistons
freinage arrière	1 disque de 220 mm de Ø avec étrier à 1 piston
pneus avant/arrière	120/70 ZR17 & 190/50 ZR17
empattement	1 415 mm
hauteur de selle	835 mm
poids à vide	177 kg
réservoir de carburant	18 litres

conclusion

Avec des chiffres de puissance qui se dirigent tranquillement mais sûrement vers les 200 chevaux, l'attention des constructeurs semble se tourner, avec raison, vers les diverses manières de rendre de telles performances utilisables et contrôlables. Avec une partie cycle ayant subi de multiples ajustements de rigidité et des systèmes incroyablement avancés comme le YCC-I et le YCC-T, la nouvelle YZF-R1 prouve qu'avant l'allégement maladif ou la quête insatiable de chevaux, la priorité de Yamaha concerne l'efficacité avec laquelle sa sportive reine arrive à transformer sa fiche technique en pilotage inspiré. Et en ce faisant, la marque couvre intelligemment tous les angles. D'un côté, les « poseurs » obtiennent tout ce dont ils ont besoin pour faire la pose, et de l'autre, tout semble être en place pour rassasier les « rouleux » les plus difficiles et connaisseurs.

an model shown

⊙ QUOI DE NEUF EN 2007 ?

Nouvelle génération de la YZF-R1

Coûte 400 $ de plus qu'en 2006

⌃ PAS MAL

Une combinaison d'avancées techniques qui font non seulement de la YZF-R1 une véritable vitrine technologique pour Yamaha, mais aussi l'un des modèles les plus sophistiqués du marché, toutes catégories confondues

Une série d'améliorations majeures comme le passage de 5 à 4 soupapes par cylindre et le système YCC-I qui ont le potentiel d'améliorer de manière considérable la « faiblesse » de l'ancien modèle à bas régime

Une ligne avec des airs d'avion de chasse absolument réussie; la nouvelle R1 reste une R1 tout en affichant un degré d'agressivité visuelle renouvelé

⌄ BOF

Des suspensions qu'on annonce plus sportives, donc plus fermes, au nom de l'amélioration des performances en piste; le confort en souffrira presque assurément

Une nouvelle génération qui tient plutôt de l'évolution profonde puisque rien de vraiment majeur n'a été chambardé sur la nouvelle R1; cela dit, la moto demeure tout de même sérieusement révisée, rappelons-le

Un niveau de complexité technique extrêmement impressionnant de la part des systèmes YCC-I et YCC-T, mais qui a aussi le potentiel d'être plutôt complexe à réparer ou même à entretenir

extrême parmi les extrêmes...

Il ne se passe pas une année sans que la classe des sportives pures de 600 cc soit le théâtre d'une querelle concernant la hiérarchie des modèles au sein de la catégorie. Elles changent et elles évoluent et elles sont plus rapides et elles sont plus légères. On s'y attend. Mais elles sont rarement transformées. La toute nouvelle génération de la Yamaha YZF-R6 lancée l'an dernier, elle, l'était. On croyait connaître, avant son arrivée, ce qu'était une moto de course légale sur route, mais on se trompait. Car la R6 2006-2007 colle plus à cette définition que n'importe quoi d'autre que nous ayons piloté, et elle le fait pour le meilleur comme pour le pire.

Décrire la génération courante de la YZF-R6 dans un environnement routier revient presque à parler du comportement d'une Gold Wing en sentier. Le modèle est à ce point dédié à l'univers du circuit et à chaque élément contribuant à réduire le temps qu'on met à boucler un tour de piste qu'on pourrait facilement passer à côté de ses meilleures qualités non seulement si on ne l'amenait pas en piste, mais aussi si on ne l'y poussait pas assez.

Sur la route, il s'agit d'une 600 typiquement compacte, légère, et plutôt inconfortable. On commence toutefois à saisir qu'elle se distingue du reste de la classe en constatant à quel point la bande de puissance se trouve axée sur les hauts régimes, et surtout à quel point le moteur est creux sous les 10 000 tr/min. Les 600 sont réputées pour leur manque de couple à bas régime, mais la R6 établit un nouveau standard à ce sujet puisqu'il faut même atteindre les 12 000 tr/min avant de la sentir livrer son plein potentiel. Mais entre ce régime et la zone rouge réelle de 16 000 tr/min – on parlait plutôt de 17 500 tr/min sur le modèle 2006, une « erreur » –, la R6 hurle.

Dans l'environnement de la piste, où l'on n'a plus besoin de traîner sous des régimes moteurs dans les cinq chiffres, la R6 donne l'impression d'être un poisson qu'on remet à l'eau. La position sévère et la fermeté des suspensions deviennent tout à coup logiques, tandis que la mécanique peut enfin s'exprimer comme elle a été conçue pour le faire.

> À MOTO, PEU DE CIRCONSTANCES, SONT AUSSI EXALTANTES QU'ENTENDRE UNE R6 RUGIR JUSQU'À SA ZONE ROUGE, AVEC L'AVANT QUI S'ENVOLE.

Normalement, une 600 est à peu près ce qu'il y a de plus facile à piloter en piste en raison du poids faible et du niveau de puissance « moins que brutal », mais la R6 demande plus de son pilote. Poussez-la sans trop vous engager, juste pour vous amuser, et elle rouspétera en se montrant indécise en courbe et carrément paresseuse en ligne droite si l'aiguille du tachymètre tombe sous les 12 000 tr/min. Mais concentrez-vous et donnez tout ce que vous pouvez, et elle vous récompensera. Peu de circonstances, à moto, sont aussi exaltantes qu'entendre une R6 rugir jusqu'à sa zone rouge en même temps que l'avant se soulève à la sortie d'un virage pris en seconde vitesse. Et que la moto n'est pas encore droite.

Même si la R6 est une sportive poids plume, un rythme intense en piste met en évidence que la direction n'est pas la plus légère qui soit. Elle change de cap rapidement et avec une précision phénoménale, mais elle demande au pilote de travailler un peu pour le faire. Par ailleurs, et toujours dans ces conditions extrêmes, la direction s'agite si le revêtement est abîmé. L'ajout d'un amortisseur de direction ne serait donc pas un luxe pour les propriétaires agressifs.

Comme la plupart des 600, la R6 est équipée d'un embrayage avec limiteur de contre-couple qui prévient le blocage de l'arrière lors de rétrogradages sévères. Malgré que sa présence en piste soit réellement appréciée, on aimerait parfois qu'il s'active de façon plus transparente. Enfin, le freinage peut aisément être qualifié d'exceptionnel puisqu'il se montre très puissant, mais aussi précis et facile à moduler.

VITESSE DE POINTE

264 km/h

ACCÉLÉRATION SUR 1/4 MILLE

10,7 s à **211** km/h

indice d'expertise ▶

◀ rapport valeur/prix

Voir légende page 7

EXPERT **E**
INTERMÉDIAIRE **I**
NOVICE **N**

partie cycle

type de cadre	périmétrique, en aluminium
suspension avant	fourche inversée de 41 mm ajustable en précharge, en haute et en basse vitesses de compression, et en détente
suspension arrière	monoamortisseur ajustable en précharge, en haute et en basse vitesses de compression, et en détente
freinage avant	2 disques de 310 mm de Ø avec étriers à 4 pistons
freinage arrière	1 disque de 220 mm de Ø avec étrier à 1 piston
pneus avant/arrière	120/70 ZR17 & 180/55 ZR17
empattement	1 380 mm
hauteur de selle	850 mm
poids à vide	162 kg
réservoir de carburant	17,5 litres

général

catégorie	Sportive
prix	12 499 S
garantie	1 an/kilométrage illimité
couleur(s)	bleu, gris, rouge
concurrence	Honda CBR600RR, Kawasaki ZX-6R, Suzuki GSX-R600, Triumph Daytona 675

moteur

type	4-cylindres en ligne 4-temps, DACT, 4 soupapes par cylindre, refroidissement par liquide
alimentation	injection à 4 corps de 41 mm
rapport volumétrique	12,8:1
cylindrée	599 cc
alésage et course	67 mm x 42,5 mm
puissance avec ram air	133 ch @ 14 500 tr/min
puissance sans ram air	127 ch @ 14 500 tr/min
couple avec ram air	50,2 lb-pi @ 12 000 tr/min
couple sans ram air	48,8 lb-pi @ 12 000 tr/min
boîte de vitesses	6 rapports
transmission finale	par chaîne
révolution à 100 km/h	environ 5 600 tr/min
consommation moyenne	6,4 l /100 km
autonomie moyenne	273 km

conclusion

La dernière génération de la YZF-R6 est une impressionnante pièce de technologie de pointe munie, entre autres, d'un accélérateur à commande électrique rendant la livrée de puissance tellement accessible et prévisible qu'il augmente le degré de confiance du pilote. Ironiquement, elle fait aussi partie des plus exigeantes sportives actuelles puisqu'elle demande de son pilote qu'il s'élève à un certain niveau avant de commencer à livrer tout son potentiel. Les 600 sportives étant toutes devenues depuis plusieurs années de véritables bêtes de piste, on aurait cru difficile, voire impossible, d'en voir une se montrer encore bien plus pointue dans cet environnement, mais c'est bel et bien le cas de la YZF-R6. Pour le meilleur et pour le pire.

QUOI DE NEUF EN 2007 ?

Zone rouge rectifiée et ramenée à 16 000 tr/min plutôt que 17 500 tr/min comme cela avait été annoncé à la sortie du modèle en 2006; rien ne change d'un point de vue mécanique, seulement la lecture du tachymètre

Aucune augmentation

⌃ PAS MAL

Un potentiel de performance absolument phénoménal dans l'environnement de la piste; ceux qui recherchent avant tout chez une 600 l'image d'une moto de circuit sont servis puisqu'on trouve difficilement plus pointu que la YZF-R6

Un comportement d'une pureté qui ne semble que grandir à mesure que le rythme avec lequel la moto est poussée en piste s'intensifie

Une mécanique qui vit pour les régimes ultra-élevés et qui, lorsqu'on l'y amène, libère un hurlement à vous faire frissonner

BOF

Un niveau de conception tellement pointu que même l'amener en piste ne suffit pas à la R6; elle veut non seulement se retrouver sur un circuit pour commencer à bien respirer, mais elle exige aussi un niveau de pilotage assez intense avant de livrer son vrai potentiel de performances

Une mécanique tellement avide de tours élevés qu'elle en devient vide aux régimes utilisés au quotidien; plus que jamais sur cette génération, il faut être prêt à faire grimper le tachymètre et à jouer du sélecteur de vitesses

Un embrayage dont le limiteur de contre-couple n'entre pas en jeu de façon aussi transparente que sur d'autres modèles équipés d'une technologie semblable

Retour sur l'investissement...

Avec une fréquence de renouvellement désormais établie à 2 ans — gardez une 600 intacte après 2 ans et ses ventes tomberont plus vite que le coyote en bas d'un précipice — chez les manufacturiers japonais, qui pourrait blâmer ces derniers d'essayer de rentabiliser un peu plus l'investissement majeur qu'implique le développement d'une sportive pure de cette cylindrée. Le moyen le plus simple d'y arriver semble simplement de laisser le modèle sur le marché après l'introduction d'une nouvelle génération. La YZF-R6S 2007 se veut ainsi une copie conforme de la YZF-R6 2003-2004, mais pas de la 2005 qui avait été légèrement modifiée.

C ette façon de faire n'est certainement pas nouvelle puisqu'elle est pratiquée depuis de nombreuses années non seulement par Yamaha avec son éternelle YZF600R, mais aussi par Kawasaki qui a laissé traîner sa ZX-6 dans la gamme longtemps après qu'elle eut été remplacée. Même Honda emboîta le pas il y a quelques années en continuant de vendre sa CBR600F4i après l'arrivée de la CBR600RR. Dans tous les cas, on avait clairement affaire à des montures plus axées vers la route que les modèles courants, ce qui offrait même un choix intéressant au consommateur. En raison de son âge relativement jeune, la R6S vient changer la réalité de cette « sous-classe » en s'affichant comme le modèle le plus radical de celle-ci. Malgré cela, et bien qu'elle ne doive pas être considérée comme plus docile ou moins pointue que par le passé, il reste que par rapport au dernier cri en matière de 600 extrêmes, on ne peut que constater qu'elle a pris du vieux. Il est presque impensable de parler ainsi de cette moto dont on louangeait le comportement il y a à peine deux ans, mais le fait est que comparée aux 600 de la génération actuelle, la YZF-R6S paraît un peu moins précise, un peu moins posée, un peu moins stable et un peu moins puissante qu'on la croyait être il y a quelque temps. Évidemment, cette constatation n'est qu'une illusion découlant du niveau totalement dément de sophistication et de technologie désormais commun sur les 600 de pointe. Car si la YZF-R6S s'avère un petit peu moins performante à tous les niveaux du pilotage que sa remplaçante et que la concurrence de celle-ci, le fait est qu'elle continue de

> ON NE PEUT, ENCORE AUJOURD'HUI, QUE SE DÉCLARER RAVIS DE LA LÉGÈRETÉ ET DE LA PRÉCISION DU COMPORTEMENT DE LA R6S EN PISTE.

représenter un outil de piste ultraprécis propulsé par une mécanique avide de régimes très élevés. Malgré le fait que le modèle ne bénéficie pas des dernières améliorations — une fourche inversée et des étriers avant à montage radial — portées à la R6 2005, soit la dernière année de cette génération, le comportement reste celui d'une sportive légère et extrêmement précise en pilotage sur circuit. Ayant bouclé, au fil des ans, de nombreux tours de piste sur plusieurs circuits aux commandes de cette R6 d'ancienne génération, nous ne pouvons, encore aujourd'hui, que nous déclarer ravis du genre de précision et de légèreté de comportement dont le modèle fait encore preuve dans de telles circonstances.

Le degré de technologie proposé par la R6S est également très clair au niveau de la petite merveille de mécanique qu'est le compact 4-cylindres qui l'anime. Il s'agit d'un moteur qui vit pour les hauts régimes puisqu'il livre le meilleur de son excellent niveau de performances entre 9 000 tr/min et sa zone rouge encore aujourd'hui très élevée de 15 500 tr/min. Cela dit, comme l'amélioration du couple généré aux régimes inférieurs a toujours été l'une des préoccupations de Yamaha, une utilisation routière « normale » du modèle peut facilement être faite sans avoir à jouer du sélecteur de vitesse de manière excessive, et sans nécessiter de régimes ultrahauts. En ligne droite, les accélérations sont très vives et à peine inférieures à celles des 600 de dernière génération.

Évidemment, qui dit R6 dit également sportive compacte et position de conduite relativement sévère, un fait qui ne change aucunement sur la R6S.

VITESSE DE POINTE
257 km/h
ACCÉLÉRATION SUR 1/4 MILLE
10,8 s à **206** km/h
indice d'expertise ►
◄ rapport valeur/prix

Voir légende page 7

EXPERT **E**
INTERMÉDIAIRE **I**
NOVICE **N**

Général

catégorie	Sportive
prix	11 599 $
garantie	1 an/kilométrage illimité
couleur(s)	bleu, rouge
concurrence	Honda CBR600RR, Kawasaki ZX-6R, Suzuki GSX-R600, Yamaha YZF-R6

partie cycle

type de cadre	périmétrique « Deltabox III » en aluminium
suspension avant	fourche conventionnelle de 41 mm ajustable en précharge, compression et détente
suspension arrière	monoamortisseur ajustable en précharge, compression et détente
freinage avant	2 disques de 310 mm de Ø avec étriers à 4 pistons
freinage arrière	1 disque de 220 mm de Ø avec étrier à 1 piston
pneus avant/arrière	120/70 ZR17 & 180/55 ZR17
empattement	1 385 mm
hauteur de selle	830 mm
poids à vide	163 kg
réservoir de carburant	17 litres

moteur

type	4-cylindres en ligne 4-temps, DACT, 4 soupapes par cylindre, refroidissement par liquide
alimentation	injection à 4 corps de 40 mm
rapport volumétrique	12,4:1
cylindrée	600 cc
alésage et course	65,5 mm x 44,5 mm
puissance avec ram air	126 ch @ 13 000 tr/min
puissance sans ram air	120 ch @ 13 000 tr/min
couple avec ram air	50,6 lb-pi @ 12 000 tr/min
couple sans ram air	49,2 lb-pi @ 12 000 tr/min
boîte de vitesses	6 rapports
transmission finale	par chaîne
révolution à 100 km/h	environ 5 400 tr/min
consommation moyenne	6,2 l /100 km
autonomie moyenne	274 km

conclusion

Les constructeurs nippons semblent vouloir prendre l'habitude de recycler leurs « ex » sportives pures de 600 cc en les laissant tout simplement dans la gamme lorsqu'une nouvelle génération voit le jour. Ce avec quoi nous n'avons pas le moindre problème, mais seulement tant que l'acheteur reste conscient du genre de monture qu'il envisage ou qu'on lui propose. Dans le cas de la R6S, la réalité est qu'on a affaire à une moto très différente d'une Kawasaki ZZR600, par exemple. Beaucoup plus pointue, la R6S n'est qu'une petite génération derrière la YZF-R6 actuelle, et demeure une monture conçue d'abord et avant tout pour boucler des tours de piste aussi rapidement que possible. En même temps, elle n'est ni aussi désirable qu'une 600 courante ni aussi avancée d'un point de vue technologique, ce qui nous pousse à dire que la réduction de 200 $ offerte par Yamaha cette année n'est pas suffisante pour rendre justice au positionnement du modèle.

 QUOI DE NEUF EN 2007 ?

Aucun changement

Coûte 200 $ de moins qu'en 2006

PAS MAL

Une mécanique qui adore être poussée de façon répétée dans la partie supérieure de sa plage de régimes, où elle produit un niveau de puissance qui demeure très respectable

Une partie cycle dont la beauté du comportement est devenue la marque de commerce du modèle; ancienne génération ou pas, la R6S demeure un outil de piste redoutable

La plus à jour des 600 d'ancienne génération encore sur le marché

 BOF

Une direction qui peut s'agiter si une série de conditions extrêmes — pleins gaz, inclinaison et surface bosselée — sont réunies; l'installation d'un amortisseur de direction règle le cas

Une désignation S — pour Street — qui pourrait porter à confusion en laissant croire qu'il s'agit d'une 600 à vocation plus routière que sportive, ce que le modèle n'a jamais été et n'est toujours pas; il s'agit encore d'une sportive pure dont le comportement ne fait aucun compromis

Un prix qui ne semble pas être suffisamment inférieur à celui des 600 de génération actuelle qui sont pourtant beaucoup plus avancées et considérablement plus performantes; le prix de la R6S devrait logiquement se situer sous les 11 000 $

semi-retraite...

Il faut avoir roulé les dernières 600 en piste pour vraiment réaliser à quel point les sportives de cette cylindrée ont évolué durant la dernière décennie. De routières capables de tourner sur circuit, elles sont devenues de vraies petites machines de MotoGP. Tout ça est fascinant pour les observateurs et incroyablement palpitant pour qui a les moyens et le talent d'amener et de pousser une 600 courante sur circuit. La réalité, toutefois, reste que ces motos voient très rarement cet environnement et que certains motocyclistes souhaiteraient avoir accès à cette cylindrée et ce style, sans toute cette agressivité. En attendant que les constructeurs les écoutent, il y a la YZF600R.

Avec la présence dans la gamme Yamaha l'an dernier de la YZF-R6S, l'ancienne R6, on aurait facilement pu croire à la disparition imminente de la vieille YZF600R. Après tout, la 600R a maintenant plus de 10 ans et la YZF-R6S est clairement beaucoup plus avancée. Ironiquement, là se trouve le problème puisqu'entre la R6S et une 600 courante, la marge reste relativement faible et le modèle demeure donc toujours une sportive extrême.

En raison de son âge et de ses différences de conception majeures par rapport aux 600 actuelles, la vieille YZF600R possède donc le potentiel de satisfaire une catégorie d'acheteurs qui n'ont pas d'intérêt pour une sportive aussi pointue que la R6S. Il ne s'agit absolument pas d'une 600 lente ou imprécise, du moins pas pour le motocycliste qui n'a jamais possédé ou pas souvent conduit une sportive performante. En reculant une dizaine d'années, on réalise même que la YZF600R faisait elle aussi partie des 600 de pointe. C'est d'ailleurs la principale raison pour laquelle elle bénéficie de suspensions réglables et d'une partie cycle solide.

Si la YZF600R n'a jamais été un grand succès pour Yamaha, c'est surtout en raison de sa ligne, qui demeure un peu étrange même aujourd'hui. Ses nombreuses compétences n'ont toutefois jamais été mises en cause. La mécanique qui l'anime est, par exemple, réglée de manière à démontrer une souplesse honnête à moyen régime. Il s'agit d'une caractéristique qui permet de limiter les changements de rapports et de conserver des tours relativement bas, ce qui facilite la conduite normale. Cette souplesse n'implique aucunement une réduction du potentiel de vitesse puisque le pilote dispose quand même de 105 chevaux, assez pour générer des performances tout de même suffisamment élevées pour impressionner tous sauf les habitués des 600 actuelles.

La partie cycle de la YZF600R est assemblée de composantes rigides et de qualité, mais son poids relativement élevé ralentit son agilité par rapport à celle des sportives de 600 cc courantes. Il est nécessaire de le répéter souvent : tant qu'on ne procède pas à une comparaison directe, le comportement de la vieille YZF peut être qualifié de relevé. La direction est légère, plutôt rapide, neutre et précise, tandis que le niveau de stabilité et de maniabilité est excellent. Sur une mauvaise route, la souplesse des suspensions est bienvenue. Tant qu'il ne s'agit pas de pilotage extrême sur un circuit — ce que la YZF600R a tout de même la capacité de réaliser occasionnellement —, cette souplesse n'entraîne pas de comportement fautif en virage. Le freinage est très bon grâce aux excellentes composantes du système.

Il est surprenant de constater que le niveau de confort offert par la YZF600R est probablement le meilleur de la catégorie et qu'il se compare même avantageusement avec celui de la FZ6. En selle, la position est sportive, mais redressée de façon à ne pas faire souffrir les poignets et à ne pas trop replier les jambes. La bonne protection au vent, la douceur du moteur, les suspensions calibrées de façon réaliste et le confort de la selle agrémentent les longues distances.

> **TANT QU'ON N'A PAS ROULÉ UNE 600 COURANTE, LA YZF600R PARAÎT PLUTÔT PERFORMANTE ET PRÉCISE.**

VITESSE DE POINTE
241 km/h
ACCÉLÉRATION SUR 1/4 MILLE
11,3.191 km/h

indice d'expertise ▸

◂ rapport valeur/prix

Voir légende page 7

EXPERT **E**
INTERMÉDIAIRE **I**
NOVICE **N**

général

catégorie	Routière Sportive
prix	9 999 $
garantie	1 an/kilométrage illimité
couleur(s)	bleu
concurrence	Kawasaki ZZ-R600

partie cycle

type de cadre	périmétrique « Deltabox », en acier
suspension avant	fourche conventionnelle de 41 mm ajustable en précharge, compression et détente
suspension arrière	monoamortisseur ajustable en précharge, compression et détente
freinage avant	2 disques de 298 mm de Ø avec étriers à 4 pistons
freinage arrière	1 disque de 245 mm de Ø avec étrier à 1 piston
pneus avant/arrière	120/60 ZR17 & 160/60 ZR17
empattement	1 415 mm
hauteur de selle	805 mm
poids à vide	187 kg
réservoir de carburant	19 litres

moteur

type	4-cylindres en ligne 4-temps, DACT, 4 soupapes par cylindre, refroidissement par liquide
alimentation	4 carburateurs à corps de 36 mm
rapport volumétrique	12:1
cylindrée	599 cc
alésage et course	62 mm x 49,6 mm
puissance	105 ch @ 11 500 tr/min
couple	47,9 lb-pi @ 9 500 tr/min
boîte de vitesses	6 rapports
transmission finale	par chaîne
révolution à 100 km/h	environ 4 800 tr/min
consommation moyenne	5,9 l/100 km
autonomie moyenne	322 km

conclusion

Aussi étrange que cela puisse paraître, on dirait que des motos comme la sportive longuement retraitée qu'est la YZF600R manquent de nos jours sur le marché. En raison de la montée fulgurante du niveau de spécialisation des 600 courantes il est devenu presque impossible de rouler une telle cylindrée sans obligatoirement avoir affaire à une machine de piste ou à une vieillerie. Il est vrai que des montures comme les FZ6 ou Bandit 650S peuvent prendre ce rôle, mais pour beaucoup de motocyclistes, l'attrait visuel d'un carénage plein et racé n'y est pas, et l'intérêt non plus. La YZF600R comble ce besoin de manière honnête et à bon prix, mais ça reste vieux. Pour le moment, disons-nous simplement que c'est mieux que rien.

⊙ QUOI DE NEUF EN 2007 ?

Aucun changement
Aucune augmentation

⌃ PAS MAL

Une valeur intéressante : c'est un peu plus cher qu'une monture plus récente comme une FZ6, mais les suspensions sont ajustables, le carénage est intégral et le confort est même supérieur

Une mécanique dont la souplesse n'est pas mauvaise et dont les performances restent très correctes tant qu'on ne cherche pas à briser des records

Un confort aisément supérieur à celui des 600 courantes grâce à une bonne selle, à une position raisonnable et à des suspensions plutôt souples

⌄ BOF

Une 600 qui a été mise en marché il y a plus d'une décennie, et qui fait donc partie d'une autre ère du motocyclisme sportif; tout fonctionne encore très bien, mais le niveau de performances ne satisfera pas les pilotes exigeants

Une tenue de route assez relevée pour s'aventurer en piste à l'occasion, mais on reste très loin du calibre de tenue de route qu'offre la génération actuelle des 600 sportives

Un style qui n'a jamais fait l'unanimité lorsque le modèle a été lancé et qui fait aujourd'hui vieillot

YAMAHA
FZ6

RÉVISION 2007

R6 de route...

Bien qu'elle soit tout compte fait assez populaire chez nous, c'est par son très grand succès sur l'immense marché européen que la FZ6 définit sa réussite. Or, pour maintenir une position de tête dans ce très compétitif environnement, de régulières mises à niveau sont obligatoires. La FZ6 reçoit ainsi en 2007 une multitude de petites améliorations visant, d'un côté, à garder le produit désirable aux yeux des acheteurs, et de l'autre, à se plier à la norme antipollution Euro III désormais en vigueur. Elle figure parmi les rares modèles offrant à la fois un niveau de performances élevé et une conduite assez prévisible pour s'adresser à une clientèle relativement peu expérimentée.

Lorsque nous faisons allusion à la FZ6 en termes d'excellente valeur, ce n'est certainement pas par gentillesse. Plus que jamais cette année avec les améliorations que Yamaha a apportées au modèle, on se demande comment le constructeur arrive à combiner un prix aussi bas avec des composantes d'aussi haut calibre. Car la réalité est que techniquement, une FZ6 représente presque l'équivalent d'une YZF-R6S, pour 2 300 $ de moins. On n'obtient peut-être pas les suspensions entièrement réglables et l'aguichant carénage intégral, mais pour ce qui est du reste, les ressemblances sont frappantes. Le moteur est carrément le même, bien qu'il crache une vingtaine de chevaux en moins, tandis que le cadre en aluminium moulé sans soudure reste parmi les plus avancés du marché. Les roues proviennent directement de la R6S et cette année Yamaha a même installé les excellents étriers monobloc à 4 pistons de la sportive. Tout ça sans parler de l'injection améliorée, du nouveau bras oscillant plus rigide et plus esthétique, de la nouvelle instrumentation à la FZ1, du carénage redessiné, etc.

En dépit d'un déficit de puissance de l'ordre d'une vingtaine de chevaux par rapport à la R6S, le 4-cylindres en ligne de la FZ6 émet à haut régime le même hurlement électrique que la sportive. Les performances sont même similaires jusqu'à environ 9 000 tr/min, mais à partir de ce point, la R6S s'enfuit. Cela dit, l'accélération dont est capable la FZ6, qui produit tout de même une centaine de chevaux, demeure tout à fait satisfaisante, surtout pour le

motocycliste peu ou moyennement expérimenté. Le plus gros défaut de cette mécanique se situe au niveau de sa souplesse à mi-régime qui s'avère peu impressionnante, car très similaire à celle d'une 600 de pointe, voire légèrement inférieure. S'il est un compromis de la FZ6 qu'on doit se montrer prêt à accepter avant l'achat, il s'agit de celui-là. À ce sujet, il ne fait aucun doute que les pilotes plus expérimentés et surtout ceux habitués à une plus grosse cylindrée risquent d'être les plus difficiles à satisfaire.

À part un chatouillement léger et typique des 4-cylindres en ligne qui traverse les poignées à vitesse constante sur autoroute, les vibrations sont assez bien contrôlées. En ce qui concerne le confort, la FZ6 se tire par ailleurs plutôt bien d'affaire. La position relevée est excellente, la selle est au-dessus de la moyenne et la protection au vent est généreuse et exempte de turbulence. Les amateurs de tourisme remarqueront aussi que la position centrale du silencieux facilite l'installation de sacoches souples.

> **LE PLUS GROS DÉFAUT DU COMPACT 4-CYLINDRES QUI ANIME LA FZ6 SE SITUE AU NIVEAU DE SA FAIBLE SOUPLESSE À MI-RÉGIME.**

Afin de favoriser la conduite sportive, les suspensions sont calibrées de manière un peu ferme, ce qui se traduit par un compromis qui n'est pas méchant puisqu'en échange d'une sécheresse occasionnelle sur mauvais revêtement, ces réglages permettent de tirer le meilleur parti du potentiel sportif considérable de la partie cycle. Bien qu'on ne puisse affirmer qu'elle offre une tenue de route aussi pure que celle d'une 600 de pointe, la FZ6 reste légère à lancer en courbe, très précise en virage et facilement capable de soutenir un rythme intense sur une route sinueuse.

VITESSE DE POINTE
240 km/h
ACCÉLÉRATION SUR 1/4 MILLE
11,3 s.à **190** km/h

indice d'expertise ▶

◀ rapport valeur/prix

Voir légende page 7

EXPERT **E**
INTERMÉDIAIRE **I**
NOVICE **N**

Général

catégorie	Routière Sportive
prix	9 299 $
garantie	1 an/kilométrage illimité
couleur(s)	bleu, rouge
concurrence	BMW F800S, Kawasaki Z750S Suzuki Bandit 650S

moteur

type	4-cylindres en ligne 4-temps, DACT, 4 soupapes par cylindre, refroidissement par liquide
Alimentation	injection à corps de 36 mm
rapport volumétrique	12,2:1
cylindrée	599 cc
Alésage et course	65,5 mm x 44,5 mm
puissance	98 ch @ 12 000 tr/min
couple	46,5 lb-pi @ 10 000 tr/min
boîte de vitesses	6 rapports
transmission finale	par chaîne
Révolution à 100 km/h	environ 5 100 tr/min
consommation moyenne	6,0 l /100 km
autonomie moyenne	316 km

partie cycle

type de cadre	périmétrique, en aluminium
suspension avant	fourche conventionnelle de 43 mm non ajustable
suspension arrière	monoamortisseur ajustable en précharge
freinage avant	2 disques de 298 mm de Ø avec étriers à 4 pistons
freinage arrière	1 disque de 245 mm de Ø avec étrier à 1 piston
pneus avant/arrière	120/70 ZR17 & 180/55 ZR17
empattement	1 440 mm
Hauteur de selle	795 mm
poids à vide	186 kg
Réservoir de carburant	19,4 litres

conclusion

La série de petites améliorations apportées à la FZ6 cette année ne sont bien entendu pas suffisantes pour transformer le modèle, mais elles le peaufinent quand même assez pour assurer que l'excellente valeur qu'elle en est venue à incarner depuis son introduction demeure intacte. Pour une somme fort raisonnable, elle offre autant aux intéressés moins expérimentés la possibilité d'en faire une première moto qu'aux motocyclistes de plus longue date l'occasion d'en faire une première moto neuve. Elle n'est pas pour autant parfaite, comme en témoignent des caractéristiques telles une mécanique creuse et une transmission rugueuse. Mais lorsqu'on tient compte de la provenance du moteur et de la technologie de pointe qui se trouve derrière presque chacune des pièces qui la composent, on ne peut que continuer de se montrer étonné que Yamaha arrive à en donner autant, pour si peu.

QUOI DE NEUF EN 2007 ?

Partie avant du carénage redessinée et abaissée; selle redessinée

Repose-pieds arrière abaissés de 25 mm et avancés de 10 mm

Instrumentation similaire à celle de la FZ1 et radiateur plus gros

Injection recalibrée et échappement modifié afin de se plier à la norme Euro III

Étriers du frein avant monobloc à 4 pistons, installation d'une protection pour les poteaux de fourche, et bras oscillant plus rigide et plus esthétique

Coûte 100 $ de plus qu'en 2006

PAS MAL

Une des très bonnes valeurs du marché compte tenu du prix, de la qualité de fabrication, du calibre du comportement et du bon niveau de performances

Des accélérations d'un niveau à tout le moins divertissant tant qu'on fait libre usage des tours élevés, ainsi qu'une sonorité mécanique très sportive

Une tenue de route très respectable puisqu'elle s'approche de celle d'une sportive de pointe de même cylindrée; sur une route sinueuse, la FZ6 est légère et incisive

BOF

Un 4-cylindres emprunté à une sportive pointue, la YZF-R6 2003-2005, aujourd'hui la YZF-R6S, qui produit le gros de sa puissance seulement à très haut régime et qui fait preuve d'une souplesse très moyenne

Un niveau de confort très acceptable, mais qui pourrait bénéficier d'une réduction du niveau de vibrations dans les poignées et d'un assouplissement des réglages des suspensions

Une transmission qui fonctionne sans problème, mais qui se montre sèche et rugueuse lors des passages des rapports

MT-01SP

RÉVISION 2007

proto roulant...

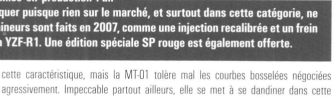

La MT-01 est l'un des modèles les plus particuliers du motocyclisme. Née d'une ambitieuse étude de style remontant à 1999 qui mariait une partie cycle sportive à une mécanique de custom poids lourd, la Road Star, la MT-01 fut enfin mise en production l'an dernier. Le résultat est aussi différent que la description semble l'indiquer puisque rien sur le marché, et surtout dans cette catégorie, ne procure une expérience de pilotage similaire. Quelques changements mineurs sont faits en 2007, comme une injection recalibrée et un frein avant suivant les spécifications de celui de la nouvelle génération de la YZF-R1. Une édition spéciale SP rouge est également offerte.

On ne peut vraiment pas mesurer de manière chiffrée le plaisir retiré de l'ouverture des gaz d'une MT-01. L'utilisation d'un moteur avec une zone rouge aussi basse et une production de couple aussi forte se traduit par des accélérations dont on sent clairement la force, mais qui semblent étrangement associées à des régimes qui grimpent très lentement. Ouvrez grand les gaz à 100 km/h, alors que le moteur dort à 2 300 tr/min en cinquième vitesse, et la MT-01 s'élance avec douceur et grâce jusqu'à 130 km/h à 3 000 tr/min, et jusqu'à 175 km/h à peine 1 000 tr/min plus tard! Les 200 km/h sont franchis sans peine. L'embrayage est sans reproche et la transmission, qui vient pourtant d'une custom, se montre excellente.

Malgré sa partie cycle ultramoderne faisant appel à des suspensions de sportive et à un cadre sans soudures formé de pièces d'aluminium droite et gauche coulées sous vide, puis boulonnées ensemble, la MT-01 n'est manifestement pas une machine de piste.

Sa stabilité en ligne droite ou dans les courbes prises à haute vitesse est sans reproche, une qualité rare sur les standards dont la solidité est facilement affectée par la pression du vent sur le pilote. Mais tenter d'enfiler une série de courbes avec entrain révèle une partie cycle qui préfère un rythme moins qu'extrême.

Clairement, la MT-01 ne fait pas partie de ces motos qui se pilotent toutes seules. Le poids considérable et le centre de gravité élevé dicté par le lourd et haut V-Twin jouent probablement un rôle important dans

> ### LES ACCÉLÉRATIONS SONT FORTES, MAIS LES MONTÉES EN RÉGIMES SEMBLENT ÉTRANGEMENT LENTES.

cette caractéristique, mais la MT-01 tolère mal les courbes bosselées négociées agressivement. Impeccable partout ailleurs, elle se met à se dandiner dans cette situation. L'effort nécessaire à l'inscrire en virage est modéré, c'est-à-dire ni très élevé ni très faible, mais la direction n'est pas neutre et une constante pression sur le guidon doit être exercée pour maintenir un arc choisi. On s'étonne un peu de ces traits de comportement compte tenu de la conception moderne de toutes les composantes utilisées sur la machine, mais on s'y fait sans problème. Le fait d'avoir à travailler un peu pour piloter une moto a même quelque chose de rafraîchissant en cette période de tenues de route toujours plus instinctives.

Si la MT-01 est plutôt lourde à manœuvrer à l'arrêt – elle fait après tout quelque 240 kg à sec –, son poids n'est plus un facteur dès qu'on se met en mouvement. Du moins sauf en ce qui concerne le freinage, qui est très bon, mais qui demeure nettement moins impressionnant que sur une R1, d'où provient le système.

La position de conduite est idéale pour une standard. Elle penche le pilote vers l'avant juste assez pour qu'il sente une saveur sportive dans sa posture, mais sans mettre de poids sur ses mains, tandis que les jambes sont pliées juste sous le bassin. La selle est ferme, mais bien formée pour le pilote, par contre le passager se sentira quelque peu recroquevillé. Malgré une certaine fermeté, les réglages des suspensions reflètent bien la nature routière. À l'exception de l'arrière qui brasse un peu le pilote sur une route en mauvais état, leur travail est satisfaisant.

Voir légende page 7

Voir légende page 7

EXPERT **E**
INTERMÉDIAIRE **I**
NOVICE **N**

partie cycle

TYPE DE CADRE	périmétrique, en aluminium
SUSPENSION AVANT	fourche inversée de 43 mm ajustable en précharge, compression et détente
SUSPENSION ARRIÈRE	monoamortisseur ajustable en précharge, compression et détente
FREINAGE AVANT	2 disques de 310 mm de Ø avec étriers radiaux à 6 pistons
FREINAGE ARRIÈRE	1 disque de 267 mm de Ø avec étrier à 2 pistons
PNEUS AVANT/ARRIÈRE	120/70 ZR17 & 190/50 ZR17
EMPATTEMENT	1 525 mm
HAUTEUR DE SELLE	825 mm
POIDS À VIDE	241 kg
RÉSERVOIR DE CARBURANT	15 litres

Général

CATÉGORIE	Standard
PRIX	MT-01SP : 16 299 $ MT-01 : 16 099 $
GARANTIE	1 an/kilométrage illimité
COULEUR(S)	MT-01SP : rouge MT-01 : noir, blanc
CONCURRENCE	Buell Lightning XB12S, Ducati Monster, Harley-Davidson Street Rod, KTM Super Duke

moteur

TYPE	bicylindre 4-temps en V à 48 degrés, culbuté, 4 soupapes par cylindre, refroidissement par air
ALIMENTATION	injection à 2 corps de 40 mm
RAPPORT VOLUMÉTRIQUE	8,4:1
CYLINDRÉE	1 670 cc
ALÉSAGE ET COURSE	97 mm x 113 mm
PUISSANCE	90 ch @ 4 750 tr/min
COUPLE	111 lb-pi @ 3 750 tr/min
BOÎTE DE VITESSES	5 rapports
TRANSMISSION FINALE	par chaîne
RÉVOLUTION À 100 KM/H	environ 2 300 tr/min
CONSOMMATION MOYENNE	6,3 l/100 km
AUTONOMIE MOYENNE	238 km

conclusion

Il y a les motos pour la masse, et il y a les motos pour les autres, pour les excentriques, pour les connaisseurs, pour les amateurs d'expériences nouvelles. La MT-01 existe pour et seulement pour ces derniers. Afin de l'apprécier, un intérêt marqué pour les mécaniques intensément caractérielles constitue un prérequis. Car la MT-01 n'offre ni un comportement routier vraiment impressionnant ni un pouvoir d'attraction particulièrement fort, puisque malgré son style unique, seuls ceux qui connaissent la nature du modèle semblent se retourner à son passage. Il s'agit d'une standard avec un cœur de custom et d'une des manières les plus émouvantes de rouler à deux roues.

MT-01

⊙ QUOI DE NEUF EN 2007 ?

Réservoir d'huile du frein avant et de l'embrayage incorporé au maître-cylindre

Diamètre des disques du frein avant passe de 320 mm à 310 mm et nombre de pistons des étriers passe de 4 à 6, comme sur la YZF-R1

Système d'injection recalibré et ordinateur plus puissant

Protection de la partie exposée des poteaux de fourche et rétroviseurs redessinés

Ajout d'une variante esthétique SP

Coûte 100 $ de plus qu'en 2006

PAS MAL

Un gros V-Twin qui réussit à merveille le passage d'une vocation custom à une utilisation standard en amenant sur ce type de moto un couple géant et des sensations inédites

Une ligne qui va de pair avec la particularité des sensations mécaniques; la MT-01 est visuellement aussi unique que choquante

Une moto exclusive et presque exotique; seul le Canada l'offre en Amérique du Nord et seulement en très petit nombre

BOF

Un design issu d'une étude de style, avec les conséquences correspondantes; les gros et lourds silencieux hauts n'aident pas le comportement, pas plus que le centre de gravité élevé

Un comportement relativement peu impressionnant dans les courbes bosselées où la moto a tendance à se dandiner

Une force de caractère tellement intense qu'elle peut rendre le modèle difficile à apprécier pour certains; les connaisseurs apprécieront, la majorité trouvera que « ça vibre trop »

Roadliner S

ROADLINER ET STRATOLINER

L'excellence, et son prix...

La Roadliner est l'incarnation du qualificatif « haut de gamme » dans l'univers custom. En la concevant, Yamaha s'est donné la mission de mettre en production la custom ultime, et rien de moins. Alors que chez d'autres manufacturiers, une telle intention aurait pu se traduire par la « simple » quête de la plus grosse cylindrée possible, les décideurs de la marque aux trois diapasons se sont plutôt fixé un objectif d'ensemble. La Roadliner et sa version de tourisme léger, la Stratoliner, se veulent ainsi l'expression du meilleur effort de Yamaha en termes de mécanique, de partie cycle, de design et de finition. Le résultat, qui ne change pas en 2007, est exquis.

En concevant une custom poids « super lourd » devant affronter les Kawasaki Vulcan 2000 et les Honda VTX1800 de ce monde, Yamaha a fait l'audacieux pari de miser sur la qualité avant la quantité, de résister à la tentation du cubage et de s'attarder aux bienfaits d'un ensemble équilibré. Un pari intelligent.

On jurerait, en enfourchant la Roadliner et en la soulevant de sa béquille, avoir affaire à une machine de 1 600 ou 1 700 centimètres cubes, une impression qui ne fait que s'amplifier dès qu'on se met à rouler. L'arrière-train gentiment accueilli par une selle basse et large, les pieds tombant aussi naturellement sur les plateformes que les mains sur le large guidon, vous avez l'étrange impression que rien n'attire votre attention, que tout se trouve simplement là où votre corps le souhaite. Toutefois, quelque chose d'étrange caractérise le comportement de la Roadliner. Quelque chose semble plus pur, plus naturel, plus facile que sur les modèles similaires. D'innombrables efforts ont été déployés par le constructeur afin de rendre toute cette masse, qui n'est pas vraiment faible ou inférieure à celle des autres mégacustoms, moins encombrante, moins envahissante, et il y est arrivé de manière stupéfiante. Mais ce quelque chose, c'est quelque chose d'autre. Pour arriver à déchiffrer ce sentiment, il faut avoir piloté une Road Star Warrior, la seule autre custom de l'industrie construite autour d'un cadre en aluminium. Car le comportement de la Warrior aussi dégage une pureté semblable. Cela pourrait paraître un brin ésotérique pour certains, mais cette subtilité ressentie aux

> **YAMAHA A FAIT LE PARI DE RÉSISTER À LA TENTATION DU CUBAGE ET DE S'ATTARDER AUX BIENFAITS D'UN ENSEMBLE ÉQUILIBRÉ.**

commandes de la Roadliner est la résonance du cadre en aluminium. Il y a déjà une vingtaine d'années qu'on s'est habitué à un sentiment du genre chez les sportives, mais chez les customs, la technologie ne fait qu'arriver à ce niveau. Au-delà de cette impression subtile, mais bien réelle, la solidité de la partie cycle de la Roadliner a l'avantage de garantir des manières superbes à l'ensemble. Légère à lancer en courbe, gracieuse et imperturbable en plein angle, impériale en ligne droite et appuyée d'excellents freins, le porte-drapeau de la gamme Star offre tout simplement l'un des comportements les plus beaux et les plus plaisants de l'univers custom. S'il est une critique qui puisse être formulée à l'égard du modèle, à ce sujet, elle concerne une certaine fermeté, mais pas une rudesse, de la suspension arrière sur les routes moyennement endommagées.

La qualité de l'expérience de pilotage de la Roadliner ne s'arrête pas qu'aux belles façons du châssis mais se poursuit jusqu'à la salle des moteurs. Pour aller droit au but, le gros V-Twin de 1 854 cc est une réussite absolue. Bien qu'il ne se montre pas aussi vif et brutal à très bas régime que celui d'une Vulcan 2000, il reste gorgé de couple dès le ralenti et arrive à propulser moto et pilote avec une fougue qui devrait même rassasier les plus exigeants des amateurs de customs performantes. Yamaha prétend accorder énormément d'importance à la musique d'une mécanique. En chatouillant doucement l'ouïe et le toucher, les pulsations lourdes et graves qui accompagnent en forte dose chaque instant en selle corroborent décidément les dires du constructeur.

VITESSE DE POINTE
193 km/h
ACCÉLÉRATION SUR 1/4 MILLE
12,6 s à **169** km/h
indice d'expertise ▸

◂ rapport valeur/prix

Voir légende page 7

Voir légende page 7

EXPERT **E**
INTERMÉDIAIRE **I**
NOVICE **N**

général

catégorie	Custom/Tourisme léger
prix	Roadliner : 18 499 $ (Midnight : 18 999 $; S : 19 999 $) Stratoliner : 20 499 $ (Midnight : 20 999 $; S : 21 999 $)
garantie	1 an/kilométrage illimité
couleur(s)	Roadliner / Stratoliner : bleu Roadliner S / Stratoliner S : bourgogne, argent Midnight : noir
concurrence	Honda VTX1800, Kawasaki Vulcan 2000 Classic, Suzuki Boulevard M109R

moteur

type	bicylindre 4-temps en V à 48 degrés, culbuté, 4 soupapes par cylindre, refroidissement par air
alimentation	injection à 2 corps de 43 mm
rapport volumétrique	9,5:1
cylindrée	1 854 cc
alésage et course	100 mm x 118 mm
puissance	101 ch @ 4 800 tr/min
couple	124 lb-pi @ 2 200 tr/min
boîte de vitesses	5 rapports
transmission finale	par courroie
révolution à 100 km/h	environ 2 500 tr/min
consommation moyenne	6,8 l/100 km
autonomie moyenne	250 km

partie cycle

type de cadre	double berceau, en aluminium
suspension avant	fourche conventionnelle de 46 mm non ajustable
suspension arrière	monoamortisseur ajustable en précharge
freinage avant	2 disques de 298 mm de Ø avec étriers à 4 pistons
freinage arrière	1 disque de 320 mm de Ø avec étrier à 1 piston
pneus avant/arrière	130/70 R18 & 190/60 R17
empattement	1 715 mm
hauteur de selle	735 mm
poids à vide	Roadliner : 320 kg; Stratoliner : 344 kg
réservoir de carburant	17 litres

conclusion

La Roadliner et sa version de tourisme léger, la Stratoliner, représentent aujourd'hui ce qui existe de plus fin et de plus désirable en termes d'expérience de conduite chez les customs, toutes catégories confondues. On peut aimer ou pas leur ligne, et on pourrait même reprocher à la Stratoliner de ne pas être la plus efficace des montures accessoirisées de la sorte en mode tourisme. Mais pour un véritable amateur de customs, pour le motocycliste qui valorise avant tout l'âme d'une mécanique en V et apprécie le degré de technologie qui dort derrière la beauté d'un comportement routier d'un tel calibre, le plus haut échelon de la famille Star de Yamaha pourrait aussi être le seul.

Stratoliner S

◉ QUOI DE NEUF EN 2007 ?

Aucun changement

Aucune augmentation de prix

⌃ PAS MAL

Un comportement magnifiquement équilibré; pour une custom de telles proportions, la Roadliner se balance avec une grâce et une élégance qui étonnent autant qu'elles séduisent

Un V-Twin qui propose à la fois l'un des caractères les plus recherchés et les plus plaisants de l'univers custom et un niveau de performances décidément impressionnant

Une ligne non seulement différente, mais aussi très chic et raffinée, ainsi qu'une qualité de finition qui doit être considérée comme le standard de l'industrie, particulièrement dans le cas des versions S

⌄ BOF

Une facture considérable pour une custom japonaise; elle exclut malheureusement beaucoup de motocyclistes de la liste de clients potentiels de la Roadliner et en pousse d'autres à dire « qu'à ce prix là, t'aussi bien de prendre un Harley »

Un niveau de performances très impressionnant puisqu'il est presque équivalent à celui des modèles rivaux refroidis par liquide; cela dit, le coup de pied au derrière d'une Vulcan 2000, aux tout premiers régimes, n'y est pas

Une ligne d'inspiration « Streamliner » réussie et des proportions habilement déterminées, mais un gros silencieux qui semble ne pas être du même niveau de design que le reste et qui ne sert pas l'ensemble de l'image

À c'prix là, t'aussi ben d'prendre un Harley!

ROAD STAR WARRIOR

L'anti-custom...

Dans cet univers de chrome, de courbes et de rythme qu'est celui des customs, il y a la Warrior et il y a les autres. Absolument unique du fait qu'elle est construite autour du seul châssis de custom en aluminium, complètement différente du fait que sa ligne s'oppose aux styles populaires, ce membre bien particulier de la famille Road Star s'adresse à une clientèle tout aussi particulière. Lancée en 2002, elle reçut ses premières modifications l'an dernier sous la forme de roues plus sportives et d'étriers de freins à montage radial. Depuis 2005, le modèle est également livrable en version Midnight arborant une foule de pièces noires plutôt que chromées.

On fait souvent référence aux customs non américaines, lorsqu'on parle motos avec quelqu'un à qui notre univers n'est pas du tout familier, en les décrivant comme les « imitations de Harley ». Une observation qui offensera probablement les constructeurs concernés, convenons-en, mais qui contient aussi une bonne part de vérité lorsqu'on constate la similarité du moule utilisé dans 90 pour cent des modèles. Bref, sauf exception, la recette derrière la majorité des customs aujourd'hui sur le marché est commune et prévisible. En construisant sa Warrior autour d'un rare cadre d'aluminium léger et rigide, en l'animant avec un V-Twin dont la présence sensorielle est phénoménale et en lui donnant une ligne aussi contrastante, Yamaha a créé l'une de ces exceptions. Et en lui greffant une panoplie de composantes piratées aux sportives de la marque – freins, roues, suspensions, pneus –, le constructeur a aussi donné naissance à une moto dont le comportement se veut vraiment un croisement entre celui d'une monture de style sportif et celui d'une custom.

L'impression dominante d'abord ressentie aux commandes d'une Warrior en est une de rigidité, de solidité d'ensemble qui reste à ce jour exclusive au modèle – à la possible exception de la Roadliner, elle aussi dotée d'un cadre en aluminium – et qui provient de son châssis en aluminium. Légère une fois en mouvement, dotée d'une direction agréablement neutre et précise, elle offre en plus un freinage de première classe, gracieuseté des composantes de

> ## LA WARRIOR EST LA CUSTOM DES MOTOCYCLISTES QUI N'AIMENT PAS LES CUSTOMS.

frein avant identiques à celles des toutes dernières générations de sportives Yamaha. La Warrior est ainsi facilement la custom offrant la meilleure tenue de route de l'industrie. La preuve de cette affirmation ne tarde pas à devenir évidente à quiconque tente de maintenir un rythme aussi rapide et soutenu que le permet une Warrior sur une route en lacet avec n'importe quelle autre custom du marché.

Si elle ne peut évidemment pas s'incliner autant qu'une sportive, les angles dont elle est capable demeurent aisément plus intéressants que les inclinaisons limitées de la plupart des customs classiques.

Ayant dû être modifiée afin de permettre ce genre d'inclinaisons, la position de conduite ne plaît pas toujours, mais elle reste tout de même très tolérable. Le travail des suspensions, lui, attire au contraire relativement peu de critiques puisqu'elles se montrent à la fois souples et fermes.

Le plaisir qu'on tire de la Warrior n'a rien à voir qu'avec son impressionnant comportement routier puisque le caractère de la mécanique est aussi un grand responsable de l'agrément de pilotage. Tout le charisme du V-Twin de la Road Star 1700 demeure présent, avec en prime un niveau de performances considérablement supérieur. En plus du grondement profond et du tremblement marqué de la custom classique, on a aussi droit à des accélérations très agréables caractérisées par une production massive de couple dès les premiers tours, suivies d'une augmentation graduelle et linéaire de la puissance. La Warrior n'est pas exceptionnellement rapide, mais ses performances restent très grisantes.

VITESSE DE POINTE

190 km/h

ACCÉLÉRATION SUR 1/4 MILLE

12,5 à 170 km/h

◄ indice d'expertise ►

◄ rapport valeur/prix

Voir légende page 7

EXPERT **E**
INTERMÉDIAIRE **I**
NOVICE **N**

général

catégorie	Custom
prix	17 999 $ (Midnight : 18 299 $)
garantie	1 an/kilométrage illimité
couleur(s)	bleu, gris (Midnight : noir)
concurrence	Harley-Davidson Night Rod Special, Suzuki Boulevard M109R, Victory Hammer

moteur

type	bicylindre 4-temps en V à 48 degrés, culbuté, 4 soupapes par cylindre, refroidissement par air
alimentation	injection à 2 corps de 40 mm
rapport volumétrique	8,4:1
cylindrée	1 670 cc
alésage et course	97 mm x 113 mm
puissance	88 ch @ 4 400 tr/min
couple	109 lb-pi @ 3 500 tr/min
boîte de vitesses	5 rapports
transmission finale	par courroie
révolution à 100 km/h	environ 2 500 tr/min
consommation moyenne	6,5 l/100 km
autonomie moyenne	230 km

partie cycle

type de cadre	double berceau, en aluminium
suspension avant	fourche inversée de 41 mm ajustable en précharge
suspension arrière	monoamortisseur ajustable en précharge et détente
freinage avant	2 disques de 298 mm de Ø avec étriers radiaux à 4 pistons
freinage arrière	1 disque de 282 mm de Ø avec étrier à 1 piston
pneus avant/arrière	120/70 ZR18 & 200/50 ZR17
empattement	1 665 mm
hauteur de selle	725 mm
poids à vide	275,5 kg
réservoir de carburant	15 litres

conclusion

La Warrior, c'est la custom des motocyclistes qui n'aiment pas les customs, ceux qui aiment le caractère, mais pas la nonchalance, ceux qui aiment avoir l'air cool, mais pas pépère. Assez puissante pour qu'on la qualifie de rapide, propulsée par l'un des gros V-Twin les plus présents du motocyclisme et affichant presque des airs de machine de fabrication artisanale, elle reflète la volonté de la marque aux trois diapasons d'offrir une custom qui sort des rangs. Yamaha savait depuis le début qu'il ne s'agirait pas d'une moto de masse, et malgré le passage des années, il n'a jamais changé sa position. Comme nous le disons pour certaines Harley, on doit comprendre la Warrior avant qu'elle puisse nous intéresser. Et ceux qu'elle n'intéresse pas ne la comprennent probablement pas.

 **QUOI DE NEUF EN 2007 ?**

Aucun changement

Aucune augmentation

 PAS MAL

Un châssis de conception unique puisqu'il est construit en aluminium à partir de technologies courantes chez les sportives; son comportement est d'un niveau unique chez les customs

Un V-Twin qui réussit à complètement séduire les amateurs de caractère par sa façon de pulser profondément et de gronder lourdement

Une popularité relativement faible qui fait non seulement de la Warrior une véritable moto de niche, mais aussi une custom exclusive et presque exotique

BOF

Une ligne très différente et des proportions parfois maladroites qui sont à l'origine de la controverse entourant le modèle; une partie cycle d'inspiration sportive dont l'allure ne semble pas vraiment cohérente avec le reste de la moto et l'énorme silencieux en sont deux exemples

Un niveau de confort toujours limité par une position de conduite assez particulière et pas aussi équilibrée que la coutume le veut chez ces motos

Un genre de facture qui la place parmi les plus chères des customs japonaises, un fait qui, avec la ligne controversée, contribue beaucoup aux modestes ventes

Road Star (Modèle américain. Modèle canadien avec roues à rayons.)

ROAD STAR

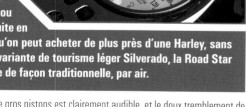

fabriquée *comme* à milwaukee...

Harley-Davidson a inventé la recette qui rend une custom agréable pour les sens, et tous les constructeurs qui vendent aujourd'hui ce genre de motos proposent une version plus ou moins réussie de cette recette. Parmi ceux-ci, aucun n'y arrive mieux que Yamaha. Introduite en 1999 et gonflée de 1 600 à 1 700 cc en 2004, la Road Star représente aujourd'hui ce qu'on peut acheter de plus près d'une Harley, sans acheter une Harley. Toujours offerte en version de base, en édition noire Midnight et en variante de tourisme léger Silverado, la Road Star est également la seule customs japonaise de cette classe dont la mécanique est refroidie de façon traditionnelle, par air.

Lignes élancées, classiques et élégantes, chrome à perte de vue, V-Twin grondant occupant fièrement le centre du tableau, pas trop de technologie inutile et un prix réfléchi; la Road Star – et Yamaha – récite non seulement la recette de Milwaukee par cœur et sans en oublier un seul ingrédient, elle le fait aussi mieux que toute autre custom du marché. En effet, ni les constructeurs rivaux japonais ni même « l'autre » compagnie américaine n'arrivent à reproduire une expérience aussi authentique, et ce, tant d'un point de vue visuel que sensoriel. Sans aide quelconque de la part d'un système d'injection – Yamaha affirme que sa clientèle n'est pas prête à payer plus cher pour ce genre de « gadget » –, la Road Star prend vie dans l'un des plus profonds grondements du genre custom. La mécanique a gagné une centaine de centimètres cubes depuis 2004, mais à l'oreille – et aux tripes –, on jurerait du double ou du triple. Comme sur les américaines, toutes les commandes sont surdimensionnées. Mais c'est surtout une fois la première enfoncée et l'embrayage relâché qu'on réalise tous les efforts déployés par Yamaha pour donner une âme au V-Twin de sa Road Star. Plus que tout autre manufacturier, Yamaha semble conscient de l'importance des émotions que doit communiquer un moteur de custom. Sur la Road Star, cela prend la forme d'un rythme mécanique aussi profond et grave que parfaitement palpable. Chaque pulsation est ressentie, chaque explosion est entendue. Sur l'autoroute, les tours sont bas, le roulement de

> **YAMAHA SEMBLE ÊTRE TRÈS CONSCIENT DU GENRE D'ÉMOTIONS QUE DOIT COMMUNIQUER UN V-TWIN DE CUSTOM POUR QU'IL SOIT RÉUSSI.**

tambour de la paire de gros pistons est clairement audible, et le doux tremblement de leurs mouvements accompagne chaque instant de conduite. Il faut chercher longtemps pour trouver un V-Twin plus communicatif que celui-ci. Comme si ce n'était pas suffisant, les performances sont particulièrement bonnes, non pas en termes de chiffres purs, mais plutôt en termes de muscle et de souplesse à bas régime. Cette franchise mécanique n'est pas toutefois appréciée de tous, certains préférant un V-Twin plus discret. Peut-être ceux-ci devraient-ils se diriger ailleurs, ou à tout le moins tenter de faire un essai avant l'achat ?

Les aspects confort et comportement de la Road Star ont toujours été très honnêtes, mais Yamaha a quand même profité du passage de 1600 à 1700, en 2004, pour les peaufiner. On a depuis droit à une moto qui reste tout aussi légère de direction et bien maniérée en courbe, mais qui freine mieux, gracieuseté des composantes empruntées à la R1, rien de moins. Le bel équilibre de la position de conduite décontractée et le travail tout à fait satisfaisant des suspensions étaient des acquis auxquels a été ajoutée une selle mieux formée et plus spacieuse. En fait, à l'exception des agaçantes turbulences que génère le pare-brise des versions Silverado, d'un niveau de confort quelque peu ordinaire pour le passager – une Kawasaki Vulcan 1600 Nomad, par exemple, se montre beaucoup plus sérieuse et invitante à ce chapitre – et d'un poids qui reste élevé, les Road Star attirent bien peu de commentaires négatifs au sujet du confort ou du comportement routier.

VITESSE DE POINTE
175 km/h
ACCÉLÉRATION SUR 1/4 MILLE
14,1 sà **151** km/h
indice d'expertise ▸
◂ rapport valeur/prix

Voir légende page 7

EXPERT **E**
INTERMÉDIAIRE **I**
NOVICE **N**

général

catégorie	Custom/Tourisme léger
prix	Road Star : 15 449 $ (Midnight : 15 899 $) Silverado : 17 299 $ (Midnight : 17 999 $)
garantie	1 an/kilométrage illimité
couleur(s)	Road Star : rouge, argent Road Star Silverado : blaeu et argent Midnight : noir
concurrence	Harley-Davidson Softail Deluxe, Vulcan 1600 Classic, Suzuki Boulevard C90, Victory King Pin

partie cycle

type de cadre	double berceau, en acier
suspension avant	fourche conventionnelle de 43 mm non ajustable
suspension arrière	monoamortisseur ajustable en précharge
freinage avant	2 disques de 298 mm de Ø avec étriers à 4 pistons
freinage arrière	1 disque de 320 mm de Ø avec étrier à 4 pistons
pneus avant/arrière	130/90-16 & 150/80-16
empattement	1 688 mm
hauteur de selle	710 mm
poids à vide	312 kg (Silverado 323 kg)
réservoir de carburant	20 litres

moteur

type	bicylindre 4-temps en V à 48 degrés, culbuté, 4 soupapes par cylindre, refroidissement par air
alimentation	1 carburateur à corps de 40 mm
rapport volumétrique	8,4:1
cylindrée	1 670 cc
alésage et course	97 mm x 113 mm
puissance	72,3 ch @ 4 000 tr/min
couple	106,3 lb-pi @ 2500 tr/min
boîte de vitesses	5 rapports
transmission finale	par courroie
révolution à 100 km/h	environ 2 400 tr/min
consommation moyenne	6,5 l/100 km
autonomie moyenne	307 km

conclusion

La récente Roadliner a beau représenter le porte-drapeau de la gamme de customs Star, la Road Star, elle, en demeure la vedette. Il s'agit toujours aujourd'hui de la custom poids lourd qui « s'inspire » avec le plus de fidélité de l'expérience proposée par une Harley-Davidson. Non seulement d'un point de vue technique, avec son V-Twin culbuté refroidi par air très américain, mais aussi à bien d'autres niveaux, comme la facilité de personnalisation et la popularité des associations de propriétaires. En ce qui nous concerne, le véritable et le plus intéressant attrait d'une Road Star reste le caractère fort et franc de son gros bicylindre. Même Harley ne fait pas mieux...

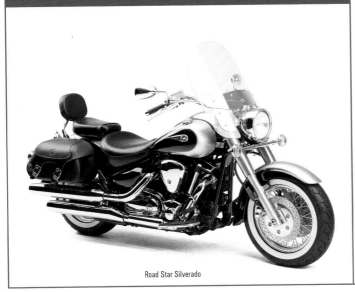

Road Star Silverado

● QUOI DE NEUF EN 2007 ?

Road Star et Road Star Silverado reçoivent des roues à rayons au lieu de roues coulées

Aucune augmentation de prix

PAS MAL

Une mécanique extraordinairement communicative et extrêmement plaisante pour les sens, du moins pour l'amateur de customs qui s'attend à un niveau sonore et tactile franc de son gros V-Twin

Un châssis solide et bien manié qui est totalement exempt de vices, du moins à un rythme de balade

Un niveau de confort appréciable pour le pilote amené par des suspensions bien calibrées et une position de conduite dégagée et détendue

BOF

Un poids considérable qui complique autant les manœuvres serrées et lentes que les manipulations quotidiennes, par exemple la sortie du garage

Un pare-brise qui mériterait qu'on s'y attarde, sur les Silverado, puisqu'il génère depuis toujours d'agaçantes turbulences

Une présence mécanique très forte qui ne plaît pas à tout le monde; certains acheteurs s'étonnent de retrouver un niveau de pulsations aussi franc, mais s'y habituent, tandis que d'autres concluent simplement que « ça vibre trop »

Un niveau de confort ordinaire pour le passager, qui ne bénéficie pas du même genre d'accueil que sur certains autres modèles de la classe, comme la Kawasaki Vulcan 1600 Nomad, par exemple

YAMAHA
V-STAR 1300

NOUVEAUTÉ 2007

déjà vu...

Mille trois cents centimètres cubes. Hum... Drôle de cylindrée pour une custom. Mais où a-t-on déjà vu ça ? C'est évidemment de Honda et de sa VTX1300 que Yamaha s'est inspiré pour concevoir sa toute nouvelle V-Star 1300, un fait dont le constructeur ne se cache d'ailleurs aucunement. L'idée était bonne et il l'a reprise. Pas vraiment — ou pas seulement — pour piquer des ventes à son rival de toujours, mais plutôt pour combler un trou béant dans sa propre gamme de customs. Car entre sa V-Star 1100 à plus ou moins 11 000 $ et sa Road Star 1700 à près de 16 000 $, la marche est haute. Une version Tourer de tourisme léger est également offerte.

Plusieurs ont eu l'impression que Honda coupait les cheveux en quatre lorsqu'il lança sa VTX1300, mais le fait est qu'il avait raison. Chez les customs, un besoin existe entre les 1100 et les poids lourds, un besoin créé par une différence trop marquée de cylindrée et de prix. Pour Yamaha, une 1300 a peut-être même plus de sens que chez Honda puisqu'elle ne sabote pas les ventes de la populaire et économique 1100 et ne menace aucunement la plus dispendieuse Road Star 1700.

L'intérêt de la V-Star 1300 s'étend toutefois bien au-delà de simples considérations économiques puisqu'elle a aussi comme mission d'amener à la gamme Star un modèle physiquement plus imposant que la 1100, mais pas plus intimidant à piloter. Durant sa période de recherche, Yamaha raconte avoir été impressionné par la facilité de prise en main d'une Harley-Davidson Fat Boy, et ce, malgré la masse et les proportions considérables du modèle. Le constructeur affirme avoir voulu incorporer cette qualité à la nouvelle 1300 en proposant une moto plus dégagée et plus massive que sa 1100, mais tout aussi amicale à piloter. L'ensemble, espère Yamaha, pourrait plaire à une clientèle plus exigeante et plus expérimentée que celle qui s'intéresse habituellement à la V-Star 1100. En gros, c'est réussi.

Si la V-Star 1300 prend visuellement presque autant de place qu'une grosse cylindrée, on la sent effectivement presque aussi légère à relever de sa béquille qu'une V-Star 1100. Pour un ou une motocycliste que la masse d'une 1500, 1600 ou 1700 intimide, la dernière-née de la famille Star prend ainsi

> **YAMAHA S'EST DIT IMPRESSIONNÉ PAR LA FACILITÉ DE PRISE EN MAIN D'UNE MOTO AUSSI LOURDE ET GROSSE QUE LA HARLEY-DAVIDSON FAT BOY.**

beaucoup de sens. Contrairement à la V-Star 1100 sur laquelle un grand pilote se sent un peu à l'étroit, la 1300 semble presque aussi dégagée qu'une Road Star 1700. La différence entre la position de la 1100 et celle de la 1300 n'est pas énorme, mais elle suffit pour qu'on se sente au guidon d'une custom pour adulte plutôt que sur un modèle avant tout conçu pour être économique et accessible. Ironiquement, et c'est probablement là le seul défaut de l'ergonomie, la courbure prononcée du guidon vers l'arrière provoque un contact avec les genoux du pilote lors d'un virage lent et serré. Or, plus on est grand, plus ce contact devient fréquent. Si on ne finit pas par s'y habituer, l'avantage d'un tel problème, est que remplacer le guidon d'origine ou même le relever légèrement suffirait à régler le tout.

Yamaha s'est surpassé ces derniers temps en ce qui concerne le comportement routier de ses customs, et la V-Star 1300 en est un très bel exemple. Basse et longue, la nouveauté affiche une stabilité sans faute, même à haute vitesse. La direction se montre exceptionnellement légère et la moindre impulsion suffit pour amorcer un virage. Une fois inclinée, la dernière V-Star fait preuve de manières impeccables en suivant l'arc choisi par le pilote de façon propre et solide. Le comportement est tellement équilibré et la tenue de route tellement invitante que les plateformes finissent vite par frotter, ce qui n'est que normal pour une moto du genre. Au moins, elles ne le font pas à un angle prématuré. Les freins demandent un effort légèrement élevé pour livrer toute leur puissance, mais une fois qu'on y met la poigne requise, les ralentissements ne déçoivent pas.

Longue, basse, et merveilleusement bien équilibrée, la V-Star 1300 ne demande qu'à être balancée dans une série de virages. Si toutes les customs se comportaient aussi bien, elles auraient une meilleure réputation.

Le constructeur a investi beaucoup d'efforts afin de rendre le V-Twin qui anime la V-Star 1300 aussi plaisant que possible pour les sens, et, là encore, c'est réussi. Chatouillant le pilote de ses douces pulsations sur l'autoroute, il tremble juste assez à l'accélération pour rendre l'expérience plaisante et ne vibre jamais de manière gênante. Sa sonorité est étonnamment propre et pure. Exempte de tout genre de bruit mécanique, elle n'est composée que du profond grondement des silencieux et du son du moteur qui monte et descend en régime. Si l'amplitude des sensations ressenties n'est pas aussi forte que sur la très caractérielle Road Star de 1 700 cc, on est clairement plus gâté sur la V-Star 1300, à ce niveau, que sur la 1100.

Les accélérations sont caractérisées par une appréciable livrée de couple arrivant dès le relâchement du léger embrayage, et par une agréable poussée qui ne se termine qu'un peu avant l'entrée en jeu du limiteur de régimes. Là encore, s'il est clair qu'on n'a pas affaire au genre de couple gras lâché par une plus grosse cylindrée, ça reste nettement plus satisfaisant qu'une 1100. La douceur de l'entraînement final par courroie, l'absence de jeu dans le rouage d'entraînement et l'excellente alimentation par injection se combinent pour renvoyer au pilote une sensation de haute qualité mécanique.

L'impeccable finition, l'attrait visuel de nombreuses pièces mécaniques ainsi que certaines touches, comme le commutateur de fonctions de l'écran numérique de l'instrumentation, intelligemment situé à même la poignée droite, contribuent à augmenter cette plaisante sensation de qualité ressentie aux commandes de la nouvelle V-Star 1300.

La pittoresque région d'Asheville, en Caroline du Nord, a servi de base lors de la présentation officielle de la V-Star 1300. La photo, croquée sur le Blue Ridge Parkway, est de Brian Nelson, de Riles et Nelson.

Avec l'éternelle aubaine qu'est sa V-Star 1100, Yamaha a déjà fait mentir la règle qui dit que plus on paie, plus on en a. Il est fort intéressant de constater tout ce que le constructeur a pu accomplir sur une moto se vendant environ 2 500 $ plus cher et poussant 200 centimètres cubes de plus que la populaire 1100.

— Un peu partout, sur la V-Star 1300, se trouvent des pièces dont la forme est tout sauf anonyme et dont la finition est étonnamment soignée. La poulie arrière est l'une des premières qui sautent aux yeux, mais on ne tarde pas à noter l'esthétisme du bras oscillant en aluminium coulé, du protecteur de courroie, des divers couvercles de la mécanique en V, de la finition noire du moteur, du la forme des ailettes des cylindres, du phare avant et de l'instrumentation qui le surplombe, entre autres. Même le côté gauche de la V-Star 1300 est soigné et agréable à l'œil, ce qu'on ne peut certainement pas dire de toutes les customs puisque plusieurs ont tendance à négliger cet angle de la moto, comme si seul le côté orné par le système d'échappement comptait.

— Parmi les touches qui ne sont pas indispensables, mais qu'on aime bien retrouver sur une custom et qui sont présentes sur la V-Star 1300, on note des plateformes qui permettent au pilote de bouger un peu ses jambes et un sélecteur à bascule de type talon/orteils qui facilite les changements de rapports.

— La V-Star 1300 est la seule custom à moteur V-Twin refroidi par liquide de la gamme Star. Selon Yamaha, les ingénieurs de la marque auraient fait ce choix parce qu'obtenir les niveaux de puissance et de couple qu'ils recherchaient aurait été impossible avec un V-Twin refroidi par air; ce dernier aurait dû avoir recours à une cylindrée plus grosse, donc être physiquement plus haut et plus lourd, ce qui aurait affecté la qualité du comportement routier désiré.

— La version Tourer offre, pour 1 500 $ de plus, un pare-brise haut, un dossier pour le passager et une paire de sacoches latérales ayant la particularité d'être construites en plastique rigide et d'être recouvertes de cuir. Leur volume n'est pas négligeable et leur ouverture à un bouton est beaucoup plus amicale qu'un système à sangles.

— Un catalogue complet d'accessoires s'offre déjà aux propriétaires désireux de faire briller davantage leur V-Star 1300, et de faire grimper leur facture.

V-Star 1300 Tourer

Voir légende page 7

Général

Catégorie	Custom/Tourisme léger
Prix	V-Star 1300 : 13 799 $ V-Star 1300 Tourer : 15 299 $
Garantie	1 an/kilométrage illimité
Couleur(s)	rouge, noir, bleu
Concurrence	Harley-Davidson Sportster 1200, Honda VTX 1300, Kawasaki Vulcan 1500

moteur

Type	bicylindre 4-temps en V à 60 degrés, SACT, 4 soupapes par cylindre, refroidissement par liquide
Alimentation	injection à 2 corps de 40 mm
Rapport volumétrique	9,5:1
Cylindrée	1 304 cc
Alésage et course	100 mm x 83 mm
Puissance	76,8 ch @ 5 500 tr/min
Couple	81,8 lb-pi @ 4 000 tr/min
Boîte de vitesses	5 rapports
Transmission finale	par courroie
Révolution à 100 km/h	n/d
Consommation moyenne	6,3 l/100 km
Autonomie moyenne	293 km

partie cycle

Type de cadre	double berceau, en acier
Suspension avant	fourche conventionnelle de 41 mm non ajustable
Suspension arrière	monoamortisseur ajustable en précharge
Freinage avant	2 disques de 298 mm de Ø avec étriers à 2 pistons
Freinage arrière	1 disque de 298 mm de Ø avec étrier à 1 piston
Pneus avant/arrière	130/90-16 & 170/70-16
Empattement	1 690 mm
Hauteur de selle	715 mm
Poids à vide	283 kg (Tourer : 303 kg)
Réservoir de carburant	18,5 litres

conclusion

Concevoir une custom généreuse à tous les points de vue, mais devant rester à l'intérieur d'une certaine limite de prix et de cylindrée ne représente certainement pas une tâche facile à réaliser. Yamaha n'en est toutefois pas à sa première tentative du genre puisque ces critères décrivent exactement les raisons pour lesquelles la V-Star 1100 se vend en si grande quantité depuis des années. Si les caractéristiques de la 1100 ont eu un lien direct avec l'objectif visé par la V-Star 1300, celle-ci se devait néanmoins de refléter un supplément d'environ 2 500 $ et une cylindrée de 200 cc supérieure. Comme en témoignent l'agrément mécanique du modèle, son beau comportement et l'impressionnante attention qu'on a accordée à ses détails, le moins qu'on puisse dire est que Yamaha a fait très bon usage de cette augmentation de budget et de ce cubage additionnel.

QUOI DE NEUF EN 2007 ?

Nouveau modèle

PAS MAL

Un comportement affichant un équilibre tellement invitant qu'on prend un réel plaisir à balancer la V-Star 1300 sur une route sinueuse

Une mécanique autant généreuse au niveau de l'intéressant couple qu'elle livre partout sur sa plage que plaisante à écouter et à sentir vrombir

Une impressionnante attention aux détails pour une moto dans cette gamme de prix; la V-Star 1300 abonde en pièces travaillées, bien finies et bien présentées

BOF

Un guidon dont les poignées orientées vers l'arrière ne tombent pas naturellement sous les mains et dont la courbure prononcée vers le bas et l'arrière provoque un contact entre les poignées et les genoux lors de virages lents et serrés

Une suspension arrière plutôt ferme qu'on ne remarque pas vraiment tant que la route est de bonne qualité, mais qui peut se montrer rude si l'état du revêtement se détériore

Un pare-brise qui ne génère pas trop de turbulences grâce à sa hauteur sur la version Tourer, mais qui force en revanche le pilote à regarder au travers, ce qui peut devenir embêtant la nuit ou par temps pluvieux

V-Star 1100 Custom

V-STAR 1100

phénomène...

Depuis la mise en marché de la toute première V-Star 1100 en 1999, la Custom, le modèle s'est imposé comme une option incontournable pour quiconque entend acquérir une custom pleine grandeur et se tirer d'affaire avec une facture raisonnable. Cette réalité, on la doit surtout au prix étonnamment bas que Yamaha continue d'apposer sur chacune des variantes qui comptent aussi aujourd'hui des versions Classic et Silverado de tourisme léger. Si rien du tout ne change pour cette huitième année de production, on doit s'attendre à ce que les normes antipollution toujours plus sévères forcent Yamaha à munir les V-Star 1100 de l'injection de carburant dans un avenir proche.

Les V-Star 1100 sont des propositions très particulières en ce sens qu'elles représentent d'excellentes valeurs et qu'elles génèrent d'excellentes ventes, mais qu'elles n'ont tout simplement pas de concurrence directe. À titre d'exemple, l'un des seuls modèles qui s'en rapprochent, la Honda Shadow Sabre 1100, affiche une facture plus élevée de 1 400 $ en 2007 que celle d'une V-Star 1100 Classic, une somme qui n'est certainement pas négligeable dans ce créneau.

Bien que la popularité des V-Star 1100 ait eu pour conséquence qu'il est aujourd'hui devenu très commun de croiser l'une des trois variantes offertes, Yamaha a su tirer avantage de la situation en préparant l'un des catalogues d'accessoires les plus étoffés du marché, permettant ainsi aux propriétaires de personnaliser l'apparence de leurs motos.

On retrouve d'abord parmi les versions proposées le modèle le plus abordable et le plus épuré d'un point de vue stylistique, la Custom. Celle-ci se distingue par son profil appuyé sur l'arrière et caractérisé par une plus grande roue avant couverte d'un garde-boue diminutif. Il s'agit de la seule version qui soit équipée de repose-pieds plutôt que de plateformes. Un peu plus chère, la Classic arbore le sympathique style rond et rétro duquel sont friands beaucoup d'amateurs de customs par les temps qui courent. Enfin, la Silverado représente la version de tourisme léger de la Classic, et se voit donc accessoirisée d'un gros pare-brise, d'une paire de sacoches latérales en cuir, d'un dossier pour le passager et de roues coulées plutôt qu'à rayons.

> MALGRÉ LE FAIT QU'IL S'AGISSE DE MODÈLES QUI VIEILLISSENT, LES V-STAR 11100 PROPOSENT UN COMPORTEMENT QUI N'ATTIRE PAS DE CRITIQUES.

Toutes les versions affichent une position de conduite dégagée dictée par une selle basse, par des plateformes ou des repose-pieds situés de manière à plier les jambes à environ 90 degrés et par un guidon large et bas tombant naturellement sous les mains. Comme la selle est bien formée et qu'elle profite d'un rembourrage décent, et comme les suspensions travaillent très honnêtement, le niveau de confort peut être qualifié de bon. La version Silverado offre un côté pratique plus intéressant puisque le passager apprécie beaucoup son dossier et que le gros pare-brise élimine presque la pression de l'air sur l'autoroute. L'écoulement du vent au niveau du casque est toutefois accompagné d'agaçantes turbulences.

Au cœur des V-Star 1100 bat un V-Twin de 1 100 cc refroidi par air auquel Yamaha s'est efforcé de donner autant de caractère que possible compte tenu de la cylindrée relativement faible. Il offre une sonorité agréable et gronde juste ce qu'il faut pour qu'on sente qu'il s'agit bel et bien d'un bicylindre en V. Il n'est pas exceptionnellement puissant, mais la généreuse dose de couple qu'il génère à bas régime suffit à le rendre plaisant dans toutes les circonstances.

Malgré le fait qu'il s'agisse de modèles qui vieillissent, on ne peut reprocher grand-chose aux V-Star 1100 en ce qui concerne le comportement routier puisque celui-ci est exempt de mauvaises manières. Tant qu'on n'exagère pas, la stabilité reste bonne tandis que la direction n'exige qu'un effort minimal en amorce de virage et que la moto fait preuve d'une belle neutralité lorsqu'elle est inclinée. Enfin, le freinage s'avère franc et facile à doser grâce à un système à trois disques, une rareté chez les customs.

VITESSE DE POINTE

180 km/h

ACCÉLÉRATION SUR 1/4 MILLE

13,3..158 km/h

indice d'expertise ▶

◀ rapport valeur/prix

Voir légende page 7

EXPERT	**E**
INTERMÉDIAIRE	**I**
NOVICE	**N**

Général

catégorie	Custom/Tourisme léger
prix	Custom : 10 499 $ Classic : 11 249 $ Silverado : 12 999 $
garantie	1 an/kilométrage illimité
couleur(s)	Custom : rouge, noir Classic : noir, gris Silverado : argent, rouge
concurrence	Harley-Davidson Sportster 1200, Honda Shadow Sabre, Suzuki Boulevard S83

moteur

type	bicylindre 4-temps en V à 75 degrés, SACT, 2 soupapes par cylindre, refroidissement par air
alimentation	2 carburateurs à corps de 37 mm
rapport volumétrique	8,3:1
cylindrée	1 063 cc
alésage et course	95 mm x 75 mm
puissance	62 ch @ 5 750 tr/min
couple	63,6 lb-pi @ 2 500 tr/min
boîte de vitesses	5 rapports
transmission finale	par arbre
révolution à 100 km/h	environ 3 400 tr/min
consommation moyenne	5,5 l/100 km
autonomie moyenne	309 km

partie cycle

type de cadre	double berceau, en acier
suspension avant	fourche conventionnelle de 41 mm non ajustable
suspension arrière	monoamortisseur ajustable en précharge
freinage avant	2 disques de 298 mm de Ø avec étriers à 2 pistons
freinage arrière	1 disque de 282 mm de Ø avec étrier à 2 pistons
pneus avant/arrière	130/90-16 (Custom : 110/90-18) & 170/80-15
empattement	1 645 mm (Custom : 1 640 mm)
hauteur de selle	710 mm (Custom : 690 mm)
poids à vide	272 kg (Custom : 259 kg; Silverado : 285 kg)
réservoir de carburant	17 litres

conclusion

Année après année, nous continuons de considérer les V-Star 1100 comme les meilleures valeurs de l'univers custom, et année après année, les motocyclistes continuent d'en faire l'une des customs les plus vendues au pays. Elles incarnent la notion de la moto simple, bien présentée, très fonctionnelle et par-dessus tout abordable. Il pourrait être intéressant pour les pilotes plus grands ou plus exigeants d'un point de vue de la performance ou du caractère moteur d'envisager quelque chose de plus gros, mais une sérieuse augmentation de prix risque aussi d'être de la partie. Comme elles vieillissent, on se demande combien de temps Yamaha prendra encore avant de les rajeunir, puis on réalise qu'elles sont littéralement seules dans une classe que les constructeurs rivaux semblent avoir abandonnée à Yamaha.

V-Star 1100 Silverado

⊙ QUOI DE NEUF EN 2007 ?

Aucun changement

Aucune augmentation de prix

⌃ PAS MAL

Des valeurs qui restent inégalées dans l'univers customs, et ce, même après toutes ces années et même si les V-Star 1100 n'ont pas du tout évolué depuis leur mise en marché

Un V-Twin honnêtement souple qui livre des sensations plaisantes, à défaut d'être vraiment hors de l'ordinaire

Une intéressante facilité de prise en main qui fait des V-Star 1100 des choix tout à fait recommandables pour des motocyclistes peu ou pas expérimentés

⌄ BOF

Une mécanique qui joue bien son rôle de V-Twin custom, mais qui n'est pas débordante de caractère

Une direction qui a tendance à « tomber » dans l'intérieur des virages lors de manœuvres à très basse vitesse sur la version Custom, à cause de sa grande roue avant

Une position de conduite qui n'est pas aussi dégagée que sur des customs de plus grosse cylindrée et qui pourrait serrer un peu les pilotes de grande taille

Des propriétaires qui se plaignent, avec raison, de la procédure de remplacement du filtre à huile qui exige le démontage du système d'échappement...

sainte patience...

Habituellement, une moto qui reste inchangée trop longtemps perd complètement l'intérêt du public et tombe dans l'oubli total, vite remplacée par l'un des nombreux nouveaux concepts. Pas la V-Max. Dans son cas, le contraire est même plutôt vrai, car non seulement personne ne l'a oubliée après 22 ans sans évolution, mais on attend aussi avec impatience qu'elle soit enfin renouvelée. Ce qui, de toute évidence, ne sera pas pour 2007.

J amais une moto n'a tant été attendue que la prochaine génération de la V-Max. Jamais. Et l'on n'en attendra probablement jamais une autre avec la même effervescence. Heureusement, cette remplaçante existe. Quel cauchemar ce serait s'il avait fallu attendre tout ce temps pour simplement la voir disparaître... Un petit tour sur le site Internet de la compagnie et vous pourrez même répondre à un sondage concernant cette fameuse nouvelle génération. Nous risquerons-nous à dire qu'on l'attend pour 2008 ? Nous vous avons dit la même chose l'année dernière, et l'année d'avant, et l'année d'avant encore, alors pourquoi, cette fois, nous croiriez-vous ? D'ici à ce que Yamaha réponde à cette éternelle question, la vraie V-Max, la seule qu'on connaît, continue d'être offerte. Une véritable brute lorsqu'elle fut lancée en 1985, elle n'a rien perdu de sa furie aujourd'hui. Il s'agit probablement de la seule moto en existence ayant la capacité d'émouvoir et d'exciter aussi longtemps après son introduction. Si la ligne agressive du modèle y est pour quelque chose, le grand responsable de cette longévité est par-dessus tout son fou de moteur V4. Toutes les faiblesses découlant de son âge avancé lui sont pardonnées dès le moment où on l'enfourche et qu'on ouvre grand les gaz. Parfois parce que l'excitation prend le dessus sur tout autre sentiment, et parfois parce que c'est la peur... Le modèle actuel reste intéressant pour qui lui accorde une valeur nostalgique ou pour qui lui voue adoration. Mais il y longtemps qu'il ne s'agit plus du tout d'un achat logique. À moins d'aimer se faire peur.

YAMAHA
V-MAX

Général

catégorie	Standard
prix	12 799 $
garantie	1 an/kilométrage illimité
couleur(s)	noir
concurrence	aucune

moteur

type	4-cylindres 4-temps en V à 70 degrés, DACT, 4 soupapes par cylindre, refroidissement par liquide
alimentation	4 carburateurs à corps de 35 mm avec système V-Boost
rapport volumétrique	10,5:1
cylindrée	1 198 cc
alésage et course	76 mm x 66 mm
puissance	145 ch
couple	86,9 lb-pi @ 7 500 tr/min
boîte de vitesses	5 rapports
transmission finale	par arbre
révolution à 100 km/h	environ 3 800 tr/min
consommation moyenne	6,8 l/100 km
autonomie moyenne	220 km

partie cycle

type de cadre	double berceau, en acier
suspension avant	fourche conventionnelle de 43 mm ajustable par pression d'air
suspension arrière	2 amortisseurs ajustables en précharge et détente
freinage avant	2 disques de 298 mm de Ø avec étriers à 4 pistons
freinage arrière	1 disque de 282 mm de Ø avec étrier à 2 pistons
pneus avant/arrière	110/90 V18 & 150/90 V15
empattement	1 590 mm
hauteur de selle	765 mm
poids à vide	263 kg
carburant	15 litres

V-Star 650 Custom

V-STAR 650

Général

catégorie	Custom
prix	7 899 $ (Classic : 8 399 $; Silverado : 9 799 $)
garantie	1 an/kilométrage illimité
couleur(s)	rouge, noir, blanc (Silverado : noir, bleu)
concurrence	Honda Shadow VLX 600, Kawasaki Vulcan 500 LTD

moteur

type	bicylindre 4-temps en V à 70 degrés, SACT, 2 soupapes par cylindre, refroidissement par air
alimentation	2 carburateurs à corps de 28 mm
rapport volumétrique	9:1
cylindrée	649 cc
alésage et course	81 mm x 63 mm
puissance	40 ch @ 6 500 tr/min
couple	37,5 lb-pi @ 3 000 tr/min
boîte de vitesses	5 rapports
transmission finale	par arbre
révolution à 100 km/h	environ 4 300 tr/min
consommation moyenne	5,0 l/100 km
autonomie moyenne	320 km

partie cycle

type de cadre	double berceau, en acier
suspension avant	fourche conventionnelle de 41 mm non ajustable
suspension arrière	monoamortisseur ajustable en précharge
freinage avant	1 disque de 298 mm de Ø avec étrier à 2 pistons
freinage arrière	tambour mécanique
pneus avant/arrière	130/90-16 (Custom : 100/90-19) & 170/80-15
empattement	1 625 mm (Custom : 1 610 mm)
hauteur de selle	710 mm (Custom : 695 mm)
poids à vide	225 kg (Custom : 214 kg, Silverado : 229 kg)
carburant	16 litres

VITESSE DE POINTE
145 km/h
ACCÉLÉRATION SUR UN MILLE
15,6...135 km/h
‹ index d'expertise ›
‹ rapport valeur/prix ›

Au goût d'hier...

L'introduction de la V-Star 650 remonte à 1998 alors qu'elle venait prendre la place de la Virago 535 dans la gamme Yamaha. Son style authentique et ses dimensions relativement généreuses lui ont valu un franc succès durant plusieurs années, mais près d'une décennie plus tard, le goût du jour est aux plus grosses cylindrées. Yamaha devra donc bientôt prendre une décision concernant l'évolution du modèle. Des versions Custom, Classic et Silverado sont offertes.

S i la petite V-Star 650, malgré son âge, reste encore aujourd'hui un choix tout à fait recommandable, le fait est que le marché a beaucoup évolué depuis son arrivée. Alors qu'à une certaine époque on pouvait difficilement acquérir une petite custom à meilleur prix et affichant une ligne plus réussie, près de 10 ans plus tard, la V-Star 650 se retrouve déclassée. La réalité est qu'elle doit désormais être comparée avec des modèles d'entrée en matière comme la Honda Shadow VLX 600 ou la Kawasaki Vulcan 500 LTD, par rapport auxquels elle fait d'ailleurs toujours très bonne figure. En ce genre de compagnie, son petit moteur en V semble chanter juste et honnêtement accomplir sa tâche. Malgré des accélérations modestes et une livrée de couple plutôt faible, la V-Star 650 garde la capacité de faire face à tout genre de circonstances, des déplacements quotidiens aux voyages. Mais face à des customs de 750, 800 et 900 cc, la V-Star 650 se retrouve avec bien peu d'arguments autres que son prix plus bas. Affichant un centre de gravité tellement bas que même un motocycliste peu expérimenté la sent légère, ne demandant qu'un infime effort pour amorcer un virage et toujours stable à un rythme de balade, elle s'adresse clairement à une clientèle novice ou quelque peu craintive. À celle-ci, la V-Star 650 propose le seul style et les seules proportions de « motos pour adulte » de sa catégorie, une qualité qui a depuis l'introduction du modèle été l'un de ses plus grands points de vente.

VIRAGO 250

miniaturisation...

À l'exception de la Hyosung Aquila 250, la Virago 250 est la seule custom de cette cylindrée qui bénéficie de l'attrait d'un bicylindre en V à l'image des « vraies » customs. Les motocyclistes sans expérience, un peu craintifs ou de petite stature la choisissent pour s'initier au sport. Uniquement livrable en rouge cette année, elle fut lancée en 1988 et n'a jamais été revue depuis. Pour 2007, la situation reste identique et le prix grimpe de 50 $.

Après une longue absence du marché, Yamaha n'avait qu'un but en réinscrivant sa Virago 250 dans son catalogue canadien en 2003, celui de ne pas abandonner cette catégorie aux concurrentes. Le modèle est identique à celui lancé en 1988. Dans ce créneau du marché, la Virago 250 est l'un des deux seuls modèles possédant une mécanique de configuration V-Twin – l'autre étant la Hyosung Aquila 250 –, ce qui lui permet de se conformer de façon plus authentique à l'allure custom que ses rivales principales, les Honda Rebel 250 et Suzuki Marauder 250. La vingtaine de chevaux de ce V-Twin miniature suffit pour suivre la circulation urbaine et même pour s'aventurer à l'occasion sur l'autoroute. Si les novices inexpérimentés ne la trouvent pas plus anémique que les autres motos de ce type, en revanche, les motocyclistes un peu plus avancés auront une tout autre opinion.

Sa grande maniabilité, imputable à son très faible poids, caractérise son comportement routier honnête. Malgré sa grande légèreté, la Virago 250 propose une position de conduite étrange qui peut rendre mal à l'aise. On ne peut certainement pas blâmer la selle basse, mais plutôt la position pas très naturelle dictée par la hauteur assez élevée du guidon, mais surtout à cause de l'angle inhabituel de ses poignées. Les motos de ce type sont généralement utilisées par les écoles de conduite et sont relativement peu intéressantes sur la route.

Général

catégorie	Custom
prix	4 899 $
garantie	1 an/kilométrage illimité
couleur(s)	rouge
concurrence	Honda Rebel 250, Hyosung Aquila 250, Suzuki Marauder 250

moteur

type	bicylindre 4-temps en V à 60 degrés, SACT, 2 soupapes par cylindre, refroidissement par air
alimentation	1 carburateur à corps de 26 mm
rapport volumétrique	10:1
cylindrée	249 cc
alésage et course	49 mm x 66 mm
puissance	21 ch @ 8 000 tr/min
couple	15,2 lb-pi @ 6 000 tr/min
boîte de vitesses	5 rapports
transmission finale	par chaîne

partie cycle

type de cadre	double berceau, en acier
suspension avant	fourche conventionnelle de 33 mm non ajustable
suspension arrière	2 amortisseurs ajustables en précharge
freinage avant	1 disque de 282 mm de Ø avec étrier à 2 pistons
freinage arrière	tambour mécanique
pneus avant/arrière	3,00-18 & 130/90-15
empattement	1 488 mm
hauteur de selle	685 mm
poids à vide	137 kg
réservoir de carburant	9,5 litres

INDEX DES CONCESSIONNAIRES

ANDRÉ JOYAL MOTONEIGE
438, rang Thiersant, St-Aimé Massueville
Tél.: (450) 788-2289

ANGEL MÉCANO MOTO MÉTRIQUE
3191, King Est, Fleurimont
Tél.: (819) 565-0188

AS MOTO INC.
8940, boul. Ste-Anne, Château-Richer
Tél.: (418) 824-5585

ATELIER DE RÉPARATION LAFORGE
1167, boul. Laure, Sept-Îles
Tél.: (418) 962-6051

CENTRE DU SPORT LAC ST JEAN
2500, avenue du Pont Sud, Alma
Tél.: (418) 662-6140

BEAUCE SPORT
610, boul. Vachon Sud, Ste-Marie-de-Beauce
Tél.: (418) 387-6655

CENTRE DE LA MOTO VANIER
776, boul. Hamel, Québec
Tél.: (418) 527-6907

CENTRE MOTO FOLIE
7871, Notre-Dame Est, Montréal
Tél.: (514) 493-1956

CENTRE SPORTS MOTORISÉS
186, boul. de L'Aéroport, Gatineau
Tél.: (819) 663-4444

CLÉMENT MOTOS
630, Grande Carrière, Louiseville
Tél.: (819) 228-5267

DESHAIE'S MOTOSPORT
8568, boul. St-Michel, Montréal
Tél.: (514) 593-1950

ENTREPRISE QUIRION & FILS
283, Pabos, Pabos
Tél.: (418) 689-2179

ENTREPRISE VILNEAU
1159, boul. Fiset, Sorel-Tracy
Tél.: (450) 742-7173

ÉQUIPEMENTS MOTORISÉS LES CHUTES
975, 5e avenue, Sawinigan Sud
Tél.: (819) 537-5136

ÉQUIPEMENT R.S. LACROIX
552, Principale Sud, Amos
Tél.: (819) 732-2177

ÉVASION HORS-PISTE
555, Route 220, St-Élie D'Orford
Tél.: (819) 821-3595

FRANCOFOR
171, boul. Perron Est, New-Richmond
Tél.: (418) 392-6577

GORDON &YVON
529, grand boulvard, Île Perrot
Tél.: (514) 453-3327

GUILLEMETTE ET FILS
1731, St-Désire, Thetford-Mines
Tél.: (418) 423-4737

JAC MOTOS SPORT
855, des Laurentides, St-Antoine
Tél.: (450) 431-1911

LABONTÉ SCIE A CHAINES
333, de la Cathédrale, Rimouski
Tél.: (418) 725-4545

LEHOUX SPORT
1407, Route 277, Lac Etchemin
Tél.: (418) 625-3081

LOCATION BLAIS INC.
280, avenue Larivière, Rouyn-Noranda
Tél.: (819) 797-9292

LOCATION VAL D'OR
336, avenue Centrale, Val-D'or
Tél.: (819) 825-3335

LOIGNON SPORT
1090, Route Kennedy, St-Côme, Beauce
Tél.: (418) 685-3893

MATANE MOTOSPORT
615, du Phare Est, Matane
Tél.: (418) 562-3322

MOTO DUCHARME
761, chemin des Prairies, Joliette
Tél.: (450) 755-4444

MOTO EXPERT
6500, boul. Laurier Est, St-Hyacinthe
Tél.: (450) 799-3000

MOTO FALARDEAU
1670, boul. Paquette, Mont-Laurier
Tél.: (819) 440-4500

MOTO MAG
2, du Pont, Chicoutimi
Tél.: (418) 543-3750

MOTO PERFORMANCE 2000 INC.
1500, Forand, Plessisville
Tél.: (819) 362-8505

MOTOPRO GRANBY
564, Dufferin, Granby
Tél.: (450) 375-1188

MOTO REPENTIGNY
101, Grenier, Charlemagne
Tél.: (450) 585-5224

MOTOS ILLIMITÉES
3250, des Entreprises, Terrebonne
Tél.: (450) 477-4000

MOTOSPORT NEWMAN
7308, boul. Newman, LaSalle
Tél.: (514) 366-4863

MOTO SPORT NEWMAN RIVE-SUD
3259, boul. Taschereau, Greenfield Park
Tél.: (450) 656-5006

MOTO SPORT ST-APOLINAIRE
356, rue Laurier, St-Apolinaire
Tél.: (418) 881-2202

NADON SPORT
280, Béthanie, Lachute
Tél.: (450) 562-2272

NADON SPORT
62, St-Louis, St-Eustache
Tél.: (450) 473-2381

PERFORMANCE N.C.
176, boul. Industriel, St-Germain-de-Grantham
Tél.: (819) 395-2464

PÉRUSSE MACHINERIE
329, Gervais, Trois-Rivières
Tél.: (819) 376-7436

R-100 SPORTS
512, chemin Chapleau, Bois-des-Filions
Tél.: (450) 621-7100

R. GOULET MOTO SPORTS
110, Turgeon, Ste-Thérèse
Tél.: (450) 435-2408

RÉGATE MOTO SPORT
5121, boul. Hébert, St-Timothée
Tél.: (450) 377-4447

RICHARD MOTO SPORT
945, chemin Rhéaume, St-Michel-de-Napierville
Tél.: (450) 454-9711

RIENDEAU SPORTS
1855, du Souvenir, Varennes
Tél.: (450) 652-3984

R.P.M. RIVE-SUD
4822, boul. de la Rive-Sud, Lévis
Tél.: (418) 835-1624

SPORT PLUS ST-CASMIR
480, Notre-Dame, St-Casimir
Tél.: (418) 339-3069

SUPER MOTO ST-HILAIRE
581, boul. Laurier, St-Hilaire
Tél.: (450) 467-1521

TECH MINI-MÉCANIQUE
196, chemin Haut-de-la-Rivière, St-Pacôme
Tél.: (418) 852-2922

À LA POINTE DE LA PUISSANCE / DE LA PERFORMANCE / DE LA PASSION

Kawasaki

SPORT D.R.C. (1991)
3055, avenue du Pont, Alma
Tél.: (418) 668-7389

HARRICANA AVENTURES
211, Principale Sud, Amos
Tél.: (819) 732-4677

GARAGE J-M VILLENEUVE
206, boul. St-Benoit Est, Amqui
Tél.: (418) 629-1500

RMB MOTOSPORT PLUS
458, Vanier, Aylmer
Tél.: (819) 682-6686

EXCÈS MOTOSPORTS
2633, boul. Laflèche, Baie-Comeau
Tél.: (418) 589-2012

JAMES LÉVESQUES & FILS
383, Route 132, Chandler
Tél.: (418) 689-2624

MOTO REPENTIGNY
101, Grenier, Charlemagne
Tél.: (450) 585-5224

PRO-PERFORMANCE GPL
7714, avenue Royale, Château-Richer
Tél.: (418) 824-3838

MARTIAL GAUTHIER LOISIRS
1015, boul. Ste-Geneviève, Chicoutimi
Tél.: (418) 543-6537

SUPER MOTO DESCHAILLONS
1101, Marie-Victorin, Deschaillons
Tél.: (819) 292-3438

PULSION SUZUKI
150 D, Route 122, (St-Germain) Drummondville
Tél.: (819) 395-4040

MOTO GATINEAU
666, boul. Maloney, Gatineau
Tél.: (819) 663-6162

EXCEL MOTO SPORT
474, Desjardins Sud, Granby
Tél.: (450) 776-7668

GERMAIN BOUCHER SPORTS
980, boul. Iberville, Iberville
Tél.: (450) 347-3457

ROLAND SPENCE & FILS
4364, boul. du Royaume, Jonquiere
Tél.: (418) 542-4456

LA BAIE MOTO SPORTS
1142, avenue du Pont, La Baie
Tél.: (418) 544-6530

MOTOSPORT LA SARRE
427, 2e Rue Est, La Sarre
Tél.: (819) 333-2249

LACHINE MOTO
2496, Remembrance, Lachine
Tél.: (514) 639-1619

MARINE NOR SPORT
25, boul. des Hauteurs, Lafontaine
Tél.: (450) 436-2070

LAVAL MOTO
315, boul. Cartier Ouest, Laval
Tél.: (450) 662-1919

MOTO FOLIE LAVAL
5952, boul. Arthur-Sauvé, Laval-Ouest
Tél.: (450) 627-6686

RPM RIVE-SUD
4822, boul. de la Rive-Sud, Lévis
Tél.: (418) 835-1624

CLÉMENT MOTOS
630, Grande Carrière, Louiseville
Tél.: (819) 228-5267

ZENON FORTIN
874, du Phare, Matane
Tél.: (418) 562-3072

SPORTS JLP
1596, boul. Gaboury, Mont-Joli
Tél.: (418) 775-3333

MONT-LAURIER SPORTS
224, boul. des Ruisseaux, Mont-Laurier
Tél.: (819) 623-4777

PERFORMANCE GP MONTMAGNY
230, chemin des Poiriers, Montmagny
Tél.: (418) 248-9555

CENTRE MOTO FOLIE
7871, Notre-Dame Est, Montréal
Tél.: (514) 493-1956

MONTRÉAL MOTO
7777, boul. Métropolitain Est, Montréal
Tél.: (514) 352-9999

MOTOROUTE DES LAURENTIDES
444, Ouimet, Mont-Tremblant
Tél.: (819) 429-6686

MOTO SPORT DE LA CAPITALE
1100, boul. Saguinay, Noranda
Tél.: (819) 762-7714

GRÉGOIRE SPORT
2061, Route 131, Notre-Dame-de-Lourde
Tél.: (450) 752-2201

MOTO SPORT OKA
151 A, Notre-Dame, Oka
Tél.: (450) 479-1922

GAÉTAN MOTO
1601, boul. Henri-Bourassa, Québec
Tél.: (418) 648-0621

SM SPORT
113, boul. Valcartier, (Loretteville) Québec
Tél.: (418) 842-2703

SUZUKI AUTO & MOTO RC
688, boul. du Rivage, Rimouski
Tél.: (418) 723-2233

SPORT PLUS
5, du Carrefour, Rivière-du-Loup
Tél.: (418) 862-9444

SPORT PATOINE
1431, Route Kennedy, Scott
Tél.: (418) 387-5574

ATELIER RÉPARATION LAFORGE
1167, boul. Laure, Sept-Îles
Tél.: (418) 962-6051

MOTOS THIBAULT SHERBROOKE
3750, du Blanc-Côteau, Sherbrooke
Tél.: (819) 569-1155

Y. LEROUX SPORT
250, Principale, St-Damase
Tél.: (450) 797-2281

MINI MOTEUR RG
1012, Bergeron, St-Agapit
Tél.: (418) 888-3692

GRÉGOIRE SPORT
1291 A, Route 343, St-Ambroise
Tél.: (450) 752-2442

ÉQUIPEMENTS F.L.M.
1346, boul. St-Antoine, (St-Antoine) St-Jérome
Tél.: (450) 436-8838

LANTHIER SPORTS
116, Ste-Agathe, Ste-Agathe des Monts
Tél.: (819) 326-3173

SPORT COLLETTE RIVE-SUD
1233, Armand Frappier, Ste-Julie
Tél.: (450) 649-0066

BELLEMARE MOTO
1571, Principale, St-Étienne-des-Grès
Tél.: (819) 535-3726

SPORT BELLEVUE
1395, Sacré-Coeur, St-Félicien
Tél.: (418) 679-1005

BEAUCE SPORTS ST-GEORGES
15655, boul. Lacroix Est, St-Georges (Beauce)
Tél.: (418) 228-6619

SUPER MOTO ST-HILAIRE
581, boul. Laurier, St-Hilaire
Tél.: (450) 467-1521

CLAUDE STE-MARIE SPORTS
5925, chemin Chambly, St-Hubert
Tél.: (450) 678-4700

MOTO R.L. LAPIERRE
1307, rue St-Édouard, St-Jude
Tél.: (450) 792-2366

M. BROUSSEAU & FILS
163, Principale, Ste-Justine
Tél.: (418) 383-3212

DION MOTO
840, Côte Joyeuse, St-Raymond (Portneuf)
Tél.: (418) 337-2776

MOTOS ILLIMITÉES
3250, boul de L'Entreprise, Terrebonne
Tél.: (450) 477-4000

MOTO JMF
842, boul. Frontenac Ouest, Thetford Mines
Tél.: (418) 335-6226

MARINA TRACY SPORTS
3890, chemin St-Rock, Tracy
Tél.: (450) 742-1910

MOTO THIBAULT MAURICIE
205, Dessurault, Trois-Rivières
Tél.: (819) 375-2727

MARTIN AUTO CENTRE
1086, 3e avenue, Val-d'Or
Tél.: (819) 824-4575

SPORT BOUTIN
2000, boul. Hébert, Valleyfield
Tél.: (450) 373-6565

ACTION MOTOSPORT
124, Joseph-Cartier, Vaudreuil
Tél.: (450) 510-5100

RM MOTOSPORT
22, boul. Arthabasca (Route 116), Victoriaville
Tél.: (819) 752-6427

Un mode de vie !

PLAN DE PROTECTION

ABITIBI/TÉMISCAMINGUE

SCIE ET MARINE FERRON
7, rue Principale Nord, Bearn
Tél. : (819) 726-3231

MOTO SPORT DU CUIVRE
175, boul. Evain Est, Evain Via Rouyn
Tél. : (819) 768-5611

DIMENSION SPORT
208, Route 393 Sud, La Sarre
Tél. : (819) 333-3030

LOCATION VAL D'OR
336, rue Centrale, Val-D'or
Tél. : (819) 825-3335

HARRICANA AVENTURES
211, Principale Sud, Amos
Tél. : (819) 732-4677

BAS ST-LAURENT

LIONEL CHAREST & FILS
472, rue Principale, Pohénégamook
Tél. : (418) 893-5334

P. LABONTÉ ET FILS
1255, Industrielle, Mont-Joli
Tél. : (418) 775-5877

PELLETIER MOTO SPORT
356, Témiscouata, Rivière-du-Loup
Tél. : (418) 867-4611

PROMOTO
230, chemin des Poirier, Montmagny
Tél. : (418) 248-9555

CENTRE DU QUÉBEC

EUGÈNE FORTIER & FILS
100, boul. Baril, Princeville
Tél. : (819) 364-5339

N.D.B. SPORTS (1987)
263, rue St-Louis, Warwick
Tél. : (819) 358-2275

CMS EXTREME INC.
2445, rue St-Pierre, Drummondville
Tél. : (819) 475-0110

CHAUDIÈRE-APPALACHES

MINI MOTEURS R.G
1012, avenue Bergeron, St-Agapit
Tél. : (418) 888-3692

SPORT TARDIF
428, rue Principale, Vallée Jonction
Tél. : (418) 253-6164

MOTO JMF
842, boul. Frontenac Ouest, Thetford Mines
Tél. : (418) 335-6226

MOTO PRO
6685, 127e Rue, St-Georges Est (Beauce)
Tél. : (418) 228-7574

CÔTE-NORD

CHARLEVOIX MOTO SPORT
531, St-Étienne, La Malbaie
Tél. : (418) 665-9927

SEPT-ÎLES MOTOSPORTS
487, avenue Québec, Sept-Îles
Tél. : (418) 961-2111

EXCÈS MOTOSPORT
2633, boul. La Flèche, Baie-Comeau
Tél. : (418) 589-2012

ESTRIE

MOTOS THIBAULT SHERBROOKE
3750, du Blanc-Coteau, Sherbrooke
Tél. : (819) 569-1155

GARAGE RÉJEAN ROY
2760, rue Laval, Lac Mégantic
Tél. : (819) 583-5266

GAGNÉ-LESSARD SPORTS
16, Route 147, Coaticook
Tél. : (819) 849-4849

PICOTTE PERFORMANCE
1257, rue Principale, Granby
Tél. : (450) 777-5486

MOTOPRO GRANBY
564, Dufferin, Granby
Tél. : (450) 375-1188

GASPÉSIE

BOUTIQUE DE LA MOTO (MATANE)
1416, avenue du Phare Ouest, Matane
Tél. : (418) 562-5528

ABEL-DENIS HUARD MARINE ET MOTO
12, Route Leblanc, Pabos
Tél. : (418) 689-6283

NEW-RICHMOND MÉCANIQUE SPORT
162, Route 132, New Richmond
Tél. : (418) 392-5281

GARAGE LÉON COULOMBE ET FILS
40, Cloutier, Mont St-Pierre
Tél. : (418) 797-2103

MINI MÉCANIQUE GASPÉ
5, rue des Lilas, Parc Industriel, Gaspé
Tél. : (418) 368-5733

AVENTURES SPORT MAX
141, boul. Interprovincial, Pointe-à-La-Croix
Tél. : (418) 788-5666

ILES-DE-LA-MADELEINE

I.M. MOTOSPORTS
375, ch. Oscar, Cap-aux-Meules, Îles-de-la-Madeleine
Tél. : (418) 986-4515

LANAUDIÈRE

GRÉGOIRE SPORT
1291, Route 343, St-Ambroise-de-Kildaire
Tél. : (450) 755-9024

GRÉGOIRE SPORT
2061, boul. Barrette, Notre-Dame-de-Lourdes
Tél. : (450) 752-2201

MOTO REPENTIGNY
101, rue Grenier, Charlemagne
Tél. : (450) 585-5224

MOTOS ILLIMITÉES
3250, boul. des Entreprises, Terrebonne
Tél. : (450) 477-4000

LAURENTIDES

CENTRE DU SPORT ALARY
1324, Route 158, St-Jérôme
Tél. : (450) 436-2242

GÉRALD COLLIN SPORTS
1664, Route 335, St-Lin
Tél. : (450) 439-2769

NADON SPORT
280, Béthanie, Lachute
Tél. : (450) 562-2272

DESJARDINS STE-ADÈLE MARINE
1961, boul. Ste-Adèle, Ste-Adèle
Tél. : (450) 229-2946

MONT-LAURIER SPORTS
224, boul. des Ruisseaux, Mont-Laurier
Tél. : (819) 623-4777

DÉFI SPORT
228, Route 117, Mont-Tremblant
Tél. : (819) 425-2345

XTREME QUAD
169, Route 117, Mont-Tremblant
Tél. : (819) 681-6686

MAURICIE

J. SICARD SPORT
811, boul. St-Laurent Est, Louiseville
Tél. : (819) 228-5803

LE DOCTEUR DE LA MOTO
4919, rang St-Joseph, Ste-Perpétue
Tél. : (819) 336-6307

DENIS GÉLINAS MOTOS
1430, boul. Ducharme, La Tuque
Tél. : (819) 523-8881

MOTOS THIBAULT MAURICIE (1992)
205, Dessureault, Trois-Rivières
Tél. : (819) 375-2222

SPORTS PLUS ST-CASIMIR
480, Notre-Dame, St-Casimir
Tél. : (418) 339-3069

MONTÉRÉGIE

VARIN YAMAHA
245, St-Jacques, Napierville
Tél. : (450) 245-3663

SPORT BOUTIN
2000, boul. Hébert, Valleyfield
Tél. : (450) 373-6565

SPORT COLLETTE RIVE-SUD
4740, Route Marie-Victorin, Varennes
Tél. : (450) 652-2405

SUPER MOTO ST-HILAIRE
581, boul. Laurier, St-Hilaire
Tél. : (450) 467-1521

MOTO-CLINIQUE ST-JEAN
92, Jacques-Cartier Sud, St-Jean-sur-Richelieu
Tél. : (450) 346-4795

MOTO R.L. LAPIERRE
1307, St-Edouard, St-Jude
Tél. : (450) 792-2366

MOTO EXPERT
6500, boul. Laurier Est, Saint-Hyacinthe
Tél. : (450) 799-3000

JASMIN PÉLOQUIN SPORTS
1210, boul. Fiset, Sorel-Tracy
Tél. : (450) 742-7173

J.R. CAZA & FRÈRE
3755, Route 132, St-Anicet
Tél. : (450) 264-2300

YAMATEK EXTRÊME
1141, rang de L'église, Marieville
Tél. : (450) 460-6686

NOUVEAU QUÉBEC

LA FÉDÉ DES COOP DU NOUV. QUÉBEC
19 950, Clark Graham, Baie D'Urfé
Tél. : (514) 457-9371

OUTAOUAIS

LES ENTREPRISES HENRI CHARTRAND
1087, Route 148, Masson-Angers
Tél. : (819) 986-3595

LES SPORTS DAULT ET FRÈRES ENR.
383, boul. Desjardins, Maniwaki
Tél. : (819) 449-1001

MOTO GATINEAU (1985)
656, boul. Maloney Est, Gatineau
Tél. : (819) 663-6162

RMB MOTOSPORT PLUS
458, Vanier, Gatineau
Tél. : (819) 682-6686

RÉGION DE MONTRÉAL

NADON SPORT
62, rue St-Louis, St-Eustache
Tél. : (450) 473-2381

SPORTS MONETTE
251, boul. des Laurentides, Laval
Tél. : (450) 668-6466

DESHAIES MOTOSPORT
8568, boul. St-Michel, Montréal
Tél. : (514) 593-1950

MOTO SPORT NEWMAN
7308, boul. Newman, LaSalle
Tél. : (514) 366-4863

CENTRE MOTO FOLIE
7871, Notre-Dame Est, Montréal
Tél. : (514) 493-1956

M4 LOISIRS
192, rue Principale, Châteauguay
Tél. : (450) 692-8936

ALEX BERTHIAUME & FILS
4398, de la Roche, Montréal
Tél. : (514) 521-0230

SÉGUIN SPORT
5, St-Jean-Baptiste, Rigaud
Tél. : (450) 451-5745

M.R. CHICOINE SPORTS
14400, boul. Pierrefonds, Pierrefonds
Tél. : (514) 626-1919

MOTOSPORT NEWMAN RIVE-SUD
3259, boul. Taschereau, Greenfield Park
Tél. : (450) 656-5006

RÉGION DE QUÉBEC

RPM RIVE-SUD
4822, boul. de la Rive-Sud, Lévis
Tél. : (418) 835-1624

S.M. SPORT
113, boul. Valcartier, Loretteville
Tél. : (418) 842-2703

G.L. SPORT
94, rue Principale, St-Gervais-de-Bellechasse
Tél. : (418) 887-3691

PERFORMANCE VOYER
125, Grande Ligne, St-Raymond-de-Portneuf
Tél. : (418) 337-8744

MOTOS SPORTS AUCLAIR
200, boul. Wilfrid Hamel, Québec
Tél. : (418) 681-3533

GRAVEL SPORTS
7240, boul. Ste-Anne, Château-Richer
Tél. : (418) 824-4335

SAGUENAY/LAC ST-JEAN

SPORTS PLEIN-AIR GAGNON
215, 3e rue, Chibougamau
Tél. : (418) 748-3134

MARTIAL GAUTHIER LOISIRS
1015, boul. Ste-Geneviève, Chicoutimi-Nord
Tél. : (418) 543-6537

CHAMBORD SPORT YAMAHA
1454, rue Principale, Chambord Lac St-Jean
Tél. : (418) 342-6202

SAGUENAY MARINE
1911, Ste-Famille, Jonquière
Tél. : (418) 547-2022

MAXIMUM SPORT
850, boul. Sacré-Cœur, St-Félicien
Tél. : (418) 679-3000

ÉVASION SPORT D.R
2639, Route 170, Laterrière
Tél. : (418) 678-2481

CENTRE DU SPORT LAC ST-JEAN
2500, avenue du Pont Sud, Alma
Tél. : (418) 662-6140

GAUDREAULT YAMAHA
2872, boul. Wallberg, Dolbeau-Mistassini
Tél. : (418) 276-2393

ADRÉNALINE SPORTS EXTRÊMES
1841, boul. Hamel Ouest, Québec
Tél. : (418) 687-0383

ANDRÉ JOYAL MOTO INC.
438, rang Thiersant, St-Aimé-de-Massuville
Tél. : (450) 788-2289

GARAGE C.M. BARBEAU
5990, des Érables, St-Émile
Tél. : (418) 843-9424

MONETTE SPORTS
251, boul des Laurentides, Laval
Tél. : (450) 668-6466

MOTO MONTRÉAL CYCLE
1601, Wellington, Montréal
Tél. : (514) 932-9718

index des concessionnaires BMW

ÉVASION BMW
5020, boul. Industriel, Sherbrooke
Tél. : (819) 821-3595

MONETTE SPORTS
251, boul. des Laurentides, Laval
Tél. : (450) 668-6466

MOTO INTERNATIONALE
6695, rue St-Jacques Ouest, Montréal
Tél. : (514) 483-6686

MOTO VANIER
776, boul. Hamel, Québec
Tél. : (418) 527-6907

index des concessionnaires DUCATI

LE CENTRE DE LA MOTO VANIER INC
176, boul. Hamel, Québec
Tél. : (418) 527-6907

MONETTE SPORTS
251, boul. des Laurentides, Laval
Tél. : (450) 668-6466

index des concessionnaires HARLEY-DAVIDSON / BUELL

ATELIER DE MÉCANIQUE PRÉMONT
2495, boul. Wilfrid-Hamel Ouest, Québec
Tél. : (418) 683-1340

BLANCHETTE
515, rue Leclerc, local 104, Repentigny
Tél. : (450) 582-2442

BOILEAU MOTO SERVICE ET HARLEY-DAVIDSON ACTON VALE
888, route 116 Ouest, Acton Vale
Tél. : (450) 549-4341

CENTRE DE MOTOS
8705, boul. Taschereau, Brossard
Tél. : (450) 674-3986

HAMILTON & BOURASSA
324, boul. Lasalle, Baie-Comeau
Tél. : (418) 296-9191

HARLEY-DAVIDSON DE L'OUTAOUAIS
22, boul. Mont-Bleu, Gatineau
Tél. : (819) 772-8008

HARLEY-DAVIDSON LAVAL
4501, autoroute Laval Ouest, Laval
Tél. : (450) 973-4501

HARLEY-DAVIDSON MONTRÉAL
6695, rue St-Jacques, Montréal
Tél. : (514) 483-6686

HARLEY-DAVIDSON RIMOUSKI
424, montée Industrielle, Rimouski
Tél. : (418) 724-0883

L'AMI DENIS
2, rue Queen, Lennoxville
Tél. : (819) 565-1376

MOTO SPORT BIBEAU
372, rue Gareau, Jacola
Tél. : (819) 824-2541

MOTO SPORT BLANCHETTE
4350, Arsenault, Bécancour
Tél. : (819) 233-3303

MOTOSPORTS G.P.
12, route 116, Victoriaville
Tél. : (819) 758-8830

NEW RICHMOND MÉCANIQUE SPORT
162, route 132, New Richmond
Tél. : (418) 392-5281

PRÉMONT BEAUCE HARLEY-DAVIDSON
3050, Kennedy Road, Notre-Dame-des-Pins
Tél. : (418) 774-2453

R.P.M. MOTO PLUS
2510, rue Dubose, Jonquière
Tél. : (418) 699-7766

SHAWINIGAN HARLEY-DAVIDSON
6033, boul. des Hêtres, Shawinigan
Tél. : (819) 539-8151

SHERBROOKE HARLEY-DAVIDSON
4203, King Ouest, Sherbrooke
Tél. : (819) 563-0707

SPORT BOUTIN
2000, boul. Hébert, Valleyfield
Tél. : (450) 373-6565

AUX PETITS MOTEURS
1717, boul. de la Rive-Sud, St-Romuald
Tél.: (418) 839-6384

CMR SPORTS ET MOTONEIGES
261, Route de la Cité des Jeunes, St-Lazare
Tél.: (450) 455-5757

ÉQUIPEMENTS JOCELYN FRENETTE
386, boul. Centenaire, St-Basile-de-Portneuf
Tél.: (418) 329-2870

ÉQUIPEMENTS LES CHUTES
975, 5e Avenue, Shawinigan
Tél.: (819) 537-5136

HAWKESBURY MOTORSPORTS
1500, Main Street Est, Hawkesbury Ontario
Tél.: (450) 455-5757

JEAN MORNEAU
91, boul. Cartier, Rivière-du-Loup
Tél.: (418) 860-3632

JEAN MORNEAU
735, Taché, Ville Saint-Pascal
Tél.: (418) 492-3632

JOHNNY'S MOTOSHOP
2450, des Autels, St-Hubert
Tél.: (514) 247-4291

LACHANCE & FILS
505, 17ième Rue, Québec
Tél.: (418) 647-4500

MANIWAKI SPORTS
403, rue des Oblats, Maniwaki
Tél.: (819) 449-5325

MAURICE BROUSSEAU & FILS
163, route 204, Ste-Justine-de-Bellechasse
Tél.: (418) 383-3218

MOTO L.S.
1070, boul. du Seminaire, St-Jean-sur-Richelieu
Tél.: (819) 348-4343

PERFORMANCE NC
176, boul Industriel, Drummondville (sortie 170 autoroute 20)
Tél.: (819) 395-2464

REPARATION V.R.
741, rue Principale Sud, L'Annonciation
Tél.: (819) 275-5832

R DAOUST / MAISLIN AUTO
1508, Route 335, St-Lin-Laurentides
Tél.: (450) 439-2502 / (514) 366-1224

R-100 SPORT
512, boul. Chapeleau, Bois-des-Filion
Tél.: (450) 621-7100

TOP MOTO HYOSUNG DE MONTRÉAL
788, ave. Atwater, Montréal
Tél.: (514) 932-5002

DUROY PIÈCES D'AUTOS
264, route 132, St-Constant
Tél.: (450) 632-9871

ENDURO KTM
266, Seigneuriale, Beauport
Tél.: (418) 661-5683

EXCEL MOTOSPORTS
474, Desjardins Sud, Granby
Tél.: (450) 776-7668

EXCES MOTOSPORTS
2633, boul. Laflèche, Baie-Comeau
Tél.: (418) 589-2012

GRÉGOIRE SPORT
1291, route 343, St-Ambroise-de-Kildaire
Tél.: (450) 752-2442

HARRICANA AVENTURES
211, Principale Sud, Amos
Tél.: (819) 732-4677

JA-PER-FORMANCE
410, ave. Pie-X, St-Christophe-d'Arthabaska
Tél.: (819) 357-9677

JOS BESSON CHIBOUGAMAU
882, 3e Rue, Chibougamau
Tél.: (418) 748-1166

LEBLOND MOTO SPORT
2287, boul. Talbot, Chicoutimi
Tél.: (418) 543-4455

MONETTE SPORTS
251, boul. des Laurentides, Laval
Tél.: (450) 668-6466

MOTOSPORT 4 SAISONS
465, rue Dessureault, Trois-Rivières
Tél.: (819) 374-4444

ROCK MOTO SPORT
989, rue Fortier, Sherbrooke
Tél.: (819) 564-8008

SPORTS PLUS
5, Du Carrefour, Rivière-du-Loup
Tél.: (418) 862-9444

TY MOTEURS
1091, rue Commerciale, St-Jean-Chrysostome
Tél.: (418) 833-0500